EEN VERGETEN MELODIE

Eveneens van Katherine Webb:
De erfenis van de zussen

Katherine Webb

Een vergeten melodie

Voor Pea

Eerste druk, juli 2013

Oorspronkelijke titel *A Half Forgotten Song*
First published in Great Britain in 2012 by Orion Books, an imprint of The Orion Publishing Group Ltd, London

De Kern, een imprint van Uitgeverij De Fontein, Utrecht
Vertaling: Mechteld Jansen
Omslagontwerp: b'IJ Barbara
Omslagillustratie © stocker1970
Auteursfoto omslag: Jennie Frampton
Opmaak binnenwerk: ZetSpiegel, Best
ISBN 978 90 325 1383 2
ISBN e-book 978 90 325 1384 9
NUR 302

MIX
Papier van verantwoorde herkomst
FSC® C009076
FSC www.fsc.org

www.dekern.nl

Alle personen in dit boek zijn door de auteur bedacht. Enige gelijkenis met bestaande – overleden of nog in leven zijnde – personen berust op puur toeval.

1

Het waaide zo hard dat ze zich tussen twee werelden heen en weer geslingerd voelde, verwikkeld in zo'n levensechte dagdroom dat de grenzen eerst vervaagden en daarna helemaal verdwenen. De storm raasde om de hoeken van het huis, loeide door de schoorsteen en beukte in de bomen. Maar boven dat alles uit klonk het geluid van de zee, die in golven tegen de rotskust sloeg en uiteenspatte op de rotsen onder aan het klif. Een donderende bastoon die door haar botten omhoogdreunde vanuit de vloer onder haar voeten, zodat ze hem helemaal tot in haar borst kon voelen.

Ze had zitten dommelen in haar stoel bij de laatste resten van het vuur. Te oud en te moe om op te staan en zichzelf naar boven te slepen, naar bed. Maar nu had de wind het keukenraam opengerukt en liet het zo hard in zijn scharnieren klapperen dat de volgende klap weleens de laatste zou kunnen zijn. Het raamkozijn was verrot; het bleef al jarenlang alleen maar dichtzitten als je er een dubbelgevouwen stuk papier tussen klemde. Het geluid drong haar droom binnen en maakte haar wakker. Ze balanceerde nog op het randje van de slaap toen de koude nachtlucht binnenstroomde en haar voeten omspoelde als de opkomende vloed. Ze moest opstaan en het raam dichtklemmen voordat de ruit stuksloeg. Ze deed haar ogen open; er was genoeg licht om de contouren van de kamer te onderscheiden. Achter het raam joeg de maan door de lucht, half verscholen achter wolkenflarden.

Huiverend liep ze naar het keukenraam, waar de wind een laagje zout tegen het glas blies. De botten van haar voeten drukten pijnlijk in haar huid. Doordat ze in de stoel geslapen had waren haar heupen en rug zo stijf als een plank; het kostte veel moeite om de gewrichten in beweging te krijgen. De tocht blies haar haar omhoog en maakte haar aan het rillen, maar ze snoof hem met gesloten ogen op: de geur van de zee was haar zo dierbaar, zo vertrouwd. Het was de geur van alles wat ze kende, de geur van haar thuis en haar gevangenis, haar persoonlijke, eigen geur. Toen ze haar ogen weer opendeed stokte haar adem.

Daar stond Celeste. Daarbuiten op de kliffen, met haar rug naar het huis en haar gezicht naar de zee, zilver gekleurd door het maanlicht. Het wateroppervlak van het Kanaal kolkte en ziedde, nevel stoof op van de witte schuimkoppen en geselde de kust. Ze voelde het hard en bijtend spetteren in haar gezicht. Hoe kon Celeste daar staan? Na zo veel lange jaren, nadat ze zo volledig verdwenen was? Maar ze was het absoluut. Die lange, bekende rug, haar soepele ruggengraat die overging in weelderig gevormde heupen, haar armen recht langs haar lijf met de vingers gespreid. *Ik vind het fijn om de wind tussen mijn vingers door te voelen waaien.* Haar woorden leken dwars door het raam heen te komen, uitgesproken met die aparte keelklanken van haar. Lang haar en een lange, vormeloze jurk die achter haar opwaaide; de stof benadrukte de contouren van haar bovenbenen, middel en schouders. Toen verscheen er ineens een helder beeld – van hem, terwijl hij Celeste tekende, met die angstaanjagend intense blik in zijn ogen, die onverstoorbare concentratie. Ze sloot haar ogen opnieuw en hield ze stijf dicht. De herinnering was dierbaar en onverdraaglijk tegelijk.

Toen ze haar ogen weer opendeed, zat ze nog in haar stoel. Het raam klapperde en de wind waaide nog steeds naar binnen. Was ze dan helemaal niet opgestaan? Was ze niet naar het raam gelopen, had ze Celeste niet gezien? Ze wist niet of dat echt was geweest en ze nu droomde, of andersom. Haar hart bonsde bij de gedachte – dat Celeste was teruggekomen, dat Celeste had ontdekt wat er gebeurd was en wiens schuld dat was. Voor haar geestesoog flitste de felle, boze blik van de vrouw even op. Ze zag alles en keek recht door haar heen. En ineens wist ze het. *Een voorteken,* hoorde ze de zure stem van haar moeder in haar oor, zo duidelijk dat ze om zich heen keek of Valentina er echt was. Er lagen schaduwen in de hoeken van de kamer, die naar haar terug staarden. Haar moeder had weleens beweerd dat zij de gave had en ze zocht bij haar dochter altijd naar tekenen ervan. Ze moedigde elk vermoeden van helderziendheid aan. Misschien was dit eindelijk waar Valentina op gehoopt had, want op dat moment wíst ze gewoon dat er verandering op til was. Zo zeker als de diepte van de zee. Na al die lange jaren ging er iets veranderen. Er kwam iemand. De angst nam haar stevig in zijn greep.

De vroege ochtendzon stroomde door de hoge etalageruiten de galerie binnen en kaatste verblindend op van de vloer. Een late zomerzon, die nog altijd warm was en een mooie dag beloofde, maar toen Zach de voordeur opende hing er een stevige koelte in de lucht die er de week daarvoor nog niet was geweest. Een vochtige, scherpe lucht die een voorbode was van de herfst. Zach haalde diep adem en keerde zijn gezicht even naar de zon. Herfst. Wisseling van het seizoen, het einde van de aangename adempauze die hij had gehad: van doen alsof alles zou blijven zoals het was. Vandaag was de laatste dag, Elise ging weg.

Hij keek in beide richtingen de straat af. Het was nog maar acht uur en er liep niemand door het straatje in Bath. Gilchrist Gallery lag aan een smalle zijstraat op ongeveer honderd meter van Great Pulteney Street, een belangrijke winkelstraat. Zo dichtbij dat hij gemakkelijk te vinden zou zijn, had hij gedacht. Zo dichtbij dat mensen zijn uithangbord zouden zien als ze in het voorbijgaan toevallig de straat in keken. En het uithangbord was duidelijk zichtbaar – dat had hij gecontroleerd. Alleen keken er verbazingwekkend weinig mensen naar links of rechts als ze door Great Pulteney Street liepen. Het was nu toch nog te vroeg om te winkelen, stelde hij zichzelf gerust. De gestage stromen mensen die aan het eind van de straat door elkaar heen liepen, maakten de doelgerichte, gehaaste indruk van mensen op weg naar hun werk. Het gedempte geluid van hun voetstappen droeg ver in de stilte en kroop over pikzwarte schaduwplekken en vlakken verblindend zonlicht naar hem toe. Het geluid leek de stilte bij Zachs deur pijnlijk te benadrukken. Een galerie moest het niet hebben van toevallige voorbijgangers of winkelend publiek, bedacht hij. Een galerie was iets waar de juiste mensen doelbewust op af moesten komen. Zuchtend ging hij naar binnen.

Zachs galerie was een juwelierszaak geweest voordat hij vier jaar geleden de huur had overgenomen. Tijdens de herinrichting kwamen vanonder de toonbank en achter de plinten metalen schakeltjes en haakjes tevoorschijn; kleine stukjes goud- en zilverdraad. Op een dag vond hij zelfs een edelsteen, weggestopt achter een plank in een kier tussen het hout en de muur. Hij viel met een stevig plofje op zijn voet toen hij de plank weghaalde. Een klein, glinsterend, volkomen doorzichtig steentje dat een diamant zou kunnen zijn. Zach hield het bij zich en beschouwde het als een goed voorteken. Maar misschien was het eerder een vloek geweest, bedacht hij. Misschien had hij de vroegere juwelier moeten opzoeken om het terug te geven. De ligging van de zaak was perfect: op een lichte helling met grote ramen op het zuidoosten die alle ochtendzon naar de vloer leidden in plaats van naar de muren waaraan de kwetsbare kunstwerken hingen. Zelfs op donkere dagen leek het binnen licht, de ruimte was groot genoeg om een stap achteruit te kunnen doen om de grotere stukken vanaf de juiste afstand te bewonderen.

Niet dat er op dat moment veel grote werken hingen. De week daarvoor had hij eindelijk het landschap van Waterman verkocht, een werk van een van de plaatselijke moderne kunstenaars. Het had zo lang in de etalage gehangen dat Nick Waterman bezorgd begon te raken dat de kleuren zouden verbleken, en het was net op tijd verkocht om te voorkomen dat de schilder zijn hele collectie ergens anders onderbracht. *Zijn hele collectie,* snoof Zach inwendig. Drie stadsgezichten op Bath vanuit verschillende uitkijkpunten in de omringende heuvels en een nogal sentimenteel strandtafereel van een meisje dat een rode Ierse setter uitlaat. Alleen vanwege de kleur van de hond had hij het doek willen opnemen. Een onwerkelijk koperrood, een sprankje leven in een verder saai decor. De opbrengst van het schilderij, die eerlijk verdeeld was tussen de galerie en de kunstenaar, had Zach voldoende opgeleverd om zijn wegenbelasting te betalen, zodat hij weer met zijn auto de weg op kon. Precies op tijd om Elise mee te nemen op leuke, wat verder weg gelegen dagtripjes. Ze waren naar de grotten bij Cheddar geweest, naar Longleat, en hadden gepicknickt in Savernake Forest. Hij draaide zich langzaam om, ging met zijn blik langs een aantal kleine, maar aardige stukken van verschillende twintigste-eeuwse schilders en een paar recente aquarellen van plaatselijke kunstenaars, en bleef vervolgens steken bij het kloppend hart van de collectie: drie tekeningen van Charles Aubrey.

Hij had ze met veel zorg naast elkaar opgehangen, aan de muur met de beste lichtval en op de juiste hoogte. De eerste was een ruwe potloodschets met als titel *Mitzy, plukkend.* Het onderwerp zat onelegant op haar hurken, met haar rug naar de schilder toe en met haar knieën onder de stof van een eenvoudige rok wijd uitgespreid. Haar bloes was slordig in haar tailleband gepropt en was aan de achterkant zo ver omhooggekropen dat er een stukje blote huid te zien was. Het was een ruwe, haastige contourschets, maar toch was dit kleine stukje van haar rug, de inkeping van haar ruggengraat, zo goed getroffen dat Zach er altijd even met zijn duim overheen wilde strijken om de zachte huid en de harde spieren daaronder te voelen. De zweetdruppeltjes op de plek waar de zon haar verwarmde. Het meisje was zo te zien loof aan het sorteren in een rieten mandje dat op de grond tussen haar knieën stond; alsof ze de kritische blik van de toeschouwer voelde, alsof ze de ongevraagde aanraking van haar rug al voelde aankomen, hield ze haar gezicht iets naar haar schouder gebogen zodat haar oor en de omtrek van haar wang zichtbaar waren. Van haar oog was niets te zien, behalve een glimp van wimpers achter de gewelfde lijn van een jukbeen, en toch kon Zach haar oplettendheid voelen, voelen hoe bewust ze zich was van degene die achter haar zat. Van de kijker, zoveel jaar later, of van de kunstenaar op het moment van tekenen? De tekening was gesigneerd en gedateerd in 1938.

Het volgende werk was een tekening van wit en zwart krijt op vaalgeel papier. Het was een portret van Celeste, de maîtresse van Charles Aubrey. Celeste – de achternaam van de vrouw scheen nergens te zijn vastgelegd – was van Frans-Marokkaanse afkomst en had een honingkleurige teint onder massa's zwart haar. De tekening toonde alleen haar hoofd en hals tot aan haar sleutelbeenderen, en in dat kleine segment zat de woede van de vrouw zo treffend gevangen dat Zach mensen die het voor het eerst zagen vaak een beetje zag terugdeinzen, alsof ze verwachtten dat ze een uitbrander kregen omdat ze ernaar durfden te kijken. Zach vroeg zich vaak af waarom ze zo kwaad was, maar het vuur in haar ogen vertelde hem dat de kunstenaar zich op glad ijs had begeven door exact dat moment te kiezen om haar te tekenen. Celeste was heel mooi. Al Aubrey's liefjes waren heel mooi geweest, en zelfs als ze dat niet waren op de conventionele manier, wist hij in zijn portretten nog de essentie van hun aantrekkingskracht te vangen. Maar bij Celeste, met haar volmaakt ovale gezicht, grote amandelvormige ogen en weelderig inktzwart haar, bestond er geen enkele twijfel. Haar gezicht, haar gelaatsuitdrukking was krachtig, onverschrokken, ronduit fascinerend. Geen wonder dat ze Charles Aubrey zo lang had weten te boeien. Langer dan alle andere maîtresses die hij had gehad.

Het derde werk van Aubrey bewaarde hij altijd voor het laatst, zodat hij er het langst naar kon kijken. *Delphine, 1938.* De dochter van de kunstenaar, op dertienjarige leeftijd. Hij had haar getekend vanaf haar knieën, weer met potlood, staand met haar handen voor zich gevouwen, gekleed in een bloes met een matrozenkraag en met haar krullende haar in een paardenstaart. Ze stond voor driekwart naar de kunstenaar toegekeerd met stijve, strakke schouders, alsof haar net was opgedragen rechtop te gaan staan. Het leek alsof ze verlegen voor een schoolfoto stond te poseren, maar er speelde een nerveus glimlachje om de mond van het meisje, alsof ze geschrokken was van de aandacht, maar er toch onverwacht blij mee was. De zon viel in haar ogen en op haar haar, en met een paar kleine details was Aubrey erin geslaagd de onzekerheid van het meisje zo duidelijk weer te geven dat het leek alsof ze elk moment van houding kon veranderen, haar glimlach achter haar hand zou verbergen en haar gezicht verlegen wegdraaien. Ze was timide, onzeker over zichzelf, gedwee. Zach hield van haar met een verbazingwekkende intensiteit die deels vaderlijk beschermend en deels iets anders was. Haar gezicht was nog dat van een kind, maar in haar gelaatsuitdrukking, haar ogen, waren al tekenen te zien van de vrouw die ze zou worden. Ze was de belichaming van de adolescentie, van een nieuwe belofte, van de lente die op uitbarsten staat. Zach had uren naar haar portret staan kijken, wensend dat hij haar had gekend.

Het was een prijzige tekening en als hij hem had willen verkopen zou dat voor een hele tijd brood op de plank hebben gebracht. Hij wist zelfs aan wie hij hem kon verkopen, de volgende dag nog als hij dat wilde. Aan Philip Hart, een medebewonderaar van Aubrey. Drie jaar geleden had Zach op een veiling in Londen meer voor de tekening geboden dan hij en sindsdien kwam Philip er twee of drie keer per jaar naar kijken en informeren of Zach hem al wilde verkopen. Maar Zach was nog niet zover. Hij had het idee dat hij nooit zover zou komen. Bij zijn laatste bezoek had Hart hem zeventienduizend pond geboden en toen had Zach, voor de allereerste keer, geaarzeld. Hoe mooi ze ook waren, hij had met de helft van dat bedrag genoegen genomen voor de tekeningen van Celeste of Mitzy, de andere restanten van zijn almaar slinkende Aubrey-collectie. Maar hij kon geen afstand doen van *Delphine*. Op andere tekeningen van haar – en dat waren er niet veel – was ze een mager kind, een achtergrondfiguurtje, dat overschaduwd werd door de sprankelende aanwezigheid van haar zus

Élodie of de krachtige Celeste. Maar op deze ene tekening was ze zichzelf; levendig en op de drempel van alles wat nog komen zou. Wat dat ook geweest mocht zijn. Dit was de laatste bewaard gebleven tekening van haar die Aubrey had gemaakt voor zijn catastrofale beslissing om in de Tweede Wereldoorlog op het Europese vasteland te gaan vechten.

Nu stond Zach naar haar te kijken, naar haar prachtig weergegeven handen met de korte stompe nagels; naar de kreukels in het lint dat haar haar bijeenhield. Hij stelde zich haar voor als een wildebras; zag een borstel die haastig en pijnlijk door dat onhandelbare haar werd getrokken. *Ze was die ochtend buiten op de kliffen geweest om veren of bloemen te zoeken, of iets anders wat de moeite waard was. Geen wildebras, maar ook geen meisje dat erg graag mooi wilde zijn. Ze had klitten in haar haar van de wind en het zou dagen kosten om die eruit te halen. Celeste had haar een uitbrander gegeven omdat ze er geen sjaal omheen had gebonden. Élodie zat op een stoel achter haar schetsende vader met haar benen heen en weer te schoppen en jaloers te mokken. Delphine barstte van trots en liefde voor haar vader; terwijl hij met gefronst voorhoofd stond te tekenen bad ze de hele tijd stilletjes dat ze hem niet zou teleurstellen.* In het heldere licht van de galerie staarde Zachs spiegelbeeld vanuit het glas naar hem terug, even duidelijk zichtbaar als de potloodlijnen erachter. Als hij zich concentreerde kon hij ze tegelijk zien – zijn blik over de hare heen, haar ogen die vanuit zijn gezicht keken. Wat hij zag beviel hem niet – zijn zorgelijke, melancholieke blik maakte hem ouder dan zijn vijfendertig jaar, en ineens voelde hij zich ook ouder. Hij had zijn haar nog niet gekamd; het stond in pieken overeind en hij moest zich nodig scheren. Aan de kringen onder zijn ogen kon hij minder doen. Hij had al weken slecht geslapen, na het nieuws over Elise.

Dreunende voetstappen klonken en Elise kwam vanuit het appartement boven de galerie de trap afrennen. Ze slingerde zich met een stralend gezicht aan de deurknop naar binnen terwijl haar lange bruine haar achter haar aan wapperde.

‘Hé! Ik zei toch dat je niet zo aan de deur mocht hangen? Daar ben je te groot voor, Elise. Je trekt hem nog uit zijn scharnieren,' zei Zach. Hij ving haar op en droeg haar weg bij de deur.

'Ja, pap,' zei Elise met een brede grijns die elk spoor van schuldbewustzijn tenietdeed, en met een lach in haar stem. 'Gaan we nu ontbijten? Ik heb zó'n honger!'

'Zó'n honger? Oei, dat is ernstig. Goed. Een momentje nog.'

'Eéntje dan!' riep Elise en ze denderde de rest van de treden af naar de voornaamste ruimte van de zaak, waar het groot genoeg was om rond te draaien met haar armen wijd. Ze dreigde voortdurend over haar eigen voeten te struikelen. Zach keek er even naar met het gevoel of zijn keel werd dichtgeknepen. Ze was nu vier weken bij hem en hij wist niet hoe het zonder haar moest. Elise was zes jaar oud, stevig, gezond, levendig. Ze had dezelfde bruine kleur ogen als Zach, maar de hare waren groter en helderder. Het wit was witter en de vorm veranderde voortdurend, van wijd open van verbazing of verontwaardiging tot klein van het lachen of van de slaap. Bij Elise waren die bruine ogen prachtig. Ze droeg een paarse jeans, op de knieën gescheurd, met een dun, groen, openhangend bloesje over een roze T-shirt met een foto erop van Gemini, haar favoriete pony op de manege. Het was een foto die Elise zelf genomen had, en niet bepaald goed. Gemini had zijn neus naar de camera opgeheven en zijn oren platgelegd, en hij had een felrode gloed in zijn ene oog van het flitslicht waardoor hij Zach slechtgehumeurd leek, merkwaardig uitgerekt en kwaadaardig op de koop toe. Maar Elise was even dol op het T-shirt als op de pony. De outfit werd gecompleteerd door een felgele plastic handtas; slecht bij elkaar passende kleren waarmee Elise er heerlijk opzichtig uitzag, ongeveer als een veelkleurig snoepje. Ali zou deze kleding, die Elise zelf had gecombineerd, niet goedkeuren, maar Zach vertikte het om op hun laatste ochtend samen ruzie te krijgen door haar te zeggen dat ze zich moest omkleden.

'Flitsende kleren heb je aan, Elise,' riep hij haar toe.

'Dank je!' zei ze buiten adem, nog steeds ronddraaiend.

Zach realiseerde zich dat hij naar haar stond te staren. Het was een poging om alles van haar in zich op te nemen. Want hij wist dat er ontelbare kleine veranderingen zouden zijn als hij haar de volgende keer zag. Ze zou zelfs uit het T-shirt met de lelijke grijze pony gegroeid kunnen zijn, of gewoon haar belangstelling ervoor verloren hebben, hoewel dat niet waarschijnlijk leek. Op het moment leek ze net zo ontdaan over het achterlaten van haar pony als van haar vriendinnen en haar school. En van haar vader. Ach, de tijd zou het leren. Binnenkort zou hij ontdekken of zijn dochter een uit-het-oog-uit-het-hartpersoontje was, of iemand voor wie afwezigheid de band juist versterkte. Hij hoopte uit alle macht dat ze het laatste zou zijn. Zach dronk zijn koffie op, deed de voordeur dicht en op slot en kietelde zijn dochter over haar ribben tot ze het uitgilde van het lachen.

Ze ontbeten aan een aftandse grenenhouten tafel in de keuken van het appartement boven de galerie, onder de klanken van Miley Cyrus op de cd-speler. Zach zuchtte even toen zijn minst geliefde nummer van de zoetsappige popster weer langskwam, en besefte tot zijn afschuw dat hij, geleidelijk aan en zonder het te willen, zich de hele tekst had eigengemaakt. Elise zat met schokkende schouders haar cornflakes te eten, in een soort zittende dans, en toen Zach met een hoge falsetstem een regel van het refrein meezong verslikte ze zich en liet melk over haar kin lopen.

'Heb je zin in de reis?' vroeg hij met enige aarzeling toen Miley had plaatsgemaakt voor een weldadige stilte. Elise knikte, maar zei niets. Ze probeerde de laatste paar cornflakes in haar kom te pakken te krijgen en viste ze uit de melk alsof ze kikkervisjes ving. 'Morgen om deze tijd zit je in een vliegtuig hoog in de lucht. Dat zal leuk zijn, hè?' drong hij aan, met afschuw van zichzelf omdat hij wel zag dat Elise niet wist wat ze moest zeggen. Hij wist dat ze opgewonden was, bang, dat ze er zin in had en verdrietig was vanwege het afscheid. Een mengeling van emoties waarmee ze op haar leeftijd nog niet zou moeten hoeven omgaan, laat staan ze verwoorden.

'Ik wil dat jij ook meegaat, pap,' zei ze na een tijdje. Ze schoof haar kom van zich af en leunde opgelaten, met bungelende benen, achterover.

'Dat is niet zo'n goed idee, denk ik. Maar ik zie je in de vakanties en ik kom heel vaak op bezoek,' zei hij automatisch en vervloekte zichzelf vervolgens voor het geval dat niet zou kunnen. Trans-Atlantische vluchten waren niet bepaald goedkoop.

'Beloof je dat?' Elise keek hem aan en hield zijn blik vast alsof ze hoorde hoe hol die woorden klonken. Zachs maag draaide zich om en toen hij iets zei, had hij moeite zijn stem normaal te laten klinken.

'Ik beloof het.'

Ze moesten voor het eind van de zomervakantie vertrekken, had Ali gezegd, zodat Elise een paar weken zou kunnen wennen voordat haar nieuwe school begon. Haar nieuwe school in Hingham, bij Boston. Zach was nog nooit in New England geweest, maar hij had er een beeld bij van koloniale architectuur, brede stranden en rijen smetteloze plezierjachten, aangemeerd aan geloogd houten steigers. Over die stranden en boten was Elise het meest opgewonden. Lowell had een zeilboot. Lowell zou Ali en Elise leren zeilen. Ze zouden langs de kust zeilen en picknicks houden. Als hij ook maar één foto zag van Elise in de buurt van een boot zonder zwemvest aan, dacht Zach, zou hij in een mum van tijd op de stoep staan om Lowells zelfvoldane hoofd van zijn romp te trekken. Hij zuchtte inwendig om die kleingeestige gedachte. Lowell was een geschikte vent. Lowell zou nooit een kind op een boot laten zonder zwemvest aan, en zeker niet het kind van een ander. Lowell was er niet op uit Elises vader te worden – hij begreep heel goed dat ze al een vader had. Lowell was zo verdomd vriendelijk en redelijk, terwijl Zach hem heel graag zou willen haten.

Hij pakte Elises spulletjes in haar *Happy Feet*-rolkoffertje, kamde het appartement en de galerie uit op zoek naar glinsterende haarspeldjes, Ahlberg-boeken en de vele plastic dingetjes die zijn dochter overal achter zich aan liet slingeren. Hij hoefde het spoor maar te volgen als hij haar ooit kwijt zou zijn. Hij haalde Miley Cyrus uit de stereo, pakte vervolgens haar andere cd's – voorgelezen sprookjes en versjes, nog meer zoete popmuziek en een verzameling obscure Duitse volksverhalen, opgestuurd door een van Ali's tantes. Hij pakte Elises lievelings-cd – de *Verhalen van Beatrix*

Potter, en overwoog even om die te houden. Ze hadden er de afgelopen week op al hun dagtochtjes in de auto naar geluisterd en de klank van Elises stem, die tegelijk met de verteller de stemmen probeerde te imiteren en dan de rest van de dag de zinnetjes nazegde, was de soundtrack van de laatste zomerdagen geworden. *Geef me vis, Hunca Munca! Kwak, zei Jozefien Kwebbeleend!* Hij dacht dat hij er in zijn eentje naar zou kunnen luisteren en haar vertolking erbij denken als ze weg was, maar het idee van een volwassen man die kinderverhaaltjes afspeelde voor zichzelf was te tragisch voor woorden. Hij pakte de cd in bij de rest.

Om precies elf uur stond Ali op de stoep. Ze drukte net iets te lang op de bel, zodat die ongeduldig, dwingend klonk. Door het glas in de deur zag Zach haar blonde haar. Ze droeg het tegenwoordig in een korte bob; het glansde in de zon. Haar ogen waren verborgen achter een zonnebril en ze droeg een blauw-wit gestreepte katoenen trui die haar slanke figuur accentueerde. Bij het openen van de deur wist hij een glimlachje op te brengen, en hij merkte dat de bekende steek van emotie die zij altijd opriep elke keer minder scherp werd. Wat machteloze liefde was geweest, pijn, boosheid en wanhoop, leek nu meer op melancholie; het zachte schrijnen van oud verdriet. Een milder gevoel van leegte, kalmer dan het was geweest. Betekende dat dat hij niet meer van haar hield? Hij dacht van wel. Maar hoe kon dat – hoe kon die liefde verdwijnen zonder een gapend gat in hem achter te laten, als een weggesneden tumor? Ali lachte gespannen en Zach bukte zich om haar wang te kussen. Ze bood hem haar wang aan, maar kuste hem niet terug.

'Zach. Hoe is het?' vroeg ze, nog altijd met dat zuinige lachje. Ze had diep ingeademd voor ze iets zei en hield het grootste deel van die lucht vast in haar longen, zodat haar borstkas gezwollen was. Ze dacht dat er weer ruzie zou komen, besefte Zach. Ze zette zich alvast schrap.

'Alles prima, dank je. En jij? Al helemaal ingepakt? Kom binnen.' Hij deed een stap terug en hield de deur voor haar open. Eenmaal binnen zette Ali haar bril af en nam de zo goed als lege muren van de galerie op. Haar ogen waren licht bloeddoorlopen, een teken van vermoeidheid. Ze onderwierp Zach even aan een blik waar zowel medelijden als ergernis uit sprak, maar hield in wat ze had willen zeggen.

'Je ziet er goed uit,' zei ze. Dat zei ze uit beleefdheid, dacht Zach. Vroeger hadden ze alles tegen elkaar kunnen zeggen, maar nu waren ze aangewezen op beleefdheidsformules. Er viel een korte, ongemakkelijke stilte bij deze laatste ontwikkeling in hun relatie. Zes jaar huwelijk, twee jaar in scheiding en nu weer vreemden. 'Nog steeds verknocht aan *Delphine,* zie ik,' zei Ali.

'Je weet dat ik die tekening nooit zal verkopen.'

'Maar is dat niet wat een galerie doet? Kopen en verkopen?'

'En tentoonstellen. Ik stel haar permanent tentoon.' Zach lachte flauwtjes.

'Je zou er een heleboel vluchten naar Elise van kunnen betalen.'

'Dat zou niet nodig moeten zijn,' viel Zach hard uit. Ali sloeg haar armen over elkaar en keek van hem weg.

'Zach, niet doen,' zei ze.

'Nee. Dus je bent niet op het laatste moment van gedachten veranderd?'

'Waar is Elise?' vroeg Ali zonder op de vraag in te gaan.

'Die zit boven een lawaaierig en smakeloos tv-programma te kijken,' zei hij. Ali vuurde een geërgerde blik op hem af.

'Nou, ik hoop dat je deze weken nog iets anders met haar gedaan hebt dan haar neerzetten voor –'

'O, hou toch op, Ali. Ik zit echt niet te wachten op opvoedingslessen van jou.' Hij zei het rustig, half geamuseerd. Ali haalde weer diep adem en hield de lucht vast. 'Elise zal je wel vertellen wat we hebben gedaan. Elise! Mama is er!'

Hij stak zijn hoofd door de deur naar de trap om haar te roepen. Al wekenlang zag hij op tegen haar vertrek, vanaf het moment dat Ali hem over de verhuizing had verteld en al het geruzie en gebakkelei en nog meer geruzie daar niets aan hadden kunnen veranderen. Nu kon hij het bijna niet meer verdragen, en omdat het moment nu gekomen was, wilde hij het snel achter de rug hebben. Hoe sneller het ging, hoe minder pijn het zou doen.

Ali legde haar hand op zijn arm.

'Wacht even voor je haar roept. Wil je het niet hebben over...' Haar stem stierf weg, ze haalde haar schouders op, spreidde haar vingers en zocht naar woorden.

'Nee dus,' zei Zach. 'We hebben eindeloos gepraat, jij hebt me verteld wat je wilt, ik heb jou verteld wat ik wil en het resultaat is dat jij doet wat je wilt en ik het kan schudden. Dus doe het nu maar, Ali,' zei hij, ineens doodmoe. Hij wreef met zijn duimen over zijn pijnlijke ogen.

'Dit is een kans op een compleet nieuwe start voor Elise en mij. Een nieuw leven. We zullen gelukkiger zijn. Ze kan alles vergeten over –'

'Over mij soms?'

'Over de hele toestand. De spanning rond de scheiding.'

'Je zult me er nooit mee horen instemmen dat je haar bij me weghaalt. Dus het heeft geen zin om te proberen me te overtuigen. Ik zal het altijd oneerlijk blijven vinden. Ik heb de voogdij niet aangevochten, omdat ik de dingen niet moeilijker wilde maken. Niet moeilijker voor haar en niet voor ons. En dat betaal je me dan op deze manier terug. Je brengt haar vierduizend kilometer van me vandaan, zodat ik het soort kerel word die haar drie of vier keer per jaar ziet en cadeautjes stuurt die ze niet leuk vindt omdat hij niet meer weet wat ze wél leuk vindt.'

'Daar ging het niet om. Het ging niet om jou.' Ali's ogen lichtten boos op, maar Zach zag er ook wat schuldgevoel in; hij zag dat ze moeite had gehad met haar besluit. Vreemd genoeg ging hij zich er niet beter door voelen.

'Hoe zou je het zelf vinden, Ali? Hoe zou jij je voelen als je in mijn schoenen stond?' vroeg hij gespannen. Een angstaanjagend moment lang dacht hij dat hij zou gaan huilen. Maar dat gebeurde niet. Hij hield Ali's blik vast en dwong haar om het onder ogen te zien; haar wangen kleurden van emotie, haar ogen werden groot en wanhopig. Wat die emotie was kon Zach niet meer lezen. Precies op dat moment kwam Elise de trap afrennen en stortte zich in haar moeders armen.

Toen ze vertrokken omhelsde Zach Elise. Hij deed zijn best te blijven glimlachen, om haar te verzekeren dat ze zich niet schuldig hoefde te voelen. Maar toen Elise begon te huilen hield hij het niet meer: zijn glimlach veranderde in een grimas en zijn laatste blik op haar werd vertroebeld door tranen, dus probeerde hij niet meer te doen alsof er niets aan de hand was. Elise wreef snikkend en snotterend in haar ogen en Zach hield haar op een armlengte van zich af en droogde haar tranen.

'Ik hou heel veel van je, Elise. En ik kom je gauw opzoeken,' zei hij, zonder er twijfel of een 'misschien' in te laten doorklinken. Ze knikte en ademde met horten en stoten. 'Kom. Nog één laatste glimlach voor je vader, voor je weggaat.' Ze deed haar best en trok haar mondhoeken een beetje omhoog, maar ze stond nog na te snikken. Zach gaf haar een kus en stond op.

'Vooruit,' zei hij kortaf tegen Ali. 'Ga nu maar.' Ali nam Elise bij de hand en trok haar over het trottoir mee naar haar auto. Elise draaide zich om en zwaaide vanaf de achterbank. Ze zwaaide tot de auto onder aan de heuvel de bocht om ging en uit het zicht was. En toen het zover was, voelde Zach dat er bij hem een knop werd omgedraaid. Hij kon niet zeggen wat het was, maar hij wist dat het iets heel belangrijks was. Verdoofd zakte hij neer op de stoep voor de galerie en bleef daar een hele tijd zitten.

De volgende dagen verrichtte Zach routinematig de dagelijkse handelingen. De galerie openen, zijn tijd proberen te vullen met allerlei klusjes, veilingcatalogi lezen, de galerie weer sluiten; dat alles in dezelfde staat van verdoving. Er was een leegte in alles wat hij deed. Zonder Elise, die hem wakker maakte, om ontbijt vroeg, die hij bezig moest houden, imponeren en corrigeren, leken alle andere dingen die hij deed zinloos. Hij had een tijd lang gedacht dat Ali kwijtraken het ergste was wat hem ooit zou overkomen. Nu wist hij dat het verlies van Elise veel, veel erger zou zijn.

'Je bent haar niet kwijt. Je zult altijd haar vader blijven,' zei zijn vriend Ian de week daarop toen ze samen curry gingen eten.

'Een vader op afstand. Niet het soort vader dat ik wilde zijn,' antwoordde Zach somber. Ian zweeg. Hij kon duidelijk geen troostende woorden vinden, Zachs gezelschap viel hem zwaar. Dat vond Zach vervelend, maar hij kon er niets aan doen. Hij had de moed verloren; hij voelde geen lef, kracht of veerkracht meer. Toen Ian voorzichtig opperde dat het vertrek naar de States vrijheid voor Zach zou kunnen betekenen, ook voor hem een nieuw begin, keek Zach hem treurig aan; zijn vriend viel akelig stil. 'Sorry, Ian, ik ben beroerd gezelschap, hè?' zei hij na een tijdje.

'Waardeloos,' stemde Ian in. 'Godzijdank hebben ze hier een uitstekende *karai,* anders was ik er na tien minuten al vandoor gegaan.'

'Sorry. Maar ik mis haar nu al zo.'

'Ik begrijp het. Hoe gaan de zaken?'

'Ik ga failliet.'

'Toch niet echt?'

'Het zou goed kunnen.' Zach moest lachen om de geschrokken uitdrukking op Ians gezicht. Ians eigen bedrijf – dat unieke, exclusieve avonturen voor mensen organiseerde – breidde zich alleen maar uit.

'Dat kun je niet zomaar laten gebeuren, man. Je kunt er toch nog wel iets aan doen?'

'Wat dan? Ik kan de mensen moeilijk dwingen om kunst te kopen. Ze willen kopen of niet.' Maar in werkelijkheid zou hij best meer kunnen doen. Hij zou in kleinere, beter betaalbare stukken kunnen gaan handelen en op die manier zijn aanbod verbreden. Hij zou vaker naar Londen moeten gaan, andere handelaren en klanten van vroeger opzoeken om hen aan zijn bestaan te herinneren. Een stand reserveren op de London Art Fair. Alles om de galerie maar klanten te bezorgen. Hij had dat ook gedaan in het jaar voor de officiële opening en het eerste jaar daarna. Nu werd hij al moe bij de gedachte. Het leek meer energie te vergen dan hij nog had.

'En je tekeningen van Charles Aubrey dan? Die moet je toch kunnen verkopen? En dan een nieuwe collectie aanschaffen, de boel een beetje in beweging brengen,' stelde Ian voor.

'Ik zou er twee kunnen laten veilen,' gaf Zach toe. Maar niet *Delphine*, dacht hij. 'Maar als ze weg zijn, dan is het gebeurd. Dan is de ziel uit de galerie. Wie weet wanneer – en of – ik ooit nog iets van zijn hand kan kopen? Het idee is juist dat Aubrey mijn specialiteit is! Ik ben Aubrey-kenner, weet je nog?'

'Ja, maar wat moet, dat moet, Zach. Het is iets zakelijks. Probeer het niet zo persoonlijk te maken.'

Ian had gelijk. Het was iets persoonlijks voor Zach, waarschijnlijk veel te persoonlijk. Hij kende het werk van Charles Aubrey al heel lang, van kleins af aan. Bij elk gespannen maar doodsaai bezoek aan zijn grootouders had hij vroeger een tijdje samen met zijn oma naar het schilderij staan kijken dat in haar kleedkamer hing. Het had een ereplaats in de zitkamer moeten hebben, zei zijn oma, maar opa vond dat niet goed. Toen hij vroeg waarom niet, was haar antwoord dat zij 'een van Aubrey's liefjes' was geweest. Als de oude dame dit zei, begonnen haar ogen te twinkelen en trok er een zelfvoldaan lachje over haar gerimpelde lippen. Toen Zachs vader haar dit een keer hoorde zeggen, stak hij zijn hoofd om de hoek van de deur om haar een standje te geven. 'Praat die jongen geen onzin aan,' mopperde hij. Toen ze naar beneden gingen zat Zachs vader naar opa te kijken, maar de oude heer scheen zijn blik te ontwijken. Het was een van de vele gespannen, katterige momenten waar Zach indertijd niets van begreep, met het gevolg dat hij opzag tegen een bezoek aan zijn grootouders, en ook tegen de zwartgallige stemming van zijn vader in de dagen daarna.

De Aubrey-reproductie in zijn oma's kleedkamer was een landschap van een rotskust en een kolkende, zilverkleurige zee, met kliffen die vol leven leken door het lange gras op de toppen dat door de wind werd platgeblazen. Op het rotspad liep een vrouw met één hand aan haar hoed en de andere een stukje voor zich uit, alsof ze zich zo in evenwicht hield. Het was een beetje impressionistisch, met snelle, impulsieve streken, en toch heel levendig. Als Zach ernaar keek, kon hij bijna de zeemeeuwen horen en de zoute druppels op zijn gezicht voelen spatten. Je kon de natte rotsen ruiken en de wind in je oren horen bulderen. 'Dat ben ik,' vertelde zijn oma meer dan eens, trots. Als ze naar het schilderij keek was het duidelijk dat ze in het verleden keek, dat haar ogen afdwaalden naar tijden en plaatsen ver weg. Maar Zach had altijd gevonden dat het schilderij ook iets verontrustends uitstraalde. Het zat in de kwetsbaarheid van het personage, daarboven op de rots. Ze was helemaal alleen aan het wandelen, met een hand uitgestoken om haar evenwicht te bewaren, alsof de wind niet van zee kwam maar van het land en haar van de rand af in het kolkende water beneden dreigde te storten. Als hij er lang genoeg naar bleef kijken, gaf de tekening Zach hetzelfde weeë gevoel in zijn knieën als wanneer hij hoog op een ladder stond.

Ze was die ochtend inderdaad duizelig geweest, een beetje onvast en onzeker op haar benen. De intensiteit van de nieuwe gevoelens maakte al het andere oppervlakkig en onecht. De wandeling over de rotsen naar Aubrey's huis was iets meer dan anderhalve kilometer en bij elke stap werd haar hartslag sneller en luider. Ze zag niet dat hij daarboven met olieverf een schilderij aan het opzetten was. Boven aan het oplopende pad stond ze even stil om op adem te komen. De wind leek rechtstreeks haar longen in te blazen, haar omhoog te stuwen zodat ze als een losgeraakte vlieger weggeblazen kon worden. Het idee dat ze steeds dichterbij kwam, de blijdschap om hem snel weer te zien. Toen hij haar later het schilderijtje liet zien, kreeg ze kippenvel – het idee dat hij haar ongemerkt had bekeken. Het zien van haar eigen lichaam, door zijn hand geportretteerd, riep verlangen op.

Toen zijn opa overleed en zijn oma, aangeslagen en angstig, erin toestemde naar een serviceappartement te verhuizen, was de reproductie zo verbleekt dat hij de afvalcontainer in ging, samen met de andere bezittingen die te oud, versleten of te beschadigd waren om voor anderen nog iets waard te zijn. 'Het is ook te groot om in je nieuwe appartement te hangen,' had Zachs vader kortaf gezegd. Zijn oma was uit het zitkamerraam naar de afvalcontainer blijven staren tot het moment dat ze wegging. Het originele schilderij hing in de Tate en als Zach in Londen was, ging hij er altijd even naar kijken. Elke keer als hij het zag, kreeg hij heimwee. Het bracht hem terug naar zijn kinderjaren, net als de geur van aangebrande toast, Polo-pepermuntjes en cigarillorook. Tegelijkertijd kon hij het nu bekijken met de ogen van een volwassene, met de ogen van een kunstenaar. Al werd het misschien tijd om zichzelf niet meer als kunstenaar te beschouwen. Het was al jaren geleden dat hij iets had gemaakt, en nog langer geleden dat hij iets had geproduceerd dat de moeite waard was om aan anderen te laten zien. Hij wilde graag dat het personage op Aubrey's schilderij werkelijk zijn oma was en zocht vaak naar bekende kenmerken in de gestalte. Smalle schouders, relatief grote borsten. Een kleine gestalte met een veeg lichtbruin haar. Ze zou het geweest kunnen zijn. Het schilderij was gedateerd in 1939. In dat jaar, had zijn oma hem toegefluisterd toen ze voor de reproductie stonden, waren zij op vakantie in Dorset geweest, dicht bij de plek waar Aubrey's zomerhuis stond, en tijdens een wandeling hadden ze de kunstenaar ontmoet.

Pas later in zijn leven begonnen de implicaties van dit alles tot Zach door te dringen. Hij had zijn oma nooit rechtstreeks naar die zomer durven vragen, maar was er vrijwel zeker van dat ze met een lachje haar schouders zou hebben opgehaald als hij dat wel had gedaan en zij met twinkelende ogen en een vage glimlach van hem had weggekeken. Achteraf zag Zach dat ze, als ze naar het schilderij keek, de gezichtsuitdrukking van een dolverliefd meisje had, na ruim zeventig jaar nog steeds in de greep van een kalverliefde. Het bracht hem op ideeën, maar Zachs vader leek in uiterlijk verwarrend genoeg totaal niet op Charles Aubrey of Zachs opa. Maar vóór Zach had niemand in zijn familie ooit een penseel of schetsboek in zijn handen gehad. Geen van zijn officiële voorouders had een noemenswaardig artistieke aanleg. Toen hij tien was deed hij zijn opa zijn beste tekening van zijn crossfiets cadeau. Het was een goede tekening; hij wist dat hij goed was. Hij dacht dat zijn opa er blij mee zou zijn, onder de indruk, maar de oude heer had gefronst in plaats van geglimlacht en hem aan Zach teruggegeven met een zuinig: 'Niet slecht, jongen.'

Weer verstreek er een dag met bijna geen klanten in de galerie.

Een bejaarde dame stond twintig minuten de standaard met ansichtkaarten rond te draaien voordat ze besloot er geen te kopen. Wat had hij een hekel aan dat draaiende rek. Kaarten van kunstwerken – het laatste redmiddel voor een galerie met enig zelfrespect, en zelfs die kon hij niet verkopen, dacht Zach. Hij zag dat de witte rasters van het rek stoffig waren. Op alle horizontale vlakken had zich stof verzameld. Hij veegde er met zijn mouw een paar schoon, maar hield er snel weer mee op en dacht aan Ians laatste vraag tijdens hun etentje kortgeleden: 'En wat ga je nu doen?'

Op dat moment sloeg er een soort paniek toe. Hij voelde het in zijn buik: hij had werkelijk geen idee. De toekomst strekte zich leeg voor hem uit zonder dat hij er een doel in kon ontdekken, iets wat een overtuigend goed idee zou zijn of wat hij zich zou kunnen permitteren. En naar het verleden kijken hielp ook al niet. Het belangrijkste in zijn leven, zijn grootste prestatie, zat op dit moment duizenden kilometers ver weg in Massachusetts, waar ze zich waarschijnlijk een Amerikaans accent aanleerde en hem al aan het vergeten was. En als hij naar het verleden keek, bleek alles wat hij dacht opgebouwd te hebben vluchtig te zijn geweest, en afgebrokkeld terwijl hij even niet oplette. Zijn carrière als kunstenaar, zijn huwelijk, zijn galerie. Hij wist werkelijk niet hoe het zover was gekomen – of hij signalen had gemist of fundamenteel tekortschoot in mentaliteit. Hij dacht dat hij de juiste dingen had gedaan, hij dacht dat hij hard had gewerkt. Maar nu was hij gescheiden, net als zijn ouders. Net als zijn grootouders ook wel hadden gewild; zij waren alleen bij elkaar gebleven vanwege de conventies van hun generatie. Als getuige van het wrede slagveld van de scheiding van zijn ouders had Zach zich heilig voorgenomen dat het hem nooit zou overkomen. Voordat hij trouwde wist hij zeker dat hij het goed zou doen waar zij de fout in waren gegaan. Met zijn blik op oneindig volgde hij de draad van zijn leven helemaal terug, op zoek naar alle tijdstippen en plaatsen waar hij fouten had gemaakt.

Buiten zakte de zon tot onder de daken en over de vloer van de galerie strekten zich lange, diepe schaduwen uit. Die schaduwen vielen elke dag vroeger. Ze bundelden zich in de smalle straten, tussen de vale gevels van typische stenen uit Bath die oprezen als ravijnwanden. In de zomerhitte boden ze een aangename beschutting tegen de blikkerende zon, de warmte en de broeierige drukte van mensenmassa's. Nu hadden ze een deprimerend effect. Zach liep weer naar zijn bureau en liet zich, plotseling koud en moe, in zijn stoel zakken. Hij bedacht dat hij zonder aarzelen zijn laatste stuiver zou geven aan de eerste de beste die hem helder en duidelijk kon uitleggen wat hij nu moest doen. Hij had het gevoel dat hij het geen dag langer kon uithouden in de stilte van de galerie, verstikkend na de geluiden van een nu afwezige dochter, een al eerder vertrokken echtgenote en zonder klanten of afnemers. Hij had net besloten verschrikkelijk, oeverloos dronken te worden, toen er binnen vijf minuten twee dingen gebeurden. Eerst vond hij in de catalogus van Christie's een nieuwe tekening van Charles Aubrey ter veiling aangeboden, en daarna kreeg hij een telefoontje.

Hij bleef naar de beschrijving van de tekening staren terwijl hij verstrooid en niet bijster geïnteresseerd de telefoon oppakte.

'Gilchrist Galerie,' zei hij.

'Zach? Met David.' Staccato uitgesproken door een beleefde, ondoorgrondelijke stem.

'O, hallo David,' zei Zach. Hij scheurde zijn blik los van de catalogus en probeerde de naam en de stem te plaatsen. Zijn intuïtie vertelde hem plotseling dat hij moest opletten. Aan de andere kant van de lijn klonk een onduidelijk gebrom.

'David Fellows, van Haverley?'

'Ja, natuurlijk. Hoe is het, David?' vroeg Zach, te snel. Schuldgevoel tintelde in zijn vingertoppen, net zoals op school, als hem gevraagd werd waar zijn huiswerk bleef.

'Heel goed, dank je. Luister eens, ik heb al een tijdje niets van je gehoord. Meer dan anderhalf jaar, om precies te zijn. Ik weet dat je zei dat je meer tijd nodig had om het manuscript bij me in te leveren, we zijn dat ook overeengekomen, maar er komt een moment waarop een uitgever zich af gaat vragen of een boek nog wel verschijnt.'

'Ja, luister, sorry voor de vertraging. Ik ben eh...'

'Zach, je bent wetenschapper. Een boek heeft zijn tijd nodig, dat weet ik. De reden waarom ik je vandaag bel is om je te laten weten dat er iemand anders naar ons toe gekomen is met de opzet voor een boek over Charles Aubrey.'

'Wie dan?'

'Het lijkt me verstandiger als ik je dat niet vertel. Maar het ziet er heel goed uit, hij heeft ons de helft van het manuscript laten zien en hij hoopt het in vier of vijf maanden af te ronden. Dat zou mooi samenvallen met de tentoonstelling in de National Portrait Gallery volgend jaar. Hoe dan ook, ik heb opdracht van hogerhand gekregen om je achter de vodden te zitten, om het maar eens voorzichtig uit te drukken. We willen met een grote nieuwe titel over de kunstenaar komen en die willen we volgend jaar zomer uitbrengen. Dat betekent dat we uiterlijk januari of februari jouw manuscript binnen moeten hebben. Hoe klinkt dat?'

Met de hoorn stevig aan zijn oor bestudeerde Zach de schets van Aubrey in de catalogus. Het was een tekening van een jongeman met een verstrooide uitdrukking op zijn gezicht; steil, blond haar tot op zijn ogen, fijne gelaatstrekken, spitse neus en kin. Gezond, een tikkeltje wild. Een gezicht dat deed denken aan cricketwedstrijden op jongensscholen, aan kattenkwaad op de slaapzaal, achterovergedrukte sandwiches en nachtelijke smulpartijen. De titel was *Dennis* en het was gedateerd in 1937. Het was Aubrey's derde schets van de jongeman die Zach had gezien en bij deze wist hij, nog duidelijker dan bij de andere, dat er iets mis was. Als het geluid van een gebarsten klok. Er klopte iets niet; het was niet zuiver.

'Hoe dat klinkt?' herhaalde Zach. Hij schraapte zijn keel. *Onmogelijk. Geen sprake van.* Hij had al meer dan zes maanden niet naar zijn half opgezette manuscript en de stapels aantekeningen gekeken.

'Ja, hoe klinkt dat? Is alles wel goed met je, Zach?'

'Prima, ja. Ik ben...' Zijn stem stierf weg. Hij had het boek opgegeven – nog een project dat op niets was uitgelopen – omdat het hetzelfde boek over Aubrey werd als alle andere die hij al had gelezen. Hij had iets nieuws over de man en zijn werk willen schrijven, iets wat een bijzonder inzicht zou geven, mogelijk het inzicht dat alleen een bloedverwant, een geheime kleinzoon, zou kunnen verschaffen. Halverwege had hij zich gerealiseerd dat hij dat niet in huis had. De tekst was voorspelbaar en bracht inhoudelijk niets nieuws. Zijn liefde voor Aubrey en diens werk kwam heel duidelijk naar voren, maar dat was niet genoeg. Hij had voldoende kennis, voldoende aantekeningen. Hij had passie voor het onderwerp. Maar hij had geen invalshoek. Dat moest hij gewoon tegen David Fellows zeggen, dan was hij ervan af, dacht hij. Laat die andere Aubrey-fan zijn boek maar publiceren. Met een schok besefte Zach dat hij zijn voorschot dan waarschijnlijk terug zou moeten betalen, al was het maar klein. Hij vroeg zich af waar hij dat geld in vredesnaam vandaan zou moeten halen en schoot bijna hardop in de lach.

Maar de tekening op de pagina voor hem bleef zijn aandacht opeisen. *Dennis.* Wat drukte het gezicht van die jongen uit? Het was zo moeilijk vast te stellen. Het ene moment zag hij er weemoedig uit, het volgende ondeugend en dan weer verdrietig, berouwvol. Het veranderde als het licht op een regenachtige dag, alsof de kunstenaar het niet helemaal kon pakken, de stemming niet goed op papier kon krijgen. Maar dat was juist wat Charles Aubrey deed, daar lag zijn talent. Hij kon als geen ander een emotie op papier neerzetten, een vluchtige gedachte of een karaktertrek vangen. Die zo helder en vakkundig portretteren dat zijn onderwerpen op het papier tot leven kwamen. En wanneer de gelaatsuitdrukking meerduidig was, kwam dat doordat de stemming van het model dat ook was. Ook de meerduidigheid kon hij afbeelden. Maar hier was iets anders aan de hand. Iets volkomen anders. Dit zag eruit alsof de kunstenaar de stemming van het model niet kon duiden, niet kon herscheppen. Het leek Zach onmogelijk dat Charles Aubrey zo'n onvolledige schets zou produceren, maar de penseelstreken en de arcering vormden op zich al een handtekening. Maar dan was er ook nog de datering. De datum klopte helemaal niet.

'Ik doe het,' zei hij ineens, tot zijn eigen grote schrik. Zijn stem klonk afgemeten van de spanning.

'Echt?' David Fellows klonk verbaasd en niet helemaal overtuigd.

'Ja. Je hebt het begin volgend jaar. Zo vroeg als ik kan.'

'Prima, geweldig. Fantastisch om te horen, Zach. Ik moet bekennen dat ik eigenlijk dacht dat je op de een of andere manier was vastgelopen. Je leek er zo zeker van dat je iets nieuws te zeggen had, maar er is al zo veel tijd overheen gegaan.'

'Ja, ik weet het. Het spijt me. Maar ik ga het afmaken.'

'Nou, prima dan. Geweldig. Ik zal de hoge heren vertellen dat mijn vertrouwen in jou volkomen gerechtvaardigd was,' zei David, maar tussen de woorden door hoorde Zach iets van twijfel, een voorzichtige waarschuwing.

'Ja. Dat klopt,' zei Zach. Zijn hoofd tolde.

'Goed dan, dan kan ik nu beter weer aan het werk gaan. En als ik zo brutaal mag zijn: jij ook.'

In de stilte na het telefoongesprek schraapte Zach zijn droge keel, voelde zijn hoofd tollen en barstte weer bijna hardop in lachen uit. Waar moest hij in vredesnaam beginnen? Er was een duidelijk antwoord, en niet meer dan een. Hij keek weer naar de catalogus, onder aan de pagina, naar de herkomst van Dennis. *Afkomstig uit een privécollectie in Dorset.* Die naamloze verkoper weer, net als eerder. Er waren nu al drie schetsen van Dennis uit deze mysterieuze collectie opgedoken, en ook twee van Mitzy. Allemaal in de afgelopen zes jaar. Kennelijk allemaal voorstudies voor schilderijen die niemand ooit had gezien. En Zach kon maar één plaats in Dorset bedenken waar hij hun herkomst zou kunnen zoeken. Hij stond op en ging naar boven om te pakken.

2

In het bed dat vroeger van haar moeder was geweest en dat nog altijd doorzakte op de plek waar Valentina's lichaam had gelegen, kreeg ze bezoek. Sinds de nacht dat ze Celeste had gezien, had ze dichtbevolkte dromen, vol met mensen die allang verdwenen, allang overleden waren. Ze wachtten tot ze haar ogen dichtdeed, slopen dan op kousenvoeten uit hun verre schuilplaatsen naderbij en maakten zich kenbaar met een vage geur, een fluistering of een bekende gezichtsuitdrukking. Celestes felle ogen, de met verf bespatte handen van Charles, de verbaasd opgetrokken wenkbrauwen van Delphine, de stampvoetende Élodie. Haar eigen moeder, die vuur spuwde. En met hen kwamen de emoties, die haar als een golf overspoelden zodat ze nauwelijks lucht kon krijgen. Ze sleepten haar ver bij de kust vandaan, waar ze niet kon staan, rusten of zich veilig voelen. Waar ze moest vechten om niet te verdrinken. Een zee van niet-vergeten gezichten en stemmen om haar heen, die zo wervelde en deinde dat ze wakker werd met een draaiende maag en zo'n vol hoofd dat ze geen idee had van tijd of plaats. Allemaal hadden ze vragen voor haar. Vragen die alleen zij kon beantwoorden. Ze wilden de waarheid weten; ze wilden weten waarom; ze wilden vergelding.

En toen haar ogen eenmaal aan het donker gewend waren en ze de vage omtrekken van het raam en de vertrouwde meubels kon onderscheiden, luwde het geraas een beetje en kwam het voorgevoel weer terug. Het gevoel dat er iemand zou komen, en dat deze onbekende de reden was dat iedereen die ze was kwijtgeraakt, iedereen voor wie ze bang was, zich nu in de donkere hoekjes van haar huis verstopte om ongezien de kans af te wachten om eisen te stellen. Ze zouden de waarheid willen weten over zaken die ze tientallen jaren verborgen had gehouden; verborgen voor iedereen, soms zelfs voor zichzelf. Ze zouden steeds harder gaan roepen, besefte ze. Ze beefde over haar hele lichaam. Ze zouden steeds sterker worden, tenzij ze een manier vond om hen af te weren. Klaarwakker en zachtjes neuriënd om hen niet te hoeven horen, probeerde ze erachter te komen of degene die zou komen haar vriend of vijand was.

Het dorp Blacknowle lag in een kromming van de heuvelachtige kustlijn van Dorset ten oosten van de dorpen Kimmeridge en Tyneham – dat vreemde spookdorp dat in 1943 door het ministerie van Oorlog was opgeëist als oefenterrein voor het leger en daarna nooit meer aan zijn bewoners was teruggegeven. Toen Zach klein was hadden zijn ouders hem een keer op een vrije dag in augustus meegenomen naar het dorp. Zach herinnerde zich Lulworth Cove heel goed, omdat hij daar een ijsje had gekregen – vaak gewenst, maar zelden gekregen. Het volmaakt halvemaanvormige strand had zo onwerkelijk geleken alsof het in een ander land lag. Hij had zijn zakken gevuld met gladde witte steentjes tot de voering scheurde en hij had moeten huilen toen zijn moeder hem zijn zakken leeg liet maken voor ze in de auto stapten. 'Je mag er eentje houden,' had zijn vader met een woedende blik op zijn humeurige moeder gezegd. Nu verbaasde Zach zich erover dat hij niet had gezien hoe ongelukkig ze waren. In Blacknowle zelf had zijn vader met een hoopvolle blik op zijn gezicht door de straatjes gelopen, alsof hij dacht dat hij iets of iemand zou tegenkomen. Wat het ook was, aan het eind van de dag was die blik verdwenen, vervangen door een blijvende somberheid en teleurstelling. Op het gezicht van zijn moeder stond een ander soort teleurstelling te lezen.

Zach volgde een weggetje dat zo smal was dat de spiegels aan weerszijden van de auto tegen verdroogde stengels fluitenkruid tikten. Op de achterbank lagen een haastig ingepakte koffer en een kartonnen doos met alle aantekeningen die hij had verzameld voor zijn boek over Charles Aubrey. Het was meer dan hij had gedacht. De handvatten van de doos waren gevaarlijk doorgebogen toen hij hem onder zijn bed vandaan had getrokken. Naast de doos lag zijn laptop in de bijbehorende tas, vol met foto's van Elise en manieren om contact met haar te houden; meer had hij niet bij zich. Nee, verbeterde hij zichzelf treurig. Meer héb ik niet. Bij de volgende bocht was hij bij het dorp, maar de weg liep door naar het zuiden, waar het land afliep en in zee verdween, en Zach had ineens geen zin om al op zijn bestemming aan te komen. Hij had nog maar zo'n vaag idee van wat hij moest doen als hij er was dat hij zich ongemakkelijk voelde, bang bijna. Hij gaf weer gas en reed door het dorp heen, tot de weg na ongeveer anderhalve kilometer doodliep op een klein, met onkruid overdekt parkeerterrein. Er stonden een verschoten oranje-witte reddingsboei en een waarschuwingsbord voor getijden en blinde klippen. Achter een afbrokkelende strook grond kwam de grauwe zee aanspoelen, met rusteloze golfjes.

Zach probeerde te bedenken wat hij nu moest doen. Hij wist zeker dat het huis dat Charles Aubrey als zomerhuis had gehuurd er niet meer stond – andere mensen hadden geprobeerd het te bezoeken, maar het was ergens in de jaren vijftig afgebrand en zelfs de fundering was niet meer terug te vinden. In de jaren zestig was er precies over die plek een openbare weg aangelegd, die in een grote bocht naar het zuidwesten van het dorp liep. Hij bleef even naar het witte schuim van de zee staan kijken. Het water dat uiteenspatte op de rotsige kust, altijd in een kolkende beweging, zag er koud en vijandig uit. Hij kon het horen rommelen onder de wind die om zijn auto floot. Dat geluid, en het sombere grijze licht, leek ineens zo troosteloos; het leek een echo te vormen van zijn eigen leegte, en een onverdraaglijke uitvergroting daarvan.

Hij had het gevoel dat hij amper nog leefde en vocht uit alle macht tegen dat gevoel.

In Blacknowle was het allemaal begonnen. De breuk tussen zijn grootouders, de afstand tussen zijn vader en opa die zijn vader zo veel pijn had gedaan. Hier had Aubrey Zachs familie betoverd en hier werd de herinnering aan de man levend gehouden. Hier doken tekeningen, die wel van Aubrey moesten zijn maar dat tegelijkertijd niet konden zijn, stilletjes voor de verkoop uit een of andere schuilplaats. Zach opende het portier. Hij had gedacht dat het koud zou zijn; hij had zijn schouders alvast opgetrokken, klaar om te huiveren. Schrap gezet voor een aanval die niet kwam. De wind was warm en vochtig, en blies nu prikkelend, stimulerend in zijn oren. Een bruisend en sissend geluid, absoluut geen gejammer. De piepkleine waterspettertjes die op zijn huid neerkwamen leken hem uit een trance te halen waarvan hij zich niet bewust was geweest. Hij ademde diep in, sloot de auto achter zich af en liep naar de rand van het lage klif. Een smal, hobbelig pad van bruine aarde en stenen leidde naar het strand, en zonder aarzelen begon hij over de losliggende stenen voorzichtig naar beneden te lopen tot hij helemaal onderaan stond. Hij zocht zich een weg over de rotsen naar de waterlijn, hurkte neer op een grote kei en stak zijn hand in het water. Het was schokkend koud. Evengoed zou hij er als kind allang in gelegen hebben. Het leek of hij de kou nooit voelde, maar er waren foto's van hem waarop hij, mager in een afgezakte zwembroek, met compleet blauwe lippen zat te grijnzen boven een emmer garnalen.

Onder water kwamen de doffe rotsen tot leven in verschillende tinten grijs en bruin, zwart en wit. Sommige schuimklodders die vlakbij dreven hadden een vieze gele kleur, maar het water was glashelder. Soms waren de dingen te groot, dacht Zach ineens. Te groot om ze van een afstand allemaal tegelijk te overzien. Dat was overweldigend, angstaanjagend. Je moest dichterbij komen, elk onderdeel bekijken en er eerst een van een hanteerbaar formaat aanpakken. Klein beginnen. Uitbouwen naar het grotere geheel. Hij stak zijn hand weer in het water en streek over een platte steen met een heldere witte streep in het midden. Hij overwoog hem te schilderen, liet kleuren door zijn hoofd gaan om de exacte mengverhouding te vinden die hij nodig had om het koude water en de volmaakte steen te reproduceren. Hij wist niet of hij het nog zou kunnen, maar het was maanden geleden dat hij zelfs maar zin had gehad om het te proberen. Gekalmeerd stond Zach op en droogde zijn hand af aan zijn jeans. Zijn maag rammelde flink, en dus ging hij terug naar zijn auto en weer naar Blacknowle, waar hij langs een veelbelovend uitziend café gekomen was.

De Spout Lantern was een scheefgezakt gebouwtje met kalkstenen muren onder een golvend pannendak. In de plantenbakken buiten aan de muur hingen slappe, bruine stengels lobelia, verdroogd aan het eind van het seizoen. Op het uithangbord stond een eigenaardige metalen lamp met een handgreep bovenop en aan één kant een lange, spits toelopende tuit – het leek meer op een misvormde gieter. De pub lag in het centrum van het dorp, waar de bebouwing rondom een klein dorpsplein en een kruispunt gegroepeerd lag. Zo te zien was de pub de enige voorziening; een verbleekt bordje van het bakkersmerk Hovis aan een muur verwees naar een winkel die allang niet meer bestond, een brievenbus in een andere muur naar een verdwenen postkantoor. Binnen in de koele, donkere pub hing de vertrouwde ranzige lucht van bier en mensen, die niet meer werd verbloemd door sigarettenrook. Een bejaard echtpaar zat fish-and-chips te eten aan een tafeltje bij de haard, al was die leeg en schoongemaakt voor de zomer. Hun whippet keek Zach treurig na terwijl hij naar de bar liep, waar hij een halve pint en twee broodjes ham bestelde. De barman was vriendelijk en nogal luidruchtig. Hij praatte veel te hard voor de stille ruimte; de whippet kromp ervan ineen.

Verderop zaten hier en daar nog een paar mensen te lunchen en zachtjes te praten. Zach vond ineens dat hij te veel zou opvallen als hij in zijn eentje aan een tafel zat, dus bleef hij bij de bar, streek neer op een kruk en trok zijn trui uit.

'Het lijkt koud, maar dat is het niet, hè? Een rare dag,' zei de barman opgewekt terwijl hij Zach zijn biertje gaf en het geld aanpakte.

'U weet niet half hoe waar dat is,' stemde Zach in. De barman lachte nieuwsgierig. Hij sprak met een zuidoostelijk accent dat niet bij zijn boerse uiterlijk paste – een versleten flanellen hemd en een canvas broek die bij de zakken en de zomen gerafeld en versleten was. Hij leek rond de vijftig; zijn grijze krullen, die in een krans rond zijn kale kruin groeiden, vielen tot op zijn kraag.

'Wat brengt u naar Blacknowle? Vakantie? Op zoek naar een tweede huis?'

'Nee, nee. Geen van beide. Eerlijk gezegd ben ik onderzoek aan het doen.' Hij voelde zich er ineens ongemakkelijk bij, alsof hij zich anders moest opstellen als dit bekend was. Zich gedragen alsof hij wist wat hij deed. 'Naar een kunstenaar die hier heeft gewoond,' ging hij door. In de spiegel achter de bar zag hij dat het bejaarde echtpaar bij het vuur steeds langzamer ging eten toen ze dit hoorden, en vervolgens helemaal niet meer. Ze raakten het eten op hun bord niet meer aan en stopten met kauwen; wisselden een blik die Zach niet kon interpreteren, maar waar zijn nek van ging kriebelen. De barman had ook even naar hen gekeken, maar keek vlug weer naar Zach en glimlachte.

'Charles Aubrey, wed ik.'

'Ja, u kent hem dus,' zei Zach. De barman haalde gemoedelijk zijn schouders op.

'Vanzelfsprekend. Onze grote trots, min of meer. Een plaatselijke beroemdheid. Voor de oorlog zat hij hier altijd. Niet dat ik hier toen al was, maar dat is me verteld; daar hangt een foto van hem – hij zit hier voor de pub met een pint in zijn hand.'

Zach zette zijn biertje neer en liep naar de muur aan de andere kant, waar de foto hing, in een lijst vol vochtvlekken die was bespikkeld met dode insecten. De foto was uitvergroot en dus korrelig. Zach had de foto eerder gezien, in een vroegere biografie van de man. Hij voelde een vreemde huivering bij de gedachte dat hij in de pub stond waar Charles Aubrey ook was geweest. Zach bestudeerde de foto nauwkeurig. Een avondzonnetje belichtte het gezicht van Aubrey van opzij. Het was een lange, magere, knokige man. Hij zat op een houten bank met zijn lange benen over elkaar, één hand op de bovenste knie en in de andere een glas bier. Hij had zijn ogen halfdicht tegen de zon en zijn gezicht wat afgewend, waardoor zijn benige neus zich scherp aftekende, evenals zijn hoge jukbeenderen en brede voorhoofd. Hij had een stevige, vierkante kaak. Dik, donker haar in krullen en golven die oplichtten in de zon. Het was geen klassiek knap gezicht, maar wel aantrekkelijk. Zijn kalme, heldere ogen keken recht in de camera; zijn stemming was onmogelijk te peilen. Het was een gezicht waar je twee keer naar moest kijken – innemend, misschien ook verwarrend; afschrikwekkend als hij boos was, maar aanstekelijk als hij vrolijk was. Zach had geen idee wat de vrouwen precies in hem hadden gezien, wat álle vrouwen kennelijk in hem hadden gezien, maar zelfs hij voelde de raadselachtige aantrekkingskracht van de man. De foto was gedateerd in 1939 – de zomer waarin zijn grootouders hem hadden ontmoet. Later dat jaar zou de oorlog uitbreken. Later dat jaar zou Charles Aubrey, verscheurd door verdriet en verlies, dienst nemen bij het Royal Hampshire Regiment, het onderdeel van de British Expeditionary Force dat naar het Europese continent vertrok voor de confrontatie met Hitler. Het jaar daarop zou hij verwikkeld raken in de chaos bij Duinkerken en omkomen; zijn lichaam werd in alle haast begraven op een kerkhof voor geallieerden en zijn identificatieplaatjes werden door kameraden mee naar huis gebracht.

Toen Zach zich omdraaide zat de bejaarde man ernstig naar hem te kijken, met zulke lichtblauwe ogen dat ze wel kleurloos leken. Zach knikte hem vriendelijk toe, maar de oude man reageerde niet en keek weer naar zijn lege bord. Zach ging terug naar de bar.

'Kent u soms iemand in het dorp die nog iets weet uit die tijd? Die Charles Aubrey kan hebben gekend?' vroeg Zach aan de barman. Hij praatte zachtjes, maar in de stilte van de pub was hij goed te verstaan. De barman lachte zuinig en wachtte even. Hij keek niet naar het bejaarde echtpaar. Dat was niet nodig.

'Het zou kunnen. Even denken.' Achter hem stond het echtpaar op. Met een minimale groet naar de kastelein – een omhooggestoken knokige wijsvinger – leidde de man zijn vrouw met een hand aan haar elleboog naar de deur. De whippet volgde hen op de voet, met zijn staart tussen zijn poten gekruld en met zacht tikkende teennagels. Toen de deur dichtviel schraapte de kastelein zijn keel. 'Het punt is dat de betreffende mensen er waarschijnlijk niet graag over praten. U moet begrijpen dat veel mensen hier de afgelopen jaren naar Aubrey hebben gevraagd. Hij heeft vroeger min of meer schande over het dorp gebracht en omdat hij oorspronkelijk niet uit Blacknowle kwam, hoeven de meeste mensen niet zo nodig met hem in verband gebracht te worden.'

'Ik begrijp het. Maar aan de andere kant, ruim zeventig jaar later kunnen de mensen toch niet meer kwaad op hem zijn?'

'Daar zou u nog van staan te kijken,' zei de kastelein grijnzend. 'Ik woon hier nu zeventien jaar en drijf elf jaar lang deze pub. De plaatselijke bevolking noemt me nog steeds een nieuwkomer. Ze hebben een goed geheugen en zijn ongelofelijk rancuneus. De eerste week na onze verhuizing toeterde mijn vrouw naar een stelletje schapen die de weg blokkeerden. Ze zag niet dat de boer erachteraan liep. En het is zo klaar als een klontje – dat vertoon van ongeduld zal haar nooit meer vergeven worden.'

'Dus de mensen koesteren wrok tegen Aubrey? Waarom?' zei Zach. De ander knipperde met zijn ogen en leek even te aarzelen.

'Nou, als ze mijn vrouw al niet moeten omdat ze naar een stel schapen toeterde, kunt u zich wel voorstellen wat ze vonden van een man die alleen 's zomers hier was en zijn geld verdiende met pikante tekeningen van jonge meiden, terwijl hij in zonde leefde met een buitenlands liefje. En dat in de jaren dertig.'

'Ja, ik kan me voorstellen dat hij wel opzien baarde. Maar ik kan zijn tekeningen niet echt pikant noemen.'

'Nee, in onze ogen niet. Maar wel voor die tijd. Ik bedoel, hij heeft nooit lelijkerds getekend, hè?' De man grinnikte, en Zach voelde de neiging om Aubrey te verdedigen. 'En dan dat andere verhaal –'

'Andere verhaal?'

'Dat weet u toch wel? Die tragedie die hier is gebeurd?'

'Ja, natuurlijk. Maar dat was iets noodlottigs, toch? Niet Aubrey's schuld.'

'Nou, dat zal niet iedereen met u eens zijn. Aha – daar komt uw lunch.' Zachs broodjes werden binnengebracht door een chagrijnig kijkend meisje. Hij bedankte haar met een glimlach, maar meer dan een snelle beweging van haar mascarazwarte wimpers kon er niet af. De kastelein rolde met zijn ogen. 'Mijn dochter, Lucy. Werkt graag voor haar ouwe heer, hè, Lu?' Zonder te antwoorden liep Lucy snel terug naar de keuken.

'Dus u denkt dat niemand met me over hem wil praten? Maar kent u iemand die me schetsen van Aubrey zou willen laten zien als hij die nog heeft?'

'Ik zou het niet weten, sorry.' Met zijn handen op de bar en zijn hoofd schuin leek de kastelein geconcentreerd na te denken. 'Nee, geen idee. Ze zijn aardig wat waard tegenwoordig, hè? Ik denk niet dat de mensen hier nog iets hebben, en als dat zo was, zouden ze het al verkocht hebben. Boerenvolk over het algemeen, rond Blacknowle. Dat of de toeristenindustrie: geen werk waar je rijk van wordt.'

'En denkt u... Als ik zou aanbieden om te betalen voor informatie, of liever gezegd voor herinneringen aan Aubrey, zou dat helpen?' vroeg Zach. En weer grinnikte de pubeigenaar.

'Ik kan geen snellere manier bedenken om jezelf te laten doodzwijgen,' zei hij opgewekt. Met een zucht wijdde Zach zich aan zijn broodjes.

'Je zult hier wel veel toeristen en mensen met een tweede huis zien; geen wonder dat jullie niet op ze zitten te wachten. Mijn ouders hebben me een keer hierheen meegenomen op vakantie – naar Blacknowle zelf en naar Tyneham en Lulworth. We sliepen in een huisje zo'n drie kilometer verderop. Mijn grootouders kwamen hier vroeger ook, in de jaren dertig. Mijn oma vertelde dat ze Aubrey nog heeft ontmoet. Ik heb altijd gedacht dat ze terugdacht aan meer dan alleen die ontmoeting, als u begrijpt wat ik bedoel,' zei Zach.

'O ja? Nou, neem van mij aan dat ze niet de enige is! Ik heb geen hekel aan de toeristen. Hoe meer hoe liever, wat mij betreft. Het is deze zomer te stil geweest, met dit pestweer. Blijft u hier in de buurt tijdens uw research? In dat geval heb ik een fraaie kamer boven, als u wilt. Lucy is 's ochtends net een onweerswolk, maar ze kan een heerlijk ontbijtje maken.'

'Dank u. Ik eh... had er nog niet over nagedacht. Ik denk dat ik een wandeling ga maken om te zien wat de kunstenaar heeft geïnspireerd; maar als niemand met me wil praten en niemand me schetsen kan laten zien, heeft het geen zin om hier te blijven,' zei Zach. De waard leek hier even over na te denken, gehuld in de stoomwolk die uit de vaatwasser onder de bar vandaan kwam terwijl hij de glazen afdroogde. Zijn gezicht glom van het vocht.

'Er is één adres dat u misschien kunt proberen,' zei hij aarzelend.

'O?'

De kastelein tuitte zijn lippen en leek nog even na te denken. Toen boog hij zich voorover en praatte zo zachtjes en samenzweerderig dat Zach bijna in de lach schoot.

'Mocht u toevallig vanuit het dorp het pad in zuidoostelijke richting nemen dat naar Southern Farm leidt, en na een kleine kilometer links afslaan, dan komt u bij een klein huisje dat The Watch heet.'

'En...?'

'En misschien is daar iemand die met u over Charles Aubrey zou willen praten. Als u de juiste toon weet te treffen.'

'En wat zou de juiste toon dan zijn?'

'Wie zal het zeggen? Soms praat ze, soms niet. Het is het proberen waard, maar u hebt het niet van mij. En wees voorzichtig – ze woont alleen, en sommige mensen zijn beschermend.'

'Beschermend? Voor deze vrouw?'

'Voor haar. Voor zichzelf. Voor het verleden. Maar ik zit er niet op te wachten dat bekend wordt dat ik een onbekende geholpen heb informatie los te krijgen. Deze dame is namelijk erg op haar privacy gesteld. Sommige dorpsbewoners zochten haar vroeger weleens op, om te kijken hoe het met haar ging, maar ze heeft duidelijk laten weten dat ze dat niet op prijs stelt. Wil met rust gelaten worden. Wat moet je dan? Ze zal wel eenzaam zijn, maar als iemand geen hulp wil...' Hij ging verder met afdrogen. Zach glimlachte.

'Dank u wel.'

'O, geen dank. Ik waarschuw u, het loopt misschien op niets uit. Zal ik dat bed boven dan maar voor u opmaken? Voor vijfenveertig per nacht.'

'Accepteert u een creditcard?'

'Uiteraard.'

'Ik heet trouwens Zach. Zach Gilchrist.' Hij stak zijn hand uit, die de waard schudde met een glimlach.

'Pete Murray. Succes bij The Watch.'

Na een lunch van hardgekookte eieren met sla was ze weer ingedommeld. Twee kippen begonnen hun veren te verliezen. Ze zagen er vlekkerig en verfomfaaid uit, en toen ze geen eieren onder hen vond, mopperde ze. *Leggen, meisjes, leggen. Leg die eieren dan, of je gaat in de pan.* In herhaling klonk het rijmpje als een toverformule, die ze al snel in haar moeders stem hoorde in plaats van in die van haarzelf. Valentina bleef maar terugkomen sinds haar dagdroom, haar visioen, haar voorgevoel. Haar moeder was lang weggebleven. Misschien voorgoed, had ze gedacht, en daar was ze niet rouwig om geweest – afgezien van de eindeloze stilte en leegte soms. Maar kortgeleden had ze haar moeder naar haar zien kijken vanuit de citroengele ogen van de rossige kat; in de schillen toen ze een appeltje schilde; klein en ondersteboven weerspiegeld in de bolle waterdruppel die altijd aan de keukenkraan hing. Na de nacht van het noodweer, de nacht dat ze Celeste had gezien en haar voorgevoel was ontstaan, had ze op de haardsteen de oude amulet gevonden. Na bijna tachtig jaar had de wind die uit de schoorsteen geslagen: een verschrompeld klompje oud vlees zo groot als een ei, met verroeste spelden erin; er ontbraken er een paar. En toen waren de dromen begonnen. Zo was Valentina binnengekomen, en dat was een raadsel, want de amulet kon eigenlijk alleen kwade geesten buiten de deur houden. Of misschien was het toch niet zo'n raadsel.

Ze zou een nieuwe amulet moeten maken, en gauw. Waar moest ze een vers ossenhart vinden, niet ouder dan een dag? Waar kon ze een pakje nieuwe, schone en scherpe spelden vandaan halen? Zolang ze die niet had was het huis elke dag onbeschermd tegen indringers. De deur stond wijd open, vooral als ze sliep. Ze rukte zich los uit haar dutje en zag in het raam de reflectie van een bos geel haar voorbijflitsen. Dof geel haar, pikzwart bij de wortels; in een oogwenk was het weg.

'Prettige dag, ma,' fluisterde ze uit pure beleefdheid. Voor alle zekerheid. Ze stond op en strekte behoedzaam haar rug. Het was nog steeds grijs buiten, maar toch zo helder dat ze haar ogen dichtkneep. Er was nog veel te doen voor de avond viel. Alle dieren verzorgen, iets te eten vinden en een nieuw soort amulet voor de schoorsteenpijp maken. Ze kon nu nog geen echte maken, maar wel een tijdelijk lapmiddel – hoornkapsel zou een begin zijn. Naar het strand dus? Ze kwam er bijna nooit meer, omdat ze haar benen niet vertrouwde. En ze wilde niet gezien worden. Maar er zou er een verscholen kunnen liggen in de buurt van het huis. Ze besloot te gaan zoeken omdat het enerverend was om Valentina hier weer te hebben. Enerverend om te bedenken dat haar moeder haar naar hoornkapsel zag zoeken en haar bedoeling zou raden. De wraak zou verschrikkelijk zijn.

Toen ze zich van het raam afwendde bleef haar oog weer ergens haken. Niet Valentina, geen visioen. Een *mens*. Een man. Haar hart klopte in haar keel. Hij was jong, lang en slank. Even kon ze het bijna niet geloven, het leek wel... Maar nee. Niet lang genoeg, te brede schouders. Te licht en te kort haar. Natuurlijk niet, vanzelfsprekend niet. Ze schudde haar hoofd. Een wandelaar, meer niet. Die kwamen niet vaak langs haar huis omdat het pad geen wandelpad was; hij zou hier niet moeten zijn. Het was privédomein, haar grond, en achter haar huis kon hij niet verder. Ze keek hoe hij naderde. Hoe hij aandachtig naar het huis keek en langzamer ging lopen. Eigenaardig. Hij zou doorlopen tot hij niet verder kon en dan moest hij teruglopen. Zou hij zo iemand zijn die door haar ramen naar binnen keek? Twintig jaar geleden kwam er nooit iemand langs, maar nu gebeurde het steeds vaker. Ze hield niet van pottenkijkers. Het gaf haar het gevoel dat zich buiten haar gezichtsveld een vloedgolf van mensen aan het opbouwen was, die groeide en opzwol tot hij bij haar zou komen. Maar deze man liep niet voorbij. Deze kwam naar de deur. Hij had niets in zijn handen; hij had geen insigne, geen uniform. Ze had geen idee wat hij zou willen. De haartjes op haar armen stonden recht overeind. Dit was hem dus. Dit was de persoon die ze verwachtte. Valentina dartelde rond in het streepje licht op de theepot, maar ze kon er niet uit opmaken of dat een waarschuwing was of gewoon blijdschap.

Bij de deur luisterde Zach eerst of hij iets hoorde bewegen boven het ruisen van de zee en de windvlagen uit. The Watch was een laag, rechthoekig huisje. De bovenverdieping werd omsloten door de randen van het strodak. Het donkere, onregelmatig gelegde riet was op sommige plekken ingezakt; dikke pollen gras en vergeet-mij-nietjes groeiden langs de rand en op de schoorstenen. Zach had weinig verstand van rieten daken, maar dit was duidelijk hard aan vervanging toe. De muren waren witgekalkt en de voorgevel lag op het westen; het huis stond boven aan een lange helling die afliep naar het dal, waar Zach zo'n halve kilometer verderop een paar boerengebouwen zag liggen. Het pad naar het huis was droog en lag vol stenen, maar het zou bij zware regenval een modderbende kunnen worden. De weg kwam vanuit het noorden en liep naar één kant van het huis, en zo had Zach al gezien dat het huis maar één kamer diep was. Erachter lag een tuin met een hoge muur eromheen, en daar weer achter stond een rijtje beuken en eiken die nog uit een vorige eeuw stamden. De wind fluisterde in de bomen, ritselde in de droge bladeren en sprak al over de komende herfst.

Zach klopte nog een keer aan, harder nu. Als er niemand thuis was, was hij terug bij af en had hij ook nog onnodig logies voor de nacht betaald. Hij draaide zich om en bewonderde het weidse, fraaie uitzicht. Het klif, een klein stukje achter het huis, was hier zo'n drie meter hoger. Onder aan de helling zag hij het weggetje waar hij eerder die dag had gereden – door het dal naar het punt waar het land zich in zee stortte. Het voetpad liep vanaf de oostkant van het parkeerterreintje landinwaarts, dwars door de weilanden, en kruiste vervolgens dichter bij het dorp het paadje naar The Watch. Hij begreep niet waarom het zo liep in plaats van simpelweg de rand van het klif te volgen, en hij leunde achterover om langs het huis heen te kijken toen de deur een stukje openging.

In de kier van de deur verscheen een bleek, gerimpeld en duidelijk ongerust gezicht. Een bejaarde vrouw met dik, golvend wit haar, dat los om haar gezicht hing. Uitgezakte wangen met diepe groeven en gekromde schouders, waardoor ze haar hoofd een beetje moest draaien om Zach aan te kunnen kijken. Ze deed een stap achteruit toen hun blikken elkaar kruisten, alsof ze zich bedacht had en de deur dicht wilde gooien, maar ineens verstijfde ze. Groenbruine ogen observeerden hem argwanend, vol ongeloof.

'Hallo. Het spijt me als ik u stoor.' Hij zweeg even voor het geval ze hem wilde begroeten, maar ze hield haar mond. Het was een brede mond met dunne lippen, waar nog vaag de vorm van een fraai gewelfde bovenlip in te zien was. 'Eh... mijn naam is Zach Gilchrist. Ik heb gehoord... Ik bedoel, ik hoopte dat ik even met u zou kunnen praten. Als het niet te veel moeite is, als u het niet te druk hebt?' In de lange stilte die volgde begon Zachs glimlach te zwaar aan te voelen voor zijn gezicht. Hij hield het maar net vol. De wind blies plukken wit haar van de vrouw omhoog en liet ze deinen als zeewier onder water.

'Druk?' zei ze na een tijdje, zachtjes.

'Ja, als u nu bezig bent, kan ik ook wel een andere keer terugkomen, als u wilt?'

'Terugkomen?' herhaalde ze, waarop Zachs glimlach in het niets verdween omdat hij bang was dat de ouderdom haar verward had gemaakt en ze niet begreep wat hij zei. Hij ademde diep in en stond op het punt teleurgesteld te vertrekken. Toen zei ze weer iets. 'Waar wilt u over praten?' Ze had zo'n sterk accent dat de woorden in zijn oren leken te gonzen, en haar eigenaardige intonatie was moeilijk te volgen. Zach dacht aan het advies van Pete Murray om de juiste toon te treffen. Hij had geen idee wat die moest zijn, maar koos instinctief voor de familieband.

'Mijn oma heeft Charles Aubrey gekend – ze heeft hem ontmoet toen ze hier in de zomervakantie was, nog voor de oorlog. Charles Aubrey, de kunstenaar. Eigenlijk heb ik me altijd afgevraagd of het mogelijk was dat hij mijn echte grootvader is. Ik denk dat ze iets met elkaar gehad hebben. Ik was benieuwd of u hem hebt gekend. Of haar. Of u me iets over hem zou kunnen vertellen,' zei hij. De vrouw stond als aan de grond genageld, maar geleidelijk viel haar mond een stukje open en hoorde Zach haar inademen; een lange, onregelmatige inademing als een vertraagde snik.

'Of ik hem heb gekend?' fluisterde ze. Zach stond op het punt om antwoord te geven, maar zag dat ze hem toch niet zou horen. Haar ogen hadden hun focus verloren. 'Of ik hem heb gekend? We zouden gaan trouwen,' zei ze. Ze keek hem met knipperende ogen en een vluchtig lachje aan.

'Echt waar?' zei Zach. Hij probeerde het in te passen in wat hij wist over Aubrey's leven.

'O ja. Hij was gek op me – en ik op hem. De liefde tussen ons! We leken Romeo en Julia wel. Maar dan in het echt. O, het was zo echt,' zei ze fel. Zach moest glimlachen om het vuur in haar ogen.

'O, dat is fantastisch. Ik ben erg blij dat ik iemand ontmoet die met genegenheid aan hem denkt. Zou u me nog iets meer willen vertellen? Over hem?'

'U leek een beetje op hem toen u het pad af kwam lopen. Nu niet meer, vind ik. Nee. Ik zou niet weten hoe u zijn kleinzoon zou kunnen zijn. Nee, ik zou het niet weten. Ik was zijn enige liefde.'

'Vast, maar hij heeft ook andere vrouwen gehad,' zei Zach aarzelend en had er meteen spijt van toen hij haar gezicht zag betrekken. 'Mag ik misschien binnenkomen? Dan kunt u me nog meer over hem vertellen,' zei hij hoopvol. De vrouw leek het te overwegen en kreeg een beetje kleur op haar wangen.

'Andere vrouwen,' mompelde ze knorrig. 'Kom maar binnen dan. Ik zal thee zetten. Maar u bent niet zijn kleinzoon. Absoluut niet.' Zach vond dat ze niet erg overtuigd klonk, maar ze stapte opzij om hem binnen te laten. In zijn hoofd liep hij vlug de lijst van Aubrey's minnaressen na en probeerde te raden wie van hen deze oude dame zou kunnen zijn.

Achter de deur lag een schemerige hal waarin een houten trap met uitgesleten treden naar boven leidde. Deuren gaven toegang naar achteren en naar links en rechts. De oude vrouw ging hem door de rechterdeur voor naar de keuken aan de zuidkant van het huis, met ramen op het zuiden en het westen die uitkeken over zee. Op de vloer lagen zware, uitgesleten plavuizen; de ooit witgekalkte wanden zaten vol afgeschilferde plekken en vlekken, en de kromgetrokken balken van het plafond waren doorgezakt. Er was geen inbouwkeuken, alleen een verzameling houten servieskasten, buffetten en dressoirs, alles zo handig mogelijk bij elkaar gezet. Er stond een elektrisch fornuis dat wel vijftig jaar oud leek, maar alles was schoon en opgeruimd. Zach bleef maar een beetje rondhangen terwijl de vrouw een moderne, spierwitte plastic waterkoker vulde, die slecht paste bij de rest. Ondanks haar leeftijd en de bochel op haar rug waren haar bewegingen zeker en gelijkmatig. Ook met een rechte rug zou ze niet lang zijn geweest en ze had weinig vlees op haar botten. Ze droeg een lange katoenen rok met een paisley-print in blauw en groen, daaronder iets wat leren werklaarzen voor een man leken te zijn, plus een lang, kleurloos vest en vuile, rode mitaines. Toen ze zich omdraaide zwierde haar witte haar om haar heen en plotseling kon Zach haar bijna voor zich zien in haar jeugd – de rondingen die haar lichaam had gehad, haar sierlijke manier van bewegen. Hij was benieuwd welke kleur die bos haar had gehad.

'Ik bedenk ineens dat ik uw naam niet goed gehoord heb,' zei hij. Ze schrok op alsof ze vergeten was dat hij er was.

'Hatcher. Mevrouw Hatcher,' zei ze met een eigenaardig hoofdknikje, een vage schim van hoffelijkheid.

'Ik ben Zach,' zei hij, waarop ze even lachte en antwoordde: 'Dat weet ik.'

'Ja, natuurlijk.' Ze sloeg haar ogen neer en draaide zich weer om naar de buffetkast om schone bekers te pakken, en weer zag hij iets meisjesachtigs en kokets aan haar. Alsof haar geest jong was gebleven in haar verlepte lichaam. Hatcher, Hatcher. De naam klonk bekend, maar hij kon hem niet plaatsen.

Toen de thee was ingeschonken liepen ze naar de kamer aan de noordkant van het huis, waar een doorgezakte versleten bank en stoelen rondom een haard stonden die was zwartgeblakerd met het roet van jaren. Er hing een prikkelende, scherpe geur van as, zout, hout en stof.

'Ga zitten, ga zitten,' zei mevrouw Hatcher. Met haar accent klonk het als *ga zetten, ga zetten.*

'Dank u.' Zach koos een stoel bij het raam. Op de vensterbank lag een mager rossig katje diep in slaap, met wat kwijl aan zijn bek. Nu hij eenmaal binnen was leek mevrouw Hatcher hem graag te willen helpen, graag te willen praten. Ze ging als een kind op het randje van haar stoel zitten, met haar handen op haar stijf tegen elkaar gedrukte knieën.

'Vraagt u maar, meneer Gilchrist. Wat heeft uw oma over mijn Charles gezegd? Wanneer dacht ze hem ontmoet te hebben?'

'Dat moet in 1939 geweest zijn. Ze was met mijn opa op vakantie in Blacknowle en toen zijn ze Aubrey een keer tijdens een wandeling tegengekomen. Hij zat ergens buiten te schilderen of te tekenen. Mijn oma was in elk geval erg met hem ingenomen.'

'1939? 1939, dan moet ik zestien zijn geweest. Zestien! Ongelofelijk, nietwaar?' zei ze lachend, met een blik op het gebarsten plafond. Zach maakte een vlug rekensommetje. Dan was ze nu dus zevenentachtig. Als ze haar kin in de lucht stak, zag hij fijne donshaartjes op haar wang.

'Het weer viel kennelijk een beetje tegen, dat jaar. Mijn oma zei altijd dat ze graag in zee wilden zwemmen, maar dat het daar nooit warm genoeg voor was.'

'Het was bijna elke dag bewolkt. We hadden een verschrikkelijk laat koudefront gehad – in maart lag er nog sneeuw en het waaide zo hard dat het leek of iemand de deur op de heuvels open had laten staan. Het was bijtend koud. Onze zeug ging dood – ze sukkelde al, maar die kou deed haar de das om. We hebben geprobeerd al het vlees te conserveren, maar we kregen zulke koude handen van het uitbenen dat we aan het eind van de dag allebei knalrode winterhanden hadden. O, u weet niet hoe pijnlijk dat is! Het maakte niet uit hoeveel pastinaakschillen of ganzenvet je erop smeerde. Daarna wilde iedereen graag een hete, zelfs een droge zomer. Een kans om goed droog en warm te worden, maar dat ging niet door. Nee. We werden dat jaar maar zelden gezegend met een zonnige dag. Zelfs toen het later droog werd bleef het bewolkt. Hooguit een miezerig zonnetje.'

'Jullie allebei? Bij wie woonde u toen?'

'Op mijn zestiende? Bij mijn moeder natuurlijk! Wat denkt u wel?'

'Sorry, het was niet mijn bedoeling… Ga door alstublieft. Wat was Aubrey voor iemand?' vroeg Zach. Hij was verbaasd over de gedetailleerde manier van vertellen van mevrouw Hatcher, alsof die zomer eerder twee of drie jaar geleden was dan eenenzeventig.

'Wat voor type hij was? Ik weet niet waar ik moet beginnen. Als de eerste warme lentedag. Voor mij was hij alles. Hij betekende meer voor me dan wat dan ook.' Er gleed een verrukte glimlach over haar gezicht, die plaatsmaakte voor sporen van verdriet. 'Het was de derde zomer dat ze kwamen. Mijn Charles en zijn kleine meisjes. Ik had ze twee jaar eerder voor het eerst ontmoet, toen ik zelf eigenlijk nog een kind was. Hij tekende me aldoor, weet u. Hij vond het heerlijk om me te tekenen.'

'Ja, mijn oma is ook door hem geschilderd.'

'Een schilderij? Heeft hij haar geschílderd? Een echt schilderij?' Mevrouw Hatcher onderbrak hem met een frons.

'Ja, het hangt nu in een galerie in Londen. Het is nogal beroemd. Het is getiteld *De wandelaarster*. Je ziet mijn oma vanuit de verte op een zonnige dag over het klif lopen.' Zach zweeg en bestudeerde het gezicht van de oude vrouw. In haar heldere ogen lag een wanhopige blik en haar lippen bewogen bijna geluidloos.

'Hij heeft haar geschilderd?' fluisterde ze, zo verdrietig dat Zach geen antwoord gaf. De stilte was geladen. 'Maar uit de verte, zei u?'

'Ja – de gestalte op het schilderij is maar een paar centimeter groot.'

'En er zijn geen tekeningen van haar? Geen close-ups?'

'Nee. Niet dat ik weet.' Mevrouw Hatcher leek zich te ontspannen en ze ademde wat gemakkelijker.

'Ja, dan kan ze zomaar iemand zijn geweest die hij tegenkwam. Hij was altijd erg geïnteresseerd in mensen, erg toegankelijk. Misschien herinner ik me uw grootouders toch wel, nu. Het zou kunnen. Had uw opa zwart haar? Pikzwart – zo zwart als inkt?'

'Ja! Dat had hij!' Zach lachte opgetogen.

Ze stonden allemaal bij elkaar – Charles, Celeste en de twee meisjes, en dat nieuwe stel, een paar vreemdelingen die ze nog nooit had gezien. Vakantiegangers – die waren er altijd wel. Ze kwam over de weg omdat het 's nachts had geregend en het land een modderpoel was – de rode modderklei van het schiereiland waar The Watch op stond; de witte, kleverige modder van de kalkheuvels in het westen. De vrouw droeg een soepele pantalon van prachtig geelbruin keper en een mooie witte bloes, in de taille ingestopt; en ook al stond ze arm in arm met de man, aan de manier waarop ze zich naar Charles toe boog alsof ze niet anders kon was duidelijk te zien hoe verrukt ze van hem was. Aangetrokken als het getij. Haar eigen rok was gescheurd bij de zoom en haar mouwen waren gehavend door doornstruiken. De zoute zeewind had haar haar veranderd in een soort zeewier dat aan haar schedel plakte, en toen ze aan kwam lopen had ze het beschaamd achter haar oren gestoken. Ze wilde niet met hen praten, met de vreemdelingen. Ze treuzelde, liep in een wijde boog om hen heen en wenste dat ze kon horen wat er werd gezegd. De onbekende man zei iets waar Charles om moest lachen, en daar werd ze heel kwaad van. Toen keek hij naar haar – de vreemdeling. Het licht weerkaatste op zijn haar, of eigenlijk deed het dat niet. Het verdween erin – ze had nog nooit zulk zwart haar gezien. Zwarter dan pek, zwarter dan een kraaienvleugel, zonder de sombere groene of blauwe gloed van die veren. Hij ving haar blik even, maar keek toen weer naar Aubrey en Celeste. Hij schreef haar af, alsof ze niets voorstelde. Weer die hitte, dat boze gevoel. Maar toen zag Delphine haar en kwam op haar af, zwaaiend met haar vingers, om samen weg te gaan. En dus kwam ze er nooit achter hoelang ze daar met elkaar hadden staan praten; haar Charles en die onbekende vrouw die zichzelf met huid en haar aan hem overleverde.

'En nu denkt u dat ze overspel heeft gepleegd?' vroeg mevrouw Hatcher. Zach haalde zijn schouders op.

'Nou, ze waren verloofd, maar op dat moment nog niet getrouwd. Niettemin had ze mijn opa natuurlijk niet mogen bedriegen. Maar die dingen gebeuren, nietwaar? Het leven is niet zo zwart-wit.'

'Die dingen gebeuren, zeker,' herhaalde mevrouw Hatcher, maar Zach had geen idee of ze het met hem eens was of niet. Haar gezicht stond verdrietig en Zach probeerde het gesprek weer op te pakken.

'Misschien heeft ze het niet gedaan. Het kan zijn dat ze een dierbare herinnering aan hem heeft bewaard, meer niet. Ik weet dat ik niet echt op hem lijk. En bovendien had hij die dierlijke aantrekkingskracht. En die heb ik zeker niet.' Hij glimlachte. Mevrouw Hatcher nam hem taxerend op.

'Nee, die heb jij niet,' zei ze. Zach voelde zich een beetje kleiner worden.

'Maar ik schilder wel. Dus misschien is mijn artistieke kant...'

'Ben je goed?' Buiten brak de zon door en wierp licht op haar gezicht, op de wallen onder haar ogen en haar wangen. Haar gezicht was licht hartvormig met ver uit elkaar staande ogen en een ronde, nu uitgezakte kin. Zach voelde ineens een schok van herkenning.

'Ik ken uw gezicht,' flapte hij er onbedoeld uit. De oude vrouw keek hem aan met een vage glimlach die haar gezichtsuitdrukking verzachtte.

'Dat zou misschien wel moeten,' zei ze.

'Dimity Hatcher? *Mitzy?*' zei hij perplex. 'Niet te geloven! Toen u zei dat hij u aldoor tekende, had ik het nog niet door.' Stomverbaasd schudde hij zijn hoofd. Dat ze nog leefde. Dat hij haar had gevonden, terwijl niemand dat ooit eerder leek te zijn gelukt. Nu glimlachte zij, blij; ze stak haar kin in de lucht en probeerde haar schouders recht te trekken. Maar toen de zon achter de wolken verdween was het weg. Die schaduw van vroegere schoonheid. Ze was weer een kleurloze, kromme oude vrouw, die verlegen als een meisje haar haar gladstreek over haar borst.

'Fijn om te horen dat ik toch niet zo veel veranderd ben,' zei ze.

'Ja,' zei Zach, met alle overtuiging die hij op kon brengen. Het bleef even stil, hij dacht koortsachtig na. 'In mijn galerie thuis hangt een tekening van u! Ik kijk er elke dag naar en nu zitten we hier tegenover elkaar. Het is heel bijzonder!' Hij kon een glimlach niet onderdrukken.

'Welke tekening is het?'

'De titel is *Mitzy, plukkend.* U bent op de rug getekend, maar u kijkt zo'n beetje over uw schouder. Niet helemaal, maar een beetje, en u legt iets in een mand.'

'O ja, die herinner ik me.' Ze sloeg blij haar handen in elkaar. 'Ja, natuurlijk. Ik had er eigenlijk niet zoveel mee. Ik bedoel, ik zag de zin er niet van in als mijn gezicht niet te zien was.'

Ze was helemaal niet aan het plukken geweest, ze was aan het uitzoeken. Delphine had buiten kruiden geplukt en had in het voorbijgaan Dimity in de kraag gegrepen met de vraag of ze haar buit wilde controleren voor ze die naar de keuken bracht. Ze was op weg geweest naar het dorp, voor een boodschap voor Valentina. Die vrouw kon zo tekeergaan als ze te lang wegbleef dat ze haar vingers vlug door de planten liet gaan om de paardenbloembladeren die Delphine had aangezien voor maggiplant te verwijderen en het muur uit de kamille te halen. Ze had de hele ochtend al een hardnekkig wijsje in haar hoofd gehad. In haar ongeduld was ze zachtjes mee gaan zingen. *Wandelend voor mijn vertier ging ik helemaal naar de rivier. Ik hoorde een meisje luid klagen, haar zang: mijn Jimmy valt straks in de oorlog, ben'k bang…* Ze stopte abrupt omdat er achter haar zachtjes meegeneuried werd. Met een lage stem, een mannenstem – zíjn stem. Er liep een tinteling over haar rug als de lik van een kattentong, en ze verstijfde. In de stilte daarna hoorde ze het potlood zacht over het papier krassen. Een schrale liefkozing. Ze wist dat ze zich niet moest bewegen omdat dat hem zou irriteren. Dus ging ze ongeconcentreerd verder, liet grasstengels tussen het bieslook zitten en boterbloem doorgaan voor waterkers. En de hele tijd kon ze hem achter zich voelen, zijn ogen die op haar waren gericht. Alsof al haar zintuigen tot leven waren gekomen voelde ze de warmte van de zon op haar haar en het briesje op haar onderrug waar haar bloes omhooggeschoven was. Een klein stukje huid dat ineens compleet en lichtzinnig naakt leek. *Ze had bloemen in haar hand, zo mooi en charmant...* zong ze verder. Achter haar zong hij mee, en ze kreeg het gevoel dat haar hart het zou begeven.

'Wat voor kleur had uw haar?' vroeg Zach ineens. Dimity knipperde met haar ogen en leek van ver weg te moeten komen. 'Sorry, dat klinkt vast erg onbeleefd.'

'Charles zei dat het bronskleurig was,' zei ze rustig. 'Hij zei dat het gloeiend metaal leek als het licht erop viel, als een tot leven gekomen standbeeld van Persephone.' In gedachten zag Zach alle tekeningen voor zich – de vele, vele tekeningen van Mitzy en hij voegde deze kleur toe aan het slordige haar dat Aubrey met lange royale potloodstreken had getekend. *Ja.* Hij kon het nu voor zich zien, alsof de kleur er altijd op had liggen wachten om door hem gezien te worden.

Plotseling klonk er een gedempt geluid van boven. De bons van iets wat viel en één keer opstuitte, en het kraken van een schuifelende voetstap. Dimity keek afwachtend naar het plafond alsof er nog iets zou komen. Verbaasd keek ook Zach op naar de beroete balken, alsof hij erdoorheen zou kunnen kijken.

'Wat was dat?' vroeg hij. Dimity keek hem even aan alsof hij niets gezegd had, maar haar gezichtsuitdrukking veranderde, werd verschrikt.

'O, niets. Niets bijzonders. Gewoon muizen,' zei ze vlug. Haar vingers friemelden in haar haar, rolden de gerafelde randen van haar rode mitaines op en af, draaiden eraan. Haar ogen dwaalden doelloos over de muur.

'Muizen?' vroeg Zach ongelovig. Het had geklonken als iets groters. De oude vrouw dacht lang na voor ze antwoordde. Ze wipte haar voeten op en neer – van teen naar hiel en weer terug.

'Ja. Niets om je druk over te maken. Gewoon muizen.'

'Weet u dat zeker? Het klonk alsof iemand iets liet vallen.'

'Ik weet het zeker. Er is niemand boven die iets kan laten vallen. Maar misschien moet ik even gaan kijken. Dus, ben je nu klaar? Heb je je thee op?' Ze stond op en stak haar hand uit naar zijn beker. Ze zag er bezorgd en afwezig uit. Zach had zijn beker nog maar halfleeg, maar gaf hem toch aan haar. De rand was gevaarlijk afgebrokkeld en de melk leek zuur.

'Ja, natuurlijk. Het was fijn om kennis te maken, mevrouw Hatcher. Dank u wel voor de thee en het gesprek.' Met neergeslagen ogen bracht ze hem haastig naar de deur.

'Ja, ja,' zei ze vaag. Toen ze de deur opentrok spoelde de warme, frisse wind naar binnen, samen met het geluid van de zee. Zach stapte gedwee naar buiten. Op de eerste uitgesleten tree had zich water verzameld; in alle kuilen en scheuren groeide mos.

'Mag ik nog een keer terugkomen?' vroeg hij. Ze schudde automatisch haar hoofd. 'Ik zou het zo fijn vinden. Ik zou een paar van de tekeningen die Aubrey van u gemaakt heeft kunnen meebrengen, als u dat wilt. Niet de originele natuurlijk, maar afdrukken ervan, in boeken. U kunt me vertellen hoe het was toen hij ze maakte. Wat u aan het doen was die dag. Of iets dergelijks,' probeerde hij. Met haar handen weer in haar haar leek ze dit te overwegen. Toen knikte ze.

'Neem dan een hart voor me mee.'

'Een wat? Sorry?'

'Een ossenhart, niet ouder dan een dag – ik heb er een nodig. En spelden. Nieuwe spelden,' zei ze.

'Een ossenhart? Een echt hart? Waarom in hemelsnaam?'

'Het moet vers zijn, niet ouder dan een dag – denk erom dat je dat controleert.' Ongeduldig deed ze de deur achter hem dicht, met haar gedachten al ergens anders.

'O nou, goed. Ik zal...' De deur ging stevig dicht en Zach stond tegen het verbleekte hout te praten. 'Ik zal ervoor zorgen,' besloot hij.

Hij keerde de deur zijn rug toe en keek op naar de lucht, die helder wit met grijze vegen was. Dimity Hatcher. Gezond en wel, wonend in Blacknowle – nog steeds, na al die jaren sinds Aubrey haar had getekend. Zach kon het bijna niet geloven. Dat ze hier was, en dat niemand anders haar nog had opgezocht. In gedachten ging hij vlug de boeken na die hij over Aubrey had gelezen. De meeste richtten zich vooral op zijn leven in Londen, zijn jeugd in Sussex, zijn onconventionele levensstijl en zijn relatie met Celeste. Een paar noemden Blacknowle en Dimity Hatcher, maar alleen in verband met hun afbeeldingen en de betekenis ervan voor zijn werk. Nee, hij wist het zeker. Geen van de biografen had ooit met Dimity persoonlijk over de man gesproken. Glimlachend vroeg hij zich af wat ze in vredesnaam met een ossenhart en een pakje spelden ging doen.

In plaats van het pad naar het dorp terug te nemen liep hij naar de zee, naar de rand van het klif honderd meter verderop. Hij kwam zo dicht bij de rand als hij durfde, want hij kon niet zien waar het gras ophield en was bang dat hij plotseling op niets dan een dunne laag aarde boven de afgrond zou staan. Lage golven rolden aan land over de rotshellingen die van halverwege het klif steil naar het water afliepen. Hij zag geen pad naar beneden en de rotsen zagen er gevaarlijk uit – steil en half verborgen onder de kolkende zee. Geen beste plek om te zwemmen. In het korte interval tussen twee golven klonk een zacht geruis; een zucht terwijl het water zich terugtrok. Toen hij naar het oosten keek, begreep hij waarom het voetpad landinwaarts liep – de bomen die hij achter The Watch had gezien stonden aan de rand van een steile geul, een ravijn dat het land doorsneed. Die liep zo'n zeventig meter het binnenland in en liep aan de andere kant uit in een kiezelstrandje, leeg op wat wrakhout en ander afval na. Er was geen enkele manier om daar te komen – de wanden waren erg steil. Grote witte meeuwen waren erop neergestreken om hun vleugels rust te geven; sommige stonden op één poot te slapen met hun kop onder hun vleugel. The Watch werd aan twee kanten afgesneden door de zee en stond geïsoleerd op een eigen schiereilandje.

Zach stond daar een tijdje uit te kijken over het uitgestrekte water en dacht aan Elise. Wat was er met de kust dat kinderen er zo dol op waren? En dat volwassenen er energie van kregen? Misschien was het de verre horizon, die problemen in perspectief zette, of de manier waarop het licht zowel van de grond als uit de lucht leek te komen. Ze waren vaak met Elise naar het strand gegaan, hij en Ali, op vakanties in Italië en Spanje. Toen ze nog een stel waren, toen hun namen nog zo gezellig samen over de tong gleden. *Zach en Ali.* Maar Elise leek meer van de Britse kust te houden – ze leek meer te verlangen naar getijdenpoeltjes dan naar zonnewarmte, meer naar zeewier dan naar fijn wit zand. Op een keer zat ze geduldig en geboeid toe te kijken hoe Zach een emmer water over een paar slakjes uitgoot, een minuut of vijf lang, met regelmatige tussenpozen, tot ze gingen geloven dat het vloed werd en ze tot leven kwamen. Toen dat gebeurde hield ze haar adem in. Ze had niet geloofd dat ze echt leefden; ze zaten te stil en te vast – eerder een deel van de rots. Maar ze konden er geen lostrekken – zo gauw de slakjes werden aangeraakt, klampten ze zich weer vast aan de rots. Elise bleef het verontwaardigd proberen. Ze krabde met haar roze vingernageltjes tot Zach zei dat ze moest stoppen, dat ze ze bang maakte. Toen streelde ze ze voorzichtig en zei sorry; een excuus aan een groepje slakken omdat ze ze had laten schrikken.

Zach liep terug langs het huis en was ter hoogte van de voordeur toen hij aan zijn linkerkant iets zag bewegen in de vallei. Hij bleef staan om naar de boerderij onder aan de helling te kijken. Rond twee verharde binnenplaatsen, een grote en een kleinere, stonden vier of vijf opstallen en schuren van verschillende grootte gegroepeerd. Het vierkante, witgeverfde woonhuis stond een eindje verderop in de vallei aan de kant van het dorp en keek uit op The Watch. De voordeur lag precies in het midden tussen vier schuiframen en op de verdieping erboven was nog zo'n rij ramen. Wat hij had zien bewegen was een kleine jeep, die vanaf een van de weilanden het erf op reed. Toen de bestuurder uitstapte om het hek te sluiten zag Zach met enige verbazing dat het een vrouw was. Klein en slank, een onverwachte lichaamsbouw voor een boer. Ze liep vlug naar het hek, en doordat de wind even ging liggen kon hij het lage metalen *kleng* waarmee ze het dichtsloeg horen, een fractie nadat hij het zag. Toen ze zich energiek omdraaide zag hij een donkere bos krullen op schouderlengte, naar achteren gehouden door een felgroene sjaal. Ze stond op het punt om weer in de jeep te stappen toen iets haar tegenhield. Abrupt keek ze omhoog naar The Watch, en Zach, die toch al roerloos stond, voelde zich verstijven. Betrapt terwijl hij zonder vragen een onbekende stond te bespieden. Hij wendde zich al bijna beschaamd af, maar deed dat niet omdat ook zij verstard bleef staan. Zo stonden ze op een afstand van meer dan een halve kilometer naar elkaar te kijken en Zach dacht dat hij haar verbazing kon voelen. Misschien was ze verbaasd om iemand bij het huis te zien. Even bleven ze zo staan, toen stapte ze weer in de jeep en sloeg het portier dicht. Het geluid van de motor ging verloren in de wind, maar toen ze naar het huis reed zag hij vaag door de ruit dat ze haar gezicht weer in zijn richting draaide.

De rest van de middag liep Zach in gedachten verzonken over het klifpad naar het westen. Hij moest zijn aantekeningen weer oppakken en zijn boek herstructureren. Het moest misschien een andere opzet krijgen, een andere invalshoek. Het zou helemaal over de laatste levensjaren van de kunstenaar kunnen gaan – over zijn jaren in Blacknowle. Aubrey was overleden op wat algemeen beschouwd werd als zijn artistieke hoogtepunt; de tekeningen die hij in Blacknowle maakte en de portretten in opdracht uit zijn Londense studio in die periode waren grotendeels zijn beste werk. Er was al genoeg bekend over zijn opvoeding, scholing, vroege loopbaan en zijn reeks minnaressen. Maar niemand had Dimity Hatcher nog gevonden. Hij maakte een snelle optelsom. Zo uit zijn hoofd kwam hij tot zo'n vijfentwintig tekeningen van het meisje als tiener, allemaal in de jaren dertig gemaakt. En ze stond ook op drie grote olieverfdoeken: een keer als Berbermeisje in de woestijn, een keer als wispelturig en boosaardig wezen bij een ruïne diep in het bos, en een derde keer als zichzelf, wandelend langs het strand met op haar heup een mand vol donker spul waarvan Zach zich altijd had afgevraagd wat het was. Nu kon hij het haar vragen, dacht hij in een vlaag van opwinding. Ondanks haar hoge leeftijd leken Dimity's herinneringen aan die tijd verrassend scherp. Misschien – nee, zeker – wist zij wie Dennis was. Die vormeloze jongeman met de gezichtsuitdrukking die de kunstenaar maar niet had kunnen pakken.

Toen Zach terug was in de Spout Lantern bracht Pete Murray hem naar zijn kamer; hij moest zijn hoofd buigen om het niet te stoten aan de lage balken op de overloop. De kamer lag aan de andere kant van het gebouw, zo ver mogelijk weg van de bar. Er stond een smal tweepersoonsbed met een lappendeken erop. De kamer was ingericht met de zee als thema – miniatuurscheepjes en een gedroogde zeester op een plank, lichtblauwe muren en zeepaardjes op de gordijnen. Ongeveer een uur later zat Zach een portie vispastei te eten aan een tafel tegenover de bar, tussen het geroezemoes van een bescheiden groep dorpsbewoners. Er werd naar hem geknikt en geglimlacht, maar niemand knoopte een gesprek met hem aan. Ze zagen hem ongetwijfeld aan voor een vakantieganger, iemand die voor korte tijd langskwam en verder niet de moeite waard was.

Er liepen mensen met honden in en uit, die tijdens hun avondwandeling even snel een pintje kwamen halen. Zach vermaakte zich met toekijken hoe de honden aan elkaar snuffelden terwijl hun baasjes eigenlijk hetzelfde deden. Hij voelde zich zwaar van vermoeidheid, een nawerking van de frisse lucht en de lichaamsbeweging. Zijn spieren werden los en ontspannen, hij werd licht in zijn hoofd door het glas bier en hij had absoluut niet het gevoel dat hij opviel, of niet welkom was. Althans niet tot de deur weer openging en er een kleine, pezige vrouw binnenkwam. Ze droeg een strakke spijkerbroek die geheel schuilging onder een enorme bloes van Schotse ruit. Haar voeten staken in slappe leren laarzen met neuzen die wit waren van het stof. Ze had donkere krullen, achterover gehouden door een groenblauwe sjaal die rafelig en vuil was aan de randen. Hij herkende haar onmiddellijk van de jeep bij de boerderij. Om de een of andere reden schrok hij van haar plotselinge verschijning, alsof hij weer betrapt was op iets wat hij niet mocht doen.

Ze bewoog zich even snel en doelbewust als hij haar op het erf had zien doen en vertraagde haar vaart pas toen ze bij de bar was, waar ze door een aantal mensen werd begroet. Glimlachend gaf ze een paar mensen een hand, wat Zach ongewoon en verrassend vond – een vrouw die handen schudde in plaats van een kus te geven, zoals de vrouwen die hij uit de kunstwereld kende gedaan zouden hebben.

'Hetzelfde als altijd?' begroette Pete haar. Hoewel de waard glimlachte viel het Zach op dat hij er een beetje ongemakkelijk, bijna zenuwachtig uitzag. De vrouw lachte tegen hem en Zach kon haar gezicht zien in de spiegel achter de bar: de opgetrokken wenkbrauwen, het licht spottende trekje om haar lippen.

'Hetzelfde als altijd,' zei ze. Zach spitste zijn oren om haar stem te kunnen horen. Pete zette een pure whisky voor haar neer, die ze achteroversloeg terwijl hij een pint donker bier voor haar tapte. Zach zag dat ze de waard aandachtig in het oog hield en dat hij tussendoor even naar haar keek. Toen hij de pint voor haar neerzette hield hij zijn hoofd een beetje scheef en leek hij iets te willen zeggen, maar de vrouw stak haar hand op. 'Laat maar, Pete. Echt. Ik heb een rotdag gehad en ik hou het bij deze, goed?'

'Oké, oké. Je hoeft niet zo kwaad te worden. Ik heb niets gezegd.'

'Hoef je ook niet,' mompelde ze terwijl ze haar pint vastpakte en haar gezicht ernaartoe bracht zodat ze niet zou morsen. Op dat moment sloeg ze haar ogen op en ving ze Zachs blik in de spiegel. Van schrik keek hij de andere kant op. Toen hij weer opkeek zat ze nog naar hem te kijken, en weer keek hij weg. Hij keek naar zijn handen, naar een druppel bier op de tafel; hij keek naar zijn telefoon, die geen bereik had, nog geen streepje. En toen keek hij op, omdat ze pal voor zijn tafel stond.

'U was vandaag bij The Watch,' zei ze zonder inleiding.

'U herkent me?' vroeg hij, in de hoop niet te verrast te klinken.

'Makkelijk. U valt wel erg op in die kleren.' Haar stem klonk een beetje hees; ze praatte op dezelfde vlugge, resolute manier als waarop ze zich bewoog. Zach keek naar zijn donkere jeans, zijn leren schoenen en vroeg zich af waarom hij zo opviel. 'Verdwaald, zeker? Op zoek naar het kustpad?'

'Nee, ik... Hij aarzelde of hij moest prijsgeven waar hij mee bezig was. 'Ik was bij iemand op bezoek.'

'Wat wilt u van haar?' vroeg de vrouw.

'Is dat iets wat u aangaat?' zei Zach voorzichtig. De vrouw stak haar kin in de lucht alsof ze hem uitdaagde. Zach schoot bijna in de lach om haar strijdlust en kreeg een vaag gevoel van herkenning. Hij zweeg even en probeerde het te plaatsen. 'Ik ben Zach Gilchrist,' zei hij met uitgestoken hand. 'Hebben we elkaar eerder ontmoet?' Ze keek argwanend naar zijn hand en wachtte even voor ze hem eenmaal drukte.

'Hannah Brock. En nee, we hebben elkaar niet eerder ontmoet. Ik ben mevrouw Hatchers dichtstbijzijnde buurvrouw en ik let een beetje op haar. Ik zorg dat ze niet wordt lastiggevallen.'

'Waarom zouden mensen haar lastigvallen?' vroeg Zach, terwijl hij zich afvroeg hoeveel Hannah wist van de redenen waarom Dimity beroemd zou moeten zijn.

'Ja, waarom?' vroeg ze, met één wenkbrauw opgetrokken. Haar ogen waren even donker als haar haar en haar smalle gezicht was gebruind door de zomerzon. Haar leeftijd was moeilijk te schatten omdat het leven in de buitenlucht fijne lijntjes rond haar ogen en mond had getekend, maar ze straalde een vitaliteit uit die hem bijna van zijn stuk bracht. De hand die de zijne even had gedrukt was hard, droog en klein. Zach gokte dat ze eind dertig was.

'Ik geloof niet dat ik haar heb lastiggevallen. Ze leek heel opgewekt. Ze heeft thee voor me gezet,' zei hij met een schalkse glimlach.

'Thee?' echode Hanna sceptisch.

'Thee,' herhaalde Zach. Ze bestudeerde hem even, en Zach kreeg de indruk dat haar vijandigheid plaatsmaakte voor nieuwsgierigheid.

'Zo,' zei ze na een tijdje. 'Dus u valt in de smaak.'

'O ja?'

'Het heeft me bijna zes maanden gekost om een kop thee van haar los te krijgen, en dan nog nadat ik... Nou ja, dat doet er niet toe. Maar waarover wilde u haar spreken?'

'U bent haar buurvrouw. Dus dit is... Ja, wat is dit eigenlijk? Het toppunt van gluren vanachter de gordijnen?' zei Zach. Ze bleef hem even onbeweeglijk aankijken en had toen het fatsoen om kort te glimlachen.

'Mevrouw Hatcher is een bijzonder geval. Ik vraag me af of u weet hoe bijzonder.'

'Ik vraag me af of u dat weet,' kaatste Zach terug.

'Nou, dit leidt tot niets.' Hannah zuchtte. 'Ik wil u alleen maar laten weten dat ik op haar let. En ik laat het niet gebeuren dat ze lastiggevallen wordt. Goed zo?' Ze draaide zich om en liep naar een groepje mensen aan de andere kant van de bar.

'Ze heeft me gevraagd om nog eens terug te komen. Ze heeft me zelfs om een boodschap gestuurd,' riep Zach haar na. Hannah keek over haar schouder met een vragende blik, in plaats van een vijandige. Ze rolde ongeduldig met haar ogen en draaide zich om, waarop Zach grinnikte.

Toen de lange jongeman weg was bleef Dimity lange tijd onder aan de trap staan luisteren. Het was nu stil boven, op de gewone geluiden van The Watch na. Scharrelende muizen in het rieten dak, de wind in de schoorsteenmantel, water dat met een licht muzikaal toontje op een stuk metaal druppelde. Maar er was een geluid geweest; ze hadden het allebei gehoord. Het was voor het eerst in lange tijd geweest en het had haar verrast. In verwarring begon ze aarzelend de trap op te lopen. In de halspiegel achter haar stak Valentina vermanend haar vinger naar haar op, met haar kin spottend in de lucht gestoken. Dimity negeerde haar, maar toen ze op de bovenste tree kwam bonsde haar hart pijnlijk. Het was donker op de kleine overloop en het rook er muf van de regen die door het rieten dak was gelekt en het bepleisterde plafond had doorweekt. Theekleurige concentrische kringen gaven de plek van de lekkage aan. Links lag haar slaapkamer; de deur stond open en er viel een blauwachtig licht door het raam dat uitkeek op zee. Rechts een gesloten deur. Ze stond weer stil om te luisteren. Ze had het gevoel dat ze van bovenaf werd bekeken; weerspiegeld in de ogen van onverschillige spinnen. Langzaam liep ze naar de dichte deur, legde voorzichtig een hand op het hout. Van de zenuwen neuriede ze zomaar een liedje. *Ze had bloemen in haar hand, zo mooi en charmant...*

'Ben je daar?' vroeg ze, maar het kwam er hees en in haar eigen oren helemaal verkeerd uit. De spinnen keken toe. Er was geen antwoord, geen enkel geluid. Onzeker bleef ze nog even staan wachten. Er hing een doodse, diepe stilte achter de deur en de treurnis die ervan uitging overweldigde haar bijna. Ze verzette zich, vocht ertegen. Ze vond haar hoop terug. Achter haar kwam de rode kat uit haar slaapkamer. Toen hij zich rond haar enkels draaide hoorde ze Valentina giechelen in zijn luide gespin.

Valentina Hatcher: een vrouw die beweerde dat haar voorouders zigeuners waren die heel Europa doorkruisten om ziektes te genezen en de toekomst te voorspellen. Eigenaardig dus dat ze gekozen had voor geel haar, maar ja, haar natuurlijke kleur was ook niet het glanzende zigeunerbruin. Het was een mat, muisvaal bruin. Die geur was een van Dimity's eerste herinneringen – de doordringende stank van bleekmiddel die het hele huis vulde. Ze goot het in een zinken teil met water op de keukentafel, met oude lappen eromheen om gemorste druppels op te vangen. Dimity stond dan in de deuropening geboeid toe te kijken, maar ze probeerde wel uit het zicht te blijven, want als haar moeder haar zag zou ze moeten helpen.

'Geef me die handdoek – nee, die andere! Haal dat spul van mijn nek!' Blaffend als een terriër. Dimity moest op een wankele stoel staan om het dikke, gemene spul van haar moeders huid te vegen. Ze had er een bloedhekel aan, en als er iets op haar handen terechtkwam schreeuwde ze al voordat het begon te branden.

Als het klaar was zag het er prachtig uit, voor een poosje. Als het kapsel van een zeemeermin, met de glans van gouden munten. Valentina ging buiten zitten om het aan de wind te laten drogen, haar gezicht opgeheven naar de hemel. Met haar rok opgetrokken tot boven haar plompe knieën zodat de zon haar benen kon verwarmen terwijl ze een sigaret rookte.

'Er lopen straks nog schepen op de rotsen als je daar zo blijft zitten, Val Hatcher,' zei Marty Coulson een keer toen hij over het pad kwam aanlopen op zijn O-benen, met zijn tweed pet diep over zijn oren getrokken. Dimity had een hekel aan zijn grijns. Marty Coulson grijnsde altijd wanneer hij naar The Watch kwam. Maar wanneer Dimity hem in het dorp zag, keek hij de andere kant op, alsof hij haar niet zag. Dan grijnsde hij niet.

'Je bent vroeg,' zei Val. Ze klonk geïrriteerd. Marty bleef met een scheef schouderophalen bij de voordeur staan. Val drukte haar sigaret uit, stond op en veegde het gras van haar rug. 'Mitzy – ga naar het dorp. Ga bij mevrouw Boyle een cake kopen voor bij de thee.' Ze bleef Marty Coulson vlak en koeltjes aankijken tot hij een shilling uit zijn zak haalde en aan Dimity gaf. Ze vond het altijd fijn om een boodschap in Blacknowle te gaan doen. Om weg te zijn van The Watch, al was het maar voor even, en andere mensen dan haar moeder te zien.

Zodra ze net groot genoeg was om te lopen was ze er al alleen op uitgestuurd; toen ze vijf of zes was in elk geval. Met simpele opdrachten om thee te kopen of een geheimzinnig in papier gewikkeld pakje weg te brengen. Een amulet of een tovermiddel. Een nieuwe bezem om als geluksbrenger in een deurkozijn in te bouwen; stukjes verschrompeld konijnenvel om mee over wratten te wrijven en daarna te begraven, om van de wratten af te komen. Mensen waren niet blij om haar aan hun deur te zien, wilden niet dat bekend werd dat ze iets bij Valentina hadden gekocht. Ze pakten aan wat ze kwam brengen en stuurden haar vlug weg, terwijl ze links en rechts de straat in keken. Maar ze konden het niet laten. Als ze geluk wilden hebben, of een baby, of juist een baby kwijt wilden, als ze een wonder nodig hadden of een ramp, dan probeerden ze het met Valentina, én met bidden. 'Van twee walletjes eten,' sneerde Valentina als ze bij hun huis vertrokken waren of, wat vaker voorkwam, alleen een briefje door de deur hadden gedaan en daarna waren weggelopen. 'Ik hoop dat ze jeuk op hun rug krijgen van het zweten als ze de dominee zondag hoopvol aankijken.' Dimity leerde met vallen en opstaan alle weggetjes, paden en velden kennen. Ze ontdekte hoe iedereen heette en waar ze woonden; wie haar een paar centen voor haar moeite gaf en wie de deur voor haar neus dichtgooide.

Toen Dimity nog klein was, had Valentina haar vergezeld op meer gespecialiseerde missies, zoals voedsel verzamelen en planten plukken. Ze had haar geleerd waar je waterkers moest zoeken, dat kracht gaf en de spijsvertering bevorderde in tonicums; je moest het nooit plukken in een beek die door een wei met levende have liep, want dan gaven de planten de parasieten van het vee door. Hoe je wilde pastinaak kon onderscheiden van de waterscheerling, die je alleen met handschoenen aan mocht uitgraven; als je de wortels voorzichtig raspte kon je er met niervet en stroop plakkerige balletjes van draaien, die het hele jaar door goed verkochten als lokaas voor de ratten. Hele emmers vol, als iemand een rattenplaag had. Zoals meneer Brock van Southern Farm. Hij had toen twee hele emmers gekocht – bijna hun hele voorraad. Met elk een emmer, die onder het lopen tegen hun benen bonkte terwijl de handvatten in hun huid sneden, waren Dimity en Valentina de heuvel van The Watch af geglibberd. 'Je hebt een probleem, hè?' had Valentina aan de man gevraagd toen ze op zijn erf stonden. Met een onpasselijke blik had hij hen gewenkt. Hij had één kant van een blikken trog opgetild om hun een kluwen wriemelende bruine diertjes eronder te laten zien, die wegkropen voor het licht. 'Afgelopen nacht hebben ze een lam afgeknaagd tot op het bot.' Dimity had overal jeuk gekregen, alsof er mieren over haar hele lichaam kropen. De hond van de boer was door het dolle heen geweest en had ze al happend achternagezeten. De zoon, Christopher Brock, had er eentje doodgeslagen met een knuppel terwijl ze de balletjes over het erf uitstrooiden. Dimity had de botjes horen kraken.

Ze hielden een varken en kippen in de achtertuin, maar soms wilde Valentina meeuwen- of eendeneieren. Er moest aanmaakhout worden gezocht, wortels van gaspeldoorn worden opgegraven en gedroogd. Dat was de beste brandstof voor het fornuis, het gaf een heldere, hete vlam. Ze vonden paddenstoelen en wilde appels, en soms een konijn uit de strik van iemand anders. Dimity haatte dat stelen. Haar vingers gingen ervan trillen en ze sneed zich vaak aan het scherpe draad. Het draad zat vaak al vol bloed en ze vroeg zich af of dat dan in haar aderen zou komen en ze een half konijn zou worden. Valentina gaf haar dan een draai om haar oren omdat ze onvoorzichtig was, stopte het konijn in een canvas tas en liep verder. Dimity hoopte dat haar moeder genoot van het samenzijn op die tochtjes, van het overdragen van haar kennis. Maar zo gauw Dimity alles wist wat haar moeder haar kon leren, werd ze er alleen op uitgestuurd. Het leek erop dat ze alleen maar was opgeleid om het over te kunnen nemen.

Van jongs af aan wist ze precies wanneer haar moeder direct iets nodig had of wanneer ze Dimity alleen maar uit de buurt wilde hebben. In het laatste geval bleef ze in het rond zwerven, met een hoofd vol denkbeelden en verhalen. Ten westen van The Watch lag een lang, breed strand dat voornamelijk uit stenen bestond, maar waar bij eb een zandstrook droogviel. Op dat strand zat ze urenlang in de getijdenpoelen te kijken. Zogenaamd om een paar garnalen of mosselen voor de soep te vinden, of Iers mos – Valentina gebruikte het paarse zeewier om gelei en pudding te maken. Waar Dimity ook ging, ze had altijd wel een tas of een mandje bij zich om haar gevonden waar in te stoppen.

Op een dag prikte een scherpe steen een gat in haar schoenzool. Ze legde de schoen in een poel en keek hoe die bleef dobberen. Ze probeerde uit hoeveel schelpen ze erin kon leggen voordat hij ging zinken. Toen hoorde ze stemmen boven zich en ze keek op toen de eerste steen de poel raakte. Het water spatte koud op in haar gezicht. Kinderen uit het dorp, boven op het klif. Voornamelijk jongens, maar ook de zusjes Crane met hun griezelig identieke gezicht; ze glimlachten opgewonden. Na de steen volgde een stok, die haar arm raakte. Ze krabbelde overeind en vluchtte razendsnel over de rotsen naar de voet van het klif, waar ze van bovenaf niet gezien kon worden. Ze hoorde schelden, lachen en roepen; ze zag nog een paar projectielen neerkomen op de plek waar ze het laatst was gezien. In de beschutting van het klif liep ze verder het strand af. 'Dimity!' hoorde ze hen schreeuwen. 'Dim, dim, dim is niet zo slim!'

Dimity kende veel andere paadjes van het strand naar boven; ze hoefde niet over het bekendste waar ze haar misschien zouden opwachten als ze zich verveelden. Toen ze het fijnere grind bereikte, merkte ze pas dat ze haar schoenen had vergeten. Eén lag er op de rots, één in de poel met een lading schelpen erin. Ze zou ze later moeten ophalen; en dat ging ze ook doen, nadat Valentina haar volgens Dimity zelf onverdiend hard had geslagen. Alleen was ze vergeten hoe dicht ze bij het water was geweest toen ze ze had uitgedaan; de vloed had ze meegenomen. Ze zocht een tijdje de zee af voor het geval ze ze zag drijven. Ze vermoedde dat ze voorlopig geen andere zou krijgen, al had haar moeder die week wel geld gehad voor een nieuwe lippenstift en kousen. Daar kreeg ze gelijk in, en ze had geluk dat het die week mooi en droog weer was. Maar ze liep een doorn op in haar linkerhiel, die ze er niet uit kreeg. Ze liep een week lang kreupel, tot Valentina haar op een stoel plantte, de plek verwarmde met stoom uit de ketel en, zonder acht te slaan op Dimity's gekrijs, kneep tot de doorn in een straal gelige pus naar buiten dreef.

School was een trage marteling. Het was veertig minuten lopen naar het tochtige gebouw in het volgende dorp, waar ze achter in de klas haar best deed om op te letten terwijl er continu naar haar gekeken en over haar gefluisterd werd en er briefjes met gemene tekeningen en beledigingen naar haar werden gegooid. Zelfs de armste kinderen, met vaders die altijd dronken waren, hun moeders sloegen of werkloos waren en de hele dag onder de struiken lagen te slapen, zoals die van Danny Shaw; zelfs zij keken neer op Dimity Hatcher. De onderwijzeres gaf ze een uitbrander als ze hen betrapte en moedigde Dimity tijdens de lessen nadrukkelijk aan, maar Dimity zag de vertrokken en licht walgende blik op haar gezicht, alsof het beneden haar waardigheid was om haar les te geven en ze het maar net kon opbrengen.

Als het tijd was om naar huis te gaan wist Dimity nooit of ze zo snel mogelijk moest weggaan of juist niet, omdat de anderen dan achter haar aan naar Blacknowle liepen. Ze dreven de hele weg de spot met haar, scholden haar uit, gooiden met dingen, lachend. Soms verstopte ze zich tot ze allemaal weg waren en liep dan alleen achter hen aan, ervoor zorgend dat er steeds een bocht tussen hen bleef. Ze was niet echt bang voor hen, maar had er haar buik van vol. Ze had net zo weinig zin om met hen om te gaan als zij met haar. 'Niet aanraken! Dat heeft Dimity vastgepakt! Haar vlooien zitten erop!' Elke belediging, elk scheldwoord trof haar als een pijl die in haar huid bleef steken en die ze er niet uit kon trekken. Ze probeerde niets te voelen als ze achter hen aan liep en nooit te laten merken dat ze huilde. Wat dat betreft waren ze net een roedel honden, die wild werden bij elk teken van zwakheid. Hun geklets dreef op de wind naar haar toe; ze hoorde hun spelletjes en grappen en vroeg zich af hoe het zou zijn om daaraan mee te doen, al was het maar één dag; even maar. Om te kijken hoe anders dat zou voelen.

Soms liep Wilf met haar mee. Wilf Coulson, een mager onderdeurtje, nakomeling van de grijnzende Marty Coulson en zijn afgetobde vrouw Lana, die als moeder van acht kinderen op vierenveertigjarige leeftijd had gedacht dat haar taak erop zat en toen nog zwanger werd van Wilf. Hij had altijd een loopneus en een verstopt linkerneusgat. Dimity gaf hem een zakdoek met rozemarijnolie om het schoon te maken, maar hij schudde altijd zijn hoofd en zei dat hij van zijn moeder niets van haar mocht aannemen.

'Waarom niet? Je vader komt soms bij ons. Dan kan je moeder toch geen problemen met ons hebben,' zei ze een keer. Wilf haalde zijn magere schouders op.

'Ze vindt het toch niet prettig. Ma zegt dat we ook niet over je mogen praten.'

'Wat stom. Het kan helemaal geen kwaad. Ik heb het zelf gemaakt, van onze planten in de achtertuin.'

'Je mag niet zeggen dat mijn ma stom is. Het is omdat je geen vader hebt, denk ik,' zei Wilf. Het was november en het modderige land was geploegd. Ze glibberden lomp en wijdbeens over een spoor tussen de modderpoelen, hun schoenen vol aangekoekt grijs slijk. De lucht had die dag dezelfde kleur als de modder.

'Ik heb wel een vader, maar hij is vermist op zee,' zei Dimity. Dat had Valentina haar verteld, nadat ze het zo vaak had gevraagd dat ze bang was dat de vrouw tegen haar uit zou vallen. Ze had op het stoepje voor het huis in de verte zitten staren. Rokend, met half dichtgeknepen ogen. 'Wil je er verdomme eens over ophouden? Hij is weg, meer hoef je niet te weten! Vermist op zee, voor mijn part.'

'Was hij dan zeeman?' vroeg Wilf.

'Ik weet het niet. Ik denk het. Of misschien visser. Maar hij is alleen vermist; als hij terugkomt grijpt hij Maggie en Mary Crane in hun kraag om ze als ratten door elkaar te schudden!' De rest van de dag neuriede ze zachtjes 'Bobby Shaftoe.' *Bobby Shaftoe ging naar zee...* Jaren later begreep ze pas dat Valentina met 'vermist op zee' bedoelde: dood, komt nooit meer terug.

Op een stormachtige dag, toen de wind het water opstuwde tot hoge, woeste golven en ze stond te kijken hoe die op de kust beukten, stelde ze zich voor hoe alle verdronken zeelui en vissers vanaf het begin der tijden in de diepte rondwervelden als herfstbladeren in de wind. Hun botten vermalen tot zand. De kust waar ze woonde was verraderlijk en lag vol scheepswrakken. Het jaar daarvoor was ze met Wilf en zijn broers met de bus naar het wrak van de Madeleine Tristan gegaan, een driemaster die de baai van Chesil in geblazen was. Hij lag scheef op het strand, omringd door toeristen en inwoners. Dimity en Wilf waren net als alle andere kinderen de losse tuigage in geklommen om op het dek te kijken en piraatje te spelen. Ze hadden nog nooit zo'n mooie speelplek gehad, en ze gingen er steeds opnieuw naartoe tot de ratten het overnamen en het onveilig maakten met hun wriemelende lijven en zwiepende staarten. Vlak bij de Madeleine Tristan lagen de ijzeren stoomketels van een ander schip, de Preveza. Wrak op wrak; lagen vergane schepen, verloren levens.

Toen ze begreep dat haar vader nooit bij The Watch zou aankloppen, voor haar op zou komen of de tweelingzusjes Crane als ratten door elkaar zou schudden, was Dimity lange tijd verdrietig. En toen Ma Coulson ontdekte dat haar jongens Dimity Hatcher hadden meegenomen naar het wrak van de Madeleine Tristan bleef ze met haar armen over elkaar toekijken hoe Marty zijn riem over hun achterwerk haalde. Vanuit haar schuilplaats in de braamstruiken hoorde Dimity het knallende geluid van leer op huid en het jammeren en kreunen van de jongens. Ze beet tot bloedens toe op haar lip, maar ging niet weg voordat de laatste afranseling was uitgedeeld.

Toen Dimity twaalf was zei Valentina dat ze niet meer naar school mocht; dat was zonde van de tijd en ze was thuis nodig. Tot haar verbazing merkte Dimity dat ze het miste. Ze miste zelfs de andere kinderen, al had ze een hekel aan de meeste van hen. Ze miste het om hun nieuwe potloden en kleren te zien, hun verhalen te horen. Met Wilf naar huis te lopen. Maar ze had niet het gevoel dat ze het leren miste. Wat had ze aan wiskunde of weten waar Afrika lag? Wat had ze eraan om van een vrouw met een paardengebit en borsten tot op haar taille te horen hoe je een taart moest bakken, terwijl ze dat al deed sinds ze groot genoeg was om met een kruk bij het aanrecht te kunnen? Wat Valentina haar leerde was belangrijker. Alle andere kinderen bleven minstens tot hun veertiende op school. Dat was de wet, maar niemand zei er iets van toen Dimity stopte. Dimity dacht dat de hoofdonderwijzer naar The Watch zou komen om haar terug te halen, maar dat gebeurde niet. Een paar dagen, maar niet veel meer, keek ze naar hem uit.

Het was Dimity die als eerste het pad ontdekte dat van de rotspunt bij The Watch naar het smalle strandje beneden liep. Sterker nog, zij maakte het pad vrij. Met bonzend hart en knikkende knieën; op een dag dat ze van huis was weggestuurd met de opdracht om zichzelf maar te vermaken. Urenlang, was de bedoeling. Ze schoof voorzichtig over de rand, met haar vingers in het taaie gras, en ze voelde met haar voeten naar een stuk steen dat haar gewicht zou kunnen houden zonder weg te glijden of te kantelen. Als de steen losschoot en ze haar steun kwijtraakte zou niets haar val breken tot ze neerstortte op de puntige rotsen daarbeneden. Haar schoenzolen gleden eerst uit over een laagje gruis, maar kregen vervolgens grip. Het stuk steen bewoog niet. Van daaruit zag ze een lang, smal zigzaggend paadje, eerst naar rechts en vervolgens linksaf naar beneden. De afstand tussen de stenen die veilig leken was soms erg groot, en ze moest haar benen flink strekken, of springen, wat heel eng was: vrijwillig alle houvast, alle veiligheid loslaten. Maar ze deed het, ze vond een weg naar beneden en was vervolgens uren bezig om betere treden te maken met stenen die klein genoeg waren om te versjouwen; ze duwde er net zolang tegen tot ze niet meer bewogen en ze erop kon vertrouwen. Er stond een helder zonnetje en er woei een zacht windje, een prachtige dag in mei. Halverwege het klif zat een meeuwennest; de ouders waren op jacht op zee, in het nest zat één wollig kuiken. Het accepteerde haar aanwezigheid met een onnozele blik, knikkend met zijn plompe kopje. Ze wist dat ze het niet moest aanraken, hoe graag ze dat ook wilde. Maar ze schoof dicht langs de rots een stukje naar beneden en bleef daar heel stil liggen kijken naar de af en aan vliegende ouders met hun zwartgepunte vleugels en hun bek vol voorgekauwde vis voor hun baby. Bij haar was het precies andersom, bedacht ze. Meestal bracht zij eten naar Valentina.

Ze bleef lang bij het nest, tot de moedervogel er neerstreek en de zon onderging. Soezend in gouden stroken zonlicht, buiten bereik van de wind. Haar huid voelde kleverig en tintelend aan, alsof er een zoutlaagje op zat. Loom van vermoeidheid genoot ze van het gezelschap van de fluitende, kwetterende vogels. Ze genoot van de glinstering van hun natte snavels en poten als ze uit het water kwamen, en de snelheid waarmee ze terugkeerden om naar hun jong te kijken; hoe ze zijn veren gladstreken en het opschoven naar een betere plek in het krappe nest.

Ze was benieuwd hoelang het zou duren voor Valentina haar kwam zoeken. Vast niet lang meer. Het was ongeveer twee uur geweest, na de lunch, toen haar moeder met een blik op de keukenklok tegen haar had gezegd dat ze weg moest wezen. Het moest nu bijna acht uur zijn, gezien de lage, gelige zon. Valentina moest zich hebben afgevraagd waar haar dochter was. Geen enkele bezoeker bleef zo lang – hooguit een paar uur. Ze besloot af te wachten, terwijl de oogleden van het meeuwtje steeds verder dicht zakten; maar toen de zon onder was kreeg ze het koud en lagen de rotsen niet meer lekker; ze durfde de bovenste helft van haar nieuwe paadje niet in het donker te beklimmen. Dus stond ze zo geruisloos mogelijk op, hoewel de moedermeeuw toch ging krijsen, om op handen en voeten naar boven te klimmen. 'Ik ben thuis!' riep ze toen ze het huis binnen rende. Ze zou blij zijn geweest met een standje, een teken dat ze was gemist. Maar The Watch was donker en Valentina lag diep in slaap in een leunstoel, met haar kamerjas opengevallen over een slap been. Lippenstift rond haar mond en een lege fles naast haar.

Later, na een avondmaaltijd van oud brood en bacon, lag haar moeder nog steeds te snurken in haar stoel. Dimity sloop The Watch uit en ging naar het huis van de Coulsons. Onder dekking van het donker zat ze een tijdje op veilige afstand tussen de braamstruiken, met de geur van kattenpis in haar neus, door de ramen naar binnen te gluren. Toen ze Wilf zag, zwaaide ze en wenkte ze hem om naar buiten te komen, maar hij leek haar niet te zien. Een voor een doofden alle lichten in Wilfs huis en de nacht viel over Dimity heen, zo koud en eenzaam als een winterhemel.

3

In de donkere, stille Spout Lantern zat Zach in zijn eentje aan de bar, met als enige verlichting de vage gloed van zijn laptop. Pete Murray was zo vriendelijk geweest hem het wifi-wachtwoord te geven, en aan de bar was het signaal het sterkst. Het was één uur 's nachts, en Ali zou al gebeld moeten hebben zodat hij Elise een verhaaltje voor het slapengaan kon vertellen. Naarmate de minuten verstreken werd hij nerveuzer, dezelfde vreemde plankenkoorts als toen ze haar na haar geboorte voor het eerst mee naar huis namen vanuit het ziekenhuis en hij het gevoel had dat alle ogen op hem gericht waren, in afwachting van zijn falen. Zonder hulp van een boek kon hij opeens geen enkel verhaal meer bedenken. Hij had haar favorieten in de loop der jaren vaak genoeg voorgelezen; hij had gedacht dat ze in zijn geheugen gebeiteld stonden. Maar misschien had hij ze voorgelezen in een waas van verveling, waren de woorden van zijn ogen naar zijn mond gegaan zonder in zijn hersens aan te komen. Toen hij nog dacht dat alles zou blijven zoals het was, toen kwam het nooit bij hem op dat alles van de ene op de andere dag kon veranderen en hij niets zou kunnen doen om dat te verhinderen. Er gingen zeven minuten voorbij. Hij haalde kort en nijdig adem en hield die even in, ineens doodmoe. Met zijn hoofd in zijn handen dacht hij na over Dimity Hatcher. Het was onwaarschijnlijk dat hij de eerste Aubrey-bewonderaar was die haar had gevonden, en dat terwijl hij er niet eens moeite voor had gedaan. Het moest de nieuwe invalshoek worden waar zijn boek op had gewacht.

Toen het belsignaal eindelijk kwam, maakte dat veel te veel geluid in de diepe stilte. Zach nam haastig de oproep aan en zag direct Ali verschijnen, haar haar achterover in een keurige paardenstaart, in nauwsluitende jeans en een strak wit shirt. Elegant, mooi. De zon, die daar nog scheen, viel door een raam vlak bij haar en zette haar in een gouden gloed. Het leek een andere wereld. In een hoekje van het scherm kon Zach zichzelf zien – een bleke schim in het licht van de computer, met wallen onder zijn ogen en rafels aan de hals van zijn T-shirt. Hij zou erom gelachen hebben als hij zich niet zo beroerd had gevoeld.

'Hoe gaat het met je, Zach? Je lijkt... Waar ben je in vredesnaam?' vroeg Ali. Ze pakte een dampende kop aan uit een hand die kort in beeld kwam. Dus Lowell was bij haar in de kamer om haar te bedienen. Om mee te luisteren. Geen privacy meer met zijn vrouw, zelfs niet per telefoon. Zijn ex-vrouw.

'Ik ben in Dorset, in een pub. Het is één uur in de nacht en ik heb een lange dag achter de rug. Hoe is het met jou? Hoe gaat het daar?'

'O, prima. We beginnen echt te wennen. Elise vindt het heerlijk hier. Wat doe je in Dorset? In een pub? In het donker?'

'Ik zit in het donker omdat ik het lichtknopje niet kan vinden. Niet lachen. En iedereen is al naar bed. Ik zit in een pub omdat ik ergens moest slapen en ik ben in Dorset omdat ik hier mijn boek ga afmaken.'

'Welk boek?' Ze was er maar half bij en blies fronsend in haar kopje om daarna voorzichtig een slokje te nemen. Hij zou niet moeten verwachten dat het haar nog interesseerde, maar toch deed het altijd pijn om te merken dat dat niet zo was.

'Doet er niet toe. Het is niet belangrijk.'

'Dat boek over Aubrey, bedoel je? Ga je het eindelijk afmaken? Dat is geweldig, Zach. En tijd ook!' Ze lachte. Hij knikte, naar hij hoopte vastberaden. Hij zag nog steeds als een berg op tegen het karwei, Dimity Hatcher of geen Dimity Hatcher. 'Je bent dus in Blacknowle? Ga je ook op zoek naar dingen over je opa?'

'Ik weet het niet. Misschien. Misschien ook niet.' Zach schudde zijn hoofd. Wat hij wilde vinden, moest vinden, was te ongrijpbaar, te vaag om uit te leggen. 'Maar waar is Elise? Klaar voor haar verhaaltje?'

'Zach – het spijt me echt. We zijn de hele dag uit geweest en ze was doodop. Ze is een uur geleden naar bed gegaan. Ik dacht er nu pas aan om je te bellen. Het spijt me.'

Zach voelde zijn nervositeit plaatsmaken voor een diepe teleurstelling.

'Zo begint het dus,' zei hij. Zijn stem klonk gespannen door de druk die hij op zijn borst voelde.

'Hé – zo is het niet. Ze was gewoon op – wat moest ik anders?'

'Sms'en dat ik een uur eerder online moest zijn?'

'Ja, nou, daar heb ik niet aan gedacht. Ik heb al gezegd dat het me spijt. Ik ben er ook niet aan toegekomen haar een verhaaltje te vertellen. Ze sliep al voor haar hoofd het kussen raakte.'

'Ja, maar jij kunt haar naar bed brengen, welterusten kussen en de hele dag bij haar zijn. Of niet soms,' zei hij. Het kon hem niet schelen hoe kinderachtig dat klonk.

'Luister, ik ben ook moe. Ik wil geen discussie.' Ze zette zich met haar schouders schrap tegen de rug van haar stoel. Ze draaide haar ogen weg van het scherm met een smekende, gefrustreerde blik. Naar Lowell natuurlijk, de onzichtbare luisteraar. Zach was al blij dat hij niet op het scherm keek, zodat hij niet zag hoe verlopen Zach eruitzag. Hij zuchtte.

'Goed. Morgenavond dan. Voor het verhaaltje, niet voor een discussie.'

'Morgen heeft ze een logeerpartijtje. Zondagavond?'

'Oké. Zelfde tijd. Alsjeblieft.' Hij wist niet meer wat hij wilde vragen. Of smeken. De vermoeidheid weer. Hij sloot zijn ogen en wreef met zijn duim en vingers over zijn oogleden tot hij rode vlekken zag.

'Zondagavond, ik beloof het,' zei Ali met een geruststellende knik, alsof ze een kind suste.

'Welterusten, Ali.' Hij verbrak de verbinding voor ze antwoord kon geven, maar het was een armzalig gebaar dat hem geen voldoening gaf. Hij zette de computer uit en stommelde in het donker naar zijn kamer.

Ali had altijd de regie gehad, vanaf het begin. Zach zag dat nu, zoals hij het indertijd niet kon zien, verblind door verliefdheid en hoop. Toen hij haar ten huwelijk vroeg, had ze achtenveertig uur nodig gehad om te beslissen. Het wachten was ondraaglijk geweest; hij wist dat ze ja moest zeggen omdat hij zo veel van haar hield – omdat ze zo veel van elkaar hielden – maar tegelijkertijd werd hij gekweld door de gedachte dat ze misschien nee zou zeggen. Toen ze uiteindelijk ja zei, was hij te gelukkig om stil te staan bij het lange uitstel. Maar nu begreep hij dat ze echt had getwijfeld, dat ze die tijd echt nodig had gehad om de voor- en nadelen tegen elkaar af te wegen en te besluiten dat hij het risico waard was. Hij had zich heilig voorgenomen haar vertrouwen niet te beschamen, haar gok te belonen. Hij had gezworen haar gelukkig te maken, de perfecte echtgenoot en vader te zijn, maar toen Elise eenmaal geboren was lieten ontelbare kleine opmerkingen en afkeurende blikken hem weten dat hij tekortschoot. 'Geef haar maar aan mij,' hoorde hij steeds weer als hij Elise niet in slaap kon krijgen, haar armpjes niet in haar mouwen kreeg of haar niet kon laten stoppen met huilen. 'Geef haar maar aan mij,' op een toon vol ingehouden ergernis.

Rond die tijd begonnen ze te praten over weggaan uit Londen, over verhuizen naar het zuidwesten van Engeland en te proberen of Zach daar een succesvoller galerie zou kunnen starten. Een jaar lang beschouwden ze deze keuze allebei vastberaden als een stap vooruit, een verrijking van hun leven, niet als een stap opzij, een verarming of een laatste kans. Maar tijdens de rondleidingen in teleurstellend kleine appartementen had hij haar een paar keer naar hem zien kijken met iets van minachting in haar blik – het was weg zodra ze met haar ogen knipperde, maar zo schokkend dat hij er koud van werd. Bath was niets voor Ali. Ze miste haar advocatenkantoor in Londen en hun sociale leven daar. En toen ze vanwege Zachs dalende inkomen weer moest gaan werken om hen drieën te onderhouden, vond ze het werk stompzinnig en saai. Zach vermoedde dat Ali allang voordat ze hem uiteindelijk verliet tot dat besluit gekomen was. Hij vermoedde dat ze haar moment kalm, rationeel en met evenveel zorg had gekozen als haar besluit om met hem te trouwen.

De volgende ochtend vroeg reed hij met de auto naar Swanage, een van de stadjes in de omgeving met, vermoedde hij, een slager. Het was een heldere ochtend; de zon was warm, maar het licht leek alweer minder scherp dan een week eerder, toen de kracht begon af te nemen na de seizoenswisseling. De droge bremstruiken langs de weg waren eerder grijs dan groen; één en al stekel en verschrompelde gele bloemetjes. Swanage lag rondom een zandstrand en een haven gekruld; in de straten was het nog druk met late toeristen. Maar zonder kinderen, die ontbraken nu de scholen weer waren begonnen, leken alle kleurrijke winkeltjes iets te missen. Zach vond een drukbezochte slagerswinkel waar de vleesvoorraad in de koelvitrine snel aan het uitdunnen was, zodat alleen de bloedige geur in de lucht bleef hangen.

'Hoe oud zijn uw harten?' vroeg hij toen hij vooraan in de rij stond.

'O, alles is keurig vers, meneer,' zei de jongeman achter de toonbank.

'Nee, ik bedoel – dat is vast zo. Maar ik moet een...' Hij zweeg even, voelde zich een beetje voor gek staan. 'Ik heb een ossenhart nodig dat niet ouder is dan een dag.'

'Aha,' zei de slager met een glimlach. Als hij al wilde weten waarom, besloot hij het kennelijk niet te vragen. 'Nou, alle harten die we hebben zijn van ossen, dus dat is geen probleem. Als het gaat om niet ouder dan een dag... tja, deze zijn gisterochtend binnengekomen, dus ze zijn waarschijnlijk de dag daarvoor geslacht. Dus eerder zesendertig dan nog geen vierentwintig uur oud. Maar heus – ze zijn absoluut vers. Ik zou niet weten hoe je het verschil zou kunnen zien. Ruik maar, als u wilt.' Hij tilde er een op in zijn gehandschoende hand en bewoog hem voor Zach op en neer.

'Nee, dank u, ik geloof u zo ook wel,' zei Zach terugdeinzend. Het hart paste precies in de hand van de slager. Hij wist plotseling zeker dat Dimity Hatcher het niet voor culinaire doeleinden nodig had, maar als het geen voedsel was, wat dan wel? Ingewanden. Hij slikte.

'Krijgt u er weleens een dat nog geen dag oud is?' vroeg hij. Hij besefte dat hij vreemd overkwam. Maar de jongeman glimlachte vriendelijk. Misschien was hij nog wel gekkere vragen gewend.

'Tja, even denken. Dinsdag hebt u waarschijnlijk de meeste kans. Als u wilt, kan ik er een voor u achterhouden. Als u vroeg komt is het nog geen dag oud.'

'Dinsdag? Zo lang wil ik niet wachten.' Zach bekeek het hart dat nog steeds in de hand van de slager lag. 'Ik neem dit. Zoals u zegt, het ziet er prima uit, ook al is het iets ouder.' Met een vaag lachje om zijn lippen pakte de slager het in. Zach besloot dat het kwaad toch al geschied was en hij zichzelf net zo goed nog meer voor gek kon zetten. 'Is er een fournituurenwinkel in de buurt? Waar ik spelden kan kopen?'

Dankzij de aanwijzingen van de slager vond hij de winkel en na enige verbijstering over de vele soorten spelden die er te koop waren, koos hij de simpele ouderwetse. Helemaal van staal, zonder plastic knoppen, geen afwijkende maat. Toen hij uit de handwerkwinkel kwam zag hij een kantoorboekhandeltje aan de overkant van de straat en bleef even stilstaan. Hij aarzelde om weer een poging te wagen iets te tekenen of te schilderen, voor het geval het even vlak en teleurstellend zou uitpakken als zijn laatste pogingen. Hij was bang dat dat geen tijdelijke dip of gebrek aan inspiratie was geweest. Dat hij zijn vroegere talent inderdaad was kwijtgeraakt. Het was nu al meer dan een jaar geleden dat hij het had geprobeerd. Hij ging naar binnen om alleen maar even te kijken wat ze hadden en kwam naar buiten met twee grote schetsboeken, krijtjes, inkt, potloden, een blik waterverf met een mengvakje in het deksel en een paar penselen, een dunne en eentje zo dik als de top van zijn pink. Hij was niet van plan geweest zo veel te kopen, maar de aanschaf van dit basisgerei voelde als het weerzien met een oude vriend. Als het hernieuwen van een kennismaking uit de kindertijd. Hij reed terug naar Blacknowle met het opgewonden gevoel dat er een cadeautje op hem lag te wachten.

Maar het eerste pakje was niet voor hem, maar voor Dimity Hatcher. Hij parkeerde bij de pub en ging te voet naar haar huis, want hij durfde er niet op te vertrouwen dat zijn auto het stenige pad vol sporen zou kunnen bedwingen. Toen hij bij The Watch kwam keek hij vanaf de heuvel naar Southern Farm, op zoek naar een snel en accuraat bewegend donkerharig figuurtje. Eigenaardig dat haar manier van lopen al zo stevig in zijn geheugen zat. Maar er was geen teken van leven, afgezien van de blatende beige schapen in de grote wei achter het huis, en dus klopte hij stevig aan bij The Watch.

Dimity Hatcher opende de deur weer op een kier en loerde naar buiten, net zo achterdochtig als de vorige keer, alsof ze elkaar nooit ontmoet hadden. De moed zonk Zach in de schoenen. Haar haar hing weer los om haar gezicht. Een wijdvallende blauwe jurk, bijna een kaftan, en dezelfde rode mitaines.

'Ik ben het, Zach, mevrouw Hatcher. Ik ben eerder bij u geweest, weet u nog? U vroeg toen of ik nog een keer terugkwam om u een paar dingen te brengen en misschien nog een beetje over Charles Aubrey te praten.'

'Natuurlijk weet ik dat nog. Dat was gisteren,' zei ze na een tijdje.

'O, fijn. Ja, natuurlijk.' Zach glimlachte.

'Heb je het bij je? Waar ik om gevraagd heb?' vroeg ze. Zach rommelde in zijn tas naar het stevig verpakte hart en gaf het aan haar.

'Ik heb het in krantenpapier verpakt om het koel te houden tot ik hier was.'

'Goed. Uitstekend. Het mag niet bederven,' zei ze min of meer in zichzelf. Terwijl ze het uitpakte mompelde ze zachtjes iets wat wel een wijsje leek. Zodra het hart was uitgepakt rook ze eraan. Geen vlug, voorzichtig snufje zoals Zach zou hebben gedaan, maar grondig en lang. Het ruiken van een deskundige, zoals een wijnkenner zou doen. Zach werd een beetje onrustig van de gedachte dat hij haar misleidde. Dimity prikte met haar wijsvinger in het hart en keek hoe het vlees terugveerde uit het kuiltje dat ze had gemaakt. Daarna legde ze het pakje hoofdschuddend weer in Zachs handen. Geen blijk van irritatie, alleen iets van teleurstelling. 'Niet ouder dan een dag,' zei ze en deed de deur dicht.

Sprakeloos klopte Zach nog een keer aan, maar Dimity was duidelijk niet van plan om open te doen. Hij liep vloekend naar het raam en schermde met zijn handen aan weerszijden van zijn gezicht het zonlicht af. Hij besefte heel goed dat dit hem waarschijnlijk niet zou helpen.

'Mevrouw Hatcher? Dimity? Ik heb de spelden waar u om vroeg, en ik kan een verser hart voor u regelen, dinsdag, volgens de slager. Dan breng ik het bij u, goed? Maar wilt u de spelden nu alvast hebben? Mevrouw Hatcher?' Hij tuurde in het halfduister daarbinnen en wist zeker dat hij iets zag bewegen. Als laatste wanhoopspoging haalde hij het *Burlington Magazine* uit zijn tas, sloeg het open bij een tekening van Dimity en Delphine samen en hield die voor het raam. 'Ik had iets willen vragen over deze tekening, Dimity. Of u nog weet wanneer die gemaakt is en welk spel jullie aan het spelen waren. En wat voor meisje Aubrey's dochter Delphine was.' Hij dacht aan de tekening van Delphine in zijn galerie en de vele uren die hij ernaar had staan kijken. Weer kreeg hij die rilling, dat onwerkelijke gevoel omdat hier iemand was die zijn idool in levenden lijve had gezien. Die haar had aangeraakt, haar hand had vastgehouden. Maar er kwam geen geluid vanbinnen en er bewoog niets meer. Zach liet zijn handen zakken en liep verslagen weg van het raam. In de ruit was hij een zwart spiegelbeeld, een silhouet, en achter hem glansden de zee en de lucht.

Hij liep langs het huis naar de rotspunt, waar hij in kleermakerszit over de oceaan ging zitten uitkijken. De wind streek het wateroppervlak glad en maakte het daarna weer rimpelig; afwisselend mat en glinsterend van licht. Hoge golven leken vanonder het oppervlak naar de oppervlakte te komen; lange sporen, misschien het spookachtige kielzog van boten buiten het zicht, of tekenen van een onzichtbare, landafwaartse stroming. Zach huiverde bij de gedachte aan de sterke, onontkoombare trekkracht van al dat water. Vlak achter zijn ogen voelde hij een vage impuls om het schitterende schouwspel voor hem te schilderen, maar ineens werd zijn blik getrokken door de beweging van iets lichts. Hannah Brock was verschenen op het strandje onder hem. Hij wist niet hoe ze daar gekomen was, want ze was niet langs The Watch gelopen en er leek geen ander pad naar de baai te zijn. Maar ze was er en onder zijn ogen trok ze haar jeans en shirt uit en liep in een fletsrode bikini naar de waterkant. Haar haar, zonder groene sjaal dit keer, wapperde in de wind en ze stond algauw tot haar enkels in het water. Zach zag dat ze haar handen wijd uitspreidde en weer balde. Het was vast koud. Hij lachte even. Met haar vuisten op haar smalle heupen keek Hannah uit over zee, precies zoals hij even daarvoor gedaan had. Zo'n uitgestrekte, vlakke horizon nodigde altijd uit tot kijken; dat was onweerstaanbaar. Op zijn hurken schuifelde Zach zo ver naar achteren dat hij haar nog net kon zien. Opnieuw betrapt worden op gluren zou catastrofaal zijn, sprak hij zichzelf ernstig toe. Het zou onherstelbaar zijn. Het was een verrassende gedachte: catastrofaal voor wat?

Na een poosje liep Hannah naar de rechterkant van de baai. Haar huid was blank, maar niet zo eng wit als de huid die Zach zelf onder zijn kleding verborg. Ze leek broodmager, zonder overtollig vet. Kleine borsten en dunne armen, en alleen dankzij de versmalling in de taille leek ze niet op een jongen. Maar tegelijkertijd oogde ze absoluut niet kwetsbaar. Ze maakte een wakkere, vitale indruk. Klaar voor de strijd, misschien. Hij herinnerde zich haar uitdagende blik van toen ze hem in de pub had aangesproken. *Wat wilt u van haar?* Ze klom op de rotsen aan de andere kant van het strand en liep door tot waar ze uitstaken in zee. Toen ze zo op het oog bij de rand was liep ze nog zo'n vijftien meter verder, tot aan haar knieën in het kabbelende water. Zach keek geboeid toe. Er moest een uitstekende rotspunt onder het water liggen, plat en breed genoeg om overheen te lopen, ook al kon je door het water niet goed zien waar je liep. Aan het eind stond ze even stil, strekte zich uit en dook sierlijk het water in.

Het duurde lang voor ze bovenkwam. Zach kreeg een akelig visioen van verborgen rotsen en onderstroom, maar uiteraard kende ze de kust en het water veel beter dan hij. Ze kwam een heel stuk oostelijker boven water dan waar ze erin gedoken was, praktisch tegenover de rots waar Zach zat. Ze streek haar haar uit haar gezicht en na even watertrappelen was ze weer met een plons verdwenen. Ze zwom zo'n vijftien minuten boven en onder water, liet zich passief op haar rug drijven, en Zach was niet bang meer dat ze hem zou zien omdat het daar niet naar uitzag. Toen ze met opgetrokken gespannen schouders uit het water kwam, zag Zach dat ze het koud had in de wind. Op dat moment had hij op het strand naar haar toe willen gaan. Met haar druipende haar en een druppel aan haar kin en kippenvel over haar hele lichaam. Ze zou zout smaken. Ze trok snel en onverschillig haar kleren over haar natte lijf aan en verdween weer uit het zicht. Ze was nu te dicht bij de rots om te kunnen zien waar ze heen ging.

Hij bleef lang bij de rand van het klif. Dimity kon hem zien vanuit het keukenraam, en ze was om de paar minuten gaan kijken of hij er nog zat. Officieel was dat haar land, formeel gezien bevond hij zich op privéterrein. Valentina zou het niet gepikt hebben, die had hem in een mum van tijd weggejaagd met een felle blik in haar ogen en die stem van haar, die mijlenver te horen was als ze dat wilde. Ze stond zich een tijdje bij het raam af te vragen of ze hem toch binnen had moeten laten, of dat ze dat alsnog moest doen. Maar ze had er zo naar uitgekeken om vandaag de haardamulet te kunnen maken om verdere ongewenste bezoekers te weren. En misschien om die ene kwijt te raken die al uit zichzelf was teruggekomen en naar binnen was gegaan. Ze keek nog eens goed naar hem. Die vluchtige eerste indruk dat hij op Charles leek was volkomen verdwenen. Deze man hield zijn handen en hoofd stil in plaats van ze te bewegen, rond te kijken, snel te schakelen zoals Charles had gedaan. Hij had niets van dat vuur, die energie. De jongeman op de rots leek eerder een slaapwandelaar en ze hield haar hart vast dat hij niet voorover over de rand zou tuimelen.

Er speelde steeds opnieuw een simpel wijsje door haar hoofd. Een kinderliedje in een ritme dat ze niet uit haar hoofd kon krijgen. *Een zeeman ging uit varen, benieuwd naar verre baren, maar wat er op de bodem lag, was alles wat hij zag zag zag...* Eerst dacht ze dat het druppelen van de keukenkraan dit liedje had opgeroepen; het regelmatige petsen van het water op het geschilferde porselein. Ze bleef met gesloten ogen in de keuken staan, die ineens sterker ging ruiken – een geur van oud broodkruim en melk, de scherpe lucht van aangebrand eten op het fornuis, de misselijkmakende geur van een hele eeuw aan aangekoekte etensresten in de kasten en tussen de spleten in de vloer. Een vleug van Valentina's viooltjesparfum, dat ze achter haar oren tipte als er een bezoeker zou komen. Als ze haar ogen opendeed zou ze de vrouw misschien zien, dacht Dimity. Ze zou vlak naast haar dochter staan, glimlachend. *Mitzy, meisje van me, er ligt een fortuin op je te wachten.* Licht aangeschoten van de wijn zou ze met halfgeloken ogen Dimity's bronskleurige haar teder over haar schouders naar achteren strijken.

Met haar ogen dicht klemde Dimity haar tanden stijf op elkaar zodat ze de viooltjesgeur niet in haar mond zou krijgen. Het deuntje, dat eerder de cadans van een spreuk of een rijmpje dan een liedje had, bleef maar doorzeuren. *Alles wat hij zag zag zag,* in een onbedwingbaar ritme. Het was het geluid van handjeklap, van huid tegen huid, van jonge sterke handen tegen elkaar. Die tekening die hij voor het raam had gehouden. Ze had er op die afstand maar een glimp van opgevangen, maar hem meteen herkend. De eerste keer dat ze hem had ontmoet, de eerste keer dat hij haar had getekend – nog voor ze had gemerkt dat hij daar was, voor ze hem ooit had gezien. Hij had een personage op papier van haar gemaakt; had haar in zich opgenomen en daarna herschapen, haar in bezit genomen. Zo voelde ze dat toen ze de tekening later zag. In bezit genomen.

De naam van het huis was Littlecombe. Het stond aan de uiterste oostkant van Blacknowle, omgeven door een overwoekerde tuin, aan een weggetje dat naar zee liep. Littlecombe leek een soort echo van The Watch, bijna een spiegelbeeld, maar het lag dichter bij het dorp, waar het nog zo'n beetje deel van uitmaakte. Minder geïsoleerd, maar toch apart. Net als bij The Watch kon je vanaf het huis door de weilanden naar de rotskust lopen en dan het pad in westelijke richting naar Tyneham inslaan. En achter het huis werd een miniatuurravijn uitgesleten door een stroompje dat uitkwam in zee en dat continu over de rots naar beneden klaterde. Na zware regen was het water zo bruin als modder. Het was een van de beste plekken om waterkers te plukken en rivierkreeft te vangen, en omdat het huis al drie jaar leeg stond voelde Dimity zich gerechtigd om dat te doen.

Eerder had er een oude man die Fitch heette gewoond, voor zover bekend zijn hele leven lang. Fitch leek de enige naam te zijn die hij bezat. Elke avond behalve op zondag sleepte hij zich, hoestend tussen trekjes aan een dunne, filterloze sigaret door, naar de Spout Lantern. Hij had diepe, vlekkerige rimpels in zijn gezicht van het roken en zijn rechterhand had altijd de vorm van een klauw – met zijn wijsvinger en duim iets uit elkaar, klaar om de volgende peuk op te steken. Toen hij op een zaterdagavond niet in de pub verscheen, wisten de inwoners van Blacknowle wat dat betekende. Ze gingen met een draagbaar naar Littlecombe, waar ze hem inderdaad koud en stijf in zijn stoel aantroffen met een doorweekte peuk op zijn lip. Dimity had hun kunnen vertellen dat hij dood was, maar ze mocht de pub niet in en omdat mensen liever niet met haar praatten had ze niemand verteld wat ze wist, deels uit zenuwachtigheid en deels om te pesten. Toen ze die ochtend in de beek achter het huis was gaan vissen hadden de donkere ramen een leegte naar haar uitgeschreeuwd die haar kippenvel bezorgde, terwijl ze eerder had gevoeld dat er een levend wezen achter zat. Zijn dood was zoiets als een vreemde geur in de lucht of het plotseling stoppen van een geluid dat je niet bewust had gehoord.

En zo was het drie jaar gebleven. Leeg, nagelaten aan een verre neef die er niets mee leek te willen doen. Een paar dakpannen vielen in de bloembedden en onthoofdden de weelderige paardenbloemen. Distels groeiden tot aan de vensterbanken beneden en in de winter tekende een gesprongen waterleiding een glinsterende ijsbloem op een muur. Het was een vierkant stenen huis met drie kamers boven en drie beneden. Victoriaans, functioneel, niet afstotelijk maar zeker ook niet mooi. Toen Dimity er op een ochtend naar op weg was, bleef ze halverwege een van de weilanden van Southern Farm stilstaan. Uit de schoorsteen steeg een dun rooksliertje op in de heldere lucht. Het was vroeg in de zomer, de ochtenden waren nog koud. Ze kreeg het gevoel dat ze ineens in de schijnwerpers stond en zette zich schrap, klaar om het hazenpad te kiezen. Ze had niets gehoord over nieuwe eigenaars bij de dorpsroddels die ze afluisterde als ze rondhing bij de winkel of de bushalte. Nieuwe eigenaars zouden misschien niet willen dat ze bij de beek kwam. Ze zouden haar voedselverzamelen kunnen opvatten als stelen. Misschien hadden ze wel een hond om op haar af te sturen, zoals Wilfs moeder een keer deed toen ze, met een droge mond van haar eigen moed, aan de deur kwam vragen of hij mocht komen spelen.

Maar toen ze net wilde teruggaan zag ze iemand naar haar kijken. En dat was geen vloekende man of een boze vrouw met een hond, maar een meisje. Jonger dan Dimity, elf of twaalf misschien, van gemiddelde lengte, slank, maar met stevige schouders. Haar voeten staken in bruine leren schoenen, en ze droeg witte kniekousen en een kanariegeel vest. Ze stond bij het krakkemikkige hek van het voortuintje van Littlecombe. Ze bleven even naar elkaar staan kijken. Toen kwam het meisje naar buiten en liep op haar toe. Toen ze dichterbij kwam, zag Dimity dat ze bruine, openhartige ogen had en een bos weerspannig haar dat uit de glanzend bruine vlechtjes aan weerszijden van haar hoofd ontsnapte. Dimity's hart ging sneller kloppen terwijl ze wachtte hoe ze aangesproken zou worden, maar uiteindelijk stak het meisje lachend haar hand uit.

'Ik ben Delphine Madeleine Anne Aubrey, maar zeg maar gewoon Delphine. Hoe maak je het?' Ze had een zachte, koele hand met schone nagels. Dimity was sinds zonsopgang buiten bezig geweest om de strikken te controleren, de kippenren uit te mesten en kruiden te plukken, dus haar eigen nagels waren vuil en er zat aarde onder. Aarde en erger. Ze gaf Dimity aarzelend een hand.

'Mitzy,' wist ze uit te brengen.

'Fijn om je te leren kennen, Mitzy. Woon je op die boerderij?' vroeg Delphine. Ze wees langs Mitzy naar Southern Farm onder aan de heuvel. Dimity schudde haar hoofd. 'Waar woon je dan? Wij wonen deze zomer hier. Mijn zusje ook, maar die zul je nooit zo vroeg buiten zien. Dat is een luie slaapkop.'

'Deze zomer?' zei Dimity verbaasd. Ze was overrompeld door het meisje, door haar rustige, vriendelijke manier van kennismaken. Vreemdelingen, dacht ze. Onbekenden van heel ver weg, die nog geen afkeer van de Hatchers konden hebben. Ze had nog nooit gehoord van mensen die alleen 's zomers op een bepaalde plek woonden – als zwaluwen. Ze was benieuwd waar ze overwinterden, maar het leek haar onbeleefd om dat te vragen.

'Wat heb je een grappige uitspraak! Positief bedoeld – ik vind het leuk. Ik ben twaalf trouwens. En jij?' vroeg Delphine.

'Veertien.'

'Bofferd! Ik kan niet wachten tot ik veertien ben – mijn moeder zegt dat ik dan gaatjes in mijn oren mag, maar papa zegt dat dat nog te jong is en dat we kind moeten blijven en niet zo gauw volwassen moeten willen zijn. Maar dat is stom, vind je ook niet? Je mag bijna niets als je kind bent.'

'Ja,' gaf Dimity aarzelend toe. Ze wist zich nog steeds geen houding te geven tegenover zo veel openlijke vriendschappelijkheid. Delphine sloeg haar armen over elkaar en leek haar nieuwe kennisje aandachtig op te nemen.

'Wat ga je in die mand doen? Er zit niets in en het heeft geen zin om een lege mand mee te sjouwen als je niet van plan bent er iets in te stoppen,' zei ze.

Dus leidde Dimity haar om het huis heen, waar de geluiden van rammelende potten en pannen plus de geur van vers brood uit naar buiten dreven; ze liet haar de beek en de waterkers zien en leerde haar welke stenen ze moest optillen om de daaronder verscholen rivierkreeftjes te vangen. Delphine wilde eerst niet dat haar schoenen vuil of haar handen nat werden. Ze trok haar vingers snel uit het water om ze af te drogen aan de zoom van haar schort, maar gaandeweg durfde ze steeds meer. Met een gilletje stapte ze achteruit toen Dimity een grote rivierkreeft ophield, die nijdig zijn scharen uitsloeg naar de wereld. Dimity wilde haar verzekeren dat het absoluut geen kwaad kon, maar Delphine wilde pas weer dichterbij komen toen ze hem een stukje verderop in de beek had gegooid. Ze keek de kreeft spijtig na.

'Al die armen! Afschuwelijk! Bah! Hoe krijg je het voor elkaar om dat te eten!' zei Delphine.

'Het is niet anders dan krab of garnalen eten,' zei Dimity. 'Mijn moeder wilde er een voor straks. Ze maakt vanavond soep.'

'O, nee! Wordt ze nu boos omdat je die hebt laten gaan?'

'Ik kan ze niet altijd vinden – er zijn er niet zo veel. Ik zeg wel tegen haar dat er vandaag geen waren.' Dimity haalde haar schouders op, een onverschillig gebaar dat niet overeenkwam met hoe ze zich voelde. De strikken waren ook leeg geweest. Ze zou iets anders moeten vinden of hopen dat er een bezoeker kwam die spek of konijn voor hen meebracht; anders zouden er alleen gerst en kruiden in de soep zitten. Alleen al bij de gedachte aan die karige maaltijd rommelde haar maag hoorbaar. Delphine keek haar lachend aan.

'Heb je nog niet ontbeten? Kom mee – laten we binnen iets gaan eten.'

Maar Dimity wilde niet naar binnen; ze kon het al nauwelijks opbrengen om door het hekje van de tuin heen te gaan, het voelde zo raar. Delphine accepteerde het met een vragend hoofdgebaar en drong niet aan op uitleg. Ze stoof het huis in en kwam terug met twee dikke sneden brood, dik besmeerd met honing. Dimity had haar boterham binnen de kortste keren op. Daarna gingen ze in de ochtendzon op het vochtige gras hun kleverige vingers af zitten likken. Delphine veegde de modder van haar schoenen met een zuringblad, en ondertussen keek ze naar het geschitter van de onmetelijke zee.

'Wist jij dat de zee alleen maar blauw is omdat het water de kleur van de lucht weerspiegelt? Dus eigenlijk is water helemaal niet blauw,' zei ze. Dimity knikte. Het was logisch, hoewel ze er nog nooit over nagedacht had. Ze stelde zich de zee voor op een stormachtige dag, zo grijs en krijtwit als de wolken. 'De Middellandse Zee heeft een heel andere kleur, dus ik denk dat de lucht daar ook anders blauw is. Wel raar, want het is dezelfde zon en alles. Maar de lucht zal wel anders zijn, of zoiets. Of denk jij dat het ook afhangt van wat er onder water is? Ik bedoel, wat er op de bodem ligt?' vroeg ze. Dimity dacht er even over na. Ze had nog nooit van de Middellandse Zee gehoord, maar keek wel uit om dat tegen haar nieuwe vriendin te zeggen.

'Lijkt me niet,' zei ze na een tijdje. 'Het is toch al heel snel te diep om op de bodem te kunnen kijken?'

'Maar wat er op de bodem lag, was alles wat hij zag zag zag...' zei Delphine. 'Er zit hooi in je haar,' voegde ze eraan toe. Ze plukte de spriet van Dimity's hoofd en sprong op. 'Kom op – staan. Laten we dat klapliedje doen.' Zo leerde ze Dimity het liedje over de nieuwsgierige zeeman, en Dimity, die nog nooit zo'n klapspelletje had gedaan, bleef het maar fout doen. Ze deed erg haar best om Delphines steeds snellere handbewegingen bij te houden, maar vond het toch lang niet zo leuk als Delphine het leek te vinden. Ze hield toch vol, om het onbekende spraakzame meisje een plezier te doen, en ze kreeg na een tijdje het prikkelende gevoel dat er iemand naar haar keek. Eerst dacht ze dat ze het zich verbeeldde, dat het de angst was om steeds als eerste een klap te missen en het verkeerd te doen, maar na zo'n twintig minuten kwam er een man het huis uit met een groot, dun boek.

Hij was lang en mager, gekleed in een strakke grijze broek en het vreemdste overhemd dat Dimity een man ooit had zien dragen – lang, loshangend en open aan de hals, zodat er een strook harige gebruinde borst te zien was. Het leek een beetje op de kielen die de melkmeiden droegen bij het melken, maar dan van ruwere stof, een soort zwaar linnen. Zijn roodbruine haar was dik en golvend. Het was in het midden gescheiden en hing over zijn oren tot op zijn kraag. Dimity hield direct op met klappen en deed met afwerend neergeslagen ogen een paar stappen achteruit. Ze verwachtte dat er tegen haar geschreeuwd zou worden dat ze weg moest gaan. Daar was ze zo aan gewend dat het venijn in haar ogen stond toen ze even naar hem opkeek. De man deinsde een heel klein beetje terug, maar lachte toen.

'Wie is dit, Delphine?'

'Dit is Mitzy. Ze woont hier vlakbij. Dit is mijn vader,' zei Delphine terwijl ze Mitzy aan haar hand naar de man toe trok. Hij stak zijn hand naar haar uit. Nog nooit had een volwassene dat gedaan. Verward pakte Mitzy hem aan; ze voelde hoe hij de hare stevig vastgreep. Zijn hand was groot en ruw, met een droge huid die vol verfspatten zat. Hij had puntige knokkels en korte, stompe nagels. Hij hield haar hand iets langer vast dan ze kon verdragen en ze trok hem terug, terwijl ze nog een vlugge blik op zijn gezicht wierp. De zon scheen in zijn ogen, waardoor ze het volle, glanzende bruin van pas gepelde kastanjes kregen.

'Charles Aubrey,' zei hij. Zijn rustige, lage stem klonk een beetje brommend.

'Ga je tekenen?' vroeg Delphine. Hij schudde zijn hoofd.

'Dat heb ik al gedaan. Ik heb jullie tweeën getekend terwijl jullie aan het spelen waren. Willen jullie het zien?' En hoewel het Delphine was die 'ja' zei en zich over het boek in zijn handen boog, had Dimity de indruk dat hij het eigenlijk tegen haar had gehad. Het was een luchtige, vloeiende tekening; een vage achtergrond – niet meer dan een impressie van land en lucht. De voeten en benen van de meisjes verdwenen in het lange gras dat met snelle, ongelijke potloodlijnen was neergezet. Maar hun gezicht, handen en ogen waren vakkundig tot leven gebracht. Delphine glimlachte; ze was er duidelijk blij mee.

'Uitstekend gedaan, papa,' zei ze op een ernstige, volwassen toon.

'En jij, Mitzy? Vind jij het mooi?' vroeg hij. Hij draaide de tekening zo dat zij hem goed kon zien.

Het was vreemd en misschien zelfs verkeerd. Dimity wist het niet. Het leek wel of er te veel lucht in haar longen kwam en ze niet goed kon uitademen. Ze durfde niets te zeggen; ze had geen idee hoe ze moest reageren. Delphine zag er duidelijk niets onbehoorlijks in, maar ja, ze was zijn dochter. Hij had Dimity's lichaamsvorm onder haar kleren vastgelegd; de zon op haar kaak en wang onder de doorzichtige sluier van haar haar. Om dat zo duidelijk weer te geven moest hij heel intens gekeken hebben. Intenser dan iemand ooit naar haar had gekeken – naar haar, die altijd onzichtbaar was voor de mensen in Blacknowle. Ze voelde zich verschrikkelijk bloot. Het bloed steeg naar haar wangen en ineens ging haar neus prikken en vulden haar ogen zich met tranen.

'O, niet verdrietig zijn! Het geeft niet, Mitzy, echt. Papa – je had het haar eerst moeten vragen!' zei Delphine. Maar Dimity kon zich geen houding geven. Ze draaide zich vlug om en liep de heuvel af naar The Watch. Ze probeerde te bedenken wat Valentina zou zeggen van een onbekende man die haar tekende, ook al kon zij er niets aan doen, en ze zag de spottende lach van de vrouw al levendig voor zich. 'Kom je nog eens terug, Mitzy? Hij heeft er spijt van!' riep Delphine haar na. Daarna zei de man ook iets.

'Vraag maar aan je ouders of je voor me mag poseren!'

Dimity negeerde beiden en zag toen ze thuiskwam nog net dat de deur opengingen en er een bezoeker werd binnengelaten. Ze zag niet wie het was en wist dus ook niet hoelang hij zou blijven, dus liep ze achterom en ging in het varkenskot bij de oude zeug Molly zitten. De warmte en het gemoedelijke gezelschap van het beest wogen op tegen de stank. Ze vroeg zich af wat 'poseren' voor Delphines vader in zou houden. Ze dacht goed na, maar kon geen antwoord bedenken waar ze zich niet ongemakkelijk bij voelde.

Boos wreef ze in haar ogen, die na haar korte huilbui pijnlijk en gespannen aanvoelden, en ze voelde een onverwachte steek van verdriet bij de gedachte dat ze nooit meer terug kon gaan en Delphine niet meer zou zien.

De hekken van Southern Farm waren ooit wit geweest, maar de verf was voor het grootste gedeelte afgebladderd en het oude grijze hout eronder lag bloot. Ze hingen verzakt in hun scharnieren in het hoge gras dat eromheen was opgeschoten. Het was een winderige dag en kouder dan het tot nog toe geweest was. Zach stak zijn handen in zijn zakken toen hij het erf op liep. Op een bord aan het begin van het pad stond dat er eieren te koop waren en hoewel hij geen eieren nodig had, leek dit een uitstekend excuus om onuitgenodigd langs te gaan. Zach wilde de afstandelijke Hannah Brock nog eens ontmoeten, uit een interesse die verderging dan het feit dat ze Dimity Hatcher kende. Het was stil en leeg op het erf. Hij overwoog even aan te kloppen bij het eigenlijke woonhuis, maar dat zag er afgesloten en ongastvrij uit. Aan weerszijden van het betonnen erf stonden schuren. Zach liep naar de dichtstbijzijnde, een laag bouwsel met afbrokkelende stenen muren en een golfplaten dak. Toen hij dichterbij kwam, hoorde hij binnen in het donker het geritsel van stro. Hij werd begroet door de starende blikken van zes lichtbruine schapen, die nieuwsgierig naar hem snoven. Er hing een zoete, indringende stank.

De volgende schuur was veel groter en herbergde een grote stapel hooibalen en een antieke landbouwmachine met gevaarlijk uitziende uitsteeksels, wielen en bewegende onderdelen. Het gevaarte was verroest en rijkelijk behangen met spinnenwebben. De wind loeide door een gat in het dak en onder dat stukje heldere hemel groeiden brandnetels en muur op beschimmeld stro. Afgezien van het geluid van de wind was het zo stil dat Zach het zenuwslopend vond. Ook het verre blaten van een schaap kon niets veranderen aan het feit dat de boerderij dood en verlaten leek, vergeten, een overblijfsel van iets wat was geweest.

'U wilt?' Zach sprong op bij de stem van een man achter hem.

'Jezus! Ik schrik me te pletter!' zei hij. Hij glimlachte, maar zijn glimlach werd niet beantwoord door de man achter hem. Hij stond Zach kalm en schattend op te nemen, en Zach was direct op zijn hoede.

'Dit is privéterrein,' zei de man met een gebaar naar de schuur. Hij was van gemiddelde lengte, kleiner dan Zach maar steviger gebouwd, met forse schouders. Hij had een afgetobd gezicht met enigszins ingevallen wangen, maar Zach dacht toch dat de man iets jonger was dan hijzelf, begin dertig misschien. Donkere ogen onder een rechte zwarte pony. Hij had een donkere huid, zo donker dat Zach hem ook voor een – waarschijnlijk mediterrane – buitenlander had gehouden als hij niet zo'n sterk accent vol keelklanken had gehad.

'Ja, ik weet het, sorry. Ik wilde niet... Ik kwam voor de eieren. De eieren die jullie verkopen,' zei Zach. Hij kon maar moeilijk een houding vinden tegenover dit openlijke wantrouwen. De man bestudeerde hem nog even, knikte toen en liep weg. Zach nam maar aan dat hij hem moest volgen.

Ze staken het hobbelige erf over naar een laag stenen gebouw met een houten staldeur die zwart was van ouderdom en teerverf. De geribbelde vloer daarbinnen was geschrobd en aan één kant stond een geïmproviseerde toonbank: een schragentafel met een stevig metalen kistje en een kasboek. Er stond ook een groot kartonnen plateau met vijf eieren erop. De man keek geërgerd naar het plateau.

'Er zijn er meer. Nog niet geraapt. Hoeveel?' vroeg hij.

'Zes graag,' zei Zach. Hij moest zich inhouden om niet te gaan lachen bij de effen blik in de donkere ogen van de man. 'Vijf is eigenlijk ook wel goed,' gaf hij toe, maar de man haalde zijn schouders op.

'Ik haal ze. Wacht.' Hij liet Zach alleen achter in de kleine ruimte, waarvan Zach dacht dat het vroeger een stal geweest moest zijn. Toen de zon heel even achter de wolken vandaan kwam begonnen de witgekalkte muren te glimmen. Overal hingen schilderijtjes, het grootste hooguit twintig bij dertig centimeter. Krijttekeningen van landschappen en schapen op verschillende kleuren papier. Op de eenvoudige houten lijsten waren bescheiden prijzen geplakt – zestig pond voor de grootste, van een vierkant schaap dat als een silhouet tegen een nabije horizon en de roze gloed van de opkomende dageraad stond afgetekend. Ze waren goed, allemaal. Een kunstenaar uit de streek, veronderstelde Zach. Onwillekeurig bedacht hij dat ze meer kans van slagen hadden in een kleine galerie in Swanage dan hier, in een boerderijwinkel die vijf eieren te koop aanbood en geen andere klanten had dan hijzelf.

Terwijl hij ernaar stond te kijken vroeg hij zich af wie de donkerharige man zou zijn. Hannah Brocks echtgenoot? Haar vriend? Of zomaar iemand die op de boerderij werkte? Het laatste leek niet waarschijnlijk – de boerderij zag eruit alsof die nauwelijks één mond zou kunnen voeden, laat staan ook nog een medewerker. Maar dan bleven alleen man of vriend over en hij merkte dat geen van beide denkbeelden hem beviel. Achter hem klonken voetstappen. Hij draaide zich om in de verwachting de man weer te zien, maar het was Hannah Brock die de stal binnen kwam. Ze bleef abrupt staan toen ze hem zag. Hij glimlachte zo nonchalant mogelijk naar haar.

'Goedemorgen,' zei hij. 'Nu zien we elkaar weer.'

'Ja, wie had dat gedacht,' zei ze droogjes. Ze ging achter de toonbank staan, klapte het kasboek open en wierp er een verstrooide blik in. 'Kan ik iets voor u doen?'

'Nee, nee. Uw... ik bedoel de man die hier was...'

'Ilir?'

'Ja, Ilir. Hij haalt een paar eieren voor me. Nou ja, nog één extra, om precies te zijn. Hij wees naar de vijf die al op het plateau lagen.

'Eieren?' Met een half lachje keek ze naar hem op. 'U logeert toch in de pub?'

'Ja. Ze zijn voor... Ze zijn voor Dimity.' Glimlachend bestudeerde hij haar reactie.

'Mitzy heeft zelf zes kippen achter het huis. En die leggen bij mijn weten allemaal goed.'

'Ja. O.' Zach haalde zijn schouders op. Hannah bleef hem zonder iets te zeggen aankijken, maar Zach kon slecht tegen de stilte. 'Mitzy. Dus u weet wie ze is?' vroeg hij.

'En aan uw slecht verborgen nieuwsgierigheid te zien weet u dat ook, zie ik,' antwoordde Hannah.

'Ik ben een Charles Aubrey-kenner. Nou ja, kenner, ik bedoel dat ik veel over hem weet. Over zijn werk en leven.'

'In vergelijking met Mitzy weet u niets,' zei Hannah rustig en schudde haar hoofd. Ze leek onmiddellijk spijt te hebben van haar woorden en fronste haar voorhoofd.

'Precies. Ik bedoel, het is niet te geloven dat niemand haar nog is komen interviewen. De verhalen die zij over hem moet kunnen vertellen, het inzicht in al die tekeningen –'

'Haar interviewen?' onderbrak Hannah hem. 'Hoe bedoelt u, interviewen? Waarover?'

'Ik ben... Ik schrijf een boek over hem. Over Charles Aubrey.' Hannah trok sceptisch een wenkbrauw op. 'Het verschijnt tegelijk met de overzichtstentoonstelling in de National Portrait Gallery, komende zomer,' zei hij een tikje verdedigend.

'En toen u dat aan Mitzy vertelde wilde ze u graag helpen?'

'Het kan zijn dat ik dat boek nog niet expliciet genoemd heb. Maar toen ik zei dat ik geïnteresseerd was in Aubrey leek ze dolgraag over hem te willen praten...' Zijn stem stierf weg onder Hannahs meedogenloze blik.

'Dus u gaat er binnenkort weer heen? Ik ook. En als u haar niets verteld heeft over het boek zal ik dat doen. Duidelijk? Dat zal alles veranderen en dat weet u.'

'Natuurlijk zal ik haar dat vertellen. Dat was ook mijn bedoeling. Luister, u hebt waarschijnlijk een verkeerde indruk van me gekregen. Ik ben niet een of andere...' Met een handbeweging zocht hij naar het woord.

'Pottenkijker?' vulde Hannah voor hem aan. Ze sloeg haar armen over elkaar; een vijandige houding die afgezwakt werd door weer een felle straal zonlicht op het raam, die dieprode tinten liet oplichten in haar donkere krullen. Ze wachtte zijn reactie af.

'Precies. Ik ben geen pottenkijker of plunderaar die haar te grazen komt nemen. Ik ben een oprechte bewonderaar van Aubrey. Ik wil alleen maar meer inzicht krijgen in zijn leven en werk.'

'Tja, misschien is dat inzicht niet voor u bedoeld. Mitzy's herinneringen zijn van haarzelf. Er is geen enkele reden waarom ze die met u zou moeten delen, na wat ze heeft doorstaan.'

'Na wat ze heeft doorstaan? Wat bedoelt u?'

'Ze...' Hannah viel abrupt stil, blijkbaar van gedachten veranderd over wat ze wilde zeggen. 'Luister, ze hield van hem, ja? Ze rouwt nog steeds om hem.'

'Na ruim zeventig jaar?'

'Ja, na meer dan zeventig jaar! Als ze al met u over hem gepraat heeft dan hebt u vast gemerkt hoe levendig haar herinneringen uit die tijd met hem zijn. Ze raakt gauw van slag.'

'Ik wil haar niet van streek maken en natuurlijk zijn haar herinneringen van haarzelf. Maar als ze ermee instemt om die met me te delen, zie ik niet in wat ik verkeerd doe. En Aubrey is een bekend figuur. Hij is een van onze grootste moderne kunstenaars – zijn werk hangt in openbare galerieën in het hele land. Mensen hebben het recht om te weten –'

'Nee, dat hebben ze niet. Ze hebben niet het recht om álles te weten. Dat vind ik een afschuwelijke gedachte,' mompelde Hannah.

'Waarom is het zo belangrijk? Ik beloof dat ik tegen haar zal zeggen dat ik een boek over hem aan het schrijven ben. En als ze dan nog steeds met me wil praten, zou jij het ook goed moeten vinden, toch?' zei hij.

Hannah leek erover na te denken. Ze klapte het kasboek weer dicht zonder er iets bijgeschreven te hebben. Achter Zach verscheen Ilir met een plastic emmer vol eieren. Hij vulde een doosje met de vijf op de toonbank en een uit de emmer.

'Nog warm,' zei hij, met zijn hand even om het ei.

'Dank je wel,' zei Zach.

'Eén vijfenzeventig,' deelde Ilir mee. Zach keek verbaasd en Hannah reageerde verontwaardigd.

'Dit zijn biologische vrije-uitloopeieren. Niet biologisch met keurmerk, maar dat heeft te maken met die vervelende papierwinkel. Ik ben ermee bezig. Maar ze zijn biologisch.'

'Ze zijn vast heerlijk,' zei Zach terwijl hij zich afvroeg wat hij ermee moest doen. Aan Pete geven om ze in de keuken van de pub te gebruiken, leek hem. 'Ik vind de tekeningen van de schapen heel goed,' zei hij bij het weggaan. 'Plaatselijke kunstenaar?'

'Zeer plaatselijk. Eentje kopen?' vroeg ze laconiek.

'Heb jij ze getekend? Ze zijn echt goed. Volgende keer misschien.' Hij haalde verontschuldigend zijn schouders op en zou willen dat hij zestig pond had om er een te kopen. 'Ik schilder ook. En ik teken. Dat wil zeggen, vroeger. Nu heb ik een galerie, in Bath. Maar op het moment is die gesloten. Omdat ik hier ben.' Hij keek weer naar hen beiden. Ilir stond dicht bij Hannah de verse eieren een voor een op het plateau te leggen. Hannah stond Zach op te nemen op haar halsstarrig zwijgende manier. 'Nou, ik denk dat ik maar moet gaan,' zei Zach. 'Ik zie dat jullie het druk hebben. Oké. Tot ziens. Dank voor de eieren. Tot kijk.' Toen hij wegliep trok er even een lachje over Hannahs gezicht, net zo onverwacht als de zon die dag.

Op dinsdag stond hij in alle vroegte al bij de slager, nog voor die open was. Hij kocht het kersverse hart en ging er direct mee naar The Watch. Hij bedacht pas dat Dimity misschien nog niet op zou zijn toen hij aanklopte en het al te laat was. Toen ze opendeed, hield hij haar het hart voor.

'De slager zegt dat deze os gistermiddag is geslacht. Verser kan niet, tenzij ik naar het abattoir ga om er een op te vangen,' zei hij met een glimlach. Dimity nam het hart aan, pakte het uit en hield het in haar hand. Zach huiverde toen hij zag dat het bloedvlekken op haar mitaines maakte en dat er een donker stolsel uit een van de bloedvaten sijpelde. Hij kreeg de misselijkmakende geur van ijzer in zijn neus en probeerde niet te diep in te ademen. Dimity onderwierp het hart aan dezelfde tests als het eerste, en daarna wierp ze Zach een kort, tevreden glimlachje toe. In een werveling van lang haar en rokken verdween ze in het huis. Ze liet de deur open.

Zach keek de hal in. 'Mevrouw Hatcher?'

'En de spelden?' Haar stem kwam vanuit de keuken. Zach stapte naar binnen en sloot de deur achter zich.

'Hier zijn ze,' zei hij en gaf ze. Ze zat aan het tafeltje in de keuken en pakte zonder iets te zeggen het doosje spelden van Zach aan. Ze leek helemaal op te gaan in wat ze met het hart ging doen. Gefascineerd liet Zach zich zwijgend op de stoel tegenover haar zakken. Met een vingervlugge beweging sneed de oude vrouw het hart aan één kant open met een schilmesje, waarvan het lemmet er gevaarlijk scherp uitzag. Met haar vingertoppen veegde ze de bloedklonters weg en maakte daarna het speldendoosje open, dat onder de roestbruine vlekken kwam te zitten. Onder elk van haar nagels had ze een donkerrood halvemaantje. Zachtjes neuriënd stak ze van binnenuit een speld in de wand van het hart, totdat de kop tegen het vlees aan drukte. Gebiologeerd keek Zach toe, zonder iets te durven vragen. Flarden van het liedje dat ze zong waren hoorbaar, en verstaanbaar, maar het was grotendeels een woordeloos gemummel. Zach boog zich naar haar toe in een poging het te verstaan.

'Zegen dit huis en houd het heel. Zegen dit huis. Behoed het dak, behoed de steen...'

Toen de spelden op waren stopte ze ermee. Ze haalde naald en draad uit de zak van haar schort, naaide de snee die ze had gemaakt vlug dicht en klopte het hart weer in vorm, voor zover dat ging tussen het nieuwe pantser van spelden. Het zag eruit als een afschuwelijke, surrealistische weergave van een egel; bijna iets wat Zach gemaakt zou kunnen hebben in zijn studiejaren bij Goldsmith, toen hij al zijn natuurlijke impulsen op het gebied van schilderen, tekenen en figuratieve kunst had onderdrukt en wilde choqueren, avant-garde wilde zijn.

'Waar is dat voor?' vroeg hij aarzelend. Dimity keek verschrikt op; ze was blijkbaar vergeten dat hij er was. Ze kauwde even op de binnenkant van haar wang en boog zich toen naar hem over.

'Om de vuilakken buiten te houden,' fluisterde ze, en ze keek langs hem heen alsof ze daar iets zag. Zach keek over zijn schouder. In de gangspiegel keek zijn spiegelbeeld naar hem terug.

'Vuilakken?'

'Die je hier niet wilt.' Ze stond op, bleef even staan en keek hem aan. 'Fijne lange armen,' mompelde ze. 'Kom mee helpen.'

Gedwee stond Zach op en volgde haar naar de zitkamer. Op Dimity's aanwijzingen kroop hij in het gat van de open haard en ging hij voorzichtig staan. Hij bedacht dat de ochtend wel een heel vreemde wending had genomen. Zijn schouders raakten het beroete steen aan weerskanten en toen hij naar boven keek regende het roetdeeltjes in zijn ogen. Vloekend wreef hij erin, maar de korreltjes bleken ook al op zijn vingers te zitten. De scherpe geur van as vulde zijn neus. Boven zijn hoofd zag hij een verblindend vierkantje lucht. Hoe ben ik in een schoorsteen terechtgekomen? vroeg hij zich af terwijl hij verwonderd glimlachte in de donkere ruimte om hem heen.

'Voel eens boven je hoofd – zo hoog als je kunt. Daar zit een spijker om het aan op te hangen. Kun je die vinden?' riep Dimity vanuit de zitkamer. Als Zach naar beneden keek kon hij haar voeten in de lelijke leren laarzen onrustig heen en weer zien schuifelen. Hij reikte naar boven en voelde, waarbij er nog meer roet loskwam dat in zijn haar kletterde. Hij probeerde het af te schudden en bleef zoeken tot zijn vingers de scherpe punt van een roestige spijker raakten.

'Ik heb hem!'

'Pak aan dan – hier.' Ze stak haar arm in het rookkanaal en gaf hem het speldenkussenhart aan; ze sloeg een lus in de draad waar ze het mee had dichtgenaaid om zijn vinger. 'Hang dit op aan de spijker, maar je moet er wel een stuk van het lied bij zingen.'

'Welk lied?' vroeg Zach. Hij bracht het hart op zo'n manier omhoog dat het niet tegen zijn lijf aan kwam. Maar ter hoogte van zijn hoofd werd het rookkanaal smaller en raakte het toch zijn wang. Koud metaal, dat een klein schrammetje achterliet. Hij rilde. 'Welk lied?' herhaalde hij, een beetje van zijn stuk gebracht.

'Zegen dit huis en houd het heel...' Ze zong de regel met een bibberig, hoog stemmetje.

'Zegen dit huis,' herhaalde Zach toonloos. Toen hij het ding aan de spijker hing werden zijn woorden door een opwaartse luchtstroom weggeblazen als rook. Een luchtvlaag die boos in zijn oren ruiste. Hij kwam zo snel als hij kon het rookkanaal uit en begon met zijn vuile handen tevergeefs zijn haar en kleding af te kloppen. Toen hij naar Dimity keek stond ze daar met haar handen voor haar mond geslagen, haar vingers stijf ineengestrengeld. Haar ogen glansden. Met een opgetogen kreetje sloeg ze haar armen om Zach heen. Hij stond zich in stilte te verbazen.

Toen ze hem losliet leek ze zich een beetje te schamen. Ze keek naar haar vieze handen die met een losse draad van haar schort speelden. Blijkbaar kon het haar niet schelen dat haar handen onder het bloed zaten. Alsof ze eraan gewend was. Zach wreef weer in zijn eigen vuile handen.

'Mag ik uw badkamer gebruiken om me een beetje op te knappen?' vroeg hij. Dimity knikte, nog altijd zonder hem aan te kijken, en wees naar de gang.

'Door de deur heen naar achteren,' zei ze zacht. Zach liep langs de trap en trok de deur open, die uitgezet was en klemde. Hij zag plotseling voor zich hoe het houten geraamte van het huis overal opzwol van het vocht en gammel was van ouderdom. Bij wijze van proef stak hij zijn duimnagel in een van de dikke balken die door de muur liepen. Die was spijkerhard.

Achter de deur bevond zich een soort kleine bijkeuken, met de achterdeur van het huis en de badkamerdeur. Het dak, dat schuin afliep vanaf de achtermuur van het huis, was zo laag dat het Zachs haar raakte. Het was hier aanmerkelijk kouder en Zach besefte dat de badkamer zomaar even snel tegen het huis aan was geplakt – een krakkemikkige aanbouw, ongetwijfeld ter vervanging van het vroegere gemakshuisje in de tuin. Hij keek door het raam van de buitendeur. In de overschaduwde achtertuin stonden bijna geen planten. Alleen platgetrapte mossige grond en gebroken stoeptegels, bedekt met groene algen. Her en der stonden oude schuurtjes en kotten, met goed afgesloten deuren, geheimzinnig. Een ervan was inderdaad een kippenren met zes bruine, trots pikkende kippen. Achter de tuin zwiepten de takken van de bomen langs de rand van het ravijn heen en weer in de wind. Zach probeerde zijn handen zo goed mogelijk schoon te krijgen in de kleine wastafel en probeerde te vergeten hoe de luchtstroom in de schoorsteen heel even had geklonken: bijna als een stem.

Dimity was thee aan het zetten en neuriede tevreden terwijl ze de kop-en-schotels klaarzette. Geen bekers met gehavende randen dit keer, zag Zach. Hij was in achting gestegen. Opgetogen en sturend als een kind dat vadertje en moedertje speelt wees ze hem een plaats in de zitkamer. Uiteindelijk bleek het kopje dat ze hem gaf geen oor te hebben, maar dat had ze duidelijk niet gezien en hij zei er niets van. Om haar mond speelde een glimlach die kwam en ging op het ritme van haar verborgen gedachten. Hij kon zijn bekentenis net zo goed op dit moment doen, dacht Zach.

'Mevrouw Hatcher –'

'O, zeg maar Dimity. Ik heb het gehad met al dat mevrouw Hatcher zus en mevrouw Hatcher zo!' zei ze vrolijk.

'Dimity,' zei hij. 'Ik, eh, ik heb je buurvrouw ontmoet, Hannah Brock. Ze lijkt heel aardig.'

'Aardig, ja. Hannah is een beste meid. Een goede buurvrouw. Ik kende haar al toen ze een baby was. Die familie... altijd goed volk geweest. Op zichzelf, begrijp je. Ze wonen al honderd jaar op Southern Farm, de Brocks, voor zover ik weet. Ze is zo bang om het kwijt te raken! Arme meid. Zo hard werken altijd en niets ervoor terugkrijgen. Het lijkt wel of er een vloek op het bedrijf rust, maar dat kan niet kloppen. Nee, ik zou niet weten wie dat gedaan zou moeten hebben.' Haar stem stierf weg. Ze keek voor zich uit en leek bij zichzelf na te gaan wie de boerderij vervloekt zou kunnen hebben.

'Ik denk dat ik haar man ook ontmoet heb. Ik ben er gisteren eieren gaan kopen. Een man met donker haar.'

'Haar man? O nee. Kan niet. Haar man is dood. Ligt dood op de bodem van de zee.' Ze schudde droevig haar hoofd. 'Er liggen er daar zo veel. Ook mijn eigen vader.'

'Is hij verdronken? Dus ze is weduwe?' vroeg Zach.

'Weduwe, ja. Al zeven jaar of zo. Verdronken, weg, vermist op zee. Ik had het niet zo op hem, weet je. Hij was slimmer dan goed voor hem was. Of dat dacht hij. Hij begreep het land niet. Maar wel eerlijk, en met een goed hart.' Ze keek vlug de kamer rond, alsof ze verwachtte dat de wraakzuchtige geest van de man haar had horen kwaadspreken. Zach probeerde te wennen aan het denkbeeld van Hannah als weduwe. Het paste slecht. Weduwen waren oud en treurig, of anders verwaand en rijk.

'Ik ben ook getrouwd geweest. We zijn gescheiden. Of eigenlijk, ze heeft me verlaten. Ali. Ik heb een dochter, Elise. Ze is nu zes. Wil je een foto zien?' Na een onzeker, vaag knikje van Dimity zette Zach door en gaf haar de foto uit zijn portefeuille. Een grijnzende Elise met een suikerspin die groter was dan haar hoofd. Ze was zo opgewonden geweest dat ze haar gezicht niet in de plooi had kunnen houden. Later kreeg ze hoofdpijn van de suiker, werd ze onhandelbaar en had ze voor iedereen de dag bedorven. Maar op de foto schitterden haar ogen en glansde haar haar, en ze straalde blijdschap uit dat ze zoiets bijzonders te eten kreeg.

'Is ze gelukkig, je kleine meisje? Is haar moeder aardig voor haar?' vroeg Dimity. Zach zag met een schok dat haar gezicht ineens verdrietig stond en hoorde dat haar stem hees was geworden.

'Ja, Ali is altijd heel goed voor haar geweest. Ze is dol op Elise.'

'En jij?'

'Ik ben ook gek op haar. Elise is een schattig kind. Ik probeer een goede vader te zijn, maar of dat lukt zal de toekomst leren, zou ik zeggen.'

'Waarom heeft je vrouw je verlaten?'

'Ze hield niet meer van me. Ik denk dat het daarmee begon; en toen besefte ze ineens waarin ik allemaal tekortschoot.'

'Je lijkt mij nog niet zo slecht.'

'Ali stelt hoge eisen, geloof ik. Ze heeft nu iemand ontmoet die daar beter aan voldoet dan ik ooit zou kunnen.' Zach glimlachte even. 'Grappig – je weet toch wat mensen over de eerste indruk zeggen? Ik denk dat dat ons probleem was. Van mij en Ali. We hebben elkaar ontmoet op een tentoonstelling van tekeningen uit de twintigste eeuw – een tentoonstelling waar ik curator van was. Van elk doek kon ik haar uitgebreid vertellen waarom het zo goed was, waarom de kunstenaar zo geweldig was. Ik denk dat ik overkwam als een gepassioneerd iemand met veel inzicht, geslaagd, succesvol en bereisd. En daarna ging het alleen maar bergafwaarts, in Ali's ogen.'

Dimity dacht hier even over na.

'Het hart van mensen... het hart van andere mensen lijkt zich te vullen met liefde en dan weer leeg te lopen, zoals de vloed de baai vult. Dat heb ik nooit begrepen. Het mijne is nooit veranderd. Het werd gevuld en het bleef gevuld. Ook nu nog. Zelfs nu nog,' zei ze fel.

'Nou, het mijne ook, nog heel lang nadat ze weg was. Het voelde als het einde van de wereld.' Zach glimlachte verdrietig. 'Alles wat ik deed of probeerde te doen was zinloos. Ken je dat?'

'Ja. O ja,' knikte Dimity heftig. Zach haalde zijn schouders op.

'Maar geleidelijk aan is dat afgezwakt, denk ik. Je kunt niet altijd blijven wensen dat de dingen anders zouden zijn. Wensen dat je zelf anders was. Ooit moet je verder.'

'En doe je dat nu?'

'Verdergaan? Ik weet het niet. Ik probeer het, maar het is makkelijker gezegd dan gedaan, geloof ik. Het is eigenlijk de reden waarom ik hier ben, in Blacknowle. Ik had je al eerder willen vertellen... Ik ben een boek aan het schrijven, over Charles Aubrey.' Dimity keek met grote, verschrikte ogen op toen hij dit zei. 'Ik zal er niets in zetten wat jij er niet in wilt hebben, dat beloof ik. Ik wil alleen de waarheid over hem opschrijven.'

'De waarheid? De waarheid? Wat bedoel je?' Dimity kwam moeizaam omhoog uit haar stoel en ging voor hem staan, afwisselend op haar ene en haar andere voet. Ze leek ineens erg bang.

'Nee, wacht. Luister. Ik wil je herinneringen aan hem niet bederven. Echt niet. En als je met me praat en je dingen vertelt die je niet opgeschreven of opgenomen wilt hebben, dan zal ik dat niet doen, dat beloof ik,' zei hij resoluut.

'Wat heb je daar dan aan? Wat wil je van me?' vroeg ze. Zach formuleerde zijn antwoord zorgvuldig.

'Ik wil hem gewoon leren kénnen. Niemand schijnt hem echt te kennen. Alleen de publieke figuur, de dingen die iedereen kon zien. Maar jij kénde hem echt, Dimity. Jij kende hem en hield van hem. Zelfs als ik niets specifieks opschrijf van wat jij vertelt, dan help je me nog om hem te leren kennen. Alsjeblieft. Je kunt me vertellen over de Charles die jij gekend hebt.' In de stilte die volgde draaide Dimity aan haar haar, en daarna ging ze weer zitten.

'Ik kende hem beter dan wie ook,' zei ze ten slotte.

'Ja,' zei Zach opgelucht.

'Mag ik die tekening zien? Die je de vorige keer voor het raam hield?' Ze bloosde, alsof zij degene was geweest die zich onheus had gedragen omdat ze hem negeerde terwijl hij buiten zo onbeschoft had gedaan. Zach grinnikte.

'Daar heb ik spijt van. Ik was er zo op gebrand om met je te praten dat ik mijn goede manieren vergat. Ik heb hem hier. Hij is van een verzamelaar in Newcastle, maar hij heeft hem voor deze expositie uitgeleend aan een galerie.' Hij haalde het tijdschrift tevoorschijn en gaf het aan haar. Ze keek er aandachtig naar, streek met haar vingers over het glanzende papier en zuchtte een beetje.

'Delphine,' fluisterde ze.

'Herinner je je haar nog?' vroeg Zach gespannen, waarop Dimity hem vernietigend aankeek. 'Natuurlijk, sorry.'

'Ze was zo'n mooi meisje. Ze was mijn eerste vriendin. Dat wil zeggen, mijn eerste echte vriendin. Het waren zulke stadsmensen toen ze hier net waren! Nog nooit modder aan haar schoenen gehad. Maar ze veranderde. Ze wilde een beetje zijn zoals ik, denk ik – een beetje wild. Ze wilde leren koken en voedsel verzamelen in het veld. En ik denk dat ik meer wilde zijn zoals zij – ze was zo aardig, zo prettig om mee te praten. Zo geliefd bij haar familie. En ze wist zo veel! Ik vond haar het slimste meisje dat ik kende. Ook later, toen ze naar kostschool ging en ze zich meer ging interesseren voor mode en jongens en naar de bioscoop ging, toen was ze nog steeds mijn beste vriendin. Soms schreef ze me, 's winters als ze hier niet waren. Vertelde van alles over een leraar of een jongen, of de ruzie die ze had gehad met een ander meisje. Ik heb haar gemist, later. Ik heb haar echt gemist.'

'Later? Weet je wat er met Delphine is gebeurd? Ze is min of meer uit de openbaarheid verdwenen – niet dat ze daar ooit echt in was. Aubrey beschermde zijn gezin enorm. Maar er staat niets meer over haar in de boeken nadat hij in de oorlog was gesneuveld...' Zach hield zijn mond toen hij Dimity's gezicht zag. Haar ogen waren gericht op iets wat hij niet kon zien, en haar mond maakte kleine bewegingen, alsof de woorden op haar tong niet sterk genoeg waren om eruit te komen. Ze zag er even uit alsof ze afschuwelijke dingen zag.

'Dimity? Weet jij wat er met haar is gebeurd?' drong Zach zachtjes aan.

'Delphine... ze... Nee,' zei ze ten slotte. 'Nee, ik weet het niet.' Haar stem klonk onvast, maar toen ze weer naar het tijdschrift keek lichtte haar gezicht op. Zach had het sterke gevoel dat ze loog.

'Mag ik?' Hij nam het tijdschrift van haar over en bladerde een paar pagina's verder naar de eerste tekening van Dennis, die ongeveer zes jaar geleden te koop was aangeboden. 'En deze? Aan de datum zou je zeggen dat hij hier in Blacknowle is gemaakt. Heb je Dennis, deze man, gekend? Herinner je je hem?' Hij gaf het tijdschrift aan de oude vrouw terug. Ze pakte het met tegenzin aan en keek nauwelijks naar de tekening. Er verschenen twee blosjes op haar wangen en ze kreeg een vlek in haar nek. Een kleur van schuld, van kwaadheid of van schaamte. Zach zou het niet kunnen zeggen. Ze ademde een paar keer vlug en oppervlakkig.

'Nee,' zei ze weer, pinnig. Ze hield het tijdschrift van zich af alsof ze er niet naar kon kijken. Ze bleef oppervlakkig en snel ademen, duidelijk hoorbaar, en ze sloeg met trillende vingers de tekening van haar en Delphine weer op. 'Nee, ik heb hem niet gekend.'

Uit bezorgdheid dat ze helemaal niet meer zou willen praten liet Zach haar teruggaan naar de eerste tekening zonder nog vragen te stellen over Dennis of het lot van Delphine. Hij besefte dat hij net zo graag meer wilde weten over Delphine, het meisje dat hij lang uit haar portret had geprobeerd te leren kennen, als over haar vader. Maar hij begreep dat dit moest wachten en dat hij het voorzichtig moest aanpakken. Voorlopig was hij er tevreden mee om Dimity te horen vertellen over de eerste keer dat ze de familie Aubrey had ontmoet, het huis dat ze in de zomer van 1937 bewoonden, en hoe ze haar best deed haar omgang met hen zo lang als ze kon voor haar moeder verborgen te houden.

'Denk je dat je moeder hen afgekeurd zou hebben? Ik weet dat sommige mensen in het dorp hun levensstijl veel te vrij vonden,' zei hij en hij had onmiddellijk spijt. Dimity fronste bij de onderbreking en zweeg even, alsof ze zijn woorden moest verwerken. Blijkbaar had hij iets verkeerds gezegd. Uiteindelijk negeerde ze de vraag en ging door met haar verhaal.

De tweede keer dat ze hen ontmoette was vier dagen later. Ze had in tweestrijd gestaan tussen haar verlangen om nog eens naar Delphine te gaan en haar onzekerheid – die grensde aan angst. Angst dat ze hen niet begreep, dat ze zich niet goed zou gedragen, angst voor wat Valentina zou zeggen als ze van de tekening hoorde; die schets die een stukje van haar geest leek te vangen en voorgoed leek vast te leggen op papier. Op haar veertiende had Dimity niet langer het lichaam van een kind. Haar borsten, nog in ontwikkeling, waren altijd pijnlijk. Om de een of andere reden amuseerden ze Valentina, die er soms grinnikend in kneep, en dan werd Dimity misselijk van de ongewone pijn. Haar heupen waren breder geworden – zo snel dat ze er roze strepen van in haar huid had gekregen, die later vervaagden tot dunne zilveren lijntjes. Ze liep heupwiegend, wat haar vroegere snelle pas vertraagde, en als ze in het dorp kwam keerden de hoofden die zich vroeger hadden weggedraaid nu juist haar richting op. In zeker opzicht vond Dimity dat alleen maar erger. Ze wilde niet bekeken worden op de manier waarop sommige bezoekers naar haar moeder keken als ze bij The Watch kwamen, met hun haar tegen hun hoofd geplakt en hun laarzen haastig aangeschoten, niet netjes dichtgeregen. Om ze gauw weer uit te kunnen schoppen.

Ze ging naar het brede strand langs de kust ten westen van Blacknowle; ze nam de langere route door het land, omdat er een groepje jongens rondhing op het rotspad. Ze scholden haar nog steeds uit en gooiden nog met stenen, maar ze riepen nu ook andere dingen. Ze probeerden haar vast te grijpen, haar rok of bloes los te trekken; ze paradeerden met hun broek open met hun slap hangende penis, of met een stijve als een beschuldigende vinger. Ze was nog steeds groter dan de meesten; ze kon even hard slaan en even hard lopen. Maar dat zou een keer veranderen, vermoedde ze, en instinctief ging ze hen steeds vaker uit de weg. Die keer was Wilf Coulson erbij. Hij zag haar uit de verte, maar zwaaide of riep niet en maakte ook de anderen niet op haar attent. Hij was nog steeds zo mager als een lat, een jongen nog, en nog steeds vaak verkouden. Toen hij haar zag stopte hij zijn magere handen in zijn zakken en keerde haar de rug toe; hij keek met opzet weg en vestigde geen aandacht op haar, terwijl zij met een omweg uit het zicht verdween. Ze zou hem de volgende keer als ze hem zag iets geven voor zijn loyaliteit. Ze mengde vaak nieuwe middeltjes voor zijn neus of gaf hem dingen om wat aan te sterken, maar meestal had hij het liefst een kus.

Het was eb – de volle maan was net weg en had het water zo ver uit de kust getrokken dat er een smalle boog donkerbruin zand te zien was. Met een emmer aan haar arm liep Dimity blootsvoets langs de waterrand. Ze zette haar voeten zo voorzichtig mogelijk neer om haar prooi niet te laten schrikken. Het was een windstille, warme en heldere dag. In het ondiepe water waren haar voeten spierwit. Het zand, met harde ribbels van het water, voelde prettig aan haar voetzolen. Het enige geluid kwam van de rondcirkelende meeuwen boven haar hoofd en het zachte geplons van haar voorzichtige voetstappen. Het water schitterde. Waar het zand verwarmd werd door de zon rook het helder en schoon. De holletjes die ze zocht waren niet breder dan een duim. Als de scheermessen de trilling van haar naderende voeten voelden, zouden ze zich dieper ingraven in het zand, buiten haar bereik. In haar rechterhand hield Dimity een oud, dun vleesmes met een kromming aan het eind. Als ze een holletje zag zette ze haar voeten heel zachtjes aan weerszijden ervan neer; ze hurkte en trok het schelpdiertje met een vlugge, draaiende messteek uit het zand voordat het kon ontsnappen. De diertjes hingen wanhopig uit de schelpen en probeerden wriemelend ergens houvast te vinden om zichzelf in veiligheid te brengen. Ze had er al tien in haar emmer toen ze mensen hoorde aankomen, en ze wist dat haar oogst voorbij was.

Vier gestaltes – twee grote en twee kleinere – liepen vanaf de andere kant van het strand naar haar toe. De kinderen renden gillend kriskras om hun ouders heen. Ze stampten met hun voeten op het harde zand, zodat het water tegen hun kleren spatte. Toen ze dichterbij kwamen kon Dimity de trillingen in haar eigen voeten voelen, en toen ze naar beneden keek verraadden een paar natte zandhoopjes de aftocht van de schelpen. Licht geërgerd keek ze weer op en bedacht toen dat Delphine had gezegd dat ze een zusje had. Ze besefte wie het waren. De irritatie zette zich om in verwarring, en die maakte haar aan het blozen. Ze kon op dat moment onmogelijk weglopen, en ze kon zich ook nergens verstoppen. Op dat moment herkende Delphine haar en ze rende voor de anderen uit om haar te begroeten. Deels blij, deels verlegen stak Dimity haar hand groetend op.

'Hoi Mitzy! Ik dacht al dat jij het was. Hoe is het? Wat ben je aan het doen?' vroeg het meisje buiten adem terwijl ze met een plons voor haar stilstond. Haar jurk was tot boven haar knieën drijfnat. Het was een lichtblauwe jurk met gele bloemen en een mooi, geschulpt kraagje; het vest dat ze eroverheen droeg had mooie parelmoeren knoopjes. Dimity keek er jaloers naar en was opgelucht dat ze dit keer een goed excuus had voor haar blote voeten.

'Ik was scheermessen aan het vangen. Maar ze leven in het zand en als ze je aan horen komen verstoppen ze zich, dus ik kan nu niets meer vangen,' zei ze. Ze liet de emmer met haar tien hulpeloze schelpen zien.

'Denk je dat ze je gehoord hebben? O nee!' Delphine legde een hand op haar mond toen ze het begreep. 'Dat komt door ons, hè? De vorige keer heb je vanwege mij je kreeft weggegooid en nu hebben we de schelpen bang gemaakt!' Ze beet geschrokken op haar lip en leek even na te denken.

'Dat geeft niet,' zei Dimity, van haar stuk gebracht door haar bezorgdheid. 'Ik heb er al heel wat –'

'Je moet komen lunchen. Dat is het enige wat erop zit – en het beste! Ik ga het even vragen!'

'O, ik kan niet –' Maar Delphine had zich al omgedraaid naar haar dichterbij komende familie en riep naar ze.

'Mitzy kan wel mee komen lunchen, hè? We hebben al haar schelpen weggejaagd met ons lawaai!'

Haar zusje was er het eerst. Ze was een paar jaar jonger dan Delphine, lichter gebouwd en donkerder. Donkerder van huid, met donkerbruin haar en dito wenkbrauwen die haar gezicht een serieuze uitdrukking gaven. Ze keek van nature argwanend. Ze had opmerkzame zwarte ogen die Dimity snel taxeerden, met een zelfverzekerdheid die ver boven haar jaren uitsteeg.

'Jíj bent degene die papa getekend heeft,' zei ze. 'Delphine zei dat je nog nooit een klapliedje had gedaan. Hoe komt dat? Wat doen ze dan op jouw school?'

'Ik heb andere meisjes het wel zien doen, ik heb gewoon nooit...' Dimity haalde haar schouders op. Het meisje dat volgens haar Élodie moest zijn, trok haar wenkbrauwen minachtend samen.

'Kon je het niet leren? Het is zó makkelijk,' zei ze.

'Élodie, hou je mond,' zei Delphine met een kritisch knikje tegen haar zusje. De ouders waren er intussen ook en Dimity keek, om niet verlegen te worden, naar de vrouw in plaats van naar de man. Ze snakte hoorbaar naar adem. De moeder van de meisjes was de mooiste vrouw die ze ooit had gezien. Mooier dan de vrouw op de reclame voor Ovaltine-chocolademelk op de winkelruit. Mooier dan de ansichtkaart van Lupe Velez die een keer onder de dorpsjongens was rondgegaan – Dimity had er een glimp van opgevangen toen hij even in Wilfs zak gezeten had. 'Dit is onze moeder, Celeste,' zei Delphine glimlachend. Ze was duidelijk blij met Dimity's reactie.

Celeste had een ovaal gezicht met een tere onderkaak, volle, perfect gewelfde lippen en steil, dik zwart haar tot op haar schouders. Ze had een licht goudbruine, gave huid, maar het meest frapperende aan haar waren haar ogen. Ondanks haar donkere teint en volle, donkere wimpers waren haar grote, heldere ogen licht blauwgroen van kleur. Ze waren amandelvormig en leken hun eigen bovennatuurlijke licht uit te stralen, helderder nog dan de zomerhemel boven haar. Dimity stond haar aan te staren.

'Erg prettig om kennis met je te maken, Mitzy. Ik heb de naam Mitzy nog nooit gehoord. Is het een naam uit de streek?' Celeste had een lage stem en sprak met een accent dat Dimity niet eerder had gehoord en ook niet kon plaatsen.

'Dimity. Het is een afkorting van Dimity,' bracht ze uit, nog steeds diep onder de indruk van de vrouw.

'*Dimity?* Wat een gekke naam!' zei Élodie, duidelijk perplex dat iemand anders alle aandacht kreeg.

'Élodie! Gedraag je,' zei Charles Aubrey. Het was de eerste keer dat hij iets zei. Het meisje pruilde, maar Dimity was opgelucht.

'Ik vond Charles' tekening van jou en mijn Delphine heel mooi. Zo mooi, zoals jullie samen stonden te spelen. Je bent van harte welkom om bij ons te komen lunchen. Ik hoop dat je het doet? Om het goed te maken dat hij je toestemming niet heeft gevraagd,' zei Celeste. Ze wierp Aubrey een licht berispende blik toe, maar hij lachte alleen.

'Als ik het gevraagd had, was het moment voorbij geweest,' zei hij.

'Er zijn ergere dingen, lieverd. Goed. Laten we doorlopen en deze jongedame aan haar jacht overlaten. Je weet hoe je bij het huis komt, hè? Kom vanmiddag bij ons eten. Ik sta erop.' Ze haakte haar hand door Charles' arm en ze liepen verder, voor Dimity zichzelf genoeg bij elkaar geraapt had om iets te kunnen zeggen. Misschien had Valentina wel een gast, dacht ze wanhopig, of een van haar buien waarin ze zichzelf 's middags in slaap dronk. Als ze geluk had kon ze wegkomen zonder ondervraagd te worden.

'Tot straks, Mitzy.' Delphine zwaaide. Élodie stak haar neus in de lucht en liep weg, dit keer voorzichtig, alsof ze haar superioriteit moest tonen door zich voorbeeldig te gedragen. Te laat ontdekte Dimity dat haar bloes van voren nat en modderig was van het schelpen zoeken en aan haar maag plakte. Te laat bedacht ze dat ze die ochtend haar haar niet had gekamd. Ze haalde geërgerd haar handen erdoorheen en keek de over het strand bewegende gedaantes na. Celeste had slanke armen en een smalle taille boven brede heupen; ze bewoog zich als diep water – vloeiend en sierlijk. Haar schoonheid riep een niet te identificeren emotie bij Dimity op. Terwijl ze haar daar stond te bewonderen en aan haar eigen onverzorgde verschijning stond te frutselen, keek de artistieke man naar haar om. Een lange, doelbewuste blik over zijn schouder, veel meer dan zomaar een blik; maar van te veraf om veel van zijn gezicht af te lezen.

Dimity bleef een tijdje op het strand rondhangen. Het had geen zin om verder te zoeken omdat alle schelpen nu de diepte hadden opgezocht, maar ze wilde ook niet achter het gezin aan lopen. Ze liep verder het strand op, waar ze haar rok optrok en op een plek ging zitten waar het zand droog genoeg was. Met een hand boven haar ogen tegen het zonlicht keek ze Delphine en haar familie na tot ze kleine figuurtjes waren die ze nog net het pad kon zien opklimmen. De kunstenaar legde zijn hand op Celestes onderrug om haar wat steun te geven, pakte Élodies hand en hield die vast tijdens de klim over de rotsen. Dit was een nieuw soort vader. Aardig en sterk, heel anders dan Wilf Coulsons vader en een hoop andere in het dorp, die vaak ontevreden en boos keken. Haar eigen vader was misschien ook zo geweest. Ze probeerde zich voor te stellen hoe het zou zijn om zo oud als Élodie te zijn en een man als Charles Aubrey te hebben die je bij de hand nam als het pad moeilijk begaanbaar werd.

Tegen het middaguur kwamen er geen gasten aan bij The Watch. Dimity kamde haar haar zo goed mogelijk – wat bijna onmogelijk was zonder eerst het zout eruit wassen. Ze trok een schone bloes aan en probeerde bij haar moeder uit de buurt te blijven. Valentina zat in de keuken met felle messtreken het vel van een paar gevilde konijnen af te schrapen, klaar om die te conserveren. Haar gezicht was rood en bezweet, en de zweetdruppels vielen in haar ogen. Als ze bezig was met zo'n karwei was haar concentratie ontzagwekkend en stonden haar ogen woest. Het was een slecht moment om haar te storen, opgemerkt te worden of iets te vragen. Dimity keek toevallig om de hoek van de deur op het moment dat Valentina even stopte, haar rug strekte en haar haar achter haar oren streek. Het stonk naar dood vlees. Valentina kreeg haar in het oog.

'Jij kunt maar beter gedaan hebben wat ik je gevraagd heb, in plaats van de hele ochtend te verlummelen. Als je die piepers niet gestoken hebt, ben jij het eerstvolgende wat ik vil,' zei ze bits.

'Dat heb ik gedaan, ma. Het is helemaal klaar.' Zonder iets te zeggen schraapte Valentina verder en Dimity dacht na of ze zomaar weg zou gaan, of dat ze een boodschap zou verzinnen. Uiteindelijk glipte ze gewoon weg, want Valentina was verzonken in gedachten die niets met haar te maken hadden.

De voordeur van Littlecombe stond wijd open en toen Dimity dichterbij kwam zag ze dat de achterdeur aan de andere kant van de gang ook open was. Lucht stroomde door het hele huis, als een bewegende tunnel die haar mee leek te trekken toen ze op de drempel stond te aarzelen. Ze wist nog altijd niet of de uitnodiging voor de lunch gemeend was geweest. Uit de keuken kwamen stemmen en gelach, en toen ze aanklopte verscheen Celestes mooie gezicht om de deur, glimlachend.

'Kom binnen, kom binnen!' zei ze. Ze stond haar handen af te drogen en de wind blies haar haar voor haar ogen. Lachend streek ze het weg. 'Ik vind het heerlijk om de wind zo door het huis te voelen gaan. Jullie Engelsen hebben altijd zulke bedompte huizen! Ik haat dat.'

Dimity wist niet precies of ze nu een standje kreeg, maar ze volgde Celeste de keuken in, waar de tafel gedekt was voor vijf en er al een fles wijn openstond. Dimity had nog nooit wijn gedronken – niet in een glas, uitgeschonken uit een fles. Haar moeder dronk wijn als een gast die meebracht – en dat kwam zelden voor. Zij had liever de cider die ze maakten van de appels van de knoestige appelboom naast het huis. Ze zaten zo vol sap dat de schillen ervan openbarstten. Dimity voerde van augustus tot september dagelijks strijd met de benevelde, oorlogszuchtige wespen die onvast van vrucht naar gistende vrucht vlogen.

Ze dacht aan The Watch, met het zware strodak, de dikke muren en de kleine ramen. Dit was inderdaad een heel ander huis. Het licht stroomde naar binnen door brede schuiframen en de muren waren fris wit geverfd, niet vergeeld van ouderdom of vuil. De vloer was rood betegeld; de onderste helft van de muren was bekleed met een zachtgroen geverfde lambrisering. Het was de eerste keer dat Dimity in het huis van iemand anders was. Ze kende alle achterdeuren goed, en de stoepjes, de daken vanuit de verte. Maar ze was nog nooit ergens binnen gevraagd.

Élodie had besloten gastvrouw te spelen. Ze liet Dimity plaatsnemen, complimenteerde haar met haar bloes en bracht haar met veel omhaal een glas water, zonder enig teken van minachting. Delphine, met een schort netjes over haar zomerjurk, stond op een krukje bij het fornuis ergens in te roeren waar damp af kwam en dat lekker rook. Ze draaide zich met een glimlach om naar Dimity.

'Kom eens proeven – ik heb het gekookt! Erwtensoep met ham.'

'Mijn kok in de dop. Je bent echt goed,' zei Celeste. Ze legde haar arm om Delphines heupen en drukte haar tegen zich aan. Dimity slikte gehoorzaam een lepeltje soep. Ze dacht dat die lekkerder zou zijn met verse laurier en het kookwater van de ham als basis. Maar ze glimlachte en gaf toe dat het lekker was.

'Weet je dat ik ook kan koken?' onderbrak Élodie. 'Ik heb pas nog kaaskoekjes gemaakt. Papa zei dat hij nog nooit zulke lekkere had geproefd.'

'Ja, ja. Ze waren heerlijk. Ik bof maar met zulke getalenteerde dochters,' zei Celeste vleiend. Ze streek Élodies zwarte haar van haar voorhoofd en plantte er een kus op. 'En nu niet meer opscheppen en de soepkommen halen.' Ze zei het luchtig, maar Élodie voerde de opdracht met een kwaad gezicht uit. Dimity nam een slokje water, maar zat alert op het puntje van haar stoel met het ongemakkelijke gevoel dat ze eigenlijk moest helpen. Maar toen ze een poging deed werd ze door Celestes lange, mooie handen op haar stoel teruggeduwd.

'Blijf zitten. Jij bent hier te gast! Je hoeft alleen maar van je eten te genieten,' zei ze, met haar sterke accent. Dimity had haar graag willen vragen waar ze vandaan kwam. Misschien wel helemaal uit Cornwall, of zelfs Schotland.

Net toen de soep op tafel werd gezet kwam Charles binnen. Hij zag er verwaaid uit, met roze wangen die goed bij zijn verbrande neus pasten. Verwilderd haar. Hij zette de canvas tas die hij bij zich droeg neer en schoof afwezig op een stoel. Celeste en Delphine wisselden een blik, die Dimity niet kon interpreteren. Toen hij naar hen keek, leek het even of hij hen niet kende. Er viel een stilte. Hij knipperde met zijn ogen, toen glimlachte hij.

'Een heel boeket schoonheden,' zei hij binnensmonds. 'Wat kan een man zich nog meer wensen als hij thuiskomt?' Zijn dochters lachten, maar Celeste keek hem nog even aandachtig aan.

'Inderdaad,' zei ze rustig, en ze pakte de opscheplepel om de soep op te scheppen. Aubrey's ogen vielen op Dimity.

'Ah, Mitzy. Wat fijn dat je ons gezelschap houdt. Ik hoop dat je ouders het niet erg vonden om je een paar uur af te staan?' Dimity schudde haar hoofd en vroeg zich af of ze moest vertellen dat ze alleen een moeder had.

'Mijn vader is vermist op zee,' flapte ze eruit, en tot haar schrik en schaamte zag ze Celestes gezicht betrekken.

'Arm kind! Wat een tragedie als je nog zo jong bent! Je zult hem wel vreselijk missen, en je arme moeder ook,' zei ze. Ze boog naar Dimity toe, pakte haar arm en keek haar indringend aan met die schitterende ogen. Dimity had een dergelijke reactie niet verwacht. *Vermist op zee, voor mijn part.* Ze knikte zwijgend en zei niets over Valentina's boosheid als ze hem ter sprake bracht. 'Redt je moeder het? O, het moet moeilijk zijn om in een gat als dit als vrouw alleen te wonen en een kind te onderhouden. Geen wonder dat we je altijd zo –' Ze onderbrak zichzelf. 'Goed. Vertel ons dan maar over je moeder. Hoe heet ze?'

'Valentina,' zei Dimity wezenloos.

Ze kon geen enkel onderwerp bedenken waar ze minder graag over zou willen praten, en ze had verder niets over haar moeder te zeggen. Maar er viel een lange, veelbetekenende stilte; haar keel werd droog van de zenuwen en ze voelde zich op het randje van mislukking balanceren. 'Ze is een zigeunerin, of eigenlijk haar voorouders. Van heel ver weg. Ze maakt medicijnen en amuletten van allerlei soorten kruiden en leert mij hoe dat moet. De mensen in het dorp doen alsof ze haar niet geloven, maar vroeger of later komen ze allemaal iets kopen of iets vragen. Mijn moeder is heel bijzonder,' zei ze en ook al was geen woord hiervan gelogen, ze had toch het gevoel dat het bedrog als een dikke wolk om haar heen hing; tegelijkertijd bedacht ze hoe fijn het zou zijn als de echte Valentina in deze beschrijving paste.

'Een tovervrouwtje,' zei Charles, terwijl hij haar aan bleef staren. Ze was zich scherp bewust van de zon die door het raam op haar gezicht viel en het onmogelijk maakte om iets te verbergen. 'Fascinerend. Ik heb nog nooit een echte ontmoet. Ik moet kennis met haar gaan maken.'

'O nee! Niet doen!' zei Dimity geschrokken voor ze zich kon inhouden.

'Waarom niet, in vredesnaam?' vroeg hij met een glimlach. Dimity kon geen antwoord bedenken, dus bleef ze ongelukkig in haar soep zitten staren. Ze schrok toen zijn hand met de brede, sterke vingers op haar arm neerkwam. Ze huiverde toen ze een kneepje voelde. 'Maak je geen zorgen, Mitzy,' zei hij zacht. 'Ik schrik niet zo gauw.'

'Wat bedoel je, papa?' vroeg Élodie. Ze vroeg het snel, gretig, en keek beteuterd toen Charles haar negeerde.

Na de soep haalde Celeste een ronde pastei uit de oven, die bij het doorsnijden gekruid lamsgehakt en hele amandelen bleek te bevatten. De pastei was zoet, luchtig en knapperig. Dimity had nog nooit zoiets lekkers gegeten en toen ze dat zei moest Celeste lachen.

'Jij en jouw volk weten waarschijnlijk alles over kruiden, maar het mijne weet alles van specerijen. Dit is een *pastilla.* Je proeft kaneel, gemalen koriander, nootmuskaat en gember. Het is echt Marokkaans. Een typisch gerecht uit mijn land,' zei ze trots. Ze sneed er nog een stuk af en stak haar hand uit naar Dimity's bord.

'Waar ligt Morr… Mokk… uw land?' vroeg ze, en ze schrok toen Élodie in lachen uitbarstte en bijna stikte in haar eten.

'Zo komt boontje om zijn loontje, hè?' zei Charles vriendelijk.

'Weet je niet waar Marokko ligt? Wij zijn er drie keer geweest! Het is fantastisch,' zei Élodie. Celeste lachte warm naar het kind.

'Het is goed om trots te zijn op je afkomst, Élodie,' zei ze. 'Marokko ligt in Noord-Afrika. Het is een land waar de woestijn bloeit. Het is er heel erg mooi. Mijn moeder stamt af van het Berbervolk, uit de bergen van de Hoge Atlas waar de lucht zo helder is dat je rechtstreeks tot in de hemel kunt kijken. Mijn vader is Frans. Hij zit in het koloniale bestuur in Fez.'

'Zijn alle Berbervrouwen zo mooi als u?' vroeg Dimity kleintjes. Ze probeerde uit alle macht alle vreemde namen te onthouden die haar meteen weer ontglipten. Celeste lachte, Charles ook en Delphine glimlachte met een mond vol pastei.

'Je bent een lief meisje,' zei Celeste hartelijk. 'Het is lang geleden dat ik zo'n welgemeend compliment heb gekregen.' Ze keek even uitdagend naar Charles voor ze haar hand uitstak naar zijn bord. Dimity zag dat ze geen trouwring om haar vinger had, en Charles ook niet. Ze slikte en zei niets, maar probeerde zich een voorstelling te maken van de bergen die Celeste genoemd had, waar de mensen hun schoonheid in de lucht weerspiegeld zagen.

Na de lunch hoefde Delphine niet af te wassen, omdat ze had helpen koken. Ze onderbrak Dimity's gestotterde dankjewel door haar mee naar buiten te trekken. Eenmaal in de tuin haalde Dimity diep adem. Hoe fascinerend het huis, het eten, de mensen en het gevoel om gast te zijn ook waren geweest, het was ook overweldigend. Ze had het gevoel dat er een grote druk van haar was afgevallen nu ze weer onder de blote hemel stond. Delphine liet haar de moestuin zien, waar een paar armzalige radijsjes en slaplantjes groeiden.

'Kijk! Weer keutels! De konijnen eten steeds alles op wat ik verbouw!' klaagde ze. Dimity knikte en hurkte bij haar neer om het bewijs te bekijken.

'Je moet draad spannen om ze tegen te houden,' zei ze. 'Of valstrikken om ze te vangen.'

'O, die arme konijntjes! Ik wil ze geen pijn doen. Waarom wil je niet dat papa naar jouw moeder gaat?' vroeg ze nieuwsgierig. Dimity raapte een paar konijnenkeutels op, liet ze over haar hand rollen en wist niet wat ze moest zeggen. 'Maakt niet uit,' zei Delphine ten slotte. 'Je hoeft het niet te zeggen.' Ze stond op en zette haar handen in de zij. 'Kom op. Dan gaan we een kreeft zoeken als goedmakertje voor die ene die je bent kwijtgeraakt, en voor die laffe schelpdieren die op de vlucht zijn geslagen.'

Dit keer durfde Delphine de kreeft aan te raken. Ze liet een waterdruppel van haar vingertop in een van zijn zwarte ogen vallen en het dier bewoog afwerend met zijn scharen en zijn staart. Maar evengoed kon ze het niet verdragen dat Dimity hem zou houden, want hij had op een bepaalde manier met zijn voelsprieten naar haar gezwaaid. Ze besloot hem Lawrence te noemen. Dimity gooide het beest verbijsterd in de beek om Delphine dan maar het onderscheid uit te leggen tussen waterkers en moerasgoudsbloem, omdat er daar veel van groeide in de buurt en de konijnen haar slakropjes hadden gedecimeerd. Het magere meisje was een vlugge leerling en de dagen daarna brachten de lessen hen steeds verder bij Littlecombe vandaan, over de rotsen landinwaarts naar de bossen, maar altijd buiten het dorp en uit het zicht van The Watch. Onder leiding van Mitzy voegde Delphine al snel wilde venkel, ganzenvoet, marjolein, mierikswortel en lindebloesem aan Celestes keukenvoorraden toe. Dat laatste ontlokte Celeste, toen ze de geur van de bloemen opsnoof, een opgetogen uitroep. *O! Tilleul!* Met een waarderende zucht zette ze water op.

Op een ochtend trof Dimity Élodie in de voortuin aan, met haar armen stijf tegen haar lichaam en een van angst vertrokken gezicht. Een enorme hommel met een laag geel stuifmeel op zijn gitzwarte vacht zoemde rond haar benen. Delphine stond ernaast, met haar armen over elkaar.

'*Dumbledore* doet je geen pijn, Élodie. Hij heeft geen angel. Alleen honingbijen kunnen steken,' zei Dimity.

'Dat zei ik al, maar ze gelooft me niet,' zei Delphine geduldig. 'Hoe noemde je hem?'

'Dumbledore. Zo heten ze toch?' Dimity haalde haar schouders op.

'Niet in Londen of in Sussex. Vertel ons nog eens wat namen voor dingen in Dorset.' Ze keken de hommel na die genoeg kreeg van Élodie, opsteeg en met zijn diepe bromgeluid in de verte verdween. Met een gilletje van opluchting vloog Élodie haar zus in de armen. 'Stil maar, Élodie. Je bent veilig,' zei Delphine, en gaf haar een schouderklopje. Daarna brachten ze een genoeglijk uur door met Dimity, die hun zo veel mogelijk namen noemde van dingen om hen heen. De twee jongere meisjes waren verrukt over namen die ze nog nooit hadden gehoord. *Want-heave* voor molshoop; *palmer* voor rups; *emmet butt* voor mierenhoop; *vuzzen* voor brem; *scrump* voor appel; *tiddy* voor aardappel.

Op een dag gingen ze naar Southern Farm, waar Dimity Delphine verlegen voorstelde aan de boerin, mevrouw Brock, die aardiger was dan de meeste mensen en haar weleens limonade of een boterham gaf als ze het niet te druk had. De Brocks waren in de vijftig en hadden beiden een gegroefd gezicht en steil haar. Na een leven lang boerenwerk hadden ze bruine, gerimpelde handen met dikke verkleurde nagels, zo hard als hoorn. Ze hadden twee volwassen kinderen: een getrouwde dochter die ergens anders woonde en een zoon met de naam Christopher, die bij zijn vader op de boerderij werkte. Hij was degene die de ratten doodsloeg en had altijd een terriër bij zich; een lange, zwijgzame jongeman met rossig haar en een vriendelijke, vastberaden blik. Christopher kwam de keuken binnen op het moment dat Delphine mevrouw Brock alles vertelde over haar Marokkaanse moeder en haar beroemde vader. Dimity had zich zitten verbazen over haar vrije manier van doen, haar totale openheid, en nu ze naar Christopher keek zag ze een soort onuitgesproken verwondering op zijn gezicht – of misschien alleen nieuwsgierigheid. Alsof hier een puzzel lag die hij op een bepaald moment zou moeten oplossen.

Als ze bij Littlecombe in de buurt kwam of er speelde, voelde Dimity vaak dat er iemand naar haar keek. Soms, als Delphine en zij aan het strand waren, zag ze in de verte iemand op de rotsen staan, of ze zag iets achter een raam bewegen als ze in de tuin waren. Toen Dimity een keer met opgestroopte mouwen en een opgetrokken rok bij de beek zat – dit keer niet om eetbare planten te zoeken maar om met Élodie te spelen, die beziggehouden moest worden omdat Celeste migraine had – keek ze op en zag ze hem in de deuropening staan roken en met half dichtgeknepen ogen tegen de zon naar haar kijken. Zo geconcentreerd, zo in gedachten verzonken, dat hij duidelijk niet in de gaten had dat hij was gezien. Toen Dimity blozend haar blik afwendde zag ze dat Delphine hem ook had gezien. Delphine stond met haar hoofd schuin haar vriendin even op te nemen.

'Hij wil je nog een keer tekenen. Dat hoorde ik hem tegen mama zeggen, maar zij zegt dat hij dat niet mag doen als jij het niet wilt, en zeker niet zonder het eerst aan je moeder te vragen. Hij zegt dat je *puur natuur* bent. Dat hoorde ik,' zei ze zachtjes.

'Wat betekent dat?' vroeg Dimity. Delphine haalde haar schouders op.

'Ik weet het niet. Maar papa tekent alleen mooie dingen, dus het kan niets slechts betekenen.'

'Ik begrijp niet wat er zo bijzonder is aan háár,' klaagde Élodie tegen haar zus. 'Ik begrijp sowieso niet waarom papa haar wil tekenen.'

'Doe niet zo gemeen, Élodie. Ik vind Mitzy erg leuk om te zien.

Mama was kwaad omdat hij aan een groot schilderij moet werken – hij moet een portret van een beroemde dichter schilderen en dat moet op tijd klaar zijn voor het omslag van zijn nieuwe dichtbundel. Maar hij heeft niet veel tijd meer en het enige wat papa wil is jou tekenen, in plaats daarvan,' zei Delphine tegen Dimity. Élodie keek chagrijnig, Delphine draaide een stok rond in het water en Dimity verwerkte al deze informatie in stilte.

'Vind je echt dat ik er leuk uitzie?' vroeg ze na een tijdje.

'Echt waar. Ik vind dat je prachtig haar hebt. Net de manen van een leeuw!' zei Delphine. Dimity glimlachte.

'Jij bent ook mooi,' zei ze hoffelijk.

'Later als ik groot ben word ik net zo mooi als mama,' zei Élodie.

'Niemand is zo mooi als mama,' wees Delphine haar geduldig terecht.

'Nou, ik wel. Dat heeft ze zelf gezegd.'

'Nou, ben jij even een bofferd? Hè, vieze Élodie?' Delphine stak haar vingers tussen de ribben van haar zus en ze wrongen zich gillend in allerlei bochten totdat ze slap van het lachen op het gras neervielen.

Terwijl de zusjes aan het stoeien waren keek Dimity even naar het huis, waar de vader van de meisjes nog steeds in de deuropening aandachtig stond te kijken en te denken, onder het uitblazen van blauwe rookwolkjes. Na een poosje merkte ze dat ze het niet meer zo erg vond als hij naar haar keek. Zijn gezicht stond ondoorgrondelijk; het was een patroon van hoeken en vlakken waar ze niets van kon aflezen. *Hij tekent alleen mooie dingen.* Ze voelde dat ze wat meer rechtop ging staan, dat haar gezicht ontspande en dat het rood uit haar wangen wegtrok. *Leuk* en *mooi*, twee woorden waarmee ze zichzelf nog nooit had horen omschrijven, nu binnen een paar minuten gebezigd. Ze hoopte dat ze allebei waar waren en dat de woorden die ze tot nu toe toegevoegd had gekregen onjuist waren geweest. De gedachte joeg het bloed door haar aderen; ze had plotseling zin om te lachen, terwijl er eigenlijk geen reden voor was. Niet met haar steenkoude voeten in de beek en met Valentina's vlijmscherpe tong straks thuis.

'Misschien vind ik het niet zo erg. Als hij me nog een keer wil tekenen,' zei ze na een tijdje. Delphine glimlachte bemoedigend.

'Echt niet?'

'Nee. Hij is toch een heel goede, bekende kunstenaar? Dat heb jij me verteld. Dus ik geloof dat ik me vereerd moet voelen.'

'Ik zal het tegen hem zeggen. Hij zal erg blij zijn.'

'Je zou je juist nederig moeten voelen omdat hij je wil tekenen,' verbeterde Élodie haar. Maar toen Delphine alleen met haar ogen rolde, negeerde Dimity de opmerking.

Twee dagen later gebeurde waar Dimity zo bang voor was geweest. Ze was zich in haar slaapkamer aan het omkleden voor het ontbijt nadat ze het varken en de kippen had gevoerd, de eieren geraapt en de po's in het privaat geleegd. Haar slaapkamer had een raampje op het noorden dat uitkeek op het pad, en toen ze haar haar in een wrong achter op haar hoofd stond te spelden zag ze Charles Aubrey op het huis aflopen. Hij had zijn strakke, donkere broek aan en een blauw hemd met een vest dat van onder tot boven was dichtgeknoopt tegen de ochtendkou. Met bonzend hart duwde Dimity haar neus tegen het vensterglas en ze rekte haar hals om te kunnen zien hoe hij naar de deur liep. Wat had Valentina aan gehad? Ze probeerde het wanhopig te bedenken; ze hoopte dat ze niet meer rondliep in haar doorschijnende groene ochtendjas die gevaarlijk rondzwaaide en haar lichaamscontouren in alle geuren en kleuren liet zien. Ze overwoog of ze naar beneden zou rennen om als eerste bij de deur te zijn en hem met een smoesje weg te sturen. De keukentafel lag bezaaid met dode kikkers. Ze zag ze voor zich en sloot haar ogen in afschuw. Dode kikkers met hun zachte buikjes opengesneden en hun ingewanden in een kom geschept; de lijkjes met de nietsziende ogen en slappe zwemvliezen terzijde geschoven. Valentina moest twee amuletten maken: een om een vloek te breken en een om een pasgeboren baby te beschermen. De grijsroze ingewanden zouden in glazen potten gestopt worden die verzegeld werden met was; met takjes rozemarijn eromheen gewonden alsof het kruid de dood binnenin kon verbergen.

Te laat. Dimity hoorde hem kloppen, hoorde bijna direct haar moeder aan de deur en vervolgens hun gedempte stemmen door de vloer heen. De zijne een diepe bromtoon, als een goedmoedig zoemend windje, de lage van Valentina hard en uitdagend. Dimity sloop naar haar slaapkamerdeur, deed hem zo geruisloos mogelijk open, en was net op tijd om te horen dat de voordeur dichtging en twee paar voetstappen zich naar de zitkamer bewogen. Met de deur dicht kon ze onmogelijk horen wat er werd gezegd. The Watch had massief stenen muren, muren die al eeuwenlang woorden hadden geabsorbeerd en vastgehouden. Zo'n vijf minuten later hoorde ze hem weggaan. Ze wachtte zolang ze kon opbrengen en ging toen naar beneden, met haar schroom overduidelijk zichtbaar.

Valentina zat aan de keukentafel. In haar ene hand had ze een sigaret en met de andere raapte ze restjes ingewanden op en gooide die in de kom.

'Zo,' zei ze somber. 'Daar zat je dus steeds, in plaats van mij te helpen. De sloerie uithangen bij bekakte nieuwkomers.' Dimity wist dat ze zichzelf beter niet kon verdedigen. Daar werd Valentina alleen maar bozer van, nog venijniger. Op haar hoede trok ze de stoel tegenover haar moeder uit en liet zich erop zakken. Valentina had de groene ochtendjas aan, maar met een oud schort vol bloedvlekken eroverheen. Smerig, maar ondoorzichtig. Haar grove gele haar was met een stuk touw achterover gebonden en haar oogleden zaten nog onder de groene oogschaduw van de vorige avond. 'En ik maar denken dat je op zoek was naar bruikbare dingen voor ons. En me afvragen waarom je steeds zo lang wegbleef. Nu weet ik het!' Haar stem schoot de hoogte in.

'Dat deed ik ook, ma! Ik zweer het – maar Delphine hielp me – ze leert de planten kennen en helpt me. Ze is de dochter van meneer Aubrey.'

'O, ik weet alles van haar, van hen allemaal. Hij heeft alles verteld, hoewel ik er niet naar gevraagd heb. Hij loerde overal rond, zo nieuwsgierig als een kat. Ik moest de zitkamerdeur dichtdoen omdat ik niet meer tegen die rondloerende ogen kon! Hij had hier niets te zoeken en jij had niet moeten zeggen dat hij kon komen.'

'Dat heb ik niet gedaan, ma. Ik zweer het!'

'O, jij zweert op alles, hè? Nu begrijp ik het. Van nu af aan kan ik dus nooit meer weten of je de waarheid spreekt, begrijp je? Hou je mond!' snauwde ze toen Dimity iets wilde zeggen. Het bleef even stil. Dimity staarde naar haar handen en hoorde het bloed in haar oren suizen, terwijl Valentina lange, heftige trekken van haar sigaret nam. Toen sloeg ze toe als een slang en pakte Dimity's pols. Ze trok haar arm op het tafelblad, met de zachte onderkant boven; en ze hield haar gloeiende sigaret vlak boven de huid.

'Nee, ma! Niet doen! Het spijt me – dat heb ik al gezegd!' huilde Dimity. 'Alsjeblieft! Niet doen!'

'Wat heb je me nog meer niet verteld? Wat heb je daar allemaal uitgespookt?' vroeg Valentina. Ze had haar ogen tot argwanende spleetjes geknepen en haar borsten bungelden heen en weer achter haar schort terwijl Dimity haar arm los probeerde te trekken. Ze had een ijzeren greep. 'Als je niet ophoudt met trekken snij ik je hele arm eraf!' snauwde Valentina. Dimity viel stil, haar lichaam slap van angst, hoe vervaarlijk haar hart ook tekeerging. Ze dacht niet dat haar moeder zover zou gaan, maar ze durfde er niet op te zweren. Het koude zweet brak haar uit. Er viel een stukje gloeiende as van de sigaret op haar huid, dat rokend inbrandde. Meteen kwam er een blaar op, een wit bobbeltje omgeven door een vuurrode rand. Nog deinsde Dimity niet terug, te bang om zich te bewegen, ook al was de pijn vreselijk. Tranen vertroebelden haar blik en ze moest een paar keer slikken voor ze iets kon uitbrengen.

'Het was zoals ik zei, ma,' zei ze snel. 'Ik heb met dat meisje gespeeld en haar de planten geleerd. Meer niet.' Valentina keek haar nog even dreigend aan en liet haar toen los.

'Gespeeld? Je bent geen baby meer, Mitzy. Er is geen tijd om te spelen. Goed dan,' zei ze terwijl ze de sigaret weer tussen haar lippen stak. 'Misschien komt er nog iets goeds voort uit je leugens. Hij wil je tekenen. Denkt dat hij een kunstenaar is. Dus ik heb tegen hem gezegd dat hij voor dat voorrecht moet betalen.' Het idee scheen haar op te vrolijken, en na een poosje stond ze op en rekte ze haar armen uit boven haar hoofd. Ze liep vervolgens naar de trap en woelde in het voorbijgaan door Dimity's haar. 'Maak die amuletten af terwijl ik ga rusten,' zei ze. Pas toen ze de kamer uit was durfde Dimity de as van haar arm te blazen. Haar borstkas was zo gespannen dat ze nauwelijks lucht kon krijgen. Toen ze de blaar in het licht hield zag ze hoe fel die was. Ze wachtte even om haar moeder niet te laten horen dat ze huilde. Daarna stond ze op om hazelaarzalf te zoeken om op de blaar te smeren.

'Hoe reageerde je moeder toen Aubrey kwam vragen of hij je mocht tekenen? Ik kan me voorstellen dat niet iedereen daarop zit te wachten. Vooral niet omdat je nog maar, wat was het, veertien was?' De jongeman tegenover haar bleef maar vragen stellen. Hij zat op een bepaalde manier, voorovergebogen met zijn vingers tussen zijn knieën, die haar nerveus maakte. Te gretig. Maar zijn gezicht stond vriendelijk, altijd vriendelijk. Haar linkerarm jeukte. Ze wreef met het kussentje van haar duim over haar slappe vel tot ze het litteken vond. Een bultje verhard weefsel met precies de vorm en grootte van de vroegere blaar. Ze had het korstje er steeds per ongeluk af gestoten en de pleisters die Delphine erop had geplakt steeds verloren. *Het vet spatte toen ik lever stond te bakken.* Onder het korstje zat een diepe, lelijke wond. Er hing een zware stilte in de kamer en ze had ineens het gevoel dat er meer oren op antwoord wachtten dan alleen die van de jongeman.

'O,' begon ze, wachtte toen even en schraapte haar keel. 'Ze vond het natuurlijk erg leuk. Ze hield van cultuur, mijn moeder. En ze was ruimdenkend. Ze had niets met al die geruchten in het dorp over Charles en zijn familie. Ze vond het fijn dat zo'n bekende kunstenaar haar dochter tekende.'

'O. Ze klinkt als een vooruitstrevende vrouw.'

'Tja, als je zelf een soort verschoppeling bent, voel je je aangetrokken tot anderen in hetzelfde schuitje. En zo was het ook met haar.'

'Ja, ik begrijp het. Vertel eens, heeft Charles je weleens een van zijn tekeningen van jou gegeven? Of van wat dan ook? Als cadeautje, of als bedankje voor het poseren?'

'Poseren? O nee, ik heb bijna nooit geposeerd. Zulke tekeningen wilde hij niet, normaal gesproken. Hij wachtte gewoon af en als alles er goed uitzag, begon hij. Soms had ik het niet eens in de gaten. En soms wel. Soms vroeg hij me weleens stil te zitten.' *Niet bewegen, Mitzy. Blijf precies zo zitten.*

Die ene keer toen ze zich uitrekte om naar de zonsondergang te kijken na urenlang erwten doppen. Ze had bedacht hoezeer ze ertegen opzag om naar huis te gaan. Na Littlecombe, met zijn gezelschap, gelach en frisse geuren leek The Watch donker, klam en ongastvrij. Haar eigen huis. *Niet bewegen, Mitzy.* Dus had ze meer dan een halfuur met haar armen gekruist over haar haar rechtop gestaan, tot haar armen eerst gingen tintelen, daarna gevoelloos werden en ten slotte aanvoelden of ze van steen waren en niet meer bij haar hoorden. Maar ze bewoog geen spier tot zijn potlood stilviel. Dat betekende altijd dat het afgelopen was – zijn hand bleef nog even over het papier vegen, maar het potlood kwam er niet meer mee in aanraking – het bewoog alleen maar, als een keurend derde oog. Na een tijdje viel ook zijn hand stil, fronste hij en dan was het klaar, en elke keer kreeg Dimity dat koude gevoel vanbinnen, alsof ze viel – dat er een einde kwam aan iets moois en dat ze dat graag weer terug zou krijgen. Ze had nog geen flauw vermoeden wat er zou komen. Ze had de donkere wolken niet zien samentrekken, ze was niet voorbereid op het geweld dat in het verschiet lag.

4

Zach zat tussen zijn aantekeningen, losse blaadjes en catalogi achter zijn laptop en realiseerde zich ineens, bijna vierentwintig uur te laat, dat Dimity zijn vraag of ze weleens tekeningen van Aubrey cadeau had gekregen handig had ontweken. Haar reactie op de tekening van Dennis die hij haar had laten zien intrigeerde hem – ze had een kleur gekregen en er niet lang naar willen kijken. Hij sloeg twee tijdschriften en de nieuwste catalogus van Christie's open bij de tekeningen van Dennis en legde die naast elkaar. Hij zat aan een donkere, plakkerige tafel in de gelagkamer van de Spout Lantern en had bij de lunch twee glazen bier gedronken, wat hij niet had moeten doen. Nu had hij een verhit en lichtelijk traag hoofd. De zon maakte een goudkleurige vlek op het vuile raam buiten. Hij had gehoopt dat de alcohol zijn gedachten zou ordenen; dat hij ineens samenhang zou zien in zijn vele losse aantekeningen zodat hij een nieuwe opzet zou kunnen maken, een briljant en helder plan. In plaats daarvan bleven zijn gedachten terugkeren naar zijn vader en zijn opa; hoe de stiltes tussen hen soms de hele kamer, het hele huis, leken te vullen. Zo sterk voelbaar soms dat Zach zat te draaien op zijn stoel en onmogelijk stil kon blijven zitten; tot hij ten slotte naar zijn kamer of naar de tuin gestuurd werd. Hij herinnerde zich nog hoe zijn opa altijd op- en aanmerkingen had en hoe terneergeslagen zijn vader er daarna uitzag. Iets aan het onderhoud van de auto wat niet goed was gegaan, het verkeerd decanteren van de wijn, een slecht schoolrapport van Zach. Zach kon de keren niet tellen dat hij zijn moeder nijdig naar zijn vader had zien kijken. *Waarom ga je niet tegen hem in?* Dan was zijn vader degene die onrustig zat te draaien op zijn stoel.

'Pete heeft me naar je toe gestuurd omdat je de klanten wegjaagt met je lange gezicht.' Hannah Brock stond ineens bij zijn tafel, met een nonchalante houding en een pint in haar hand. Verrast schoot Zach overeind. Hij kon even geen woorden vinden. Hannah nam een slok van haar bier en wees naar de stapels papier en documenten om hem heen. 'Wat is dat allemaal? Je boek?' Ze tikte op de dichtstbijzijnde catalogus en Zach zag dat ze vuile randen onder al haar nagels had.

'In wording. Hopelijk. Als ik ooit zover kom.'

'Bezwaar als ik ga zitten?'

'Helemaal niet.'

'Er zijn toch al zat boeken over Charles Aubrey? Kun je er niet gewoon een kopiëren?' Ze grijnsde gemeen.

'O, dat heb ik allemaal al gedaan. Toen ik jaren geleden hiermee begon heb ik ze allemaal gelezen, en zijn brieven ook. En daarna heb ik alle plaatsen bezocht waar hij is geweest – waar hij is geboren, opgegroeid, naar school is gegaan, gewoond en gewerkt heeft, enzovoort, enzovoort. En toen ik dat allemaal had gedaan besefte ik dat mijn boek, mijn boek dat nieuwe, wezenlijker feiten zou opleveren –'

'Precies hetzelfde zou zijn als al die andere boeken?'

'Exact.'

'Maar waarom kom je nu hier, om het af te maken?' vroeg ze.

'Het leek de beste plek,' zei hij. Hij keek haar nieuwsgierig aan. 'Je hebt ineens wel veel belangstelling, voor iemand die me gisteren nog niet eens wilde vertellen hoe laat het was.' Glimlachend nam Hannah nog een slok. Haar glas was al halfleeg.

'Tja, ik heb bedacht dat je niet helemaal slecht kunt zijn. Dimity heeft er nogal kijk op en het is je gelukt je bij haar binnen te kletsen. Misschien was ik een beetje...'

'Vijandig en bot?' Hij glimlachte.

'Argwanend, eerder. Maar er komen en gaan hier een heleboel mensen. Vakantiegangers, mensen met weekend- of zomerhuizen. Mensen met een obsessie voor Aubrey.' Ze keek even vlug naar Zach. 'Het is niet zo prettig voor de mensen die hier wonen. Je investeert tijd en energie om de mensen te leren kennen, om ze goed te ontvangen, en dan gaan ze weer weg. Na een tijdje doe je geen moeite meer.'

'Dimity vertelde dat je familie hier al generaties lang woont.'

'Dat klopt. Mijn overgrootouders hebben de boerderij rond de eeuwwisseling gekocht,' zei Hannah. 'En wat heeft ze nog meer over me verteld?' Zach aarzelde voor hij antwoordde.

'Dat je... je man verloren hebt, een tijd terug.' Hij keek haar aan, maar haar gezicht stond kalm, onbewogen. 'En dat je ontzettend hard werkt om de boerderij draaiend te houden.'

'Dat is zeker zo, God is mijn getuige.'

'Maar vandaag niet?' Hij glimlachte weer en zij dronk haar glas leeg.

'Ach, op sommige dagen lopen alle schapen buiten te grazen, heb je nog een takenlijst zo lang als je arm en een geldkist vol spinnenwebben, en dan kun je je eigenlijk maar het beste rond lunchtijd gaan bedrinken.' Ze stond op en knikte naar zijn glas, dat nog niet voor een derde leeg was. 'Nog een?'

Terwijl ze aan de bar stond keek Zach nog eens naar de tekeningen van Dennis, verbaasd over de verandering in haar gedrag. Misschien was de ommekeer zo eenvoudig te verklaren als ze had gezegd, dat hoopte hij dan maar. Dennis. Drie jongemannen die veel op elkaar leken, alle drie vriendelijk, alle drie met een naïeve, onschuldige uitstraling alsof de kunstenaar had willen bewijzen dat hier iemand stond die zijn hele leven nog geen slechte gedachte had gehad. Die nooit iemand had getreiterd, of gebruik had gemaakt van andermans zwakke plekken. Die nooit uit lust, jaloezie of om financieel gewin egoïstisch of achterbaks gedrag had vertoond. Maar hij kon zich toch niet aan de indruk onttrekken dat er iets niet klopte. De gezichten vertoonden een miniem verschil; fysiek of in de emotie. Alsof het niet steeds dezelfde jongeman was, maar drie verschillende. Ofwel drie verschillende jongemannen die door Aubrey getekend waren en Dennis heetten, of anders dezelfde jongeman, maar dan drie keer getekend door iemand anders dan Aubrey. Geen van beide opties sneed hout. Hij haalde verward zijn handen door zijn haar en vroeg zich af of hij aan het doordraaien was. Niemand anders scheen aan de authenticiteit te twijfelen.

Zach bekeek de informatie voor in de prospectus van Christie's. De veiling was over acht dagen, de bezichtiging was twee dagen geleden geweest. Hij kende een lid van het kunstteam van het veilinghuis: Paul Gibbons, een studiegenoot van hem bij Goldsmith. Nog zo'n kunstenaar die zijn pogingen om met de verkoop van zijn eigen kunst de kost te verdienen had gestaakt om in plaats daarvan andermans werk te verkopen. Zach had al geprobeerd om via Paul de identiteit van de verkoper van de recente tekeningen van Aubrey te achterhalen, en had in niet mis te verstane bewoordingen te horen gekregen dat strikte anonimiteit een voorwaarde voor de verkoop was. Nu schreef hij Paul een mailtje met de vraag of hij op de een of andere manier in contact zou kunnen komen met iemand die een portret van Dennis had gekocht. Hij wist dat het vergezocht was, maar er bestond een kans dat het zien van het originele werk hem nieuwe inzichten zou geven.

'Wie is dat?' vroeg Hannah met een blik op de catalogus. Ze ging weer zitten en overhandigde Zach nog een biertje, hoewel hij haar aanbod afgeslagen had. 'Opdrinken,' zei ze.

'Daarin schuilt het geheim,' zei Zach. Hij nam een paar flinke slokken uit zijn glas. Dronken worden in lunchtijd met deze harde, vitale vrouw, die naar schapen rook maar in een rode bikini zwom, leek hem ineens een prima plan. 'Dennis. Geen achternaam, geen verwijzing naar hem in Aubrey's brieven of in een van de boeken over hem.'

'Is dat zo belangrijk?'

'Absoluut. Aubrey was kieskeurig, op het bezetene af; hij werd verliefd – op een plaats, een persoon of een idee – en schilderde en tekende dat dan uitputtend tot hij er in creatief opzicht alles had uitgehaald wat erin zat. En dan...'

'Liet hij ze vallen?'

'Ging hij weer verder. In artistieke zin. En tijdens zijn bevlieging schreef hij over hen, in brieven en soms in zijn werkboekje. Brieven aan vrienden, andere kunstenaars of aan zijn agent. Luister wat hij hier schreef over Dimity – dat moet ik haar trouwens ook laten zien. Ik denk dat ze er blij mee zou zijn. Luister.' Hij rommelde even in zijn aantekeningen tot hij de bladzijde, gemarkeerd met een roze papiertje, had gevonden. 'Dit is een brief aan een van zijn begunstigers, sir Henry Ides. *Ik ben hier in Dorset een pracht van een meisje tegengekomen. Ze schijnt te zijn opgegroeid als een halve wilde en is haar hele jonge leven nog niet uit het dorp weggeweest. Haar hele referentiekader is het dorp en de kust binnen een straal van zeven kilometer van het huis waar ze is opgegroeid. Ze is volkomen ongerept, in alle opzichten, en die onschuld straalt van haar af. Een zeldzaam vogeltje dus, en absoluut het mooiste wat ik ooit heb gezien. Ze trekt je blik naar zich toe zoals een mooi uitzicht of een zonnestraal die door de wolken breekt. Ik sluit een schets in. Ik heb een groot doek in gedachten met dit meisje als belichaming van het wezen van de natuur, ofwel het kenmerkende van de Engelse volksaard.*' Zach keek op en zag dat Hannah een wenkbrauw optrok.

'Ik denk niet dat je dat aan Dimity moet laten zien.'

'Waarom niet?'

'Ze zal van haar stuk raken. Ze heeft haar eigen herinneringen en ideeën over wat er tussen Charles en haar is gebeurd. Het zal niet goed bij haar vallen als ze zo'n objectieve beschrijving van zichzelf hoort.'

'Maar hij zegt dat ze het mooiste is wat hij ooit heeft gezien.'

'Maar dat is toch niet hetzelfde als verliefd op haar zijn?'

'Denk je dat hij niet verliefd was?'

'Ik weet het niet. Hoe kan ik dat weten? Misschien wel. Ik zeg alleen dat dat niet in de brief staat. Ik zou het haar niet laten lezen, maar je moet het zelf weten,' zei ze.

'Ik vind dat er liefde van uitgaat. Alleen misschien niet dát soort liefde. Ze inspireerde zijn creatieve drang. Ze was een tijdje zijn muze. Een hele tijd. Maar deze Dennis, die noemt hij nergens. En toen ik Dimity een van de tekeningen van hem liet zien zei ze dat ze hem nooit had gezien en niet wist wie hij was. Dat lijkt me erg vreemd.'

'Maar Aubrey was hier maar twee of drie maanden per jaar. Deze jongeman kan wel iemand zijn die hij ergens anders ontmoet heeft, in de resterende tien maanden...' Ze viel stil toen Zach zijn hoofd schudde.

'Kijk naar de data. Juli 1937; en februari en augustus 1939. We weten dat Aubrey in juli 1937 hier was, in februari 1939 in Londen en in augustus 1939 hier en in Marokko. Reisde die Dennis dan met hem mee? Vanuit Blacknowle of vanuit Londen? Als Aubrey hem zo goed kende dat hij hem mee op vakantie nam, dan zou hij toch ergens genoemd moeten worden? Maar er is nog iets eigenaardigs. Deze drie tekeningen zijn allemaal afkomstig van een anonieme collectie in Dorset. Allemaal van dezelfde aanbieder. Maar ik denk eigenlijk niet dat ze van Charles Aubrey zijn. Er klopt iets niet helemaal.' Hij schoof ze naar Hannah toe, maar ze keek er nauwelijks naar. Er was een frons op haar gezicht verschenen. Ze duwde de catalogi van zich af.

'Maakt dat eigenlijk iets uit?' vroeg ze.

'Of het iets uitmaakt?' herhaalde Zach, harder dan zijn bedoeling was. Hij realiseerde zich dat hij flink aangeschoten was. 'Natuurlijk maakt dat iets uit,' zei hij, zachter nu. 'Zou Dimity het niet weten? Zij zou toch moeten weten wie deze Dennis is als Aubrey de tekeningen hier in Blacknowle heeft gemaakt? Ze zegt dat ze zo vaak als ze kon bij hem en zijn gezin was.'

'Maar dat betekent niet dat ze daar altíjd was, of dat ze op de hoogte was van álles wat hij deed. Ze was nog maar een kind, hè?'

'Ja, maar –'

'En als je denkt dat deze niet van Charles Aubrey zijn, van wie dan wel, volgens jou? Denk je dat het vervalsingen zijn?' vroeg ze luchtig.

'Dat zou kunnen. Maar aan de andere kant, de arceringen, het vakmanschap...' Hij viel in verwarring stil. Hannah leek diep na te denken en tikte met haar vingernagels op een bladzijde van een van de catalogi; korte, snelle tikjes, die heel even blijk gaven van onrust. Toen stopte ze ermee, en toen Zach weer begon te praten maakte ze een losse vuist van haar hand. 'Ik denk,' zei hij, nog steeds in gedachten verzonken, '...ik denk dat deze tekeningen hier zijn geweest, in Blacknowle, voor ze verkocht werden. En ik denk dat er misschien nog wel meer van zijn.'

'Dat is nogal een theorie. Je bedoelt Dimity, neem ik aan? Denk je dat Mitzy Hatcher de artistieke bekwaamheid heeft om Aubrey's werk zo na te maken dat het voor echt zou kunnen doorgaan?'

'Nou, misschien niet. Dan moet Aubrey haar de schetsen gegeven hebben. Of ze heeft ze gepikt. Dat zou verklaren waarom ze zo gesloten is over bepaalde dingen.'

'Kom nou, Zach. Mitzy? Kleine oude Mitzy met haar bocheltje? Leeft die als iemand die een geheime voorraad onbetaalbare kunstwerken heeft?'

'Nou, nee, integendeel. Maar als ze echt geld nodig had, zou ze begonnen kunnen zijn om er een paar te verkopen, met tegenzin natuurlijk. Ze wil liever alles houden wat met hem te maken heeft.'

'En dan knijpt ze er af en toe tussenuit om ze naar Londen te brengen en een fortuin te verdienen?'

'Tja,' zei Zach moeizaam. 'Als je het zo stelt klinkt het niet al te waarschijnlijk. Maar ze zou het veilinghuis kunnen bellen met de vraag of ze een koerier kunnen sturen, of zoiets.'

'Het klinkt niet al te waarschijnlijk, omdat het volkomen onwaarschijnlijk is. Ze heeft niet eens telefoon, Zach. En er staan hier in de omgeving massa's grote huizen die stuk voor stuk veel eerder zo'n kunstcollectie zouden kunnen herbergen. Waarom denk je eigenlijk dat ze in Blacknowle zijn?'

'Dat was zomaar een ingeving.'
'Of was de wens hier de vader van de gedachte?'
'Zou kunnen,' zei Zach ontmoedigd.
'Weet je wat ik denk?' zei ze.
'Wat dan?'
'Ik denk dat je even moet stoppen met piekeren en nog een specialiteit van de Spout Lantern moet nemen.' Ze hief haar glas naar hem op, voor ze het leegdronk. Zach lachte vaag.
'Wat is een *spout lantern* eigenlijk?' vroeg hij. Hannah draaide zich om en wees op een roestig metalen voorwerp op een hoge plank, tussen drijvers van groen glas en oude visnetten, dat hij herkende als de merkwaardige gieter die op het uithangbord van de pub stond.
'Een smokkellantaarn,' legde ze uit. 'In het dikste gedeelte zit een olielampje, maar je kunt het licht alleen zien als je recht voor de pijp staat. Een klein straaltje licht, uitermate geschikt om een boot aan land te loodsen.'
'Zoiets als een achttiende-eeuwse laserstraal dus.'
'Precies. Vertel eens wat er allemaal in de buitenwereld gebeurt. Ik ben niet vaak op stap,' zei Hannah met een glimlach.
Ze praatten een tijdje over de galerie, over Elise en stipten zelfs even het onderwerp van verloren echtgenoten aan, maar Hannah liet zich niet verleiden meer over haar man te zeggen dan dat hij Toby heette. Nadat ze dat gezegd had viel ze stil, alsof de naam alleen al haar sprakeloos maakte. Zach was benieuwd of zijn lichaam gevonden was of dat hij vermist was op zee, zoals zo veel anderen voor hem. Hij bedacht ineens iets waar hij koud van werd. Dat Hannah, als ze zwom, naar hem zocht. Hij herinnerde zich hoe ze steeds weer dook en net zo veel onder water zwom als erboven. Ze leek hem er volhardend genoeg voor. Sterk genoeg om jarenlang te blijven zoeken naar wat ze in de golven was kwijtgeraakt.
'Zwem je 's winters ook? In zee, bedoel ik?' vroeg hij.
'Over van de hak op de tak gesproken. Ja. Ik zwem het hele jaar. Het is goed voor een mens, het ruimt alle rommel op.' Ze keek

hem nieuwsgierig aan. 'Voor het geval je het al voor je ziet: ik heb een wetsuit voor de wintermaanden.' Het klonk wrang.

'Nee! Nee, daar dacht ik helemaal niet aan. Ik... Goed idee trouwens – een wetsuit. Anders zal het wel ijzig koud zijn.'

'Je ballen zouden rechtstreeks je lijf weer in schieten,' zei ze naargeestig. Toen grijnsde ze weer. 'Gelukkig hoef ik me daar geen zorgen over te maken.' Ze lachten, behoorlijk aangeschoten.

'Hannah, heb jij weleens iemand anders bij Dimity thuis gezien? Ik heb zulke gekke geluiden van boven horen komen,' zei Zach. Haar lach verdween zo snel alsof ze tegen een stenen muur op botste. Ze staarde even in haar glas, en Zach ging in gedachten zijn woorden na om te achterhalen wat hij verkeerd had gezegd.

'Nee. Nee, voor zover ik weet komt daar nooit iemand,' zei Hannah. Na een ongemakkelijke stilte stond ze onvast op. 'Ik moet echt terug. Werk aan de winkel. Op de boerderij.'

'Wat kun je nog na al dat bier? Drink in elk geval je pint leeg. We hoeven niet te praten over...' Maar hij viel stil toen Hannah zich omdraaide en wegliep. Ze keek nog om en haar fijne gezicht stond nu ernstig en helder. Haar ogen waren scherp, absoluut niet aangeschoten, en Zach voelde zich een idioot.

'Kom nog eens langs op de boerderij als je zin hebt. Dan laat ik je alles zien. Dat wil zeggen, als het je interesseert.' Ze haalde haar schouders op en liep weg, Zach achterlatend met haar bier en haar lege stoel en een onverwacht gevoel van verlies nu ze er niet meer zat. Pete verscheen om de lege glazen op te halen.

'Je ziet een beetje wit om de neus.' Hij schudde sceptisch zijn hoofd. 'Je bent niet goed wijs om te proberen Hannah Brock onder tafel te drinken. Wat heb je tegen haar gezegd dat ze de benen nam? Na twee pinten blijft ze meestal tot sluitingstijd.'

'Ik weet het niet. Ik weet het echt niet,' zei Zach verbijsterd.

Er was iets wat Dimity stevig bij de keel gegrepen had en dit keer was het niet Valentina. 's Nachts had ze gedroomd over het moment dat Charles Aubrey en zijn gezin vertrokken, aan het eind van die eerste zomer. Ze had wel geweten dat ze weg zouden gaan. Delphine had het tegen haar gezegd, maar ze was er toch niet op voorbereid. Ze had lopen dagdromen dat ze met hen naar het oogstfeest zou gaan: een groot feest op het dorpsplein na de kerkdienst, met een fanfare en vaandels, zingen en spelen. Goddelijk geurende appeltaartjes. Wilf Coulson had er vorig jaar een voor haar gehaald toen zij in een tent verstopt zat, omgeven door de bedwelmende, prikkelende geur van het tentdoek – een jaarlijkse geur van iets anders, iets leuks. Dimity had er altijd naar verlangd om net als andere mensen over het feestterrein rond te lopen, om een bloemenkrans te kopen en aan de spelletjes mee te doen – kegelen, ratjevangen, kokosnoot gooien – in plaats van er vanuit haar verstopplek naar kijken.

Valentina ging nooit naar het oogstfeest; ze wilde niet. Ze trok een minachtend mondje en bespotte het idee. 'Ik hoef niet te zien hoe ze in die stomme draaimolen zitten, alsof ze allemaal zo keurig netjes zijn.' Elk jaar liet ze Dimity een tijd met een plateau om haar hals rondlopen om geurbuiltjes, amuletten en tonicums te verkopen. Valentina's beroemde schoonheidsbalsem, een gegarandeerd middel tegen alle tekenen van veroudering – een plakkerig mengsel van varkensvet en cold cream, geparfumeerd met vlierbloesem en getrokken in rode zuringwortel om zijn regeneratieve eigenschappen; of haar zigeunerzalf, een geheimzinnig brouwsel van het vet van een varkensnier, stukjes paardenhoef, huislook en schors van de vlierboom dat allerlei soorten huidproblemen, steenpuisten of kneuzingen kon genezen. De dorpskinderen liepen allemaal achter haar aan, scholden haar uit en gooiden kluiten mest naar haar, in de wetenschap dat zij niet achter ze aan kon of terug kon vechten met dat zware plateau voor haar buik. Maar de Aubrey's waren niet bang voor de mensen uit Blacknowle, ook al werd er gefluisterd dat Celeste zijn maîtresse was en niet zijn vrouw; ook al trokken ze hun neus een tikkeltje afkeurend op. Ze werden evengoed geaccepteerd, en de mensen waren beleefd tegen hen. Ze konden niet anders. Charles was te charmant en Celeste te mooi, en hun dochters waren zo zelfverzekerd en gelukkig dat ze het niet eens zagen als de vrouw van de herbergier een zuur mondje trok.

Dimity zat twee duiven te plukken toen ze het nieuws hoorde dat ze zo graag niet had gehoord. Ze trok de veren een voor een uit, langzaam, zodat ze niet klaar zou zijn voordat Charles zijn tekening af had. Ze zat in kleermakerszit tegenover hem met de dode vogels in haar schoot. Ze had haar haar naar achteren gebonden, maar ze wist dat er toch nog veertjes in hingen. Uit haar ooghoek kon ze er eentje zien zitten als ze naar boven keek. Een klein, grijs veertje, dat trilde in de stilstaande lucht. Als ze ernaar keek kon ze ook een glimp van Charles opvangen. Ze was eerst bang geweest voor zijn intense manier van kijken. Hij kon zo streng kijken dat ze verwachtte een standje te krijgen. Maar gaandeweg besefte ze dat hij niet eens zag dat ze naar hem keek. Ze liet haar ogen geboeid over zijn gezicht dwalen. Boven zijn neus liep een diepe rimpel en tegen zonsondergang wierp die neus een donkere, puntige schaduw op zijn wang. Zijn wang was onder het jukbeen een beetje ingevallen en liep in een scherpe lijn naar zijn lange, hoekige kaak. Op deze manier leerde ze zijn gezicht net zo goed kennen als dat van haarzelf, van Delphine of Valentina, of misschien zelfs beter. Het kwam niet vaak voor dat het acceptabel was, of mogelijk, om iemand zo lang te bestuderen.

Die dag raakte ze in een soort trance; de zon kroop langzaam en stil om hen heen, tot het licht op Charles' rechteroog viel en er helderbruine en gouden tinten opsprongen in de iris. Als een edelsteen, of een kostbaar metaal. Achter hem lag de zilveren glans van de zee. Het stuk gras waarop ze zat was zacht en veerkrachtig; de hemel was een enorme krijtblauwe koepel, bespikkeld met meeuwen, zoals madeliefjes in een gazon. Dimity's vingers stopten met plukken omdat ze niet wilde dat de wereld vanaf dat moment nog verder zou draaien. Het was warm en vredig, met Charles' topaaskleurige ogen op haar gericht, en Delphine aan het werk in het moestuintje achter haar, en Celeste aan het koken met Élodie – ze kon de geuren die naar hen toe dreven net ruiken. Het zou iets lekkers zijn, iets hartigs, en ze zou ervan mee mogen eten.

Maar dat ging uiteindelijk niet door. Ze kreeg een stukje mee naar huis, samen met de twee shilling voor Valentina – het loon voor haar omdat ze had geposeerd. Celeste kwam naar buiten met de pastei in bruin papier gewikkeld. Ze droeg weer een van haar lange jurken, roomkleurig, met lange, wijde mouwen en een gevlochten ceintuur om haar taille. Ze glimlachte breed naar Dimity en bedierf vervolgens alles.

'Het is tijd om naar huis te gaan, Mitzy.' Ze ging achter Charles staan, wreef over zijn schouder en liet haar hand daar liggen. Dimity knipperde met haar ogen.

'Mag ik dan niet blijven eten?' vroeg ze. Charles wreef met zijn hand door zijn ogen alsof ook hij wakker moest worden uit een droom. Wat was het volmaakt geweest, dacht Dimity verdrietig. Volmaakt.

'Nou, we vertrekken morgen naar Londen, dus ik vind dat we vanavond als gezin onder elkaar moeten zijn, met zijn vieren. Op onze laatste avond.' Celestes glimlach verflauwde toen ze de teleurstelling op Dimity's gezicht zag.

'Jullie vertrekken morgen?' vroeg ze. *Onder elkaar.* 'Maar ik wil niet dat jullie weggaan,' zei ze, harder en feller dan de bedoeling was. Ze haalde zo diep adem dat het pijn deed.

'Tja, dat kan niet anders. De meisjes moeten binnenkort weer naar school. Delphine! Kom eens afscheid nemen van Mitzy!' riep Celeste naar haar oudste dochter. Het meisje stond op, veegde haar handen af aan haar broek en kwam naar hen toe. Dimity stond stijf op. Haar ademhaling ging vlug en voor de eerste keer in weken wist ze niet hoe ze zich bij hen moest gedragen. Ze kon niet naar hen kijken; ze hield haar ogen strak op het gras gericht en zag dat het bezaaid lag met konijnenkeutels.

'Mag ze niet blijven eten? Het is ten slotte de laatste avond,' zei Delphine met een schuin oog naar haar moeder.

'Omdat het de laatste avond is, helaas niet. Neem nu maar afscheid.' Charles gaf haar de munten en legde zijn hand even op haar schouder.

'Dank je, Mitzy,' zei hij met een lachje. Celeste drukte het pakje met de pastei in haar handen. Dimity voelde de warmte ervan door het papier heen. Ze had zin om het naar haar terug te gooien. En het geld naar Charles en een vloek naar Delphine. Er bouwde zich iets in haar op. Ze wist niet wat het was, maar ze vertrouwde het niet en dus vluchtte ze weg, terwijl Delphine nog niet eens uitgepraat was.

Dimity bleef heel lang buiten in het bosje langs het pad naar The Watch, tot het gezang van de merels verstomde en de zon zich had begraven achter de plooien van het land. Haar keel werd door een onzichtbare hand dichtgeknepen en er lag een steen op haar maag. Een brok angst bij de gedachte dat ze de volgende ochtend wakker zou worden in het besef dat ze weg waren. Ze had niet eens gevraagd of ze volgend jaar terug zouden komen; ze had het niet gedurfd, voor het geval dat het antwoord nee was. Hun aanwezigheid, hun gezelschap, zelfs dat van de humeurige Élodie, had alle andere dingen draaglijker gemaakt. Ze zat lang te huilen, want alleen achtergelaten worden voelde een beetje als uitgelachen worden in de klas, als bekogeld worden met stenen, als in het donker zitten wachten tot iemand haar zou opmerken. Een beetje, maar dan erger. Uiteindelijk stond ze op, liep naar de voordeur en ging naar binnen. Ze had de pastei en de geplukte duiven om Valentina gunstig te stemmen, en niet te vergeten de shillings; ze kreeg niet meer dan een routinematige uitbrander. Daarna pakte Valentina haar zelfs stevig bij de schouders en keek met toegeknepen ogen naar haar dochter.

'Er zitten veren in je haar, kuikentje,' zei ze. Ze klopte op Dimity's wang, een ongebruikelijk vertoon van affectie. Op een of andere manier maakte dit alles alleen maar erger, zodat Dimity weer met hete troebele tranen in haar ogen een kam ging zoeken.

Zach werd de ochtend na zijn met drank overgoten lunch wakker met zijn gedachten bij Hannah; hij dacht aan de manier waarop haar expressieve gezicht zich had afgesloten toen hij haar gevraagd had naar de geluiden boven in The Watch. Na twee kopjes koffie vlak na elkaar besloot hij in te gaan op haar uitnodiging voor een rondleiding op de boerderij. In een opwelling nam hij op weg naar buiten ook zijn tas met tekenspullen mee. Hoe blij hij ook was met de aankoop, tot nog toe had hij geaarzeld om ze te gebruiken. Het had hard geregend die nacht, zo hard dat hij wakker was geworden van het getokkel op het raam. In plaats van direct naar Southern Farm te gaan liep hij eerst een stukje het binnenland in, zodat zijn schoenen al gauw vies waren. Het koele windje voelde lekker aan op zijn gezicht en in zijn longen, het maakte zijn hoofd leeg en zijn ledematen lichter.

Hij klom naar een bosje op de top van een steile heuvel. Toen hij zich daar omdraaide, werd hij verwelkomd door een weids, overweldigend uitzicht over de kust, kilometerslang in beide richtingen. Een onscherpe lappendeken in geel en grijs, scherp afgebakend tegen de contrasterende kleur van de zee. Beneden hem leek Blacknowle een speelgoedstadje, The Watch een wit stipje en Southern Farm lag onzichtbaar in een dal. Hij ging op de verweerde tak van een omgevallen beuk zitten en haalde zijn schetsboek tevoorschijn. *Gewoon een lijn trekken. Gewoon beginnen.* Vroeger had tekenen zijn hoofd leeggemaakt, alles wat om aandacht schreeuwde opgeruimd en hem een helder perspectief gegeven. Hij was zeker geweest van zijn eigen talent, had geweten dat hij het kon. Bij Goldsmith hadden zijn leraren hem altijd aangemoedigd om meer te tekenen en te schilderen, om gehoor te geven aan zijn talent en er niet tegen in opstand te komen. Hij was te veel in beslag genomen geweest door uiterlijke zaken om naar hun advies te luisteren.

Zach trok een lijn: de horizon. Hij stopte. Hoe kon hij dit nu verkeerd hebben gedaan? De horizon was een lijn – een rechte lijn, helder en onbeweeglijk. De lijn die hij had getekend was recht, zacht. En toch was het niet goed. Hij staarde ernaar en probeerde te ontdekken waar het aan lag, en hij bedacht na een tijdje dat hij de lijn te hoog op het papier had gezet. De schets zou niet in evenwicht zijn – er moest een gelijke verdeling zijn tussen land, water en lucht; drie oogstrelende lagen in een aangenaam natuurlijke verhouding. Doordat hij de horizon daar had neergezet, had hij de lucht ingeperkt en alle ruimte en weidsheid ontnomen. Na een enkele potloodstreep had hij de tekening al verprutst. Ontevreden sloeg Zach zijn schetsboek dicht en ging op weg naar Southern Farm.

In een weide bij de oprit was Hannah net uit haar jeep gestapt, en ze deed nu de achterklep open. Om haar heen scharrelde een groepje cappuccinokleurige schapen, in gespannen afwachting van wat ze kwam brengen. Ze hadden dunne, achterovergebogen hoorns met ribbels erop, die tegen elkaar aan stootten terwijl ze samendrongen. Toen Zach zwaaide, wenkte Hannah hem met een brede armzwaai dichterbij, dus klom hij over het hek en liep tussen de hopen verse schapenpoep door naar haar toe. Ze laadde hooibalen uit de jeep en verdeelde ze over metalen ruiven. Op de achterbank van de jeep hield een grijs met witte bordercollie met gespitste oren en waakzame ogen de kudde in de gaten.

'Goedemorgen. Is dit een geschikte tijd voor de beloofde rondleiding?' vroeg hij toen hij bij haar was.

'Zeker. Laat me even dit clubje voeren, dan sta ik tot je beschikking.' Hij voelde zich bekeken na de korte, taxerende blik van Hannah; een vreemde nervositeit die hij lange tijd niet meer had gevoeld. Toen keek ze hem grijnzend aan.

'Hoe was het vanochtend met je hoofd?' vroeg ze.

'Beroerd, dankzij jou,' zei hij.

'Da's niet mijn schuld. Ik kan jou toch niet hebben gedwongen om tegen je zin te drinken? Zo'n klein vrouwtje als ik,' zei ze schalks.

'Op de een of andere manier betwijfel ik of het jou veel moeite kost om de mensen te laten doen wat jij wilt.'

'Dat hangt van de persoon af. En van wat ik hem wil laten doen,' zei ze met een licht schouderophalen.

Het bleef even stil terwijl ze naar de jeep liep om nog meer hooi te halen.

'Ik dacht dat schapen alleen 's winters hooi nodig hadden,' zei Zach.

'Dan ook. Maar in deze tijd van het jaar is er niet veel gras meer, en deze dames staan op het punt te lammeren, dus ze moeten goed gevoed worden.' Er zat hooi in Hannahs haar en op haar trui en strakke grijze, vuile jeans.

'Ik dacht dat lammetjes in het voorjaar kwamen.'

'Dat is ook zo, tenzij je de ooien hormonen toedient om hun cyclus te veranderen. Maar deze dames zijn Portlanders. Een oud, zeldzaam ras – ze kunnen lammeren wanneer je wilt. Zo kun je in het voorjaar biologisch lamsvlees aanbieden, als de mensen vreemd genoeg verwachten pasgeboren lammetjes te zien dartelen in een wei vol boterbloemen, maar tegelijkertijd een lam van een halfjaar oud voor hun paasmaaltijd willen,' zei ze. Zach hielp haar een omgevallen trog overeind te zetten. Zijn handen kwamen onder de modder en schapenmest te zitten.

'Jakkes,' zei hij afwezig, met zijn vingers wijd uitgespreid. Hij probeerde te bedenken waar hij ze aan af kon vegen. Hannah stond naar hem te grijnzen.

'Niet bepaald een plattelandskerel, hè?' zei ze. 'Ik wed dat je het niet eens merkt als je verf op je handen hebt.'

'Verf komt niet uit de kont van een schaap,' merkte Zach op.

'O, het is maar halfverteerd gras. In verf zitten veel schadelijker chemicaliën. Hier, neem dit maar.' Ze gaf hem een pluk hooi uit de jeep, waaraan hij dankbaar zijn handen afveegde. 'Kom op, stap maar in. Dan breng ik je regelrecht naar het warme water en de zeep.' Ze stapten in de auto en ze trok slippend op. Er spatte een spoor van modder van de wielen. 'Zo begint het. Het seizoen van modder en koud water,' mopperde ze. 'Ik haat de winter.'

'Het is nog maar september.'

'Dat weet ik. Maar vanaf nu wordt het alleen maar erger.'

'De boerderij is dus biologisch,' zei Zach.

'Ja. En blijft dat ook, als ik ooit door de test- en certificeringsprocedure heen kom.'

'Dat vergt een lange adem?'

'Ongelofelijk lang. Alles moet aantoonbaar en bewezen biologisch zijn – van de medische behandelingen tot het hooi en wat ik na de slacht met de huiden doe. Het kost elk jaar een vermogen om alles bij te houden – alleen al om lid te blijven van de juiste organisaties en de juiste tests te laten uitvoeren op het juiste moment. Maar als de lente komt moet er lamsvlees in de koeling liggen, klaar voor verzending; gelooid schapenvel, klaar voor de verkoop; en een website waarop je echt producten kunt bestellen in plaats van alleen maar mooie foto's van Portlandschapen bekijken.' Ze zweeg en sprong uit de jeep om een hek achter hen dicht te doen. Ze staken een krijtpad over, dat spekglad was na de regen. 'Het alternatief is failliet gaan en ergens in een stacaravan gaan wonen,' zei ze geforceerd vrolijk.

'Maar waarom al die moeite om biologisch te boeren? Waarom fok je niet zo goedkoop mogelijk een hoop schapen?'

'Omdat dat niet werkt. Dat heeft mijn vader zijn hele leven gedaan. Maar hoe goedkoop ik een schaap ook zou fokken, het bedrag waarvoor ik het moet verkopen is nooit genoeg om van te leven. Ik heb niet genoeg land om een echt grote kudde te hebben. En ook niet genoeg hulp om een bedrijf van die grootte te runnen. De enige kans om de boerderij draaiend te houden is door me te specialiseren. Iets anders doen, een goede naam opbouwen op een bepaald gebied.'

'Biologisch Portlandlamsvlees?'

'Precies. En niet alleen zuiglam, maar ook oudere lammeren – en het schapenvlees is ook uitstekend. Erg mals en smakelijk. En de vachten van de jaarlingen zijn zo zacht als een babyhuidje. Maar...' Ze hield haar hoofd schuin, en ondanks haar luchtige manier van praten stond er bezorgdheid in haar ogen.

'Maar?'

'Ik moet de winter zien door te komen tot de eerste lichting lammetjes oud genoeg is om te slachten. En ik moet, het liefst gisteren, dat verdomde biologische certificaat bemachtigen.'

'Dus je staat eigenlijk nog aan het begin van die hele onderneming.'

'Aan het begin of aan het eind, afhankelijk van het optimisme van de dag,' zei ze met een snelle glimlach. 'Toby en ik hebben geprobeerd het met de oude kudde te redden – we hebben vijf jaar geprobeerd ervan rond te komen. In het jaar dat hij overleed heb ik de laatste ervan verkocht. Toen duurde het even voor ik bedacht had wat ik in hemelsnaam moest doen.'

'Zo te horen ben je er nu uit.'

'Nou, Ilir kwam hier. Het heeft weinig zin om een man op de boerderij te hebben als er geen vee is en geen ander werk dan toekijken hoe de boel instort. Hij gaf me de schop onder mijn kont die ik nodig had.'

'Ja, het is belangrijk voor een man om zich nuttig te maken,' zei Zach zachtjes. Er vlamde een onberedeneerd gevoel van vijandigheid jegens de onschuldige Ilir in hem op.

De jeep slipte schokkend het pad naar het verharde erf op en dit keer was Zach snel genoeg om het hek te openen en te sluiten voor Hannah dat deed. Voor het woonhuis zette ze de motor af en opende de voordeur met een duw van haar schouder en een trap tegen de onderkant.

'De garderobe is de eerste deur rechts. En als je één woord zegt over de toestand van mijn huishouden sla ik je tegen de grond, let maar op,' zei ze. Het was vuil in het huis. Niet zomaar rommelig, niet alleen maar aan een stofzuigbeurt toe. Echt vuil. Zach waadde door stapels afgedankte lappen, allerlei soorten touw, plukken stro, lege melkflessen en gebruiksvoorwerpen waarvan hij niet wist waar ze voor dienden. Er stond een plastic hondenmand die tot een raar, gestippeld ding kapot was gekauwd; de grijze deken erin zat onder de haren. Rondom een stapel houtblokken tegen de muur lag een dikke rand van zaagsel, stukjes schors en dode insecten, en toen Zach vol afschuw omhoogkeek zag hij dat het hoge plafond onder de zwarte spinnenwebben zat, als een soort macabere versiering. Op de wastafel in de garderobe lagen rond de kraan de verharde resten van allerlei stukken zeep, maar het water was warm en het lukte hem er met zijn vingers een beetje zeep af te schrapen. Hij waste snel zijn handen en keek toen door de gang naar de ruimte ernaast.

De keuken – het rook er net zo naar schaap en hond als in de jeep. Op het fornuis lag een cyperse kat te slapen; overal slingerden borden, pannen en verpakkingen rond. Naast de theeketel stond een open fles melk; een vlieg deed zich te goed aan de gele korst aan de rand. Op een grote eiken eettafel lagen stapels facturen, uitdraaien, kasboeken en oude kranten. Zach bleef even naar het vuile vaatwerk staan kijken en realiseerde zich even later pas wat hij eigenlijk zocht en ook zag: tweetallen. Twee wijnglazen met paarse kringen onderin, twee koffiemokken, twee borden met de botten van waarschijnlijk varkenskarbonaadjes. Bewijzen dat Ilir het huis met Hannah deelde. Toen klonk er een klap en kwamen er aan de andere kant van de keuken voetstappen de trap af. Zachs hart sloeg een slag over en hij liep zo snel mogelijk de gang door, het erf op.

Hannah stond naar iets op de motorkap van de jeep te kijken. De manier waarop ze opsprong deed Zach aan zichzelf denken, een paar seconden eerder. Ze had in zijn schetsboek staan kijken en sloeg het nu dicht met een uitdagende uitdrukking op haar gezicht en haar kin in de lucht, alsof ze het vertikte om zich betrapt te voelen.

'Heb je gevonden wat je nodig had?' zei ze. Met zijn armen over elkaar keek Zach glimlachend naar zijn schetsboek op de motorkap.

'Ja, dank je. Mooi huis.'

'Dank je. Ik ben erin opgegroeid.'

'Je moet een ongelofelijk goede weerstand hebben,' zei hij. Het kostte hem moeite om zijn gezicht in de plooi te houden.

'Voorzichtig, hè. Ik heb je gewaarschuwd.' Hannah balde even haar vuisten, maar keek geamuseerd. Ze gebaarde naar zijn schetsboek. 'Het was niet mijn bedoeling erin te snuffelen. Ik wilde alleen niet dat je je tas in de jeep zou laten liggen. Maar, je weet wel, de nieuwsgierigheid van een collega-kunstenaar. Maar maak je geen zorgen, ik heb niet het gevoel dat ik in je ziel heb gekeken,' zei ze. Hij dacht aan de enige tekening die hij tot nu toe had gemaakt; zijn mislukte poging van eerder die ochtend.

'Ik heb geprobeerd het uitzicht vanaf de heuvel te tekenen,' bekende hij.

'En je bent niet verder gekomen dat dit?'

'Ik denk dat ik misschien mijn magie ben kwijtgeraakt,' zei hij. Ze keek hem scherp aan, met toegeknepen ogen tegen de plotseling felle zon.

'Is dat zo?' mompelde ze, niet onvriendelijk. Zach wist zich staande te houden, maar kon niets zinnigs meer bedenken om te zeggen. 'Weet je, volgens mij helpt het altijd als je bedenkt waarom je eigenlijk tekent wat je tekent. Waarom klom je de heuvel op om het uitzicht te tekenen, bijvoorbeeld?'

'Eh... Ik weet het eigenlijk niet. Omdat het mooi was?'

'Was het dat? Besloot je het te tekenen omdat het mooi was of omdat je dacht dat het dat moest zijn? Omdat je dacht dat het iets was dat je zou moeten willen tekenen?'

'Ik weet het niet.'

'Sta daar de volgende keer even bij stil. Misschien krijg je een ander antwoord dan je dacht dat je zou krijgen.'

'Ik weet niet meer wat ik wil tekenen.'

'Probeer dan ook te bedenken waarom. Met andere woorden: wie. Bedenk voor wie je wilt tekenen. Misschien helpt dat,' suggereerde ze.

'Waarom liep je gisteren bij me weg?' vroeg hij tot zijn eigen verbazing. Met een aarzelend glimlachje gaf Hannah Zach zijn schetsboek terug.

'Ik liep niet weg.'

'Kom nou. Dat deed je wel. Toen ik vroeg of er nog iemand anders op The Watch was.'

'Nee, nee, ik moest er gewoon vandoor, meer niet. Echt. Er is verder niemand op The Watch. Dat weet ik zeker.'

'Ben je er boven geweest?'

'Hé, ik dacht dat je hier kwam om de boerderij te zien, niet om me over mijn buren uit te vragen?' Ze wilde weglopen, maar Zach pakte haar bij de arm. Hij liet meteen weer los, geschrokken omdat de arm zo mager aanvoelde onder de stof van haar shirt. En van de warmte ervan.

'Alsjeblieft,' zei hij. 'Ik wist zo zeker dat ik daarboven iemand hoorde.'

Hannah leek diep na te moeten denken voor ze antwoord gaf. 'Ik ben weleens boven geweest. En er woont daar verder niemand,' zei ze. 'Wil je nu een rondleiding of niet?' Ze keek hem met opgetrokken wenkbrauwen streng aan, maar zelfs haar felste gezichtsuitdrukking bracht nog een glimlach om zijn lippen.

De wintermaanden gingen voorbij in een waas van zere vingers en verstijfde, gevoelloze voeten. Dimity had zware leren laarzen, stijf van ouderdom en beschadigd door het winterweer. Ze waren te groot voor haar – een bezoeker van The Watch had ze achtergelaten toen hij snel door de achterdeur moest verdwijnen omdat het huis stond te trillen van het gebeuk van zijn vrouw op de voordeur. Hij was ze nooit komen ophalen, dus nu waren ze van Dimity. Maar er zaten gaten in haar sokken, bij haar tenen en haar hiel, en ze stoppen hielp zelden langer dan twee dagen. Als ze liep, kon ze het vuile binnenwerk van de laarzen door de gaten heen voelen; ze kreeg er eerst blaren van, daarna eeltknobbels. Als ze met Wilf Coulson op de hooizolder van de Bartons had afgesproken liet ze zich in het losse hooi zakken, trok haar laarzen uit en masseerde haar tenen tot ze weer warm waren en ze ze weer kon bewegen.

'Laat mij dat maar doen. Mijn handen zijn warmer,' bood Wilf een keer aan toen de regen buiten koud, grijs en loodrecht neerkletterde. Barton hield zijn vee op stal als het weer zo slecht was. Zijn weides waterden slecht af en veranderden in een onbegaanbaar moeras. De warmte van de koeien steeg tegelijk met de zoete stank van hun mest op naar de hooizolder. Halfverzonken in het hooi kon je je warm voelen op een moment dat het leek alsof de zon voor altijd zwak en flets zou blijven.

'Als jij het doet kietelt het,' zei Dimity. Ze trok haar voeten terug uit zijn magere handen. Zij en Wilf waren inmiddels vijftien, en hij leek te groeien waar ze bij stond. Hij was nog steeds mager, maar zijn schouders waren breder, vierkanter; zijn gezicht was langer en serieuzer, voller bij zijn wenkbrauwen. Als hij praatte schoot zijn stem heen en weer tussen een lichte tenor en een hees, rauw gepiep.

'Laat me proberen,' drong hij aan. Hij pakte haar voeten stevig beet. Ze schaamde zich voor haar natte, doorgelopen sokken en de ongewassen geur die ervanaf kwam – erin gestampt door de vorige eigenaar van de laarzen. Wilf klemde haar koude tenen tussen zijn handen; het was heerlijk om zijn warmte erin te voelen stromen. Met haar ogen dicht luisterde ze even naar het hameren van de regen op het zinken dak en het schuifelen en ademen van de koeien daaronder. Zij en Wilf waren niet te zien en niet te horen. Onbereikbaar.

Toen ze haar ogen weer opendeed, zat Wilf op die speciale manier naar haar te kijken. Het kwam steeds vaker voor, deze blik – intens en serieus, met zijn mond een beetje open. Op de een of andere manier kwetsbaar en bedreigend tegelijk, en in zijn schoot spande de stof van zijn broek over de bult bij zijn kruis. Dimity keek hem kwaad aan en trok haar voet weer terug.

'Wat zou je moeder zeggen als ze je hier met mij betrapte?' vroeg ze. Wilf keek fronsend naar de staldeuren, alsof hij half en half verwachtte dat ma Coulson tussen de theekleurige plassen waar de regendruppels in plensden op de natte, modderige drempel zou verschijnen, met een gezicht zo guur als het weer buiten.

'Ze zou me ongetwijfeld een draai om mijn oren geven. Al ben ik al een half hoofd groter dan zij,' zei hij mistroostig. 'Mijn ma wordt met de week chagrijniger.'

'De mijne ook. Vorige week heeft ze me een mep gegeven omdat er nog stront op de eieren zat toen ik ermee naar binnen kwam – terwijl het zo hard hagelde dat ze allemaal kapot waren geweest als ik ze eerst had afgeveegd.'

'Jammer dat ze geen vriendinnen kunnen zijn. Of dat ze elkaar om de oren slaan in plaats van ons.'

'Wie zou er winnen, denk je?' vroeg Dimity. Ze rolde lachend op haar zij.

'Mijn ma is niet bang om een stok te gebruiken als het moet. Je had Brians achterwerk moeten zien toen ze hem betrapt had op geld pikken uit haar portemonnee!'

'Valentina zou alles gebruiken wat ze te pakken kon krijgen,' zei

Dimity, ineens serieus nu. Ze vond de gedachte aan de twee vechtende vrouwen ineens niet zo grappig meer. 'Ik denk dat ze iemand dood zou kunnen slaan als die haar op het verkeerde moment dwarszat.' Wilf gooide lachend een handvol hooi naar haar toe, dat Dimity chagrijnig van zich afsloeg. 'Ik meen het! Het zou zomaar kunnen.'

'Als ze jou sloeg, zou ik een hartig woordje met haar spreken. Nee, echt!' Nu was het Wilfs beurt om vol te houden, maar Dimity lachte.

'Helemaal niet, want ze slaat me om de haverklap en dat weet je best. Maar ik neem het je niet kwalijk, Wilf Coulson. Als ik met een grote bocht om haar heen zou kunnen lopen, zou ik het doen. En als ik oud genoeg ben, doe ik dat ook.' Ze liet zich op haar rug rollen, hield een spriet hooi voor haar ogen en begon er een knoop in te leggen, heel voorzichtig om hem niet te breken.

'Zou je dan trouwen, Mitzy? Om bij haar weg te kunnen komen? Dat kan binnenkort al. Als je zou willen. Dan zou je nooit meer terug hoeven, als je niet zou willen.' Wilf probeerde niet al te nieuwsgierig te klinken, maar zijn stem trilde van spanning.

'Trouwen? Misschien.' Met een snelle ruk trok Dimity de knoop aan; toen de spriet brak gooide ze hem naast zich neer. Plotseling rolde de toekomst zich voor haar ogen uit als een lange, verontrustende donderslag. Een toekomst die verstikkend leek. Haar maag draaide om en ze besefte dat ze bang was, doodsbang. Ze slikte, vastbesloten het niet te laten merken. 'Hangt ervan af of ik iemand ontmoet die het trouwen waard is, dacht je niet?' vroeg ze luchtig. Het bleef lang stil. Wilf frummelde aan de band van zijn broek en het hemd onder zijn trui, dat er los overheen hing.

'Ik wil wel met je trouwen,' mompelde hij. Hij sprak zo zacht dat de regen de woorden bijna verzwolg.

'Wat?'

'Ik zei: ik wil wel met je trouwen. Als jij het wilt. Als ma je eenmaal kent legt ze zich er wel bij neer. Zo gauw je niet meer op The Watch woont.'

'Hou je mond, Wilf. Praat geen onzin,' zei Dimity, om haar verwarring te verbergen. Ze kon er maar beter om lachen, het niet serieus nemen, voor het geval hij haar voor de gek hield. Een streek die ze niet verwachtte van Wilf, maar ze kon het niet zeker weten. Haar hart bonsde zo luid dat ze blij was met het gebulder boven hun hoofd.

'Nee. Dat was geen onzin,' mompelde Wilf met zijn ogen nog altijd op zijn kleren en zijn handen gericht. Daarna staarde hij voor zich uit alsof er op de met mest besmeurde stenen muur aan de andere kant van de schuur een grote, cruciale wijsheid geschreven stond. Ze zeiden allebei niets en konden de gedachten van de ander niet raden. Na een tijdje soesde Dimity weg door de warmte en het regelmatige geroffel en toen ze iets later wakker werd lag Wilfs hoofd op haar schouder, met een hand lichtjes op haar buik. Zijn ogen waren dicht, maar ergens voelde ze dat hij niet sliep.

Het was een lange winter, met een bitterkoude noordenwind die late sneeuw met zich meebracht en korte metten maakte met het eerste groen dat zich durfde te vertonen. Dimity had zo'n last van wintervoeten dat ze bijna niet kon staan; rillend van afschuw zat ze gedwongen met haar voeten in een teiltje urine om ze te genezen. Ze had een stekende pijn in haar oren van de ijskoude wind. Behalve de twee mannen die Valentina haar brood en boter noemde kwamen er bijna geen bezoekers, dus ook minder levensmiddelen of geld; Dimity kreeg geen poseerloon en buiten was er minder voedsel te vinden. Ze aten eieren, gebakken in oud vet dat bitter smaakte en verbrandde door hergebruik, op brood dat Valentina zelf bakte – ze was zeldzaam handig met deeg. Dimity dacht dat het kwam door de woede waarmee ze het kneedde. Ze waren allebei moe en kregen een vaalgele uitgedroogde huid. Dimity kwam na het afleveren van middeltjes tegen verkoudheid bij de inwoners van Blacknowle thuis met gesprongen lippen van de wind en kromme vingers die op rode klauwtjes leken.

Op dit soort ijzige dagen bleef Valentina in bed, afwezig en lusteloos. Op een avond laat werd er aan de deur geklopt, maar ze wilde niet naar beneden komen. Uiteindelijk keek Dimity maar om de hoek van de deur, want de man bleef maar kloppen. Ze herkende hem niet. Hij had een donker, pokdalig en gerimpeld gezicht en onregelmatige zwarte stoppels op zijn wangen. Zijn ogen waren waterig en grijs.

'En jij dan? Jij kunt er ook mee door. Ik heb gehoord dat ik hier moest zijn,' zei hij met een hese, schrille stem toen Dimity zei dat Valentina geen bezoek ontving. Verstijfd van schrik staarde ze hem aan.

'Nee, meneer. Vanavond niet,' zei ze zachtjes. Maar hij gaf een zet tegen de deur, pakte haar om haar middel en duwde haar met al zijn kracht met haar rug tegen de deurstijl. Hij liet een hand zakken en greep haar hardhandig tussen haar benen.

'Vanavond niet, zegt ze? Smerige hoer met je spelletjes. Kom nou, de appel valt nooit ver van de boom,' hijgde hij in haar gezicht, waarop Dimity het uitschreeuwde van angst en verbijstering. Zijn adem rook naar vis en bier.

'Ma!' gilde ze in paniek. *'Ma!'* En tegen alle verwachting in verscheen Valentina boven aan de trap, met een slaperig gezicht maar met zo veel woede in haar ogen dat de man Dimity neerzette en al terugdeinsde voordat ze zich op hem stortte met slagen en vloeken die een zeebonk nog zouden choqueren. De man rende haastig het pad af, terwijl hij allerlei verwensingen mompelde.

Daarna lagen ze samen in Valentina's bed. Meestal mocht Dimity niet in haar kamer met de omfloerste lampen en de roze chenille sprei komen, maar die nacht sloeg Valentina haar armen om haar dochter heen, zodat ze als lepeltjes tegen elkaar aan lagen. Ze streelde niet over haar haar, zong niet en praatte niet. Maar toen ze zag dat Dimity's handen trilden, klemde ze een ervan stevig in haar eigen hand en liet haar greep zelfs niet verslappen toen ze in slaap viel. Haar hand voelde taai en zacht aan, als leer. Dimity lag uren wakker, met bonzend hart, nog van de schrik na de ruwe aanraking van de man en van de ongewone omarming van Valentina. Maar ze vond het prettig, ze genoot van de warmte tussen de twee lichamen, terwijl ze wist dat elk moment een einde aan het veilige gevoel kon komen. En dat gebeurde ook toen het ochtend werd. Valentina maakte haar abrupt wakker met een klap op haar dij. 'Mijn bed uit, waardeloze griet. Ga ontbijt maken.'

En toen, op een prachtige dag halverwege april, kwam op een warme wind uit zee de lente aanwaaien, zoet als rijpe aardbeien. Het was zo'n verademing dat Dimity in haar eentje hardop op het rotspad stond te lachen toen ze terugkwam uit Lulworth, met een tas vol sprot en een fles appelazijn om ze in te koken. De zee zinderde van leven en het land werd wakker, als een groot beest dat beneveld is geweest door de kou en nu langzaam uit zijn winterslaap ontwaakt. Dimity kon het sap in de bomen en het gras bijna horen bruisen, als een diepe, lang ingehouden ademteug, klaar voor de bloei van de zomer. Het sap borrelde ook op in de mannen van Blacknowle en de omliggende boerderijen. Het deed hen aankloppen bij The Watch, zodat de bewoners van het huis zich konden omringen met overvloed. Maar voedsel of warmte was niet waar Dimity het meest naar verlangde. Zelfs de welkome streling van de zon kon de leegte niet opvullen die de Aubrey's hadden achtergelaten. Dimity verlangde naar de zomer omdat ze naar hun terugkeer verlangde. Naar hun vrolijke geklets en hun hartelijkheid, naar hun openlijke liefde voor elkaar en de manier waarop zij in hun wereld was uitgenodigd en er deel van had mogen uitmaken. Ze verlangde ernaar om hen te zien, zodat ze niet meer onzichtbaar zou zijn.

5

Dimity knipperde met haar ogen en maakte wat keelgeluidjes, en Zach maakte zich los uit zijn dagdromerij. Ze had zo lang zwijgend naar de tekening zitten kijken dat hij zijn aandacht had laten afdwalen naar de zandkorrels op de vloer, die glinsterden in een streep zonlicht; naar het zachte geluid van de zee dat met een lichte echo door de schoorsteen naar binnen kwam; naar de grote, dunne spin boven zijn hoofd die zo stil tussen de massa van haar piepkleine jonkies zat, dat ze wel op de balk getekend leek. De oude vrouw had een vel papier in haar hand, een kleurenprint die Zach op Pete Murray's computer had uitgedraaid van een groot olieverfdoek waarop Mitzy tussen met mos begroeide ruïnes stond. Het licht viel in spikkels op haar, op zo'n manier dat ze deel van het bos leek te zijn, als een mythisch wezen dat opging in de tinten en het gebladerte om haar heen. Boven haar hoofd hing een vervormde, wat vaag gehouden waterspuwer die haar gezicht leek te hebben: een echo in steen van het mooie meisje dat eronder stond. Dimity's mond bewoog weer en dit keer waren de woorden bijna verstaanbaar, dus Zach schraapte zijn keel.

'Dimity? Gaat het?'

'Hij heeft zo veel schetsen gemaakt bij die kapel. Het is de kapel van St.-Gabriël, waar het spookt. Hij kon maar niet kiezen hoe ik het best kon poseren. Drie weken lang zijn we er steeds heen gelopen en weer terug, heen en terug. Ik denk dat we het pad de heuvel op dieper hebben uitgesleten dan het ooit was geweest. Een keer werd ik zo moe van het lange stilstaan en van de honger omdat ik geen tijd had gehad om te ontbijten – hij wilde het vroege ochtendlicht, zei hij – dat mijn hoofd begon te draaien en alles me vervormd in de oren klonk en het licht donker werd, en voor ik wist wat er gebeurde lag ik op de grond en hield hij mijn hoofd in zijn schoot, mijn Charles, alsof ik iets dierbaars was...'

'Was je flauwgevallen?'

'Reken maar. Volgens mij was hij eerst een beetje boos omdat ik me bewogen had, en besefte hij toen pas dat ik een appelflauwte had!' Ze lachte even en zwaaide naar achteren in haar stoel, met haar gevouwen handen in de lucht. Het papier bewoog als een eenzame vleugel. Zach speelde glimlachend met het notitieboekje op zijn knieën.

'Dat was in 1938, klopt dat? Het jaar voordat hij naar de oorlog ging.'

'Ja. Dat jaar... Ik denk dat dat mijn gelukkigste tijd is geweest.' Haar woorden stierven weg tot gefluister en daarna tot niets. Er lag een uitdrukkingsloze glans in haar ogen. Ze liet de uitdraai van het schilderij vallen en friemelde met haar vingers aan de punt van haar lange vlecht. 'Charles was ook gelukkig. Dat weet ik nog goed. Ik heb hem gesmeekt om niet weg te gaan, dat jaar daarna. Ik wilde dat we altijd zo gelukkig zouden blijven.'

'Wat moet dat moeilijk zijn geweest, met zo'n recent sterfgeval in de familie en dat onder zulke tragische omstandigheden. Zo veel ontreddering,' zei Zach. Dimity wachtte even voor ze antwoord gaf, maar Zach kon aan haar gezicht zien dat ze niet in het verleden staarde, maar razendsnel nadacht. Haar mond viel een beetje open, de dunne lippen weken iets van elkaar en ze stak het puntje van haar tong tussen haar voortanden. Roerloos, tot ze de juiste woorden gevonden had.

'Het was een verschrikkelijke tijd. Voor Charles. Voor ons allemaal. Hij was van plan om bij ze weg te gaan, weet je. Hij ging haar voor mij verlaten. En toen dat gebeurde, heeft hij zich erg schuldig gevoeld.'

'Maar niemand gaf hem toch de schuld van wat er gebeurde?'

'Ja, sommigen wel. Een paar. Omdat hij een oudere man was en ik nog zo jong. Jong van lichaam misschien, maar ik had een oude ziel. Dat heb ik altijd gedacht – zelfs toen ik kind was voelde ik me niet zo. Ik denk dat we alleen kind zijn als we dat mogen zijn, en ik mocht dat niet. Er werd gekletst, weet je – over kwaad dat kwaad voortbrengt. *Zoals u zaait, zult u oogsten.* Ik hoorde mevrouw Lamb dat op een avond tegen hem zeggen, toen hij langs de pub liep. Alsof hij slechte dingen veroorzaakte door van mij te houden. Straf over zichzelf afriep. Maar hij is nooit met Celeste getrouwd geweest, weet je. Hij heeft geen eed gebroken door van mij te houden.'

'Ik heb nooit de indruk gekregen dat Charles Aubrey zich iets aantrok van wat de mensen over hem zeiden. Hij leek het gewoon niet zo belangrijk te vinden. De conventies in de samenleving, bedoel ik.' Nu keek Dimity fronsend naar de gespleten haarpunten tussen haar vingertoppen. Zach zag dat ze diep ademhaalde, alsof ze zichzelf wilde kalmeren.

'Nee, hij was echt een vrij mens. Liet zich alleen leiden door zijn hart.'

'En toch... Ik ben altijd stomverbaasd geweest over zijn besluit om de oorlog in te gaan,' zei Zach. 'Hij was per slot van rekening overtuigd pacifist en had ook nog verantwoordelijkheden. Er waren mensen die hem nodig hadden – zoals jij en Delphine. Weet jij waarom hij dat deed? Heeft hij het jou ooit uitgelegd?'

Dimity scheen niet te weten wat ze hierop moest antwoorden. Ze leek iets te willen zeggen, maar het bleef toch stil. Op haar gezicht verscheen de stille wanhoop van een kind dat voor de klas staat en te horen krijgt dat ze pas mag gaan zitten als de som is opgelost.

'Hij ging de oorlog in omdat...' Er blonken tranen in haar ooghoeken. Geschrokken bleef Zach stil. 'Ik weet niet waarom! Ik heb het nooit geweten. Ik zou alles gedaan hebben om hem bij me te houden, alles wat hij maar had gewild. En alles wat ik gedaan heb, heb ik voor hem gedaan. *Alles.* Zelfs, zelfs...' Ze schudde haar hoofd. 'Maar hij was in Londen toen hij in het leger ging. Hij vertrok vanuit Londen, niet van hier, dus kon ik hem niet tegenhouden. En ik heb het nooit tegen haar gezegd!'

'Tegen wie niet, Dimity?'

'Tegen Delphine! Ik heb nooit gezegd dat het haar schuld niet was!'

'Dat wat haar schuld niet was? Dimity, ik begrijp het niet. Was het Delphines schuld dat hij naar het front ging?'

'Nee! Nee, het was...' Ze hield op met praten, want haar tranen maakten haar woorden onverstaanbaar. Zach boog zich naar haar toe en pakte haar handen.

'Dimity, het spijt me. Het was echt niet mijn bedoeling om je van streek te maken. Vergeef me alsjeblieft.' Hij gaf een kneepje in haar handen om haar af te leiden, maar ze liet haar hoofd nog altijd hangen terwijl de tranen door de plooien in haar gezicht over haar wang stroomden. Ze wiegde zichzelf heen en weer met zo'n klaaglijk, droevig geluid dat Zach het haast niet kon verdragen. 'Niet huilen alsjeblieft, Dimity. Alsjeblieft. Het spijt me. Luister, ik begrijp niet wat je vertelt over Delphine en de oorlog. Kun je het me uitleggen?' Geleidelijk aan nam Dimity's gesnik af en werd ze stil.

'Nee,' zei ze hees. 'Niet meer praten... ik kan het niet. Ik kan niet praten over hoe hij stierf. En ik kan niet praten over Delphine.' Ze draaide haar gezicht naar hem toe, rauw van emotie. Hij zag dat het niet alleen verdriet was; van schrik knipperde hij met zijn ogen. Er stond veel meer op te lezen dan alleen verdriet. Het had alle schijn van schuld. 'Ga alsjeblieft weg. Ik kan niet meer praten.'

'Goed, ik ga. En we zullen niet meer over de oorlog praten. Dat beloof ik,' zei Zach, ook al wist hij nu, en wist hij zéker, dat Dimity veel meer wist over wat er in die laatste zomer van Aubrey's leven gebeurd was dan ze hem wilde vertellen. 'Ik ga, als je tenminste zeker weet dat je het wel redt. De volgende keer zal ik je niets vragen. In plaats daarvan zal ik jóúw vragen beantwoorden, hoe vind je dat? Je kunt me alles vragen wat je wilt over mij of mijn familie, en dan doe ik mijn best om erop te antwoorden. Afgesproken?' Terwijl ze haar tranen droogde keek Dimity hem aan, verward maar wel kalmer. Na een tijdje knikte ze, en Zach gaf nog een kneepje in haar hand en bukte zich voor een kus op haar natte wang voor hij vertrok.

Het was een winderige dag met de stoffige geur van brem in de lucht. Zach haalde diep adem, liet de lucht weer langzaam ontsnappen en besefte toen pas hoe gespannen hij was geweest, hoe bezorgd Dimity's tranen hem hadden gemaakt. Hoofdschuddend wreef hij met een hand over zijn gezicht. Hij moest voorzichtiger te werk gaan, fijngevoeliger, haar niet zo overvallen met vragen. Voor haar ging het tenslotte over haar leven en haar verlies, en niet over zomaar iemand van vroeger die hij niet eens had ontmoet, al stroomde diens bloed misschien in zijn aderen. Hij vroeg zich af of hij het onderwerp Dennis nog eens veilig ter sprake zou kunnen brengen – wie de jongeman was en waar de collectie waaruit zijn portretten vandaan kwamen zich zou kunnen bevinden. Toen Zach op zijn horloge keek, was hij verbaasd hoe laat het was. Hij had een afspraak met Hannah en ging op weg naar het strand bij Southern Farm om haar daar te ontmoeten.

Hannah was al op het strand toen Zach aankwam. Ze stond met opgerolde broekspijpen op blote voeten in het ondiepe water. Toen hij haar naderde draaide ze zich glimlachend naar hem toe en sloeg haar armen over elkaar om warm te blijven.

'Ik was van plan te gaan zwemmen, maar ik weet niet of ik er wel zin in heb. Maar nu jij hier bent, kun je met me meedoen,' zei ze.

'O, dat weet ik niet. Het is niet zo warm vandaag, hè?'

'Dan voelt het water alleen maar warmer. Geloof me maar.'

'Ik heb geen handdoek bij me.'

'Watje.' Ze nam hem even onderzoekend op, en Zach kreeg het gevoel dat hij op de proef werd gesteld.

'Goed dan. Ik ben de afgelopen paar uur op The Watch geweest. Het zal me vast goeddoen om dat huis van me af te spoelen.'

'O? Wat is er gebeurd?'

'Niets bijzonders. Alleen... er lijken daar zo veel opgekropte herinneringen te hangen. En niet allemaal even prettig.' Hij dacht aan het harde, koude verdriet dat daar in alle hoeken weggestopt leek te zitten. 'Met Dimity praten kan nogal intensief zijn.'

'Ja, dat geloof ik graag,' gaf Hannah toe.

Ze keerden om en liepen een tijdje naast elkaar langs het water.

'Maar hoe vind je ons stukje Dorset? Mis je de felle lichten van Bath niet?' vroeg Hannah. Ze streek de losse krullen waar de wind mee speelde uit haar gezicht.

'Het bevalt me hier. Het geeft rust om veel land om je heen te hebben in plaats van mensen.'

'O? Ik had je eerder als een cultuurmens ingeschat.' Ze keek hem even van opzij aan en hij lachte.

'Dat ben ik ook. Maar zodra ik uit Londen wegging was het alsof ik die levensstijl achter me liet. Londen voelt nu als verleden tijd. Ik heb er gestudeerd; ik ben er getrouwd. Ik zou er nu niet meer willen wonen. Niet na alles wat er sindsdien is gebeurd. Ken je dat gevoel? Dat je niet terug wilt naar plekken die veel betekenis voor je hebben?'

'Niet echt. Al mijn betekenisvolle plekken zijn hier.'

'Dat zal het wel anders maken, dan. En je hebt nooit weg gewild – weg van waar je opgegroeid bent om iets heel anders te gaan doen, ergens anders?'

'Nee.' Ze zweeg even. 'Ik weet dat dat niet zo modieus is; het lijkt misschien niet erg avontuurlijk. Maar sommige mensen zijn nu eenmaal stevig geworteld. En waar je ook gaat, je blijft toch altijd wie je bent. Niemand begint echt een "nieuw leven", of zoiets. Je neemt het oude met je mee. Dat kan toch niet anders?'

'Maar toch merk ik dat ik het steeds probeer. Opnieuw beginnen.'

'Is het ooit gelukt? Heb je weleens gemerkt dat je anders werd?'

'Nee, ik geloof van niet.' Hij glimlachte spijtig. 'Misschien ben jij wel tevredener met wie je bent dan andere mensen.'

'Of ik heb me er gemakkelijker bij neergelegd,' zei ze, en ze glimlachte ook.

'Maar je moet wel erg stevig geworteld zijn als je zelfs niet weg wilde nadat je... nadat je je man had verloren. Nadat je Toby had verloren.'

Hannah bleef een tijdje stil nadat hij dit gezegd had, en ze draaide haar hoofd weg om naar de zee te staren.

'Tony kwam niet uit Blacknowle. Hij kwam voor acht geweldige jaren mijn leven binnenwaaien. En toen waaide hij er weer uit. De boerderij en het huis waren het enige wat me houvast gaf toen hij overleed. Als ik toen was weggegaan, dan was ik mezelf ook kwijtgeraakt,' zei ze. Ze waren aan het eind van het strand gekomen en Hannah bleef stilstaan. Ze haalde diep adem en trok in een vloeiende beweging haar shirt over haar hoofd. Zach keek tactvol de andere kant op, maar pas nadat hij had gezien dat er over de knokige lijn tussen haar borsten lichte sproetjes naar beneden liepen. 'En jij gaat dus zwemmen met je kleren aan, of wat?' Ze stond tegenover hem in haar bikini met haar handen in de zij. Zach voelde zich merkwaardig genoeg een voyeur – het was raar dat het acceptabel was om hierbuiten zo naar haar te kijken, terwijl hij binnenshuis een opdringerige gluurder zou zijn als hij naar haar keek in haar ondergoed. Hij trok zijn shirt uit en liet zijn broek zakken. Hannah liet een taxerende blik over hem heen glijden, vanaf zijn witte voeten tot aan zijn brede schouders; zo vrijmoedig en openlijk dat hij er bijna van bloosde. 'De laatste die erin ligt is een rot ei.' En met een korte glimlach draaide ze zich om en liep behendig over de kiezels naar het water. Met drie grote stappen stond ze er tot aan haar knieën in. Toen liet ze zich voorovervallen, dook in een golf en begon te zwemmen.

Zach volgde haar, inwendig vloekend toen hij het koude water rond zijn enkels voelde. Het leek wel te bijten, maar toen Hannah vlak bij hem opdook, met een glanzende huid en haar haar strak achterovergespoeld, zo glad als een zeehond, wilde hij zich niet laten kennen. Hij haalde diep adem, nam een duik en voelde al zijn spieren samentrekken toen het water zich boven hem sloot. Snakkend naar adem kwam hij boven.

'Jezusmina! Het is ijskoud!' Maar nog voor hij uitgesproken was, leek het water al een beetje aangenamer aan te voelen. Hij stopte met spartelen en zwom in een cirkeltje rond tot hij Hannah zag.

'Zo, dat was toch niet zo erg?' Het was lang geleden dat hij in de Engelse zee had gezwommen, en het was zo anders dan in een warme zee in een vakantieland waar het water zo helder was als in een zwembad en de bodem zanderig en vlak. Niets onverwachts, niets wat je niet kon zien. Hij zette voorzichtig zijn voeten neer en voelde stenen en het leerachtige zeewier, ingebeelde krabben en prikkende zee-egels, dingen met stekende tentakels. Hij trok zijn voeten vlug op, keek naar beneden, maar kon alleen zijn eigen wazige witte benen zien en verder niets. 'Ga maar een beetje dieper. Daar ligt zand. Zie je die plek waar de golven breken? Blijf daar weg als je kunt. Er liggen scherpe rotsen onder. Kom mee.' Drijvend op haar rug vaardigde Hannah deze stroom instructies uit en Zach ademde diep in, dook onder water en zwom snel naar haar toe.

Naast elkaar zwommen ze een tijdlang bij de kust vandaan en hun ritme was kalm, meditatief. Hannah dook om de paar slagen onder water en dan keek Zach hoe haar haar achter haar aan als een wolk onder water verdween. Hij zwom verder en op een gegeven moment dook ze, verblind door het zoute water in haar ogen, te dicht bij hem op. Toen ze tegen elkaar aan botsten draaide Hannah zich op haar rug, waarbij haar harde lijf in het voorbijgaan langs het zijne schoof; een lichte, vluchtige liefkozing. 'Wil Ilir niet met je zwemmen?' vroeg Zach.

'Nee, hij is echt een doetje. Bang voor de stroming.'

'Is er onderstroom?'

'Te laat om je daar nu zorgen over te maken! Blijf maar gewoon bij mij – dan komt het wel goed. Het tij is nog niet gekeerd. De kans dat je afdrijft naar zee is niet zo heel groot.' Hannah glimlachte en Zach besloot dat ze een grapje maakte. 'Hier. Let op

– we kunnen op de uitloper klimmen. Fantastische plek om vanaf te duiken, te zonnen en toeristen te laten denken dat je op het water kunt lopen.' Ze klauterde voorzichtig naar boven en ging staan zoals Zach haar eerder had zien doen, op een plat stuk rots dat ongeveer dertig centimeter onder water lag en uitstak in de baai. 'De punt van deze uitloper blijft zelfs bij eb onder water, en het is daarachter diep genoeg voor een bootje,' zei ze. 'Een paar honderd jaar geleden maakten smokkelaars er veel gebruik van.'

'Wat smokkelden ze?'

'O, van alles. Wijn, sterkedrank, tabak. Kruiden. Stoffen. Alles wat ze makkelijk konden vervoeren en goed kwijt konden als ze het hier kregen. Waarom denk je dat Dimity's huis The Watch heet?'

'O, op die manier.' Zach zocht met zijn tenen houvast op de rots en voelde onder het klimmen de zeepokken prikken.

Ze gingen naast elkaar op de rand van het rotsplateau zitten en kregen het kouder naarmate ze meer opdroogden. De zee wierp reflecties in hun ogen, op hun lichamen.

'Is dat wat je eigenlijk in Blacknowle komt doen? Proberen opnieuw te beginnen?' vroeg Hannah. Ze trok haar knieën op tot haar borst en sloeg haar armen eromheen.

'Niet helemaal. Ik bedoel, ik heb Elise nu. Ik zou willen dat ze deel uitmaakte van mijn dagelijks leven, zoals vroeger. Ik zou willen dat ze niet duizenden kilometers ver weg zat, maar ik ben haar vader en ik zou niet iemand anders willen zijn. En op een bepaalde manier maakt ze ook deel uit van mijn dagelijks leven. Ik denk voortdurend aan haar. Volgens mij ben ik hiernaartoe gekomen omdat ik meer wilde weten over wie ik ben. En mijn familie heeft al generaties lang een band met deze plek.'

'O ja?' vroeg Hannah. Zach moest lachen om de twijfel op haar gezicht.

'Ja. Het is namelijk heel goed mogelijk dat Charles Aubrey mijn grootvader was.' Hannah knipperde met haar ogen en er verscheen een rimpeltje tussen haar wenkbrauwen.

'Je grootvader?' herhaalde ze.

'Mijn oma heeft altijd beweerd dat ze een van Aubrey's vrouwen was. In 1939 hebben ze Aubrey ontmoet toen ze hier op vakantie waren. Hij heeft haar zelfs geschilderd. En je weet wat ze zeggen over Charles Aubrey – dat hij zo'n man was die elk kind dat hij op straat tegenkwam over het hoofd streelde, voor het geval het van hem was.'

'De kleinzoon van Charles Aubrey.' Hoofdschuddend liet Hannah haar hoofd achteroverzakken en lachte hardop.

'Wat is daar zo grappig aan?'

'O, niets. Gewoon, hoe dingen kunnen lopen,' zei ze zonder verdere uitleg. Met haar kin op haar gekruiste armen dacht ze even na. Het kippenvel stond op haar dunne bovenbenen. 'Hou je nog van Ali?' vroeg ze na een tijdje.

'Nee. Ik hou van de herinnering aan haar. Van hoe het vroeger was. Hou jij nog van Toby?'

'Natuurlijk.' Ze haalde haar schouders op. 'Maar het is nu wel anders.' Met haar lippen stijf op elkaar keek ze hem aan. 'Heel anders.' Ze schudde haar hoofd. 'God, ik ben er zo aan gewend om niets over hem te zeggen waar Ilir bij is dat ik het al moeilijk vind om zijn naam uit te spreken!'

'O,' zei Zach ernstig. 'Kan hij daar niet tegen?'

'Ja, maar niet om de reden die je denkt.'

'Wat denk ik dan?'

'Ilir zegt altijd – zijn volk zegt – dat het niet goed is om over de doden te praten. Dat je dat niet moet doen. Dat is een absoluut taboe waar hij vandaan komt.'

'Zijn volk?' vroeg Zach. Hannah zweeg even, alsof ze niet wist of ze door moest gaan.

'Ilir is een Roma,' zei ze.

'Je bedoelt dat hij een zigeuner is?'

'Als je het zo wilt noemen,' zei ze neutraal. 'Ze hebben hier niet zo'n goede naam.'

'Waar komt hij vandaan? Ik heb geprobeerd zijn accent thuis te brengen,' zei Zach. Hannah kneep haar amberkleurige ogen tot spleetjes en leek opnieuw met tegenzin te antwoorden.

'Kosovo,' zei ze kort. 'Ilir was een vriendje van Toby in hun kindertijd. Of niet echt hun kindertijd, geloof ik. Als tieners. Ze hebben elkaar ontmoet in Mitrovica toen Toby's vader daar voor zaken was, voor het begin van de oorlog. Toen de jongens ongeveer dertien waren, denk ik. Twaalf of dertien. Hij kwam hierheen om me te helpen toen hij hoorde dat Toby was gestorven.'

'En is nooit meer weggegaan?'

'Zoals je ziet. Nog niet, in elk geval. Wel ironisch – hij is de enige persoon in mijn leven met wie ik herinneringen aan Toby zou kunnen ophalen, maar hij weigert dat.' Ze staarde even in de richting van de boerderij, en Zach kreeg het gevoel dat hij de band tussen hen kon zien, als strengen in de lucht waarin de stroming van het water onder hen zich weerspiegelde. Hij werd er niet vrolijker van.

'Zullen we gaan zwemmen? Het is te koud hier,' zei hij.

'Ik zei toch dat het water warmer is dan het lijkt,' zei Hannah terwijl ze opstond. 'Laten we een duik nemen.'

'Is het hier diep genoeg?'

'Wat kun jij tobben!' Ze keek lachend op hem neer. Zach ging naast haar staan; hij stak met zijn hoofd en schouders boven haar uit, zodat ze haar hoofd schuin moest houden. Ze bestudeerde hem even op die taxerende manier waaraan hij al begon te wennen. 'Ga straks met me mee naar huis, als je zin hebt,' zei ze terwijl ze hem bleef aankijken.

'Om wat te doen?' vroeg Zach. Hannah haalde haar schouders op en dook.

Dimity zag hen naast elkaar op de uitloper van de rots zitten alsof ze elkaar al jaren kenden. Ze stond uit het keukenraam te kijken met een kriebelig gevoel in haar buik. Het maakte dat ze beide handen tegen haar buik legde en die vasthield. Het maakte dat ze afwisselend van de ene voet op de andere ging staan en zich af en toe omdraaide om wat rond te ijsberen. Waar hadden ze het over? Ze zou het graag weten. Die jongen had de hele tijd zo veel vragen en als ze die beantwoordde, kwamen er alleen maar meer. Hij was onverzadigbaar. Een bodemloze put waar ze al haar verhalen in kon gooien zonder hem ooit te vullen. *Daar kwam eens een rover aan, rover aan, rover aan,* zong ze zachtjes terwijl ze naar hen bleef kijken. Ze was begonnen aan een amulet voor Hannah. Ze prikte spelden door kleine kurken heen en wurmde die dan langzaam en met veel moeite door de hals van een glazen fles. Iets om haar te beschermen, om op de haard te leggen of boven de deur te hangen. Voor het geval er echt een vloek op haar rustte, of op de boerderij – dat was haar eerste gedachte geweest. Nu dacht ze: ook om haar de mond te snoeren. Om te zorgen dat die nieuwsgierige knul de woorden niet uit haar zou trekken, zoals hij dat bij Dimity had gedaan. *Daar kwam eens een rover aan, schone dame.* Hannah wist dingen, kwalijke dingen. Geheimen die ze nooit mocht vertellen. Want uiteindelijk kon Dimity niet alles in haar eentje doen, soms moest ze om hulp vragen. Jonge handen en armen, vol kracht die haar leeftijd haar had ontstolen.

Toen ze hem met het meisje langs het strand zag lopen was ze aanvankelijk blij. Ze leken bij elkaar te passen, ondanks het verschil in lengte en de kleur van hun ziel. Die van Hannah was altijd rood geweest, maar die van de jongeman was eerder blauw, groen en grijs. Afwisselend, alsof het niet duidelijk was wat het moest zijn. Maar na de blijdschap kwam er onrust en daarna angst. *Hij pakte mij mijn trouwring af, trouwring af, trouwring af...* Even wenste ze bijna dat Valentina terug zou komen. Iemand die naar haar kon luisteren, al zou ze heus geen hulp krijgen. Valentina was nooit hulpvaardig geweest; ze kon nooit enige sympathie opbrengen. Haar hart bestond uit hout, steen en harde mineralen. Dimity dacht aan wat ze eerder tegen Zach had gezegd, toen de woorden en emoties plotseling ondraaglijk zwaar op haar hadden gedrukt. Aan wat ze had gezegd en gelukkig niet gezegd, hoewel de waarheid op het puntje van haar tong had gelegen. De waarheid kon in stukken verdeeld worden en in helften of nog kleinere porties worden aangeboden. Zeggen dat de lucht niet groen is, is niet hetzelfde als zeggen dat de lucht blauw is. Het is allebei waar, maar niet hetzelfde.

Dimity wreef over de ringvinger van haar linkerhand. Ze dacht dat ze onderaan een eeltknobbel voelde, een richeltje verharde huid tussen vinger en handpalm. *Ze pakte mij mijn trouwring af, schone dame.* Dimity neuriede het wijsje en prevelde de woorden zonder te merken dat *hij* in *zij* was veranderd. Ze zag Hannah opstaan en weer in zee duiken; zag dat de jongeman hetzelfde deed. Hij was echt een volger. Hij wist niet waar hij naartoe moest en kreeg daarom graag aanwijzingen. Als ze goed oplette kon ze hem krijgen waar ze hem wilde hebben terwijl hij zelf dacht dat hij daar wilde zijn. Maar ze moest voorzichtig zijn. *Pas op, Mitzy. Maak de dingen niet moeilijker dan ze zijn.* Valentina's woorden van lang geleden. Vol minachting en dreiging. Ze kon beter helemaal niet met hem praten, hoe graag ze de woorden ook in haar mond nam: Charles, en liefde, en toewijding. Maar er liepen ook andere woorden mee, die zich het zwijgen niet lieten opleggen. Celeste. Élodie. Delphine. *Hoer.* Beter dus om helemaal niet te praten, maar ze werd verdrietig bij het idee dat Zach nooit meer terug zou komen. Dat hij buiten zou staan aankloppen, met tekeningen van haar die als vreugdeliederen opklonken in haar hoofd als ze er weer naar keek. Vensters naar een tijd van liefde, een tijd waarin ze leefde; schone, kristalheldere vensters. *Maar pas op, pas op.* Toen de twee onder aan het klif uit haar blikveld zwommen, liep ze weg bij het raam, ging gedachteloos de trap op en bleef staan voor de deur aan haar rechterhand. De dichte deur. Ze legde haar hand op het hout zoals ze dat al zo vaak had gedaan.

Toen sloeg de hoop toe, en de vrees. Ze dacht dat ze binnen iets hoorde bewegen. Dat was al een paar keer gebeurd sinds Zach Gilchrist hier over de vloer kwam. Sinds de amulet uit de haard was gevallen zodat het huis een tijdje wijd open had gestaan. Met ingehouden adem legde ze haar oor tegen de deur, met haar hoofd er stijf tegenaan zodat ze het oude vel van haar wang platdrukte. Haar hand strekte zich uit naar de deurknop en sloot zich eromheen. Ze zou de deur open kunnen doen en naar binnen gaan. Ze dacht te weten wat ze zou zien, maar ze wist het niet zeker, niet écht zeker. En ze wist ook niet of ze het wel wilde zien. Er zaten knoesten in de houten deur, met een gezicht erin. Ze dacht dat het van Valentina was, maar het kon ook dat van Hannah zijn: grote ogen, open mond. Die zei: *Dimity, wat heb je gedaan? Wat heb je gedaan?* De dingen die Hannah wist, de dingen die ze die nacht had gezien. Hannahs hart was zo tekeergegaan dat Dimity het duidelijk had kunnen horen. Ze was geschokt geweest toen ze zo veel angst, zo veel afgrijzen bij het meisje had gezien; haar gezicht was ervan verwrongen en haar lichaam beefde. Dimity slikte, liet de deurknop los en liep weg.

In het woonhuis van de boerderij verdween Hannah in wat een washok zou kunnen zijn – kledingstukken en doeken lagen in hopen op de vloer en puilden uit allerlei manden; er stonden rijen lege zeepdozen. Ze kwam weer tevoorschijn met een felgekleurde, gestreepte badhanddoek, Zach pakte hem aan en wreef ermee over zijn haar. De rest van zijn lijf was tijdens de wandeling van het strand naar de vallei opgedroogd, maar zijn boxershort was koud en doorweekt en plakte aan zijn lijf. Hij probeerde hem onopvallend droog te friemelen onder zijn spijkerbroek, maar Hannah zag het en lachte.

'Een probleem daarbeneden?' zei ze.

'Beetje zand, beetje zeewier. Niets waar ik niet tegen kan.'

'Koffie?'

'Is dat veilig?'

'Volgens mij wel, ja.' Hannah keek hem uit de hoogte aan. 'Ziektekiemen gaan dood in kokend water.' Ze liep naar de keuken en ontweek de hopen afval in de hal behendig en automatisch. Die lagen daar duidelijk allang. De grijze collie, die hen vanaf het erf naar binnen was gevolgd, ging in zijn mand liggen en keek hen droefgeestig na.

'Maar even serieus. Het erf is zo netjes.' Zach keek de keuken rond en hief zijn handen omhoog in de chaos. 'Hoe kun je hier ooit iets vinden?'

'Het erf is belangrijk, daarom is het er netjes. En de dingen die ik echt nodig heb, blijken uiteindelijk vanzelf wel weer naar boven te komen.' Ze liet haar ogen door de keuken dwalen alsof ze die eigenlijk voor de eerste keer zag. Haar mondhoeken trilden even en trokken toen naar beneden. 'Mijn moeder was erg trots op haar huishouden. Ze zou het afschuwelijk vinden als ze dit zou zien. Vooral haar keuken. Het was het soort keuken waar een blad versgebakken scones op tafel stond af te koelen als je uit school kwam.' Zach zei niets. 'Maar Toby was slordig. Ik schrok me een hoedje toen ik voor het eerst op zijn studentenkamer kwam. Op zichzelf was hij schoon en netjes – bijna overdreven zelfs. Maar zijn kamer zag eruit alsof er een bom in ontploft was. Het rook er naar beschimmeld brood en oude sokken. Ik moest het raam opengooien en eruit gaan hangen om lucht te krijgen; in de greep van de passie of niet. Toen hij overleed leek het een soort passend eerbetoon. De rommel. Alsof het op zijn manier kon gaan nu hij me in de steek had gelaten.' Ze haalde verdrietig haar schouders op. 'Maar om eerlijk te zijn: als je een bepaald punt voorbij bent, is opruimen geen optie meer. Je ziet de rommel niet eens meer.'

'Ik kan je wel helpen, als je wilt? Ik bedoel, als je op een dag grote schoonmaak wilt houden.'

'Een dag?' Ze schudde haar hoofd. 'Het zou een hele maand kosten.'

'Tja,' zei Zach, en wist daarna niets meer te zeggen. Hannah pakte twee bekers en waste er demonstratief een af onder de hete kraan. Ze keek Zach ondeugend aan en hij probeerde niet te zien dat er geen afwasmiddel was, en dat de spons die ze gebruikte verkleurd en vies was. Maar Hannah stopte even, keek ernaar, gooide hem weg en maakte het met haar vingers af.

'Hou daarmee op,' zei ze.

'Waarmee?'

'Hou op met naar me te kijken en me ervan bewust te maken. Ik heb nu geen tijd om het op te lossen.'

'Sorry. Dat was niet mijn bedoeling.' Hannah zette de bekers bij de ketel, zette haar handen plat op het werkblad en bleef er met gestrekte armen even op steunen. Haar bikini had een natte afdruk achtergelaten op haar shirt en broek, en aan haar rattenstaartachtige haarpunten hingen waterdruppels, als kraaltjes. Toen de ketel zachtjes begon te kreunen draaide ze hem vlug en gedecideerd uit.

'Kom mee,' zei ze ineens, en ze stak een hand naar hem uit. 'Laten we dit natte spul uittrekken.'

Ze nam hem mee naar een grote slaapkamer boven met uitzicht op zee. Het middaglicht stroomde door twee grote schuiframen naar binnen en verwarmde de dode vliegen die overal op de vensterbank lagen. Als er ooit gordijnen waren geweest, waren ze inmiddels verdwenen. Het bed had een hoog koperen hoofdeinde; het dekbed lag in kreukels half op de vloer. Door de lichtblauwe verf op de muren liepen scheuren als bliksemschichten. Hannah deed de deur achter Zach dicht en draaide zich naar hem toe terwijl ze haar shirt en de natte rode bikinitop uittrok. Ze bleef hem uitdagend aankijken. De contouren van haar bikini waren vaag zichtbaar op haar zongebruinde huid, waardoor haar kleine borsten met de donkere tepels extra goed uitkwamen. Zach deed een stap naar voren, legde zijn handen om haar middel en liet ze langs haar ruggengraat omhooggaan tot op het punt waar haar schouderbladen uitstaken. Toen hij haar kuste, proefde hij zout. De zee lag op haar lippen, haar kin en wangen. Koude druppels vielen uit haar haar op zijn armen toen hij die om haar heen sloeg; hij voelde dat haar lichaam zich spande terwijl ze zich steviger tegen hem aan drukte. Een onweerstaanbaar verlangen benam hem de adem en hij hield haar zo stevig vast dat ze bijna geen lucht kon krijgen en haar mond zachter werd. Toen hij zijn ogen opendeed was haar blik niet taxerend meer, maar kalm en hunkerend. Het was een uitdrukking die Zach meteen begreep; die hij, eindelijk, en zonder twijfel herkende. Hij liet zijn greep geen moment verslappen. Hij ging rechtop staan en tilde haar op, zodat haar voeten van de vloer kwamen. Hij liep naar het bed, waar ze samen op neervielen. Het gevoel van haar armen om hem heen, de beweging van haar lichaam, en hoe het smaakte en rook was overweldigend; de wereld en alles wat daarin was bestond niet meer. Op dat moment was er alleen zij tweeën, in elkaar verstrengeld, en verder deed niets ertoe.

Toen Zach wakker werd lag hij als een zeester met armen en benen uitgespreid op Hannahs bed. De lakens roken vaag naar schapen. Al zijn ledematen voelden warm en zwaar aan, maar zijn hoofd was helder. Toen hij opkeek zag hij haar, nog steeds naakt, voor het raam op haar duim staan bijten. Hij maakte van de gelegenheid gebruik om haar eens goed te bestuderen, want hij wist dat dat alleen kon als ze het niet merkte. Haar grote tenen, zonder nagellak, krulden een beetje naar boven. Op haar rechterheup stond een klein zeehondje getatoeëerd, precies op de plek waar de vorm van het bot zichtbaar was. Haar billen hingen een beetje, waardoor er één enkele, goedgevormde plooi ontstond. Hij kon haar met sproeten bespikkelde ribben tellen. Haar inmiddels droge haar zag eruit als een ragebol. Grote ogen, ver weg starend over zee. Weer had hij dat vreemde gevoel dat hij haar kende, haar eerder had gezien. Er bleef iets vertrouwds in alles, zelfs in de manier waarop ze daar stond, in gedachten verzonken, en Zach vroeg zich af of dit een dieper soort herkenning was dan de fysieke, dan de aardse trekken op iemands gezicht. Iets instinctmatigs, iets wezenlijks. Hij voelde dat er iets in hem brak; een klein scheurtje en een gekneusd gevoel, nieuw en vertrouwd tegelijk. Hij begroette het met gemengde gevoelens – een begroeting met de moed der wanhoop.

'Hallo,' mompelde hij. Hannah stopte met bijten en keek hem aan.

'Weer in het land der levenden?' zei ze.

'Hoelang heb ik geslapen?'

'O, een halfuurtje maar. Maar ik zou het geen slapen noemen. Het leek meer op een coma.'

'Sorry. Je overviel me een beetje. Kom hier.' Even leek ze niet op de opdracht te reageren, maar toen liep ze naar het bed en ging er volkomen ontspannen in kleermakerszit op zitten. 'Ben je niet bang dat er mensen naar binnen kijken?' zei hij lachend.

'Er is daar niemand die naar binnen kan kijken. En de gordijnen zijn een keer in brand gevlogen.' Ze keek snuivend naar het raam. 'De wind had ze tegen een kaars aan geblazen. Dus heb ik ze eraf gehaald en ik ben er nooit toe gekomen ze te vervangen. Ik kan zo trouwens beter uit bed 's morgens. Omdat het licht is.' Zach probeerde zich geen beeld te vormen van Hannahs kamer bij kaarslicht; en voor wie dat romantische gebaar zou zijn geweest. Hij liet zijn hand over haar arm naar beneden glijden en trok haar aan haar pols naar zich toe. Ze bood eerst wat weerstand, fronsend, maar gaf toen toe en kwam naast hem liggen, keerde zich naar hem toe maar raakte hem niet aan.

'Hannah, hoe moet dat met Ilir?' vroeg hij aarzelend.

'Hoe bedoel je?'

'Denk je niet dat hij het erg vindt? Dat wij met elkaar naar bed gaan?'

'Nee, hoor. En dat gaat hem ook niets aan.'

'Bedoel je dat jij en hij geen... je weet wel. Stel vormen?'

'Als dat zo was, zou ik toch niet op klaarlichte dag met jou de koffer in duiken?'

'Ik zou het echt niet weten,' zei Zach, volkomen eerlijk.

'Nee, Ilir is niet mijn minnaar. Nooit geweest ook. Wat hem betreft ben ik familie. Hij is een vriend en een collega, op een bepaalde manier.' Ze keek hem open aan, en achter haar luchtige toon school iets serieuzers. 'Er is niemand anders.'

'Goddank,' zei Zach opgelucht. 'Ik zou niet graag met hem vechten. Hij ziet er stevig uit.'

'Ik denk niet dat dat nodig is.' Hannah giechelde.

'Het voelt goed. Dit. Bij jou zijn, bedoel ik. Ik heb het gevoel dat ik je al heel lang ken. Begrijp je wat ik bedoel?' vroeg hij.

'Ik weet het niet.' Hannah keek strak naar het plafond. 'Laten we de dingen niet overhaasten, Zach.'

'Nee, natuurlijk niet. Ik bedoelde alleen dat ik blij ben. Blij dat ik je heb leren kennen,' zei hij. Grinnikend draaide ze haar gezicht weer naar hem toe.

'Ik ben ook blij dat ik je ontmoet heb, Zach. Je hebt een lekker kontje.'

'Een van mijn vele attracties, kan ik je verzekeren,' zei hij. Hij vouwde zijn handen achter zijn hoofd en leunde zichtbaar voldaan achterover. Hannah gaf hem een stevige por in zijn ribben. 'Au! Waar heb ik dat aan verdiend?'

'Om dat ego door te prikken, voor het te groot wordt.' Ze glimlachte. Voor ze weer toe kon slaan pakte Zach haar handen, trok haar naar zich toe en kuste haar.

'Ik heb je pijn gedaan,' zei hij. Hij raakte met zijn vingertoppen haar sleutelbeen aan, waar een roze plekje opkwam.

'Dat overleef ik wel.'

Hij verstrengelde de vingers van zijn linkerhand met die van haar rechterhand en trok die naar zijn mond om haar knokkels te kussen. Toen hij met zijn duim over haar hand streek, voelde hij een harde ribbel bij haar duim.

'Wat is dit?' Hij hield haar hand een stukje van zich af, zodat hij het beter kon zien. Diagonaal over het kussentje van haar duim liep een dik, recht litteken. Het was zilverwit en lag op de huid. 'Hoe kom je hieraan? Zo te zien was het een diepe wond,' zei hij.

'Het was...' Met een lichte frons stopte Hannah. Ze trok haar hand terug en hield die in de andere, ter hoogte van haar gezicht. 'Dat is gebeurd in de nacht dat Toby overleed. Ik sloeg het portier van de auto dicht. Hard. Mijn duim lag bijna doormidden. Maar ik merkte het niet eens, tot de volgende dag. Toen wees iemand me erop. Hij was gevoelloos. Net zoals de rest van mij, geloof ik.'

'Jezus. Arme meid.'

'Ik?' Ze schudde haar hoofd. 'Ik ben niet degene die verdronk.'

'Sorry, Hannah. Het was niet mijn bedoeling om –'

'Nee, nee, al goed, Zach. Ik wil graag over hem praten. Dat klinkt vast raar, misschien wel té raar voor jou. Maar het is al tijden geleden dat ik dat heb gedaan. Ik neem aan dat jij niets over hem wilt horen. Over die nacht.' Ze keek hem strak en recht aan. Haar ogen waren donker en omfloerst, verscholen voor het licht.

'Vertel op,' zei hij. Hannah haalde langzaam adem.

Een nacht met gierende wind en aanhoudende regen. Een nacht waarin de hemel ijskristallen uitspuugde die in je ogen en lippen beten, waarin de lucht uit je longen werd geslagen voor je kon praten of ademhalen. Een nacht zo zwart dat een beetje licht je eerder verblindde dan de weg wees. Het was het soort weer dat elk lek in je dak en elke naad in je kleren wist te vinden; elke losse steen en zwakke plek, en elke spleet. Toby was vrijwilliger bij de reddingsboot, hoewel hij opgegroeid was in Kensal Rise. Voor hem was het een jongensdroom die uitkwam om de woeste golven te temmen en als een beschermengel de mensen te hulp te schieten die al bijna door de zee waren verzwolgen. Hij leefde zich volop uit, drie jaar lang na het afronden van de training. Hij vond het fantastisch – het helpen, de adrenaline, het gevoel nodig te zijn. En die nacht, zijn laatste nacht, lachte hij haar vanuit de deuropening van de slaapkamer breeduit toe toen hij vertrok, waarop Hannah zich aankleedde en hem achternaging. Ze liep gedachteloos naar de kust, waar het water woedend rond de rotsen kolkte; die grijns van hem was te opgewonden geweest, te opgetogen, en zij geloofde in een oplettend noodlot dat met venijnig plezier straf uitdeelde aan degenen die zich te lichtzinnig in gevaar begaven.

Ze kon niets zien vanaf het punt waar ze stond. De boot die in gevaar was, een luxe jacht op de terugtocht van St.-Ives, lag ruim zeven kilometer westwaarts verder uit de kust, ter hoogte van Lulworth. Ze nam de jeep, reed met roekeloze haast naar de baai daar en sloeg het portier dicht met haar hand ertussen zonder er iets van te voelen. Vanaf het pad hoog boven de baai van Lulworth kon ze ook niets zien, maar ze bleef wachten, met bonkende oren van het natuurgeweld om haar heen en de gesel van de regen op haar gezicht, bleef wachten tot ze helemaal gevoelloos was – ze kon niet zeggen of het van angst of kou was. Uiteindelijk kreeg ze het zo koud dat ze begon te vrezen voor een hartstilstand en ze reed terug naar de boerderij, waar ze in de keuken ging zitten wachten. Wachten op het nieuws waarvan ze wist dat het zou komen. Er kwam maar geen einde aan de nacht en er groeide een harde, zware knoop van angst in haar. Ze pakte de telefoon, maar de storm had de verbinding platgelegd. Haar mobiel had geen bereik. Maar ze was al aan het rouwen voor ze had gehoord wat er was gebeurd, want ze wist al dat ze hem kwijt was. Een losse kabel van het jacht was in het donker weggezwiept en was met onvoorstelbare kracht tegen zijn hoofd geslagen. Hij lag al in de donkere, deinende golven voordat iemand iets kon doen. En was weg. Opgeslokt door de tien meter hoge golfkammen en de zuigende dalen; water dat zich als graniet onverbiddelijk boven hem sloot.

'Het stel op het jacht werd gered, koud en verkleumd, maar verder ongedeerd. Maar Toby was weg. Zo vertelde Gareth, zijn beste vriend op de boot, het aan mij. Hij was gewoon weg.'

'Hebben ze hem ooit gevonden?'

'Ja.' Ze slikte. 'Een week later ongeveer, zo'n achttien kilometer uit de kust. Wat er nog van hem over was.'

'Hij moet moedig zijn geweest, om dat soort dingen te doen,' zei Zach. Hannah schoof met een zucht een stukje dichter naar hem op.

'Nee, dat was hij niet. Moed is het bedwingen van je eigen angst. Toby was helemaal niet bang. Ik weet eigenlijk niet of dat een held van hem maakt, of een grote sufferd. Misschien allebei.' Ze liet haar hoofd langzaam vooroverzakken, tot hun voorhoofden elkaar raakten. 'Het voelt goed om over hem te praten. Na zo'n lange tijd. Ik heb geen idee wanneer ik zijn naam voor het laatst hardop heb uitgesproken voor jij hier kwam.'

'Ik weet niet wat ik daarmee moet,' zei Zach. Hij meende het precies zoals hij het zei. Hannah haalde met een korte glimlach haar schouders op.

'Je hoeft er niets mee. Het was niet bedoeld om je een plezier te doen, of om je ergens mee op te zadelen. Ik wilde alleen maar weten hoe het zou voelen. Om het allemaal hardop uit te spreken.'

'Ik ben blij dat je het me verteld hebt.'

'Echt?'

'Echt. Als het helpt... als je je er beter door voelt.'

'Ik weet niet of beter het juiste woord is. Lichter misschien. Dank je wel.' Na een kleine stilte kuste Hannah hem, met haar lippen uitnodigend open. Zach nam haar in zijn armen en trok haar boven op zich, hield hun lichamen stijf tegen elkaar aan.

Toen Zach na zijn terugkeer van Southern Farm zijn hoofd boog om de deur van de pub binnen te gaan, met zijn gedachten nog bij Hannah en haar geur en haar smaak, botste hij tegen een oude man op die net naar buiten kwam.

'Neem me niet kwalijk, sorry,' zei hij. Hij stak zijn hand uit om de man, die stond te wankelen, overeind te houden. De man bromde iets, wat Zach opvatte als aanvaarding van zijn excuses. Hij wilde hem voorbijlopen, maar iets hield hem tegen: toen hun ogen elkaar ontmoetten gleed er een eigenaardige uitdrukking over het gezicht van de man. Zach bleef staan. De man was mager en zag er fragiel uit, met een ingevallen gezicht – zijn wangen, rond zijn ogen, mond en kin. Een gezicht vol schaduwen en geheime bergplaatsen. Zijn ogen waren vochtig en het puntje van zijn neus was paars dooraderd. Hij keek naar Zach met een blik van herkenning en achterdocht, die grensde aan vijandigheid. 'Wij kennen elkaar nog niet,' zei Zach vlug toen de man weg wilde gaan. Hij stak zijn hand uit. 'Ik ben Zach Gilchrist. Ik logeer een tijdje hier in de pub omdat ik onderzoek doe naar het leven van Charles Aubrey...' De oude man nam zijn hand niet aan en stelde zich ook niet voor. Zachs glimlach verdween. 'Ik zou graag met iemand willen praten die rond die tijd in het dorp woonde. Eind jaren dertig, om precies te zijn.'

'Ik weet wie u bent. En wat u wilt. Ik heb u gezien,' zei de man na een tijdje. Hij sprak met dezelfde brouwende Dorset-r als Dimity. 'Dacht dat u wel weer weg zou zijn,' voegde hij eraan toe op een licht beschuldigend toontje. Er was iets bekends aan hem en ineens wist Zach het weer – de oude man die met zijn vrouw had zitten lunchen op zijn eerste dag in Blacknowle. Die opgestaan en vertrokken was toen hij naar Aubrey begon te vragen.

'Woont u hier allang, meneer?' vroeg hij. De oude man knipperde met zijn ogen en knikte.

'Mijn hele leven. Ik ben hier geboren, het is mijn goed recht om hier te zijn.'

'En het mijne niet?'

'Wat heeft het voor zin?'

'Zin? Nou, het boek dat ik ga schrijven zou Blacknowle echt op de kaart zetten. Ik wil aantonen hoe cruciaal Aubrey's verblijf hier is geweest voor zijn leven en werk.'

'En wat heeft dat voor zin?' hield de man aan.

'Tja, het kan in elk geval geen kwaad, zou ik denken.'

'Dat denkt u omdat u nergens iets van af weet, dat is het. U weet niets.' De oude man haalde zijn neus op en trok een verschoten groene zakdoek uit zijn zak om zijn neus te snuiten.

'Nou, ik begin er iets van te begrijpen... Ik bedoel, ik doe mijn best. Neem alstublieft van mij aan dat ik hier met de beste bedoelingen ben. Als kenner van de kunstenaar. Ik wil niemand hier dwarszitten.' Hij zweeg en dacht even na. 'U heet toch niet toevallig Dennis?' De oude man aarzelde, alsof hij niet wist of hij zou antwoorden, maar schudde toen zijn hoofd.

'Nooit een Dennis gekend. Niet hier,' zei hij, ondanks zichzelf met een vleugje nieuwsgierigheid in zijn stem. 'Wat heeft die Dennis ermee te maken?'

'Nou, ik zou graag mijn onderzoek met u willen bespreken, als u met me wilt praten over uw tijd hier in de jaren dertig,' zei Zach. Aarzelend zoog de oude man zijn onderlip naar binnen. 'Ik heb al een paar zinvolle gesprekken gehad met Dimity Hatcher,' zei Zach, in de hoop de oude man over te halen, maar haar naam bracht het tegenovergestelde effect teweeg. Zijn gezicht verhardde zich resoluut.

'Ik ga u niets vertellen over Dimity Hatcher!' zei hij kortaf. Hij klonk ineens gekwetst, bijna bang. Zach stond met zijn ogen te knipperen.

'Goed, prima. Uiteindelijk ben ik vooral geïnteresseerd in Aubrey.' Maar nog voor hij was uitgesproken, besefte hij dat dat niet meer zo was. Zijn nieuwsgierigheid naar Dimity's leven was gegroeid vanaf hun eerste ontmoeting en werd elke keer dat ze elkaar spraken groter; elke keer waren er dingen waar ze niet over wilde praten of onduidelijk over was. Of waar ze over loog. 'Mag ik ten minste weten hoe u heet?' vroeg hij. Weer aarzelde de oude man voor hij antwoordde.

'Wilfred Coulson,' zei hij.

'Nou, meneer Coulson, u weet waar ik ben als u van gedachten verandert. Ik zou heel blij zijn met alle hulp die u kunt geven, al lijkt het voor u niet van belang. Anekdotes, wat dan ook. Dimity heeft me al verteld over haar liefdesrelatie met Charles Aubrey,' zei Zach in een opwelling. Hij hoopte op een reactie en kreeg er een.

'Liefdesrelatie? Nee.' Er kwam leven in Wilf Coulsons ogen. 'Dat was geen liefde.'

'O? Maar Dimity leek daar heel anders over te denken.'

'Wat zij denkt en hoe het echt is komt niet altijd overeen,' mompelde de oude man.

'Wat denkt u dan dat er tussen hen was, als u denkt dat het geen liefde was?' vroeg Zach, maar Wilf Coulson keek fronsend langs Zach heen de donkere pub in met ineens een droevige uitdrukking op zijn gezicht. 'Dat was geen liefde,' herhaalde hij, waarna hij zich omdraaide en onvast wegliep, Zach achterlatend met de nodige vragen over die stellige uitspraak.

Het was nog vroeg in de avond, maar omdat zijn maag knorde bestelde Zach zijn diner en ging zitten op wat zo'n beetje zijn vaste plaats aan het worden was: een gestoffeerde bank aan een raam dat naar het westen uitzicht op het dorpscentrum bood. Terwijl hij zat te wachten tot zijn computer was opgestart kwam er een groepje van vier mannen hardop lachend binnen slenteren. Zach besteedde geen aandacht aan hen, totdat Pete Murray met zijn knokkels op de bar zijn armen resoluut schrap zette.

'Gareth, je weet dat ik je niet schenk, dus waarom kom je binnen?' zei hij.

'Wat? Ga je me vertellen dat ik er nog steeds niet in mag? Het was verdomme maanden geleden!' zei een magere man met een uitgemergeld, leeftijdloos gezicht en glinsterende ogen. Hij zou twintig kunnen zijn, maar ook veertig; zijn blik drukte een diep wantrouwen uit, en afkeer. Achter hem liep een lange man met een omvangrijk lijf en een baard, gekleed in een verschoten lila sporttrui die een eigenaardig vertederend effect op dat enorme lijf had. Zach zat zo dichtbij dat hij kon zien hoe vuil het was. Het viertal rook vaag naar ongewassen kleding en vis.

'Lokaalverbod is lokaalverbod, tot ik zeg dat je er weer in mag.'

'Nou dan, ga je het nog zeggen of niet?' De magere man boog zich dreigend naar de bar toe. Achter hem doemde de enorme man in het lila op, met zijn wenkbrauwen zo laag dat ze bijna in zijn ogen hingen.

'Jij hebt een lokaalverbod,' zei Pete Murray. Zach had bewondering voor de rustige manier waarop hij het zei. 'Ga ergens anders heen.'

De gesprekken aan de bar vielen stil toen de vier mannen nog even bleven hangen. Toen duwde de magere man zijn handen in zijn zak en liep met trillende kaakspieren weg.

'Heb ik soms wat van je aan?' snauwde hij een paar dames van middelbare leeftijd toe toen hij langs hun tafeltje kwam. Geschrokken keken ze elkaar aan boven hun witte wijn-met-water.

'Sorry, dames. Nog eentje van het huis?' vroeg de kastelein toen de vier mannen vertrokken waren.

'Wie waren die kerels?' vroeg Zach toen Pete even later zijn eten bracht. De waard zuchtte.

'Ze doen eigenlijk geen vlieg kwaad. Of dat denk ik tenminste. De dikke en de dunne zijn James en Gareth Horne. Broers, allebei visser. De andere twee ken ik niet – vrienden van hen, neem ik aan. Maar de broertjes Horne – tja, elk dorp heeft zo zijn herrieschoppers, hè? Toen ze jong waren ging het om graffiti, lijm snuiven, dronken worden en de telefooncel vernielen. Toen ze gingen varen werden ze wat rustiger, maar toen kwamen er geruchten over ergere drugs en afgelopen voorjaar heb ik Gareth hierachter betrapt op het dealen aan jongeren. Ze waren hem gesmeerd en hadden zich van het spul ontdaan voor de politie erbij was, maar wat mij betreft komen ze er hun leven lang niet meer in.'

'Ze klinken als gezellige jongens.'

'Ik zou je adviseren met een grote boog om ze heen te lopen,' zei Pete.

Toen het Zach eindelijk gelukt was om op zijn e-mail in te loggen, trof hij een bericht aan van Paul Gibbons van het veilinghuis in Londen en hij opende het nieuwsgierig. Na een korte inleiding schreef Paul dat de koper van een van de vorige tekeningen van Dennis, een zekere mevrouw Annie Langton, toevallig een oude vriendin van de familie was en dat ze bereid was hem te ontmoeten om hem de tekening te laten zien; hij vermeldde haar contactgegevens. Zach keek op zijn horloge. Het was nog maar zeven uur in de avond, niet te laat om iemand te bellen. Zoals gebruikelijk had zijn mobiele telefoon geen bereik, dus wierp hij wat muntjes in de betaaltelefoon van de pub en belde Annie Langton direct op. Ze klonk bejaard, maar helder en zeer beschaafd, en ze spraken af dat hij de eerstvolgende donderdag bij haar op bezoek zou komen. Ze woonde in Surrey. Zach zocht online een routebeschrijving op met behulp van de postcode die ze hem had gegeven. Het zou hem dik tweeënhalf uur kosten om erheen te rijden, dus hij hoopte maar dat het de moeite waard was. Hij wist dat er iets te vinden moest zijn. Hij voelde het aan zijn water: een ondefinieerbaar maar onmiskenbaar gevoel dat er iets fout zat, zoiets als een vertrouwde kamer binnenstappen en zien dat het meubilair was verplaatst. Wat het ook was, hij hoopte vurig dat hij het zou vinden in Annie Langtons tekening van Dennis.

6

Dimity keek haar ogen uit. Er stond een auto voor Littlecombe geparkeerd: smetteloos donkerblauw met vloeiend gebogen zwarte spatborden boven de voorwielen en een glanzende metalen grille aan de voorkant. Een wereld van verschil met de gedeukte vuile rammelkasten die normaal door Blacknowle heen ratelden, of de brede, lompe bussen die over de hooggelegen weg naar het oosten en het westen reden terwijl ze zwarte rookwolken achter zich uitbraakten. Deze auto zag eruit alsof hij in een sprookje thuishoorde, of in een van de films die Wilf weleens zag als hij bij zijn oom in Wareham op bezoek ging; hij kwam dan terug met verhalen over geweldig rijke mannen en elegante vrouwen in zijden peignoirs die leefden in een wereld zo schoon en prachtig, dat niemand er ooit vloekte of ziek werd. Dimity tuurde door het raampje. De stoelen waren van donkerbruin leer, met rechte rijen stiksels. Ze zou er graag met haar handen overheen strijken of haar neus er dichtbij brengen om de geur op te snuiven. Er zaten een paar takjes fluitenkruid aan de linkerkant van de bumper. Dimity bukte zich om ze weg te halen en veegde de vlekken van het groene sap weg met haar vingertoppen. In het gekromde, glanzende metaal keek haar spiegelbeeld haar aan, verwrongen, misvormd. Een flits van hazelnootbruine ogen en bronskleurig haar vol klitten; een vuil gezicht en een korstje op haar lip van een van Valentina's vingernagels, die haar had geraakt toen ze een klap had ontweken.

'Een echte schoonheid, hè?' zei een stem van dichtbij. Dimity herkende hem meteen en hield haar adem in. Charles. Ze draaide zich snel om en liep bij de auto vandaan.

'Ik deed niks! Ik keek alleen!' zei ze buiten adem. Charles stak lachend zijn handen uit.

'Het is oké, Mitzy! Je mag kijken. Als je het leuk vindt neem ik je een keer mee uit rijden.' Hij kwam een stap dichterbij en gaf haar een vluchtige kus op haar wang. 'Je ziet er goed uit. Fijn om je weer te zien.' Hij zei het rustig, alsof hij niet wist dat hun weerzien het enige was waar ze tien lange maanden van had gedroomd. Charles keek langs haar heen naar de auto, met verrukking en schuldgevoel op zijn gezicht. Dimity kon geen woord uitbrengen. Zijn kus brandde nog na op haar huid en ze bracht haar hand ernaartoe om te controleren of ze de wond kon voelen. 'Ik zou een auto niet zo moeten begeren. Het is maar een machine. Maar aan de andere kant: kan een machine, kan iets wat door mensen is gemaakt, niet ook een object van schoonheid zijn?' Hij sprak min of meer in zichzelf, terwijl hij met een verrukt gezicht zijn vingers over het dak van de auto liet gaan.

'Het is de mooiste auto die ik ooit heb gezien,' zei Dimity buiten adem. Glimlachend nam Charles haar op.

'Dus je vindt hem mooi? Hij is gloednieuw. Een vriend van mij heeft met de zijne negentig kilometer per uur gehaald! Negentig! Het is een Austin Ten – het nieuwe model Cambridge. Eenentwintig pk effectief vermogen, vier cilinders, zijklepmotor...' Toen hij het totale onbegrip op haar gezicht zag, viel hij stil. 'Laat ook maar. Ik ben blij dat je hem mooi vindt. Ik wist niet of ik wel een auto nodig had. Het was eigenlijk Celestes idee, maar nu ik er een heb weet ik niet meer hoe ik het zonder heb gered. Het lijkt zo ouderwets en beperkend om afhankelijk te zijn van treinen en taxi's. Met een auto heb je de hele wereld in je zak. Je kunt overal heen, op elk moment.' Hij stond even zwijgend naar haar te kijken, maar Dimity wist er niets meer over te zeggen. Ze zag dat hij dat wel verwachtte en voelde een brok in haar keel van radeloosheid. Het puntje van haar neus begon ervan te gloeien. 'Nou, ik beloof je dat ik binnenkort een stukje met je ga rijden. Ga maar naar binnen – Delphine kan niet wachten tot ze je ziet.'

Ze deed wat hij zei, met hoeveel tegenzin haar voeten zich ook verwijderden van Charles en zijn hemelse blauwe auto. Binnen klonken harde stemmen. Dimity klopte aan, maar wist dat ze het niet gehoord hadden. Ze sloop voorzichtig de keuken in, net op tijd om te zien dat Élodie, een stuk langer dan voorheen, met gebalde vuisten en gestrekte armen stond te stampvoeten op de keukenvloer. Haar zwarte haar, dat op schouderhoogte in een boblijn was geknipt, zwierde om haar gezicht terwijl ze schreeuwde.

'Ik ben acht en ik draag wat ik wil!' zei ze met een schrille, harde stem. Celeste draaide zich met haar handen in de zij van het aanrecht vandaan.

'Je bent acht en je doet wat je gezegd wordt. *Laisse moi tranquille!* Dat is je beste jurk en dat zijn je beste schoenen. We zijn in Dorset, aan zee. Doe ze uit en zoek iets wat geschikter is.' Celestes blauwe ogen waren nog verbluffender dan Dimity zich herinnerde. Als ze boos was, leken ze wel te gloeien.

'Ik haat ál mijn kleren! Ze zijn zo lelijk!'

'*C'est ton problème.* Ga je omkleden.'

'Dat doe ik niet!' schreeuwde Élodie. Celeste keek haar zo strak aan dat Dimity's bloed gestold zou zijn als die blik op haar gericht was geweest, ook al was ze gewend aan Valentina's onverhoedse aanvallen. Langzaam ontspanden Élodies handen zich, haar mond viel een beetje open en er verscheen een vurige blos op haar gezicht. Toen ze de keuken uit rende botste ze tegen Dimity aan. 'O, geweldig! Jíj bent er ook weer. Fantastisch gewoon!' zei ze terwijl ze zich langs haar heen wrong.

'*Merde.* Dat kind maakt ook overal problemen van!' zuchtte Celeste. Ze ging met haar hand door haar dikke haar. 'Ze lijkt te veel op mij. Koppig als een ezel en net zo slechtgehumeurd.

Mitzy! Kom eens hier.' Ze hield haar armen wijd open en Dimity stapte in een verrassend spontane omhelzing. Delphine stond grinnikend op van de tafel. 'Hoe gaat het met je? Je bent gegroeid! En nog mooier dan je al was,' zei Celeste, die haar op een armlengte van zich af hield. Hoe kon dat? Dimity dacht aan de lange, ijzig koude winter; de blaren op haar tenen, de kloven in haar wangen van de wind en hoelang zij en Valentina het zonder een fatsoenlijke stevige maaltijd hadden moeten stellen. Delphine stond opgewonden naast haar moeder en zo gauw Celeste Dimity losliet, omhelsde zij haar ook. Dimity voelde een golf van geluk en ook een soort opluchting; het was zo'n overweldigend gevoel dat ze even bang was dat ze zou gaan huilen. Hun hartelijkheid leek een taal die ze nauwelijks kende, als incidenteel opduikende, duidelijk verstaanbare woorden in een stroom verwarde geluiden.

Ze wreef snel met haar vingertoppen over haar ogen en Delphine, die zag hoe geëmotioneerd ze was, lachte vrolijk.

'Het is zo fijn om je weer te zien! We hebben zo veel bij te praten,' zei ze.

'Heb je al gegeten, Mitzy?' vroeg Celeste.

'Ja, dank u.'

'Maar ik durf te wedden dat je nog wel wat lust,' zei Delphine. Ze pakte Dimity's arm en haakte die door de hare. Dimity stond met haar voeten te schuifelen en wilde eigenlijk geen antwoord geven, hoewel het zoals altijd heerlijk rook in de keuken. Celeste lachte.

'Niet zo beleefd zijn, Mitzy. Zeg maar gewoon of je iets lust,' zei ze.

'Ja, graag, alstublieft.' Celeste sneed twee dikke plakken gele cake af en wikkelde die in een servet.

'Ik neem ook wat – nu ik eindelijk niet meer misselijk ben van de reis. Papa rijdt zo hard in die nieuwe auto dat we als flipperballen heen en weer schieten op de achterbank! We zijn zelfs een heg in gereden – er kwam ons een tractor tegemoet om de bocht. Je had Élodie moeten horen schreeuwen!'

'Ik zag al fluitenkruid onder het metaal aan de voorkant zitten,' zei Dimity. Celeste lachte.

'Dus Charles heeft je aan zijn nieuwe kindje voorgesteld voordat hij je naar binnen liet gaan om ons te begroeten? Daar sta ik niet van te kijken. Ik ben bang dat hij meer van dat ding houdt dan van ons,' zei ze.

'Dat is niet zo, niet echt. Niet meer dan van ons,' zei Delphine met een por tegen Dimity's schouder toen ze dit serieus nam.

'Nee. Net een kind met een nieuw speeltje. Over een tijdje is het nieuwe er wel af,' zei Celeste.

'Kom mee – laten we naar het strand gaan! Ik snak ernaar om pootje te baden. Ik heb er op school de hele tijd aan zitten denken. We moeten van die vreselijke kriebelsokken dragen, ook als het mooi weer is.' Delphine trok Dimity mee naar de deur.

'Vraag Élodie of ze met jullie mee wil,' riep Celeste hen na.

'O, oké,' zuchtte Delphine. Ze leunde tegen de trapleuning om naar boven te roepen. *Hallo-hoo!*

Toen ze buiten waren en de tuin door liepen draaide Dimity zich om om naar Charles te kijken. De auto stond te glimmen op de oprijlaan, maar de eigenaar was nergens te zien. Met tegenzin keek ze weer voor zich.

Ze besteedden die middag en de volgende aan bijpraten over alles wat ze hadden gezien en gedaan in de afgelopen tien maanden, nadat Delphine en haar familie uit Dorset vertrokken waren. Ze doolden rond door de weilanden en bosjes om kruiden te plukken en jonge vogels te zoeken. Ze hielden Élodie tevreden met lange madeliefjeskettingen om haar hals en gevlochten slingers van klaprozen in haar haar. Ze zaten op het strand, aan de vloedlijn waar een rand van zeeschuim en verdroogde, gewichtloze visseneitjes het zand van de kiezels scheidde. Ze keken naar de radslagen van Élodie en gaven die een cijfer tussen de een en de tien, tot ze rood en buiten adem was en zo moe en draaierig dat ze een rustiger spelletje ging doen, zoals in het zand tekenen, zeeglas verzamelen of blaaswier laten klappen. Delphine wilde vooral veel horen over Wilf Coulson, ook al bleef Dimity opzettelijk vaag over hem.

'Is hij je vriendje?' vroeg ze gedempt. Ze keek naar haar zusje, die als een silhouet tegen de glinsterende zee een stok in steeds groter wordende cirkels door het zand trok.

'O nee! Echt niet!' zei Dimity.

'Maar je hebt je door hem laten kussen, zei je?'

'Ja, maar niet zo vaak, af en toe. Als hij aardig voor me is geweest. Hij is eigenlijk gewoon een vriend, maar je weet hoe jongens zijn.'

'Denk je dat je met hem gaat trouwen?'

Dimity lachte ontspannen en probeerde een tijdje te doen alsof ze veel aanzoeken kreeg, veel alternatieven had. Tijd genoeg. 'Ik denk het niet. Hij is nogal mager en zijn moeder kan mijn bloed wel drinken. Ik denk dat hij niet eens tegen zijn pa durft te vertellen dat hij met me omgaat. Maar misschien zeg ik het zelf wel tegen hem – hij komt vaak genoeg bij mijn moeder.' Zo gauw ze het zei had Dimity er spijt van.

'Wat komt hij dan doen?'

'O, je weet wel. Geneesmiddelen kopen en zo. Zijn toekomst laten voorspellen,' verzon ze gauw. Ze bloosde ervan.

'Ik weet al met wie ik ga trouwen,' zei Delphine terwijl ze op haar rug ging liggen met haar handen achter haar hoofd. 'Met Tyrone Power.'

'Is dat een jongen van school?' vroeg Dimity, maar Delphine lachte.

'Doe niet zo raar! Er zitten geen jongens bij mij op school. Tyrone Power! Heb je *Lloyd's of London* niet gezien? O, hij is goddelijk! De meest fantastische man die ooit heeft bestaan.'

'O, hij is dus een filmster? Hoe ga je hem ooit ontmoeten?'

'Ik weet het niet. Kan me niet bommen. Maar het zal me lukken, ik trouw met hem of ik sterf alleen,' verklaarde Delphine met grote stelligheid. Ze zwegen even om hierover na te denken, terwijl ze luisterden naar de krassende geluiden van Élodies gedraai en het onophoudelijk murmelen van het rusteloze water. 'Mitzy? Hoe is dat? Een jongen kussen?' vroeg Delphine ten slotte. Dimity dacht er even over na.

'Ik weet het eigenlijk niet. Eerst vond ik het vies, alsof een hond zijn natte snuit in je gezicht duwt. Maar na een tijdje is het wel oké, geloof ik. Ik bedoel, wel prettig.'

'Hoe prettig? Net zo prettig als wanneer iemand je haar voor je borstelt?'

'Dat weet ik niet,' zei Dimity. 'Behalve ikzelf heeft niemand ooit mijn haar geborsteld.'

'Ik kan vlechten maken met vijf strengen, weet je dat, niet alleen maar met drie,' zei Élodie terwijl ze op de oudere meisjes af kwam lopen.

'Dat is waar, dat kan ze. Élodie is erg handig met haar,' zei Delphine.

'Ik zal het straks bij jou doen,' zei Élodie. Blijkbaar net zo verbaasd als Dimity over dit onverwacht gulle gebaar was ze even stil. 'Als je wilt.' Ze haalde haar schouders op.

'Dat zou ik leuk vinden. Graag,' zei Dimity. Élodie keek lachend naar haar op. Even waren haar witte tandjes zichtbaar, even mooi en zeldzaam als bosanemonen.

Later die week nam Charles Dimity mee in de auto, zoals hij had beloofd. De Austin Ten scheurde met zo'n vaart de oprijlaan van Littlecombe af dat Dimity zich met haar ene hand aan de kruk van het portier vastgreep en met de andere aan de rand van haar stoel. In de auto hing zo'n doordringende geur van olie en warm leer dat ze het bijna kon proeven. De stoel was zo warm dat ze het door haar rok heen kon voelen en er zweet begon te prikkelen op de achterkant van haar benen.

'Heb je echt nog nooit in een auto gezeten?' vroeg Charles terwijl hij zijn raam naar beneden draaide en gebaarde dat zij hetzelfde moest doen.

'Alleen een of twee keer in de bus, en soms op de aanhanger van een tractor om aardappels te rapen of de oogst binnen te halen,' zei ze, ineens ongerust. Charles lachte.

'De aanhanger van een tractor? Dat telt volgens mij niet mee. Nou, hou je vast. We gaan naar Wareham Road, dan kan ik er alles uithalen.'

Dimity kon hem bijna niet verstaan boven het geraas van de lucht door de open ramen en daarbij nog het geronk van de motor. Terwijl ze over de wegen tussen de huizen van Blacknowle zwenkten zag ze Wilf en een paar andere dorpsjongens bij de winkel rondhangen. Toen ze voorbijreden stak ze hooghartig haar kin in de lucht en zag met voldoening dat ze opgewonden naar de in de zon glanzende blauwe lak keken, en naar de wind die in haar haar speelde. Wilf stak onopvallend zijn hand op, maar hoewel Dimity zijn blik even ving, keek ze opzettelijk de andere kant op.

'Vrienden van je?' vroeg Charles.

'Niet echt, nee,' zei Dimity. Charles trakteerde hen op een paar luide claxonstoten en keek haar vervolgens vrolijk aan. Dimity lachte – ze kon het niet tegenhouden, het borrelde in haar op alsof het overkookte en, gemengd met haar nervositeit, onbedaarlijk tot uitbarsting kwam.

Op de top van de heuvel sloeg Charles links af, in de richting van Dorchester. Hij schakelde en ze stoven weg, steeds sneller tot Dimity dacht dat het niet harder kon. Aan weerszijden van de weg zag ze een diepgroen waas en het landschap leek als vloeistof voorbij te stromen. Alleen de lucht en de verre lichtblauwe zee waren onveranderd, en Dimity bleef ernaar kijken terwijl ze zwenkten om een trage bus en andere, langzamere auto's in te halen. De lucht die door het raam binnenkwam was warm, maar vergeleken met de hitte van die dag toch verkoelend. Ze bracht haar handen naar haar haar, draaide het in een knotje en hield dat vast, zodat haar nek kon opdrogen. Uit een ooghoek zag ze Charles intens naar haar kijken, zijn aandacht beurtelings bij haar en bij de weg.

'Niet bewegen, Mitzy,' zei hij, maar de woorden gingen zo goed als verloren in het geraas.

'Sorry?' schreeuwde ze terug.

'Laat maar. We kunnen hier toch nergens stoppen. Wil je dat later nog eens voor me doen, je haar op die manier omhoogdraaien? Precies zo? Weet je nog hoe je dat deed?' vroeg hij.

'Natuurlijk.'

'Goed zo.' Valentina dook op voor Dimity's geestesoog. Ze beet op haar lip en bedacht hoe ze moest formuleren wat ze te zeggen had. Het nieuws van de terugkeer van de Aubreys was op de groezelige stroom bezoekers meegedreven naar The Watch, zoals drijfhout en oude rommel worden voortgedreven door de stromingen in het Kanaal. Dimity kon het niet geheimhouden.

'Mijn moeder zal zeggen –' begon ze, maar Charles kapte haar met een handbeweging af.

'Maak je geen zorgen. Er is geld om Valentina Hatcher te vriend te houden,' zei hij en Dimity ontspande, opgelucht dat ze het niet had hoeven vragen.

Toen ze in Dorchester aankwamen reden ze een kort rondje door de stad voordat ze dezelfde weg in oostelijke richting terug namen, net zo snel als op de heenweg. Dimity hield haar hand in de luchtstroom, speelde ermee, liet de wind haar hand achteroverbuigen en hield hem dan weer recht, en daarna liet ze haar vingers tot een vuist buigen.

'Nu begrijp ik het,' zei ze, bijna in zichzelf.

'Wat begrijp je?' vroeg Charles. Hij boog zich naar haar over om haar beter te kunnen verstaan.

'Hoe een vogel vliegt. En waarom ze dat zo graag doen,' zei ze, en ze bleef kijken hoe haar hand de luchtstroom doorkliefde. Ze voelde dat de kunstenaar naar haar keek. Ze liet hem begaan zonder zijn blik uit te dagen door terug te kijken. Ze hield haar ogen strak op haar vliegende hand, op haar vingers die gloeiden in het zonlicht. Ze ademde de branderige geur van de auto in en voelde het geraas van de wereld aan zich voorbijtrekken. In haar beleving was het een totaal nieuwe wereld, groter en wonderlijker dan ze ooit had gekend. Een wereld waarin ze kon vliegen.

Charles liep rond met een idee voor een schilderij over de essentie van de Engelse folklore. Hij vertelde er op een dag over tijdens de lunch, terwijl Dimity haar mond volstopte met stukjes kaas en augurk op stevige sneden brood, dat door Delphine zelf gebakken was. Je moest er flink op kauwen, maar ze had op aanraden van

Dimity rozemarijn in het deeg gedaan, zodat het net zo lekker smaakte als het rook.

'Ik heb een zigeunerbruiloft in Frankrijk geschilderd. Dat was een van mijn beste stukken,' zei de kunstenaar zonder trots of bescheidenheid. 'Op een of andere manier kon je het aardse ervaren, de verbondenheid tussen die mensen en de grond waarop ze woonden. Hun blik – ik bedoel hun innerlijke blik – was gericht op het hier en nu. Ze voelden dat ze diepgeworteld waren, generaties lang, ook al hadden sommigen geen idee wie hun vader of hun grootvader was. Nooit te ver vooruitkijken, nooit te ver weg. Dat is de sleutel tot het geluk. Je realiseren waar je bent, wat je hebt en daar dankbaar voor zijn.'

Hij zweeg en nam nog een hap brood. Celeste haalde diep adem en glimlachte even naar hem toen hij opkeek. Dimity kreeg de indruk dat ze het betoog al eerder had gehoord. Ze zag dat zijn dochters allebei glazig en afwezig zaten te kijken. Ze hadden het ook al eerder gehoord, of ze hadden geen zin om te luisteren. Ze besefte dat de toespraak speciaal voor haar was bedoeld. 'Neem nou Dimity,' zei hij. Ze schrok toen ze haar naam hoorde. 'Ze is hier geboren en getogen. Dit is haar land en haar volk, en ik weet zeker dat ze nooit weg zou willen. Dat ze nooit zou denken dat het gras ergens anders groener is. Toch, Mitzy?' Zijn ogen waren strak en dwingend op haar gericht. Dimity begon al te knikken, maar begreep toen dat hij een ontkenning verwachtte en dus schudde ze haar hoofd. Charles tikte met zijn vinger op het tafelblad om zijn goedkeuring te tonen, waarop Dimity glimlachte. Maar Celeste nam haar onderzoekend op.

'Het is niet moeilijk om de dingen te zien zoals ze zich voordoen en van daaruit veronderstellingen en meningen te vormen. Wie zegt dat ze kloppen? Wie zegt dat het geluk van de zigeuners niet in je eigen hoofd zat en daarna in je hand, toen je ze schilderde?' zei ze tegen Charles, met haar kin uitdagend in de lucht.

'Het was echt. Ik heb alleen geschilderd wat er was, voor mijn eigen ogen –' Charles wilde niet toegeven, maar Celeste onderbrak hem.

'Wat je voor je zág. Wat je dácht dat je zag. Maar je kunt altijd vragen zetten bij...' ze gebaarde ongeduldig met haar hand terwijl ze het juiste woord zocht, '...perceptie.' Charles en Celeste keken elkaar strak aan, en Mitzy zag iets tussen hen gebeuren wat ze niet kon ontcijferen. Er trilde een spiertje in Charles' kaak en op Celestes gezicht lag een gespannen, nijdige uitdrukking.

'Begin nou niet weer,' zei hij, ijzig kalm. 'Ik heb al gezegd dat het niets betekende. Je beeldt je dingen in.' Er ontstond een gespannen stilte aan tafel en toen Celeste weer iets zei, klonk haar stem bitser dan haar woorden.

'Ik leverde alleen maar een bijdrage aan het gesprek, *mon cher.* Waarom vráág je Dimity niet hoe dat voor haar is, in plaats van het haar te vertellen? Nou, Mitzy? Wil je hier altijd blijven wonen? Of denk je dat het beter zou zijn om het ergens anders te proberen? Heb jij stevige wortels, en houden die je vast op deze plek?'

Dimity dacht weer aan de lange winter – flarden zeemist die als laaghangende wolken kwamen aanrollen zodat de hele wereld zich samentrok tot het naargeestige stukje grond voor haar voeten; een dun ijslaagje op de mestput bij Barton op de boerderij, dat brak toen ze er per ongeluk op ging staan zodat haar laarzen onder het smerige, zwarte water kwamen te zitten; vissers die de zee niet op konden en noodgedwongen riet voor de daken sneden, werkend in een rij, met heen en weer zwaaiende armen, het zwiepen en knerpen van hun zeis luid in de diepe stilte. Dagen waarop de wereld tot stilstand leek te zijn gekomen, dood, waarop Dimity van en naar The Watch liep met haar jas van zeildoek strak om zich heen getrokken, de pijpen van haar werkbroek van onderen doorweekt en met een oude vilthoed waar het water van de rand vanaf droop; boven haar hoofd het fluitend zoeven van een vlucht zwanen, onzichtbaar in de mist. Wat zou ze graag met hen meevliegen, weg van de ijzige kou en het patroon van de dagen met altijd hetzelfde begin en einde. Maar er waren inderdaad wortels die haar stevig vasthielden. Net zo stevig als de miezerige pijnbomen langs de kustweg, die met hun stammen en takken van de zee af gebogen in de beukende zeewind stonden. Wortels die ze nooit zou kunnen losscheuren, net zomin als die bomen, hoe ze ook doorbogen en wrikten. De mogelijkheid om ze los te scheuren was zelfs nooit in haar opgekomen voordat Charles Aubrey en zijn gezin hier kwamen en haar een beeld gaven van de wereld buiten Blacknowle, buiten Dorset. Haar verlangen om die te zien groeide met de dag, het zeurde als een zieke kies en was even moeilijk te negeren.

Toen het tot haar doordrong dat Charles en Celeste allebei op haar antwoord zaten te wachten, vond ze een reactie die eerlijk was, maar dubbel.

'Mijn wortels liggen hier, en ze zijn heel diep,' zei ze, waarop Charles weer knikte en Celeste een voldane blik toewierp, maar Celeste bleef Dimity aankijken alsof ze de waarheid achter de woorden wilde ontdekken. Maar als ze die al zag, zei ze niets. Ze stak haar hand uit naar Élodies lege bord, dat het kind haar zonder een woord aanreikte.

'Waar moeten we dan naartoe, Mitzy? Waar vinden we hier de rijkste folklore? Dan gaan we daarnaartoe en dan teken ik je met allemaal oude magie om je heen,' zei Charles. Dimity zwol op van trots nu haar mening werd gevraagd, nu zij de deskundige was. Vervolgens besefte ze dat ze geen idee had waar ze naartoe zouden moeten en dat ze ook niet wist wat hij bedoelde met oude magie. Ze dacht vlug na.

'De kapel van St.-Gabriel,' zei ze ineens. Het was een ruïne in een bosje op een heuvel, waarvan gezegd werd dat het er spookte. De dorpsjongens gingen er soms 's avonds laat naartoe en daagden elkaar dan uit om er de nacht alleen door te brengen, zonder kampvuur of zaklantaarn. In elkaar gedoken tussen de vochtige, groen uitgeslagen stenen, met de meest verschrikkelijke stemmen in de draaiende wind.

'Is het ver?'

'Niet echt. Een uur lopen, denk ik,' zei ze.

'Dan gaan we vanmiddag. Ik wil het graag zien, er wat gevoel bij krijgen.' Zijn gezicht straalde een soort innerlijk vuur uit, een gedreven enthousiasme. 'Kan je moeder je missen?'

'Als ze er geld voor kreeg zou ze me altijd kunnen missen,' mompelde Dimity, maar toen ze het uitgesproken had voelde ze zich stom. Ze dacht aan de geïdealiseerde beschrijving van Valentina die ze hen vorig jaar zomer had gegeven en aan het feit dat alleen Charles haar had ontmoet – alleen hij wist dat het op zijn best halve waarheden waren geweest. 'Dat wil zeggen... Ik bedoel...' stuntelde ze, maar Celeste gaf haar een klopje op haar hand.

'Je moet wel gek zijn om geld aan te nemen in ruil voor iets kostbaars.' Ze glimlachte erbij, maar haar lach vervaagde toen ze Charles aankeek. 'Je had gezegd dat je vanmiddag met de meisjes naar Dorchester zou gaan. Om nieuwe sandalen te kopen.'

'Dat heeft toch geen haast? We gaan morgen wel, meiden,' zei hij en knikte ze toe.

'Dat zei je gisteren ook al,' protesteerde Delphine voorzichtig. 'Mijn tenen steken zo ver over mijn sandalen heen dat ze de grond raken.'

'Morgen, ik beloof het. Het licht is perfect vandaag. Zachter dan eerst.' Hij leek een beetje in zichzelf te praten, met zijn ogen op het tafelblad gericht. Dimity had het gevoel dat er kritisch naar haar gekeken werd en zag dat Celeste haar met een vreemde uitdrukking op haar gezicht zat op te nemen. Toen hun ogen elkaar ontmoetten glimlachte Celeste en ging ze verder met het opstapelen van de borden, maar niet zo snel dat Dimity zich kon vergissen in wat ze gezien had. Celeste had er ongerust uitgezien. Bang bijna.

Drie weken lang bleef het mooi weer, zonnig en met een zacht windje. Charles reed hen met zijn allen naar Golden Cap, het hoogste klif aan de kust van Dorset. Ze sjouwden zware manden vol eten door bossen en weilanden omhoog, tot de zweetplekken in hun kleren stonden en ze op de top verrast werden op frisse lucht en een adembenemend uitzicht.

'Ik kan Frankrijk zien!' zei Élodie. Ze hield haar handen boven haar ogen tegen de zon.

'Nee, suffie, dat kan niet,' zei Delphine grinnikend.

'Wat is dat dan?' vroeg haar zus, wijzend naar iets. Delphine tuurde in de verte. 'Een wolk,' zei ze.

'Geen wolken vandaag. Dat heb ik besloten,' zei Celeste terwijl ze een gestreepte deken uitvouwde en de picknick uitpakte.

'Ha! Dan is het toch Frankrijk,' zei Élodie triomfantelijk.

'*Vive la France.* Kom je lunch eten.' Celeste glimlachte. 'Kom, Dimity. Ga zitten. Sandwich met ham of met ei?'

Na de picknick ging Charles op zijn rug liggen, legde zijn hoed op zijn gezicht en viel in slaap. Celeste gaf het op om de vliegen en wespen die zich te goed deden aan de restjes weg te slaan en ging ook liggen, met haar hoofd op Charles' buik en haar ogen dicht. 'O, ik ben dol op de zon,' mompelde ze. Ze bleven er de hele middag met zijn vijven. De drie meisjes keken naar de slaperige bijen die tussen brem en hei van bloem tot bloem vlogen; ze zagen schepen ver op zee en begroetten wuivend de andere wandelaars en vakantiegangers die op de Cap verschenen. Bejaarde echtparen met honden, jonge mannen en vrouwen, hand in hand, gezinnen met stevig gebouwde kinderen, rood van het klimmen. Tijdens het knikken en glimlachen door realiseerde Dimity zich dat zij het niet wisten. Deze onbekenden wisten niet dat zij geen Aubrey was, maar een Hatcher; aan niets was te merken dat ze geen lid was van dit gezin. En dus wás ze tijdelijk een van hen, hoorde ze bij hen en dat maakte haar gelukkiger dan ze ooit was geweest. Ze bleef maar glimlachen en moest op een gegeven moment haar gezicht van Delphine afwenden omdat het gevoel zo sterk werd dat haar neus ervan ging prikken en ze bijna moest huilen.

Aan het eind van de middag tilden ze de manden weer op en liepen ze naar beneden. Ze reden een klein stukje verder naar Charmouth, waar ze zonder succes een uur lang naar fossielen zochten. Toen dronken ze thee met scones in een cafeetje aan de rotskust. Dimity's huid voelde droog en strak aan na een dag in de zon en ze concludeerde uit de rustige toon van de gesprekken dat de Aubreys dezelfde aangename loomheid voelden als zijzelf. Celeste gaf Élodie zelfs geen standje toen ze zo veel room en jam op haar scone smeerde dat ze die niet meer in haar mond kon krijgen en er een grote klodder op haar bloes terechtkwam. Élodie vestigde er zelf de aandacht op, alsof ze in de war raakte toen de berisping uitbleef.

'Mama, ik heb op mijn bloes geknoeid,' zei ze met volle mond.

'Dat is niet zo slim, hè?' zei Celeste, zonder haar blik af te wenden van een meeuw, hoog in de lucht. Delphine en Dimity wisselden glimlachend een blik en begonnen hun eigen scones net zo dik te beleggen als Élodie. Dimity's maag, die niet aan zulk machtig voedsel gewend was, draaide zich bijna om, maar het was te lekker om het te laten staan.

'Mama, mag ik gaan zwemmen?' vroeg Élodie, na een voldane stilte.

'Mij best. Als een van de grote meiden met je meegaat,' zei Celeste.

'Niet naar mij kijken – jullie weten dat ik niet graag zwem als er steentjes liggen in plaats van zand,' zei Delphine.

'Ga jij mee, Mitzy? Alsjeblieft, alsjeblieft, heel erg alsjeblieft?' smeekte Élodie.

'Dat kan niet, Élodie. Sorry.'

'Natuurlijk kan dat! Waarom niet?'

'Nou,' zei Dimity nerveus en verlegen, 'omdat ik niet kan zwemmen.'

'Natuurlijk kun je zwemmen! Iedereen kan zwemmen,' zei Élodie, koppig haar hoofd schuddend.

'Ik niet,' zei Dimity.

'Is dat echt zo?' vroeg Charles, die al een halfuur of langer niets had gezegd. Dimity knikte en liet haar hoofd een beetje hangen.

'Je woont je hele leven aan zee, maar je hebt nooit leren zwemmen?' Hij kon het niet geloven.

'Ik heb nooit een reden gehad om het te leren,' zei Dimity.

'Maar die kan op een dag nog komen, en als het zover is, is het misschien te laat. Nee, dat kan zo niet,' zei Charles en schudde zijn hoofd.

Aan het eind van de week had hij het haar geleerd. Dimity had geen badpak, dus spetterde ze in onderbroek en hemd om hem heen terwijl hij haar met een hand stevig onder haar middenrif boven water hield. Eerst dacht ze dat het haar nooit zou lukken. Het leek onmogelijk, ze raakte sputterend in paniek, slikte zeewater in dat in haar keel brandde, tot ze langzaam het gevoel kwijtraakte dat het water op haar dood uit was. Ze verzette zich niet langer en leerde zich te ontspannen, haar lichaam te strekken en het water tegen haar kin te laten klotsen, zich er met haar armen en benen doorheen te duwen en normaal te blijven ademen. Delphine zwom om hen heen terwijl ze haar luidkeels aanmoedigde en op Élodie mopperde als die haar uitlachte. Uiteindelijk kreeg ze het onder de knie. Het was al laat op de dag, de gele zon scheen als een schitterend vuur op het water. De druk van Charles' hand werd minder en minder tot hij helemaal verdween, en Dimity zonk niet. Ze voelde zich kwetsbaar en bang zonder zijn steun, maar ze zwom, water scheppend met handen en voeten. Ze zwom langzaam maar zeker zo'n tien meter langs de kust voor ze haar voeten neerzette. Ze keek verrukt om naar Charles, die stond te lachen.

'Geweldig, Mitzy! Goed gedaan! Als een echte zeemeermin,' riep hij. Zijn donkere, natte haar zat tegen zijn hoofd geplakt en de huid van zijn borst, glanzend van het water, leek bijna te gloeien met het volle zonlicht erop. Dimity staarde hem aan; hij zag er zo mooi uit dat het bijna pijn deed, maar ze kon haar ogen niet van hem afhouden.

'Hoera!' riep Delphine, applaudisserend. 'Het is je gelukt!'

'Kunnen we nu thee gaan drinken?' vroeg Élodie.

Dimity liep moe, maar triomfantelijk met hen mee naar Littlecombe. Haar haar hing in stijve, ziltige strengen op haar rug en er zat zand onder haar vingernagels, maar ze had zich nog nooit zo geweldig gevoeld. De tafel was al gedekt voor vijf personen. Vijf, niet vier, dus het sprak vanzelf dat Dimity bleef eten. Celeste had een gekruide kipschotel gemaakt met rijst en gestoomde courgettes uit de tuin. Druk pratend over de zwemlessen en Dimity's eerste zwemprestatie gingen ze aan tafel. Zij en Delphine mochten een beetje witte wijn, verdund met water, waar ze giechelig van werden en roze wangen van kregen en waardoor ze later op de avond met hun hoofd in hun handen aan tafel zaten.

Om tien uur was het helemaal donker buiten en kwamen de fluwelige motten door het raam aanfladderen om met de lichten te flirten. Élodie had zich tegen Celeste aan genesteld in de beschermende holte van haar arm en sliep al.

'Zo. Bedtijd voor jullie drie,' zei Celeste. 'Charles en ik ruimen wel op.'

'Maar het is nog vroeg,' protesteerde Delphine zonder veel overtuiging. Ze onderdrukte een geeuw, maar Celeste lachte.

'Zie je wel,' zei ze. 'Vooruit. Naar boven.' Élodie mompelde wat in protest toen Celeste opstond en haar van de bank tilde.

'Dan ga ik maar,' zei Dimity. Ze stond met tegenzin op en besefte dat ze eigenlijk helemaal niet naar haar eigen huis terug wilde.

'Het is pikdonker en je hebt geen zaklamp. Blijf vannacht maar hier slapen – je moeder zal het vast niet erg vinden,' zei Celeste. Ze wisten inmiddels allemaal dat het Valentina niet veel uitmaakte, zolang ze maar betaald werd. 'U bedoelt dat ik mag blijven?' vroeg Dimity.

'Natuurlijk. Het is al laat. Je kunt bij Delphine slapen. Ga maar, kind. Je staat nu al zowat te slapen! Je kunt beter blijven dan in het donker van het klif af te struikelen.' Met een glimlach stuurde Celeste hen naar boven. Dimity gehoorzaamde met een mengeling van blijdschap en onrust over wat Valentina de volgende ochtend zou zeggen.

Met het licht uit en de dekens als een tent boven hun hoofd lagen Delphine en Dimity een tijdje zo zachtjes mogelijk te kletsen en te giechelen. Maar Delphine viel al vlug in slaap. Ze ademde zo zacht dat Dimity Charles en Celeste beneden kon horen; geluiden van afwassen en wegzetten en een gesprek op zachte toon. Van tijd tot tijd drong Charles' warme, volle lach door de vloer heen. Dimity sloot haar ogen, maar hoewel ze doodop was, bleef de slaap lang uit. Ze was afgeleid door gevoelens die te groot leken om ze in te houden, die ze nauwelijks kon benoemen omdat ze zo onbekend waren. Ze legde haar hand op haar buik, op de plek waar Charles' hand de hele week had gelegen om haar boven water te houden. Die aanraking leek de belichaming van alles wat ze voelde, alles wat zo mooi was aan die zomer. Het stond voor veiligheid; voor bescherming. Het betekende acceptatie, meetellen en liefde. Het duurde niet lang voor ze dacht dat ze zijn hand daar voelde in plaats van de hare, en glimlachend in het donker viel ze in slaap.

De week daarop ging Charles met de auto naar Londen. Voorbesprekingen voor een opdracht, zei Celeste tegen Dimity toen die ernaar vroeg, maar Dimity had geen idee wat dat betekende. Ze deed haar best om haar teleurstelling over zijn vertrek niet te laten merken. Zonder hem en zonder de auto waren ze meer aan Blacknowle gebonden dan voorheen, maar op vrijdag nam Celeste hen met de bus mee naar Swanage om inkopen te gaan doen. Aanvankelijk verheugde Dimity zich niet erg op het uitstapje. Inkopen doen betekende voor haar vis en aardappelen voor het avondeten halen, of eventueel een cake of koekjes als een bezoeker erg gul was geweest. Het betekende prijzen vergelijken en zo veel mogelijk uit een paar centen halen, en dan thuiskomen om te horen dat ze de verkeerde keuzes had gemaakt. Maar voor Celeste en haar dochters was inkopen doen heel iets anders.

Ze liepen van de ene winkel naar de andere om schoenen, hoeden en zonnebrillen te passen. Ze kochten ijsjes en zuurstokken, en daarna in krantenpapier gewikkelde fish-and-chips voor de lunch, warm, vet en verrukkelijk. Élodie kreeg een nieuwe bloes, lichtblauw met een patroon van kleine roze kersen. Delphine kreeg een nieuw boek en een vlotte matrozenpet. Voor zichzelf kocht Celeste een prachtige sjaal, helderrood, die ze om haar haar bond.

'Hoe zie ik eruit?' vroeg ze lachend.

'Als een filmster,' zei Élodie, met haar lippen vol munt en suiker van de zuurstok. Dimity was meer dan tevreden om hen hun aankopen te zien doen, maar het leek Celeste ineens op te vallen dat haar handen leeg waren en ze trok een ongemakkelijk, bijna boos gezicht.

'Mitzy. Wat onattent van me. Kom mee, kind. Jij moet ook iets nieuws,' zei ze.

'O nee. Ik heb echt niets nodig,' zei Dimity. Ze had maar een shilling op zak. Op geen stukken na genoeg om een bloes, een boek of een sjaal te kopen.

'Ik sta erop. Geen van mijn meiden komt vandaag met lege handen thuis! Het is een cadeautje van mij. Kom. Ga mee iets uitzoeken. Wat wil je hebben?'

Het voelde heel raar, eerst. Dimity had nog nooit een cadeautje van haar eigen moeder gekregen, al in geen vijftien jaar; ze was niet eens jarig en het was ook geen Kerstmis. Het was heel vreemd om geld van iemand anders uit te mogen geven aan iets voor haarzelf, en ze had geen idee wat ze moest kiezen. Élodie en Delphine deden suggesties, hielden bloesjes, zakdoeken en kralenarmbanden op. In de war en op zoek naar iets wat ze makkelijk voor Valentina kon verbergen koos Dimity uiteindelijk voor een pot handcrème, zwaar geparfumeerd met rozenolie. Celeste knikte goedkeurend bij het afrekenen.

'Goede keus, Dimity. En erg volwassen,' zei ze. Dimity bedankte haar herhaaldelijk totdat gezegd werd dat het genoeg was. De bus bracht hen op tijd thuis voor de thee, en terwijl de Marokkaanse vrouw met haar dochters zat te kletsen observeerde Dimity haar heimelijk en bedacht ze hoe mooi Celeste was, hoe aardig en dat ze Dimity een van 'haar meiden' had genoemd. Ze besefte met nieuwe helderheid hoe anders haar leven geweest zou zijn als ze geboren was uit een moeder die meer op Celeste geleken had en minder op Valentina Hatcher.

Een paar dagen later, toen Charles al terug was uit Londen, liep Dimity met geheven hoofd door het dorp naar Littlecombe; langs de mannen die her en der met hun glas bier op de houten banken voor de pub zaten. Ze negeerde hun gefluit, wierp ze een vernietigende blik toe en liep gedecideerd over de oprijlaan op het huis af. Ze bleef staan toen ze harde stemmen hoorde. Eerst die van Celeste, dus dacht ze dat Élodie misschien op haar kop kreeg, maar vervolgens hoorde ze Charles' stem. Ze schrok van de klank ervan. Langzaam liep ze dichterbij, zo dicht mogelijk langs de muur van het huis onder beschutting van de veranda, om beter te kunnen horen wat ze zeiden.

'Celeste, kalmeer een beetje, in godsnaam!' zei Charles, kortaf van woede.

'Ik denk er niet aan! Moet dit nu elke keer gebeuren als je naar Londen gaat? *Elke* keer, Charles? Als dat zo is, zeg het dan nu, want ik ga niet hier in deze uithoek zitten terwijl jij dat doet. Dat vertik ik!'

'Hoe vaak moet ik het nog zeggen? Ik heb haar getekend. Meer niet.'

'O, zo redelijk klink je! Maar waarom geloof ik je niet? Waarom denk ik dat je liegt? Wie is ze, dat bleke schepsel? De dochter van je mecenas? Een hoer die je hebt opgescharreld om die uit *Maroc* te vervangen?'

'Genoeg! Ik heb niets verkeerds gedaan en ik wens niet zo toegesproken te worden! Dat wil ik niet hebben, Celeste!'

'Je hebt het me belóófd!'

'En ik heb woord gehouden!'

'Het woord van een man. Vrouwen hebben in de loop van de jaren wel geleerd wat dat waard is.'

'Ik ben niet zomaar een man, Celeste. Ik ben jóúw man.'

'De mijne als je hier bent, maar als je er niet bent?'

'Wat stel je dan voor? Dat ik nooit van je zijde wijk? Dat ik alles wat ik doe en laat eerst met je overleg?'

'Als doen betekent dit meisje neuken, ja, dan stel ik dat voor!'

'Ik heb toch al gezegd dat ik niet met haar naar bed ben geweest! Het is Constance Mory, de vrouw van een man die ik bij de galerie heb ontmoet. Ze heeft een heel bijzondere botstructuur. Ik wilde haar tekenen, meer niet. Alsjeblieft, val me niet elke keer aan als ik het gezicht van een vrouw teken. Dat is nog geen ontrouw.'

'Niet altijd, misschien. Maar ik spreek uit ervaring,' zei Celeste hees.

'Wat voorbij is, is voorbij, *chérie.* Ik heb Mitzy Hatcher tientallen keren getekend en daar zoek je toch ook niets achter?'

'O, Mitzy is een kind! Zelfs jij zou je niet zo ver verlagen. Maar dit is hoe jij liefde toont voor een vrouw, Charles. Daar ben ik wel achter. Het is hoe jij liefde toont voor een vrouw: je tekent haar gezicht.' Dimity's hart kneep samen en er borrelde iets warms in haar op. Het ging door haar hele lichaam heen, tot in de puntjes van haar vingers, die ervan begonnen te tintelen. *Dit is hoe jij liefde toont voor een vrouw: je tekent haar gezicht.* Ze kon niet meer tellen hoe vaak Charles Aubrey haar gezicht had getekend. Vele, vele malen. Haar snel kloppende hart maakte haar spieren aan het trillen, en ze verzette haar voeten zo geruisloos als ze kon.

'Ik hou alleen van jou, Celeste. Met heel mijn hart,' zei Charles.

'Maar mijn gezicht is niet meer in jouw tekeningen. Al maanden niet.' Celeste klonk verdrietig toen ze dit zei. 'Je bent zo aan me gewend dat je me niet meer ziet. Dat is de waarheid. En dus laat je me hier moederziel alleen achter, verveeld en vergeten, terwijl jij je pleziertjes najaagt. Het voelt alsof ik hier verbannen ben als jij weg bent, Charles! Begrijp je dat niet?'

'Je bent niet alleen, Celeste. Je hebt de meisjes, en ik dacht dat je Londen in de zomer afschuwelijk vond.'

'Ik vind het nog erger om alleen gelaten te worden, Charles! Ik vind het erg om te zitten wachten terwijl jij andere vrouwen ontmoet, andere vrouwen tekent...'

'Ik zei toch al dat –' Charles onderbrak zichzelf toen er een luid knerpend geluid klonk en Dimity keek geschrokken naar een stukgetrapte scherf van een aardewerken pot onder haar schoen. Ze kon niet weglopen of zich verstoppen, dus bleef ze nerveus staan, met haar gezicht naar de grond. Charles' hoofd verscheen om de hoek van de veranda. 'Alles in orde?' Dimity knikte stom, met vuurrode wangen. 'Delphine en Élodie zijn bij de beek,' zei hij. Ze knikte nog een keer en draaide zich vlug om, niet om de meisjes te zoeken, maar om te vluchten.

Eind augustus kwam de zeemist als een reusachtige golf over de kliffen aanrollen, tot bijna een kilometer landinwaarts. De waterdruppels waren bijna zichtbaar, net niet groot genoeg om als regen naar beneden te vallen. Dat was in de zomer zeldzaam, maar niet ongehoord, en de eerste twee dagen vonden Élodie en Delphine het prachtig. Ze sloegen dekens om hun schouders en speelden struikrovertje of een spel dat moord-in-het-donker heette en dat ze omdoopten tot moord-in-de-mist. Ze renden met zijn drieën door de tuin en over het stuk grasland bij het klif en doken plotseling achter elkaar op, schreeuwend van opgewonden angst. Élodie vroeg Dimity om spookverhalen te vertellen en luisterde met grote ogen naar haar verhaal over een heel leger verdronken Vikingstrijders, dat uit Wareham was vertrokken om de Saksen in Exeter aan te vallen maar dat door noodweer schipbreuk had geleden bij Swanage Bay. *Al bijna duizend jaar lang dolen ze elk jaar op hun sterfdag over het strand en de kliffen. Ze hoesten water en wier op en ze zoeken naar hun paarden en verzonken schatten. En ze zoeken mensen, om ze met hun zwaard de keel af te snijden...* Élodie was zo in de ban van het verhaal dat ze Dimity's rok met beide handen stevig vastklemde, met haar mond open van ontzetting. Hun haren hingen slap naar beneden van het vocht en de woorden vielen als stenen van hun lippen, zonder ver te dragen. De mist leek zelf wel een deken, die de wereld mysterieus en geheimzinnig maakte, maar de derde dag begon dat zijn tol te eisen.

Élodie werd nukkig en Delphine stil en afwezig. De twee meisjes bleven steeds vaker binnen naar de radio luisteren; Delphine op de bank met een roman of het tijdschrift *Lady's Companion*, Élodie met diepe rimpels van concentratie tekenend aan tafel, waarbij ze de ene na de andere mislukte tekening weggooide. Toen Dimity aanklopte, trok Celeste haar gespannen en ongeduldig naar binnen alsof ze opgelucht was om haar te zien, alsof ze te lang moest wachten op iets belangrijks.

'Hoelang gaat dit duren, deze *brouillard*? Hoe noemen jullie het?' vroeg ze.

'De mist?'

'Ja. De mist. Ik snap niet hoe jullie het kunnen verdragen zonder er gek van te worden. Het lijkt op de dood, vind je niet? Op dood zijn.' Haar stem klonk zacht, intens.

'Het zal niet zo lang meer duren, mevrouw Aubrey. Het duurt al te lang. Normaal blijft het alleen 's winters een week hangen.' Celeste glimlachte kort.

'Mevrouw Aubrey? O, kind, je weet dat ik dat niet ben. Ik ben Celeste, meer niet.' Ze stak geagiteerd een hand op. 'En nog gaat hij buiten schilderen! Wat wil hij dan schilderen? Wit op wit?' mopperde ze. Ze liep naar het raam en ging met haar armen over elkaar naar buiten staan staren. 'Het is zo saai,' zei ze tot niemand in het bijzonder.

Het rook muf in huis en Dimity vond het geen wonder dat de meisjes er versuft en moe uitzagen. Ze wilde net proberen hen over te halen om buiten een frisse neus te halen, toen Celeste naar de tafel liep en van een hoge plank erboven een atlas pakte. 'Kom, Dimity, dan ga ik je iets vertellen over een plek waar het levendiger is. Had je al eens van Marokko gehoord voor je mij leerde kennen?' vroeg ze.

'Nee,' bekende Dimity. Ze vond het niet erg om zoiets tegen Celeste te zeggen. De vrouw koesterde geen minachting voor haar en veroordeelde haar gebrekkige opleiding niet. Ze staarde naar de complexe tekening op de pagina. Het zei haar helemaal niets. Ze zocht naar de bekende, muisachtige vorm van Groot-Brittannië die ze nog van school kende; als ze die eenmaal gevonden had zou ze kunnen opmaken waar op de wereld Celestes geboorteland lag. Ze keek zijdelings naar de vrouw. Het leek haar zo onwerkelijk dat iemand van zo ver weg kon komen, en dan in Blacknowle belanden.

'Hoe hebt u meneer Aubrey ontmoet?' vroeg Dimity.

'Hij was in Marokko. In Fez, waar ik ben opgegroeid en met mijn familie woonde. Ooit was dat een prachtige stad, welvarend en druk met handel en wetenschap. Nu is het weggekwijnd, hoewel de Fransen wel betere wegen hebben aangelegd. Maar ik denk dat Charles het daardoor alleen maar mooier vond. De achteruitgang. Het verval. De verwaarloosde gebouwen, die in elkaar overgingen. Op een dag, toen ik naar de markt in de oude stad ging om een nieuwe matras te bestellen, zag hij me. Is dat geen bewijs voor de manier waarop het lot werkt? Hoeveel invloed het heeft? Dat Charles voor de matrassenwinkel gaat zitten tekenen, precies op de ochtend dat een werkman verf op het bed van mijn moeder morst? Nou? Het was voorbeschikt. Hij kwam naar Marokko om zichzelf te vinden, en in plaats daarvan vond hij mij.'

'Ja,' zei Dimity. Was het dan ook het lot dat er waterkers achter Littlecombe groeide, en dat Dimity die ging plukken, en dat een groots man als Charles Aubrey precies dit huis verkoos te huren, en van alle plekken op de wereld hierheen besloot te komen? Hier, waar Dimity was. Waar ze altijd al was geweest, wachtend. Huiverend plakte ze de woorden *lot* en *voorbeschikking* erop, op haar eigen leven en haar ontmoeting met hem. Ze leken te passen en daar schrok ze van.

Met een zucht streek Celeste met haar vingers over de kaart van Marokko, met zijn grote lege woestijnen en de dubbele bergketen in het zuiden daartussen. Ze tikte erop met haar nagel.

'Toubkal,' zei ze. 'De hoogste berg. Mijn moeder is opgegroeid in de schaduw ervan. Haar dorp lag ingebouwd in de rotsen aan de voet van de berg; de wind in de pijnbomen klonk als zijn adem. Ze zegt dat wonen bij een berg de beste manier is om altijd de weg naar huis te kunnen vinden. Het is zo lang geleden dat ik bij haar geweest ben, bij haar in Fez. Ik zou het zo graag weer zien!' Celeste legde haar hand plat op de bladzijde en sloot heel even haar ogen, alsof ze de hartenklop van haar vroegere thuis door het papier heen kon voelen. Dimity vroeg zich af of ze de aantrekkingskracht van thuis ook zo zou voelen als ze weg zou gaan uit Blacknowle. Of ze ervan zou gaan houden als ze ver weg was; of afstand er een glans aan zou geven die het nu totaal miste. De gedachte dat ze misschien nooit uit Blacknowle weg zou komen knaagde elke dag een beetje meer aan haar, als een parasiet. 'Het is te lang geleden. Als ik bedenk hoe mooi het er is, begrijp ik niet waarom we hiervoor hebben gekozen.' Celeste keek de keuken rond. 'Voor Blacknowle,' zei ze. Met een stem vol *ennui*.

Dimity voelde iets onrustigs opkomen, een waarschuwingsbelletje in haar achterhoofd.

Op dat moment ging de deur open en kwam Charles in een mistsliert binnen. Er hingen druppels aan zijn haar en kleren, maar hij glimlachte.

'Dames. Hoe is het met iedereen?' vroeg hij vrolijk.

'Verveeld en slechtgehumeurd,' zei Delphine. Ze zei het luchtig, maar Dimity hoorde er een waarschuwing voor hem in. Charles keek van zijn dochter naar Celeste en zag hoe mat haar gezicht stond.

'Nou, misschien helpt dit.' Hij hield een witte envelop omhoog. 'Ik kwam de postbode tegen in het dorp. Een brief uit Frankrijk voor ons.'

'O. Ze zijn ons dus niet helemaal vergeten?' riep Celeste en ze trok de brief uit zijn handen.

'Van wie is hij? Wat staat erin?' vroeg Élodie, terwijl haar moeder de envelop openscheurde.

'Stil, kind, laat me even lezen.' Fronsend ging Celeste bij het raam staan om beter licht te hebben. 'Hij is van Paul en Emilia. Ze zijn in Parijs,' zei ze. Ze liet haar ogen snel over het papier gaan. 'Ze hebben een groot appartement aan de Seine gehuurd en nodigen ons uit om te komen logeren!' Haar gezicht lichtte op en ze keek naar Charles. Dimity voelde alle lucht uit haar longen vloeien.

'Parijs!' Élodie hapte opgewonden naar adem.

'We hebben nog maar twee weken voor de school weer begint,' zei Charles. Hij nam de brief van Celeste over.

'O, laten we toch gaan. Het zal zo leuk zijn,' zei Delphine. Ze pakte haar vaders hand en kneep erin. Dimity stond ontzet naar haar te kijken.

'Maar de mist zal binnenkort optrekken, dat weet ik zeker,' zei ze. Niemand scheen haar te horen.

'Nou?' zei Celeste tegen Charles. Ze had haar handen voor haar mond geslagen en haar ogen waren groot en gretig. Hij glimlachte tegen haar en trok een schouder op.

'Op naar Parijs dan,' zei hij. De meisjes slaakten een vreugdekreet en Celeste omhelsde Charles en kuste hem. Dimity stond als aan de grond genageld, duizelig van de schok. Ze had het gevoel dat ze verdronk en dat niemand het zag. Haar intuïtie vertelde haar dat ze dit keer niet mee zou tellen.

'Maar...' zei ze weer, maar het ging verloren in het tumult van hun opwinding.

Twee dagen later was de mist verdwenen; weg toen de zon opkwam. Dimity klom het pad over het klif op en keek uit over zee. Ze voelde dat haar ogen zich moesten inspannen nadat ze al die dagen niet verder dan haar vingertoppen kon kijken. De kleuren waren fel, vrolijk – de zon citroengeel, de lucht blauw en het land groen en goud van de volop bloeiende brem, en alles werd deinend weerspiegeld in de zee. Maar het was te laat, ze waren al weg. Littlecombe stond leeg en Dimity dacht dat ze haar hart voelde breken. Maar ze huilde niet. Dat wilde ze wel – haar gemoed was zwaar als nat zand – maar als ze het probeerde, als ze zich eraan wilde overgeven, kwam er niets. Naast de pijn om verlaten te worden was er nog iets. Het was de onrechtvaardigheid van een verbroken belofte, de bittere verontwaardiging over hun nonchalante hardvochtigheid. Het was dus boosheid die haar ogen droog hield, want het leven waarin ze haar hadden achtergelaten was veel erger nu ze haar hadden laten zien hoe anders het kon zijn. De zon scheen stralend, maar voor Dimity was de winter al ingevallen.

Zach besteedde twee rustige dagen aan het ordenen van de aantekeningen die hij had gemaakt sinds zijn aankomst in Blacknowle en aan het leggen van verbanden tussen wat hij al geweten had en wat hij van Dimity had gehoord. Flink wat feiten kwamen overeen, maar voor een aantal andere had hij haar woord als enige bewijs. Zoals haar liefdesrelatie met Charles Aubrey. Als ze zo belangrijk in zijn leven was geweest als ze beweerde, waarom repte hij dan nergens in zijn correspondentie over hun verhouding?

Hoe kon ze niets weten over het lot van zijn gezin, en over de reden dat hij zo plotseling de oorlog in was gegaan? Hoe kon ze geen idee hebben wie Dennis was, als ze zo intiem met Charles was geweest dat hij het plan had gehad zijn gezin voor haar te verlaten? Aubrey was geniaal geweest in het neerzetten van karakter en expressie, maar bij Dennis had hij geen van beide getroffen. Was dat opzet geweest? Misschien had hij deze Dennis niet gemogen, of om wat voor andere reden ook zijn expressie niet willen vastleggen. Misschien hadden genieën ook hun slechte dagen en had Aubrey drie soortgelijke portretten getekend omdat hij wíst dat het hem niet gelukt was. Aan de andere kant: misschien waren de tekeningen helemaal niet van Aubrey.

Zach riep het beeld op van Dimity Hatcher met haar vieze rode mitaines, haar wisselende stemmingen en vreemde gewoontes, met het bloed van een ossenhart onder haar nagels. De blik waarmee ze naar het plafond had gekeken toen ze allebei iets hadden horen bewegen. Geen blik uit gewoonte, maar een van verbazing, opwinding. Van angst bijna. Hij dacht aan Hannah, die er niets over wilde zeggen en die beweerde dat er niemand op de bovenverdieping van The Watch woonde. *Er woont daar niemand.* Wat had dan dat geluid gemaakt? Iemand die op bezoek was? Een dode? *Monsters onder het bed?* Zach wilde Dimity niet opnieuw overstuur maken met vragen waarop ze al eerder geen antwoord had willen geven, maar het verlangen naar die antwoorden bleef knagen. Zo hardnekkig dat hij het niet kon negeren. Hij dacht aan haar blos en haar nerveus bewegende ogen toen hij haar de tekeningen van Dennis had laten zien. Hij dacht aan de lange uren die hij had doorgebracht voor het portret van Delphine in zijn eigen galerie in Bath; aan al die tijd dat hij over haar had zitten dromen, haar lot vanuit het verleden geprobeerd had op te roepen. En hier was Dimity Hatcher, die haar gekend had, die haar vriendin was geweest en die huilde bij de herinnering aan haar lot. Dimity Hatcher, die hij beloofd had geen vragen meer te stellen over Charles Aubrey's oudste dochter.

Met een zucht liet Zach zijn aantekeningen en vragen een tijdje in de steek. Hij deed zijn werkboek dicht en liep gedecideerd naar zijn auto. Het was twee dagen geleden dat hij Hannah gezien had, maar zonder mobiel bereik, zonder sms'jes of gesprekken, leek het langer. Hij had gehoopt dat ze hem in de pub zou komen opzoeken, maar dat had ze niet gedaan. Eerst ging hij naar de kleine supermarkt in Wareham, en daarna naar de boerderij, waar hij zijn auto parkeerde op het verharde erf bij het huis. Hannahs deur ging niet open toen hij klopte, en dus liep Zach door naar het strand.

Hannah stond met haar armen over elkaar op het uiterste eind van de onderwaterrotspunt, met haar jeans opgerold tot aan haar knieën en een loshangend blauw shirt, dat bij haar rug als een zeil opbolde in de wind. Er stond een stevige bries, die de zee tot duizend kleine golfjes opzwiepte zodat het zoute water alle kanten op spatte. Zach riep naar haar, maar met die wind in haar oren kon ze hem niet horen. Hij zette zijn boodschappentassen neer en ging op een steen zitten om zijn schoenen en sokken uit te trekken, terwijl hij haar geen moment uit het oog verloor. Hij zou de wilskrachtige lijn van haar rechte rug willen tekenen, hoe ze bijna opging in het zeegezicht, een geïsoleerd figuurtje omringd door het woelende water dat leek af te wachten – tot ze zou struikelen of een misstap zou maken. Ze leek standvastig, maar tegelijkertijd in groot gevaar. Hij vroeg zich af voor wie deze tekening zou zijn en wist meteen dat die uitsluitend voor hem zelf was; simpelweg om het plezier vast te leggen dat hij haar zo zag. Exact dezelfde reden waarom Aubrey zijn vrouwen tekende, dacht Zach, maar hij moest glimlachen bij de gedachte aan de reactie van Hannah als ze 'een van zijn vrouwen' genoemd zou worden. Hij zette voorzichtig een paar stappen op de uitloper, want hij had moeite om een pad te vertrouwen dat hij niet kon zien. Hij hield zijn armen uitgestrekt voor het geval hij zou uitglijden; hij voelde de wind door zijn handen razen.

'Hannah!' riep hij nog een keer, maar ze kon hem echt niet horen, of ze was zo in gedachten verzonken dat hij niet tot haar doordrong. Zach waadde verder tot hij vlak achter haar stond en vloekte toen hij zijn teen aan een onzichtbaar uitsteeksel stootte. Ze stond nog steeds over zee uit te kijken, en Zach bleef even staan om hetzelfde te doen. Hij vroeg zich af of ze nog steeds op zoek was naar Toby. Haar hele houding vertelde hem dat ze zolang zou wachten als nodig was en Zach wilde haar het liefst vastpakken, naar zich toe draaien en haar wake doorbreken. Ineens zag hij een lichtflits. Er voer een kleine boot, typisch een vissersbootje, op zo'n honderdvijftig meter uit de kust langzaam van oost naar west. Zach had het bootje eigenlijk nog niet gezien, maar nu zag hij dat het erg langzaam voer en dat iemand aan boord de kust net zo grondig leek te inspecteren als Hannah. De lichtflits was er weer – de vluchtige glans van de zon op glas. Een verrekijker?

'Volgens mij heeft die visser een oogje op je,' zei hij dicht bij Hannahs oor. Ze schrok en draaide zich snel om, happend naar adem. Toen gaf ze hem een klap op zijn wang, niet hard, maar ook niet alleen maar speels.

'Verdomme, Zach! Besluip me niet zo!'

'Ik heb geroepen – een paar keer zelfs.'

'Nou, ik heb je duidelijk niet gehoord,' zei ze. Haar gezicht ontspande.

'Sorry,' zei Zach. Hij streek met zijn hand over haar onderarm en pakte haar hand.

Hannah keek weer van hem weg en volgde de kleine boot, die al bijna om de ronding van de kustlijn uit het zicht verdween. Had ze dan naar de boot staan kijken en helemaal niet op Toby staan wachten? Zach tuurde ernaar en zag een lichtpaarse vlek op het dek bewegen. De kleur kwam hem bekend voor, maar hij kon hem niet echt plaatsen.

'Ken je die boot? De mensen erop, bedoel ik?' vroeg hij. Hannah wendde vlug haar blik af en keek hem aan.

'Nee,' zei ze kortaf. 'Helemaal niet.' Ze trok haar hand uit de zijne, zogenaamd om haar haar uit haar gezicht te strijken en achter haar oren te stoppen.

'Ik heb een picknick meegebracht. Een barbecue gekocht en alles. Heb je honger?'

'Ik rammel,' zei ze met een glimlach. Zach stak zijn arm uit en was blij toen zij de hare erin haakte toen ze naar het strand wandelden.

Ze installeerden de kleine barbecue van folie op een paar platte stenen op het strand, achter de vloedlijn van schelpen en zeeschuim. Het rook een beetje naar paraffine toen Zach hem aanstak en Hannah schudde haar hoofd.

'Ik moet me schamen,' zei ze.

'Waarvoor?'

'Ik had wel een echt vuur kunnen maken. Er liggen zelfs nog tangen en een rooster in een van de schuren.'

'O nou, ik zorg wel voor deze, bouw jij daar maar een kampvuurtje. Voor later.'

'Later?'

'Dit dingetje houdt ons niet warm als de zon onder is,' zei Zach.

'Oké. Geef me de wijn maar – dan zet ik die in de koeler.' Hannah stak haar hand uit naar de fles, nam hem mee het strand op en begroef hem tot aan de hals in het fijne zand bij de waterlijn. Ze bleef bij het water rondhangen om drijfhout te verzamelen. De avond werd zachter en de wind nam af; golfjes spoelden zacht kabbelend tegen het kiezelstrand. De lucht was nu bleekgeel, het soort licht dat alles zachter maakt. Zach wachtte tot de vlammetjes in de barbecue gedoofd waren en begon toen de garnalen en kippenpootjes die hij had gekocht te roosteren. Ze aten ze op zodra ze gaar waren, zo heet dat ze hun vingers en lippen eraan brandden. Hun kin glom van het citroensap en het vet van de kip, en ze dronken de wijn uit kartonnen bekertjes.

Het drijfhout kleurde de vlammen van het vuurtje bleekgroen, bijna onzichtbaar zolang er nog zon was, maar spookachtig mooi toen de hemel donkerder begon te worden. Zach staarde naar de vonken die opstegen en in de lucht verdwenen. Met de wijn in zijn bloed en een volle maag leek de wereld ineens sereen, alsof de tijd langzamer ging of alsof de rest van de wereld hier in Blacknowle minder belangrijk was dan vroeger. Het licht van het vuur speelde door Hannahs haar en maakte haar mooier dan ooit; het verzachtte haar scherpe trekken niet zozeer, maar verguldde ze. Ze zat in het vuur te staren met haar kin op haar knieën, en Zach kreeg de indruk dat hij iets van zijn eigen kalmte in haar terugzag.

'Ik heb dit nog nooit gedaan,' zei hij.

'Wat?' Ze keerde haar gezicht naar hem toe en legde haar hoofd op haar knieën. Achter haar verscheen een klein, helder schijfje maan.

'Een barbecue houden op het strand – een romantische barbecue op een strand. Ik heb dat altijd al willen doen, maar het is er nooit van gekomen.'

'Horen er geen grootsere dingen te staan op je lijstje met dingen die je wilt doen voor je doodgaat? Parachutespringen bijvoorbeeld, of fagot leren spelen?'

'Dit is beter dan fagot leren spelen.'

'Hoe weet je dat?' Ze grinnikte en kwam weer naast hem zitten, met haar rug tegen de gladde zijkant van een grote kei. 'Je vrouw is dus geen buitenmens?'

'Ex-vrouw. En nee – absoluut niet. Ze had wel rubberlaarzen, geloof ik, maar die waren om van het ene huis naar het andere te gaan zonder uit te glijden op een nat trottoir. Die hebben nooit modder van dichtbij gezien.'

'En hebben jouw rubberlaarzen weleens modder van dichtbij gezien?'

'Ik... Ik heb ze niet eens. Maar dump me nou niet,' zei Zach. Hannah giechelde.

'Dat dacht ik al.'

'Maar volgens mij kan ik er wel aan wennen. Aan het leven op het platteland en alles wat daarbij hoort. Ik bedoel, het is hier toch prachtig? Het is ongetwijfeld goed voor de ziel.'

'Nou, kom maar eens terug op een regenachtige dag in januari, en kijk dan of je dat nog steeds vindt.'

'Misschien ben ik hier nog wel in januari,' zei Zach. Hannah zei een hele tijd niets, maar haalde toen diep adem en zei één woord.

'Misschien.' Ze raapte een slakkenhuisje op en draaide dat om en om tussen haar vingers. 'Wij gingen vroeger heel vaak op het strand eten.'

'Wie – jij en Toby?'

'De hele familie. Mam en pap en soms ook mijn oma, toen ik nog een meisje was.'

'Woonde zij dan bij jullie?'

'Ja. Ze was net als jij – een stadskind van geboorte. Ze trouwde in de familie en werd verliefd op het leven hier, aan de kust. Maar het was een stil soort liefde. Ik denk dat ze een van die mensen was voor wie de zee melancholie is. Ze is overleden toen ik nog een tegendraadse tiener was, dus ik heb het haar nooit kunnen vragen.'

'Er is zo veel wat ik mijn grootouders nooit gevraagd heb. Ook belangrijke dingen. Opa is nu overleden, dus hij is eraan ontsnapt.'

'Natuurlijk – de nalatige opa, verbitterd door geruchten over Charles Aubrey, die zijn apparaat niet in zijn broek kon houden,' zei Hannah.

'Je gelooft er niets van, hè?'

'Dat jij een van Charles Aubrey's bastaardkleinkinderen bent?' Ze trok spottend een wenkbrauw op, wat Zach aan het lachen maakte. 'Wie weet?' Hannah gooide de schelp van zich af en liet zich in de uitnodigende holte van zijn arm zakken. Zach drukte een kus op haar kruin en haar krullen kietelden zijn huid; haar haar rook naar zee en schapenwol. Hij werd overvallen door een bijna pijnlijk gevoel van tederheid.

Ze bleven op het strand tot het helemaal donker was en praatten over de kleine dingen waaruit hun leven bestond en de grote gebeurtenissen die alles op zijn kop hadden gezet. Hannah was halverwege haar relaas over alle problemen met haar kudde sinds ze die gekocht had, van schurft tot een ram die niet wilde dekken, toen ze zichzelf onderbrak.

'Sorry. Ik zal je wel dood vervelen.'

'Nee, ga door. Ik wil alles horen,' zei Zach.

'Wat bedoel je?' Ze boog zich een stukje van hem af om zijn gezicht te kunnen zien.

'Ik bedoel dat ik alles over jou wil weten.'

'Niemand weet alles over een ander, Zach,' zei ze ernstig.

'Nee. Ik denk dat het leven dan behoorlijk saai zou zijn. Dat zou het eind van het mysterie zijn.'

'En jij bent gek op mysterie, hè?'

'Wie niet?'

'En toch ben je vastbesloten de waarheid te ontdekken, zoals jij het noemt, over Aubrey's tijd hier. Over Dimity's tijd met hem. Is dat niet de dood in de pot voor het mysterie?'

'Misschien wel,' zei hij. Hij vroeg zich af waarom ze daarover begon. 'Maar dat is iets anders. En ik had het niet over Charles Aubrey. Ik had het over jóú, Hannah, en –' Hij onderbrak zichzelf en keek op zijn horloge. 'O, shit!' Hij stond onbeholpen op.

'Wat?'

'Het is zaterdag. Ik moet om elf uur met Elise skypen!'

'Het is nu al kwart voor. Je bent nooit op tijd in de pub.' Hannah stond op en veegde haar handen af aan haar jeans.

'Ik ga het proberen. Ik moet rennen. Sorry, Hannah.'

'Hoeft niet. Ik ga met je mee,' zei ze alleen en ze trapte het vuur uit.

'Echt?'

'Tenzij je dat niet wilt.'

'Nee, natuurlijk wil ik dat. Graag.'

De pub was zo goed als leeg. Terwijl Zach zijn laptop aanzette slenterde Hannah naar de bar om Pete Murray te begroeten. De barman had staan kletsen met een eenzame drinker op een barkruk. Ze hadden de laatste ronde gemist, maar Pete schonk nog twee vingers wodka in voor Hannah en zette die voor haar neer.

'Luister, Hannah,' hoorde Zach de barman zeggen, 'even over je rekening. Ik moet je echt vragen om nu een keer te betalen.' Hannah nam een slok van de wodka.

'Binnenkort, ik beloof het,' zei ze.

'Dat zei je twee weken geleden ook. Ik bedoel, ik heb geduld gehad, maar het is nu al meer dan driehonderd –'

'Ik heb nog een paar dagen nodig. Er komt geld binnen, dat beloof ik je. En zo gauw het er is, kom ik je betalen. Erewoord. Een paar dagen nog maar.'

'Vooruit dan – als het maar niet langer duurt. Je bent niet de enige die een bedrijf moet runnen, begrijp je.'

'Dank je wel, Pete. Je bent je gewicht in goud waard.' Ze proostte hem met een glimlach toe voor ze haar glas leegdronk.

Hannah bleef op gepaste afstand staan wachten terwijl Zach, eerst niet helemaal op zijn gemak, aan Elise vertelde wat hij allemaal had gedaan en luisterde naar wat zij allemaal had gedaan – tot en met haar eerste hap pompoentaart. Toen vertelde hij een verhaaltje voor het slapengaan, hoewel het niet echt bedtijd was, met allerlei gekke stemmetjes en geluidseffecten erin. Hij wist dat hij de aandacht trok van het handjevol mensen in de pub, maar Elise kreeg de slappe lach, dus hij besloot dat het hem niet kon schelen hoe vreemd hij leek, zolang zij het maar leuk vond. Toen Hannah na afloop bij hem kwam zitten lachte hij schaapachtig.

'Sorry daarvoor,' zei hij.

'Geeft niet. Ze klinkt lief. Niet dat ik veel verstand van kinderen heb.'

'Ik ook niet, geloof me. Mijn leercurve is de afgelopen zes jaar net zo steil geweest als de hare.'

'Ik moet eigenlijk gaan. Morgen moet ik afschuwelijk vroeg op – de vriendelijke mensen van de biologische certificeringsinstantie komen bij het ochtendkrieken een audit doen.'

'O,' zei Zach teleurgesteld. 'Dat klinkt belangrijk.'

'Grote dag.' Ze knikte. 'Heb je zin om me eerst je kamer te laten zien?' vroeg ze. Zach zweeg even en keek naar Pete Murray, die een kurkdroog glas stond af te drogen in de hoek van de bar, dicht bij hun tafeltje. De barman had een wezenloze uitdrukking op zijn gezicht, één en al oor voor wat hij hoorde.

'Deze kant op,' zei Zach. Hij ging haar voor door de gang naar de trap en keek toen over zijn schouder. 'Nou, dat was het dan. Ik krijg het gevoel dat, zodra Pete iets weet, iedereen het hier weet.'

'Nou en?'

'Ja, ik weet niet. Ik had zo'n idee dat jij het niet prettig vond als anderen op de hoogte waren van je doen en laten.'

'Wat weten ze nou helemaal? Ik ben niet bang voor hun mening over mij, als je dat bedoelt. Je bent een redelijk aantrekkelijke vent. Schoon. Nog niet te oud. Waarom zou ik geheim moeten houden dat ik je verleid heb?' zei ze. Zach haalde tevreden zijn schouders op.

'Ja, als je het zo stelt...' Hij deed de deur van zijn kamertje open en kromp ineen van de muffe slaaplucht en de limoengeur van de luchtverfrisser boven op de kast. Hannah deed de deur achter hen dicht.

'Knus,' zei ze. Ze plofte neer op de lappendeken boven op het bed.

'Zo, dus jij hebt mij verleid, hè?' zei Zach. Hannah haakte haar vingers achter zijn broekriem en trok hem op het bed.

'Ja, en ga nou niet tegenover anderen doen alsof het andersom was. Ook niet tegenover jezelf.'

'Ik zou niet durven.' Ze vrijden gehaast en intens, met bijna geen voorspel. Het was in een vloek en een zucht voorbij; Hannah sloeg haar enkels achter zijn rug over elkaar en boog met haar hele lichaam bij hem vandaan. Terwijl Zach, met zwarte vlekjes voor zijn ogen, op adem lag te komen maakte Hannah zich van hem los en trok haar jeans weer aan.

'Ik moet nu echt weg.' Ze bond haar haar weer in een paardenstaart.

'Nog niet. Blijf nog even. Blijf slapen.'

'Dat kan echt niet, Zach. Ik moet morgenochtend zo vroeg mogelijk op het bal – en op het bedrijf verschijnen.'

'Ram, bam, bedankt, madam.' Zach haalde zijn hand door zijn haar en grijnsde haar toe.

'Tot uw dienst.' Hannah keek even naar hem, bukte zich en kuste zijn mond.

'Tot later. En dank je wel – dit was precies wat ik nodig had.' Met een ondeugend lachje liet ze hem alleen, met een overhemd nog om zijn lijf waar twee draden aan bungelden op de plek waar knopen hadden gezeten.

'En dat zonder toestemming te vragen,' mompelde hij in zichzelf. Hij vroeg zich af of dit ook was wat híj nodig had gehad, en besloot dat het daar dicht in de buurt kwam.

De volgende middag ging Zach naar Dimity. Hij vroeg zich af of ze bereid zou zijn voor hem te poseren. Hij wilde proberen de schim van haar schoonheid in haar plooien en rimpels op papier te zetten, en de manier waarop haar ogen af en toe een andere wereld in keken. Maar aan de andere kant zou haar reactie op zijn werk, terwijl ze dat van Aubrey gewend was, funest kunnen zijn voor het vonkje van zijn pas opgewekte creativiteit, dat hij zo angstvallig probeerde aan te wakkeren. Zachs ogen gleden over de heuvel naar het punt waar de bebouwing van Blacknowle dunner werd en eindigde in een onaantrekkelijk rijtje huizen uit de jaren zestig. Achter de schutting van het dichtstbijzijnde huis viel zijn oog op een vlek van kleur, en deze keer herkende hij het direct. Lila. Zach zag het hoofd en de schouders van een lange, breedgebouwde man met een dikke nek en een brede borst boven de schutting uitsteken. Zijn lange bruine haar was naar achteren gebonden en zijn onderkin zat verstopt achter een onverzorgde baard. James Horne, een van de broers die zo'n slechte reputatie in Blacknowle hadden. Hij stond te praten met iemand die niet zichtbaar was achter de schutting, en het was duidelijk een ernstig gesprek. Het gezicht van de man stond op onweer en hij zette zijn woorden af en toe kracht bij met een uitgestoken vinger. Toch droeg zijn stem niet ver. Zach was toevallig op een heimelijke woordenwisseling gestuit.

Hij wist dat hij niet moest blijven kijken, voor het geval dat James Horne hem zou zien. Het was geen goed moment om hem te storen. Hij liep zo snel mogelijk voorbij en probeerde de indruk te wekken dat hij alleen oog had voor de weg. James Horne was een beer van een vent en zag er niet vriendelijk uit. Op dat moment kwam er een eind aan de discussie en de man met het lila sweatshirt keek de persoon na die achter de schutting verborgen was geweest. Zach bleef recht voor zich uit kijken toen hij het huis passeerde in de richting van het pad naar The Watch. Toen hij op veilige afstand even over zijn schouder keek zag hij tot zijn verbazing Hannah weglopen in tegenovergestelde richting; boos, met gebalde vuisten.

Zach keerde om en holde achter haar aan om haar in te halen.

'Hannah, wacht!' Toen ze zich omdraaide schrok hij van de uitdrukking op haar gezicht. Ze zag er woedend uit, en bang. Ze knipperde met haar ogen toen ze hem zag en hoewel haar mond vertrok, leek ze hem niet toe te kunnen lachen.

'Zach! Wat doe jij hier?'

'Ik was op weg naar Dimity. Gaat het? Waar ging dat over?'

'Ja, niets aan de hand. Alleen was ik... Ga je terug naar de pub?'

'Nee. Naar Dimity, zoals ik al zei. Maar ik kan met je mee teruggaan, als je –'

'Prima. Laten we gaan.'

'Oké dan. Dat was toch James Horne?'

'Wie?'

'Die man met wie je stond te praten. Dat was James Horne.'

'Je begint de dorpsbewoners al aardig te kennen, merk ik,' mompelde ze. Ze beende met grote stappen naast hem.

'Hij stond een paar dagen geleden in de pub Pete ervan langs te geven. Nou ja, zijn broer dan. En ik geloof dat ik hem op die vissersboot heb gezien waar jij gisteren naar stond te kijken, aan het eind van de uitloper,' zei Zach. Hannah fronste, maar ze keek hem niet aan.

'Dat zou kunnen. Hij is tenslotte visser.'

'Het leek net alsof jullie daarnet ruzie hadden.' Zach moest flink doorstappen om Hannahs genadeloze tempo bij te houden. Ze negeerde zijn opmerking. 'Hannah, wacht even.' Hij greep haar bij de arm en dwong haar stil te blijven staan. 'Is echt alles in orde? Hij bedreigde je toch niet? Ben je hem geld schuldig of zo?'

'Nee, verdomme! En als het wel zo was zou ik toch niet bij hem aankloppen?'

'Dat is waar. Sorry.'

'Zach. Laat nou maar. Het is niet belangrijk.' Ze liep weer verder.

'Kennelijk ook weer niet zo onbelangrijk,' zei Zach, maar hij zweeg toen hij de blik zag die ze op hem afvuurde. 'Oké, prima. Ik wilde alleen maar helpen, meer niet.'

'Je kunt me helpen door een pint bier voor me te kopen en je niet druk te maken over James Horne.'

'Oké! Hoe ging de biologische audit vanochtend?' Hannah ging eindelijk langzamer lopen. Ze waren bijna bij de Spout Lantern en ze stond even stil om naar de zee en haar boerderij te kijken. Ze had een blos hoog op haar wangen en haar neusvleugels trilden een beetje terwijl ze op adem kwam. Ze leek even in gedachten verzonken, maar glimlachte toen; een glimlach van oprechte blijdschap.

'Het ging goed,' zei ze voor ze naar binnen gingen.

Bij een glas bier vertelde ze hem alles over de inspectie, maar hij luisterde af en toe maar half; hij was met zijn gedachten bij haar relatie met James Horne en het feit dat ze er niet over wilde praten; hij probeerde te raden waar ze ruzie over gemaakt konden hebben. Hij zag weer hoe ze aan het eind van de uitloper had gestaan terwijl de boot van Horne – hij wist zeker dat het zijn boot was – langzaam langs de baai was gevaren. De lichtflits die hij had gezien, alsof er iemand aan boord stond met een verrekijker. Het leek wel of ze die plek stond aan te wijzen, het einde van het rotsplateau onder water. Hij maakte zich zorgen, maar kon de gedachten niet van zich afschudden. Ze gaven hem een akelig gevoel vanbinnen dat alleen maar erger werd.

Pas later die middag legde Zach zijn uitgestelde bezoek aan The Watch af. Zoals hij had beloofd vroeg hij Dimity niets over de Aubrey's. In plaats daarvan praatten ze over zijn eigen verleden, zijn carrière en zijn familie, en daarbij kwam onvermijdelijk zijn afkomst ter sprake. Dimity's stem klonk behoedzaam, bijna stiekem, toen ze naar zijn grootmoeder informeerde.

'De zomer dat je oma hier was, dat was in 1939, toch? Nou, dat was de zomer waarin Charles en ik eindelijk samen waren. Denk je niet dat ik het zou hebben geweten als er nog een andere vrouw was?' Ze plukte met duim en wijsvinger aan een los draadje aan haar mitaine.

'Waarschijnlijk wel, ja,' zei Zach, maar hij dacht dat een man als Charles Aubrey een vrouw makkelijk kon laten geloven dat zij de enige voor hem was.

'Wat voor man was je grootvader? Was het een sterke man?'

'Ik geloof van wel, ja.'

'Sterk genoeg om een vrouw aan zich te binden?'

Zach zag zijn opa voor zich, die op zondag na de lunch urenlang met de krant op schoot kon zitten, waar niemand in mocht kijken voordat hij de kruiswoordpuzzel opgelost had, ook al zat hij met zijn ogen dicht en zijn hoofd voorovergezakt. Hij probeerde zich tederheid of genegenheid tussen hem en zijn vrouw voor de geest te halen, maar hoe meer hij erover nadacht, hoe meer hij besefte dat ze meestal niet eens in dezelfde kamer waren. Als hij in de zitkamer zat, was zij in de keuken. Als hij in de tuin was, ging zij in haar kleedkamer naar haar Aubrey-tekening kijken. Bij het eten zaten ze tegenover elkaar aan de einden van een twee meter lange tafel. Het kon toch niet altijd zo zijn geweest? Er was toch zestig jaar huwelijk voor nodig geweest om zo veel afstand te laten ontstaan?

'Vertel eens,' zei Dimity, zijn gedachten onderbrekend. 'Als je grootvader echt dacht dat ze iets met mijn Charles had, waarom trouwde hij dan nog met haar?'

'Nou, omdat ze zwanger was, denk ik. Dat was de reden waarom ze de bruiloft moesten vervroegen.'

'Dan dacht hij dus dat de baby van hem was.'

'Eerst wel, ja. Hij kon niet anders, denk ik. Tenzij hij gewoon rechtschapen was.'

'Zat hij zo in elkaar? Een ridderlijke man? Ik heb maar weinig mannen gekend die zo waren. Niet echt.'

'Nee, ik denk niet dat hij echt zo was, maar hij had het kunnen doen, om zijn superioriteit te bewijzen, zoiets.'

'Om haar te straffen, bedoel je?' vroeg Dimity.

'Nou, dat niet precies.'

'Maar dat zou het geweest zijn. Als hij het wist, en als zij wist dat hij het wist. Er is toch geen betere manier om haar er elke dag van haar leven aan te herinneren, en voor te laten boeten, dan met haar te trouwen?'

'Nou, als dat zijn plan was, is het op hemzelf teruggeslagen. Ze heeft er geen geheim van gemaakt dat ze heel blij was met de band. En met de roddels.'

'Ja, dat komt door Charles, weet je. Als zij...' Dimity zweeg. Pijn tekende haar gezicht en ze wist even niets te zeggen. 'Als zij van hem hield zal ze trots zijn geweest, in plaats van beschaamd.' Ze liet haar hoofd even hangen en wreef met de duim van haar ene hand over de andere. 'Dus waarschijnlijk was het zo. Waarschijnlijk hield ze dus toch van hem.'

'Maar ik weet zeker...' Zach nam een van Dimity's rusteloze handen in de zijne en gaf er een kneepje in, '...ik weet zeker dat dat niet betekende dat hij minder van jou hield. Ook als zij van hem hield kan het onbeantwoorde liefde zijn geweest. Misschien gaf hij wel helemaal niet om haar,' zei hij, met een akelig gevoel van ontrouw aan de oma van wie hij hield.

Zach was aangeslagen bij de gedachte dat Aubrey het type man was op wie vrouwen trots waren geweest. Hij probeerde zich een moment te herinneren waarop Ali trots op hem was geweest – trots omdat ze zijn vrouw was, zijn partner – maar wat direct bovenkwam waren haar uitingen van teleurstelling. Hoe ze langzaam haar adem door haar neus uitblies als ze luisterde naar zijn uitleg over een tegenvaller of een gemiste kans; de rimpel tussen haar wenkbrauwen als hij haar erop betrapte dat ze naar hem keek. Met een schokje realiseerde hij zich dat hij precies dezelfde gezichtsuitdrukkingen bij zijn moeder had gezien, voordat ze vertrok. Als zijn opa zijn vader weer eens bekritiseerde voor de een of andere kleinigheid; of toen ze jaren geleden met zijn drieën over de paden van Blacknowle liepen en zijn vader tevergeefs naar antwoorden zocht. Zat het dan in het bloed? Zouden mannen als de Gilchrists altijd als tweede keus afsteken bij mannen als Aubrey? Zach was niet blij met die gedachte – dat hij de vrouwen in zijn leven, inclusief Hannah, onvermijdelijk teleur zou stellen.

'Heb je vandaag geen tekeningen meegebracht?' vroeg Dimity toen Zach opstond om weg te gaan. 'Tekeningen van mij?' Er lag een hunkerende blik in haar ogen.

'Jawel, maar ik dacht dat je daar deze keer niet over wilde praten.'

'O, ik wil die tekeningen altijd graag zien. Dan is het net alsof hij hier weer in de kamer is.' Zach haalde de laatste set afdrukken die hij had gemaakt uit zijn tas. Een paar tekeningen en een groot olieverfschilderij van een groep mensen die met hun voeten stofwolken lieten opwaaien. Op de achtergrond blauwe en rode bergen. De grond was oranjebruin, de lucht erboven een grote, heldere strook groen, wit en turquoise. De mensen droegen losse gewaden en een aantal vrouwen was gesluierd, met alleen hun ogen zichtbaar. In een hoek stond een vrouw met losjes opgestoken haar en een aantal kralenkettingen om haar hals. Ze stond er rustig en nonchalant bij, met haar gezicht naar de kijker toe. Ze droeg geen sluier en haar ogen waren koolzwart, katachtig, opgemaakt. Ze droeg een hemelsblauwe kaftan, die opbolde in een warme wind die de kijker haast kon voelen; de stof accentueerde de vorm van haar bovenbenen en heupen. Het was niet de Mitzy die Zach uit de vroegere schetsen kende en ook niet de Mitzy die nu voor hem stond. Het was een sprookjesversie van haar, een droomverschijning; een woestijnprinses met een gezicht dat opvalt in de massa als een bloem in het grasveld. Het schilderij was getiteld *Berbermarkt,* en acht jaar geleden was het in New York verkocht voor de hoogste prijs die een schilderij van Aubrey ooit had opgebracht. Het was duidelijk waarom. Het schilderij opende een venster naar een andere wereld.

Zach gaf de afdruk aan Dimity. Ze slaakte een kreetje toen ze hem aanpakte, hield hem tegen haar gezicht en ademde in, alsof ze zo de woestijnlucht zou kunnen ruiken.

'Marokko!' zei ze met een gelukzalige glimlach.

'Ja,' zei Zach. 'Ik heb nog meer tekeningen van jou daar, als je ze wilt zien. Heb je die zelf niet? In boeken, of als reproductie, be-

doel ik? Kopieën om naar te kijken?' Dimity schudde haar hoofd.
'Het leek niet netjes om zo naar mezelf te kijken. Dat riekt naar ijdelheid. En het is natuurlijk ook niet hetzelfde als het oorspronkelijke werk vasthouden, als je weet dat je jouw handen op de plek hebt waar de zijne eerst waren. Ik heb dit niet meer gezien sinds het geschilderd is. En zelfs toen heb ik het nooit voltooid gezien.'
'Nee? Waarom niet?'
'Charles…' Er trok een schaduw over haar blije gezicht. 'Charles ging naar Londen om het af te maken toen ik mijn aandeel geleverd had. Hij had daar andere dingen te doen.' Ze keek nog eens goed naar haar eigen afbeelding en glimlachte weer. 'Dat was de eerste keer, weet je,' zei ze samenzweerderig.
'O?'
'De eerste keer dat we samen waren. Als man en vrouw, bedoel ik. Zoals het moest zijn. De eerste keer dat we ons realiseerden hoeveel we van elkaar hielden. Ik ben er nooit meer terug geweest. In *Maroc.* Sommige herinneringen zijn te dierbaar om op het spel te zetten, begrijp je? Ik wil dat het altijd blijft zoals het nu is, in mijn hoofd.'
'Ik begrijp het, ja.' Het verbaasde Zach dat ze de Franse uitspraak gebruikte: *Maroc.* 'Hoelang ben je daar met hem geweest?'
'Vier weken. De vier mooiste weken van mijn leven,' zei ze.
Dimity sloot haar ogen en er verscheen een licht, zo'n helder licht dat het alles in een rode gloed zette. Dat was haar eerste indruk van de woestijn geweest, het eerste wat ze zich herinnerde. Dat en de geur die in de lucht hing. Die leek in niets op de lucht in Dorset; hij voelde anders aan in haar keel en in haar neus; hij kwam op een andere manier haar longen binnen en waaide op een andere manier door haar haar. Ze voelde de warmte schroeien op haar huid, ook al zat ze aan haar eigen keukentafel met het kleverige linoleumblad dat aan haar handen plakte. Ze probeerde de juiste woorden te vinden. Woorden die op een of andere manier konden overbrengen wat ze allemaal had gezien, gevoeld en geproefd; die alles weer tot leven konden brengen. Ze ademde diep in en hoorde de boze stem van Valentina op de trap: *Marokko?*

Waar ligt dat in vredesnaam? In een flits zag ze Valentina's ogen, bloeddoorlopen en verbijsterd, berekenen hoeveel zo'n reis waard was. *En hoe is dit in godsnaam tot stand gekomen?* Was het haar moeder, vroeg ze zich af, die een vloek over de reis had uitgesproken? Was het de jaloezie en kwaadaardigheid van Valentina die van de vier mooiste weken van haar leven ook de vier ergste had gemaakt?

7

Dimity wachtte. Ze wachtte tot Charles Aubrey en zijn gezin zouden terugkomen, en door het wachten duurde de winter langer dan anders. Dimity bracht haar tijd alleen door. Wilf was steeds vaker aan het werk met zijn vader en zijn broers en kwam haar maar zelden opzoeken. Als hij kwam was hij net zo hartelijk en onstuimig als anders; maar Dimity was afwezig, half met haar gedachten erbij, en hij vertrok regelmatig teleurgesteld. Dimity zwierf langs de kust, door de bosjes en over het strand. Ze plukte mandenvol gladde, witte wilde paddenstoelen en verkocht die huis aan huis voor een paar centen. Ze hing rond in het dorp, omdat ze het gezelschap van andere mensen erger miste dan ze ooit had gedaan, maar ze leek veel scherper op te merken hoe koud en afwijzend de mensen naar haar keken. Niemand keek naar haar zoals Charles.

Ze kwamen later dan anders, begin juli pas. De laatste twee weken van juni ging Dimity elke dag vier keer bij Littlecombe kijken, met een angstig, onrustig gevoel in haar maag waardoor ze bijna niet kon eten of nadenken. Valentina schold haar uit. Duwde haar een keer zo hard dat ze met haar hoofd tegen de muur sloeg omdat ze de aardappels had laten droogkoken; schudde haar door elkaar; dwong haar een tonicum van eikenschors te drinken omdat haar sleutelbeenderen uitstaken en haar wangen niet vol en fris meer waren.

'Tot deze winter zag je er jonger uit dan je was, Mitzy. Dat kun je maar beter zo houden. Geen man wil je hebben als je oud bent voor je tijd.' Met een kwaad gezicht zette Valentina de beker met het bittere drankje aan haar dochters onwillige lippen. 'Marty Coulson vraagt de laatste tijd naar je. Wat zeg je daarvan?' zei ze kortaf. Ze was zo fatsoenlijk de andere kant op te kijken toen de boodschap aankwam en de ogen van haar dochter groot werden van afschuw. Dimity verslikte zich en kon geen woord uitbrengen. Valentina zei abrupt: 'We moeten allemaal de kost verdienen op deze wereld, Mitzy. Je bent niet voor niets met dat gezicht geboren en als die kunstenaar van jou zich dit jaar niet laat zien... Tja, dan zul je het op een andere manier te gelde moeten maken, denk je niet?'

Op de ochtend dat ze eindelijk kwamen was het warm en zonnig weer. Dimity zat aan de westkant van Littlecombe op het hek van een weiland toen ze iets krijtwits en donzigs boven de weg zag verschijnen – een stofwolk die aangaf dat er iets aankwam. Toen de blauwe auto stopte was ze zo opgelucht dat ze voorover van het hek gleed en op de droge grond ervoor op haar knieën viel. Ze was verlamd van blijdschap en het verbaasde haar niet dat de tranen over haar wangen liepen. Met haar vuile handen veegde ze ze weg terwijl ze naar het huis liep. Ze zag Élodie en Delphine met nog een meisje dat ze niet kende door het tuinhek het pad naar het strand oprennen. Élodie was flink gegroeid en Delphines haar was veel langer. Het was hun aan te zien dat ze veel hadden gezien en beleefd sinds de laatste keer dat ze hier waren, terwijl Dimity dezelfde was gebleven, niet veranderd. Ze keek hun slanke figuurtjes na en liep op de open keukendeur af. Het bloed was zo naar haar hoofd gestegen dat ze bijna niets kon horen.

Op dat moment stapte Celeste uit. Ze bleef staan toen ze haar zag. De Marokkaanse kneep haar lippen op elkaar en Dimity dacht even een vleug irritatie op haar gezicht te zien, met daarna een soort berusting en een glimlach.

'Mitzy. En zelfs nog voor het theewater op staat,' zei ze. Ze pakte Dimity bij haar bovenarmen vast en kuste haar op beide wangen. 'Hoe gaat het met je? En met je moeder?'

'Wat komen jullie laat,' mompelde Dimity als antwoord, waarop Celeste haar geamuseerd aankeek.

'Ja, we hebben erover gedacht dit jaar helemaal niet te komen. We wilden misschien een huis in Italië huren, of eventueel in Schotland. Maar de meisjes wilden naar het strand en Charles heeft zo hard gewerkt dat het te laat werd om nog iets anders te regelen, dus... Hier zijn we dan.' Ze vroeg Dimity niet binnen en bood haar geen thee aan. 'We blijven waarschijnlijk niet de hele zomer. Dat hangt van het weer af.' Op dat moment dook Charles op uit de auto, met in elke hand een tas. Dimity draaide zich vliegensvlug naar hem om.

'Mitzy! Hoe gaat het me je, beste meid? Je wilt Delphine zeker gauw zien?' Hij liep haastig langs haar heen om de bagage naar boven te brengen en gaf haar in het voorbijgaan een vluchtige kus op haar wang. Dimity sloot haar ogen en legde haar hand op de plek waar zijn lippen haar gezicht hadden geraakt. De kus joeg een gevoel van puur genot naar haar buik. Toen ze haar ogen opendeed stond Celeste haar nauwlettend op te nemen, met een licht argwanende uitdrukking op haar gezicht. Blozend probeerde Dimity iets te bedenken om te zeggen, maar haar mond en haar hoofd bleven leeg.

'Goed,' zei Celeste na een tijdje. 'De meisjes zijn meteen naar het strand gegaan. Delphine heeft deze eerste week een vriendinnetje te logeren. Ga maar lekker naar hen toe.'

Dimity volgde het advies op, maar het was meteen duidelijk dat het niet hetzelfde was als anders, met Delphines vriendinnetje erbij dat van het drietal een viertal maakte. Het meisje heette Mary. Ze had lichtblond haar dat op een erg volwassen manier gewatergolfd was, en blauwe ogen die glinsterden van pret toen ze Dimity's haveloze kleren en blote voeten zag. Mary keek op dezelfde manier naar haar als de jongelui in het dorp en ondanks Delphines hartelijke begroeting voelde Dimity meteen dat ze niet gewenst was. Mary droeg een bloes van frambooskleurige, zachte zijde, die wapperde in de wind. Mary had sieraden die glinsterden en een vleugje verf op haar lippen.

'Hallo Mitzy,' riep Élodie, die radslagen maakte in het zand om hen heen. 'Kijk eens naar Mary's armband – is-ie niet prachtig?' Met een hooghartig lachje stak Mary haar arm uit en Dimity beaamde dat het een mooie armband was. Toen ze Delphine aankeek, zag ze dat haar vriendin bloosde en een beetje nerveus was. Nu Mary erbij was wilde Delphine niet het soort meisje zijn dat eetbare dingen in de bosjes plukte of dat wilde leren hoe de mensen in Dorset de dingen noemden. Nu Mary erbij was wilde ze het soort meisje zijn dat met een filmster zou trouwen. Met de smoes dat ze nog een boodschap moest doen trok Dimity zich terug, en toen ze wegging hoorde ze het blonde meisje op een laatdunkend toontje zeggen:

'Ach jee, denken jullie dat ze van me geschrokken is? Denken jullie dat ze ooit eerder een bedelarmband heeft gezien?'

'Doe niet zo onaardig,' zei Delphine afkeurend, maar zonder veel overtuiging.

'Papa zegt dat ze nog nooit het dorp uit is geweest. Kun je je voorstellen hoe sáái dat moet zijn,' zei Élodie.

'Élodie, zit niet zo op te scheppen,' snauwde Delphine haar zusje toe. Dimity vluchtte weg zonder nog meer te horen.

De meisjes liepen die week met een wijde boog om elkaar heen. Dimity brandde van ongeduld en verlangen om naar Littlecombe te gaan, maar ze was te overdonderd en te boos na Celestes kille begroeting en ze kon Delphine nu niet opzoeken. Maar ze zag de drie meisjes wel op het strand en in het dorp, en meer dan eens op Southern Farm, waar ze flirtten met Christopher Brock, de zoon van de boer. Mary draaide haar haar om haar vingers en nam allerlei idiote, verleidelijke houdingen aan, maar zo te zien was het Delphine die hem met een woord of een blik van zijn stuk kon brengen. Als ze iets tegen hem zei liet hij met een verlegen glimlach zijn hoofd hangen, en een keer was Dimity dichtbij genoeg om hem te zien blozen. Delphines vriendin stond sullig te lachen toen ze het zag en probeerde niet te laten merken hoe erg ze het vond, maar Dimity lachte in haar vuistje toen ze zag hoe ze haar trots moest inslikken.

Na acht dagen overwoog Dimity weer langs te gaan, want Mary zou inmiddels weg moeten zijn. 's Middags stond ze in het privaat, met zoemende insecten en de zoete, doordringende stank van de beerput om haar heen. Ze scheurde stukken krantenpapier af om aan de haak te hangen en legde vliertakjes neer om de vliegen te ontmoedigen toen ze Valentina hoorde roepen vanaf de achterdeur. Ze had staan dromen over het inpandig sanitair van Littlecombe, met de stortbak hoog aan de muur, de koperen ketting om door te spoelen en de rollen zacht toiletpapier. Geen ruwhouten zitting of gistende smurrie eronder. Niet onder het deksel hoeven kijken of er dikke bruine spinnen verborgen zaten die je lieten schrikken als je niet oplette. Valentina schreeuwde nog een keer.

'Wat, ma?' riep Dimity. Ze liet de deur van het privaat achter zich dichtvallen en liep door de rommelige achtertuin. Tot haar verbazing verschenen Élodie en Delphine om de hoek van het huis, nieuwsgierig om zich heen kijkend. Dimity bleef stokstijf staan. 'Wat doen jullie hier?' zei ze verbijsterd. De meisjes bleven staan; Delphine glimlachte onzeker.

'We kwamen je zoeken,' zei ze. 'Ik, we... hadden je al een tijdje niet gezien. Bij ons thuis, bedoel ik. Ik dacht dat je misschien weer zin had om samen eetbare planten te gaan zoeken?' Dat verbaasde Dimity omdat ze allebei wisten waarom ze niet eerder was langsgekomen – Dimity was duidelijk een reservevriendin gebleken, een vriendin voor als je niets beters voorhanden had. Wrok jegens Delphine vlamde in haar op.

'Ik heb het te druk. Ik heb namelijk geen zomervakantie, moet je weten: ik moet mijn moeder helpen en mijn werk doen, zoals altijd.'

'Ja, natuurlijk. Maar...'

'Jullie vervelen je zeker een beetje, nu Mary weg is,' zei ze.

'O, ja. Echt wel,' zei Élodie. Dimity keek naar het mooie, kregelige gezichtje van het jongste meisje. Maar er lag geen afwijzing in, geen spot. Het was gewoon een simpele constatering, vol onbegrip. Delphine kreeg een kleur en zag er verslagen uit.

'Ik wilde je niet laten vallen! Echt niet. Het was alleen een beetje moeilijk met Mary hier – ik moest ervoor zorgen dat het leuk voor haar was, begrijp je. Ik was de gastvrouw en zij wilde ons helemaal voor zichzelf hebben. Dat begrijp je toch wel?' zei ze. Dimity voelde zich al week worden, maar ze was er nog niet aan toe om haar echt te vergeven. 'Het was maar een week,' ging Delphine verder. 'Zij is nu naar huis en wij hebben de hele zomer nog.'

Dimity dacht over haar verontschuldigingen na, maar wist niet precies hoe ze erop moest reageren. Niemand had haar ooit eerder excuses aangeboden. Élodie stak met een zucht haar handen in haar zakken terwijl ze ongeduldig stond te wiebelen.

'Kunnen we niet naar binnen gaan om thee te drinken?' vroeg ze. 'Heeft je moeder die al gezet, denk je? Ze zag er een beetje chagrijnig uit.'

'Zo is ze nou eenmaal,' zei Dimity kortaf. Ergens in de afgelopen twee jaar was het beeld van Valentina als hartelijke, zorgzame moeder in rook opgegaan. Ze deed geen moeite om uit te leggen dat het een absurd idee was om hen in The Watch uit te nodigen voor een kop thee die Valentina gezet zou hebben. Zoiets was pure fantasie.

'Is dat jullie plee?' vroeg Delphine na een lange stilte. Delphines stem klonk vrolijk en nieuwsgierig, en Dimity voelde zich driftig worden. Driftig van de vernedering en van boosheid.

'Ja.' Ze zei het met halfverstikte stem. *'s Zomers stinkt-ie en in de winter is het er ijskoud, en er zijn spinnen en vliegen, en de kranten laten drukinkt achter op je vel als je je billen afveegt, en je kunt je viezigheid niet netjes wegspoelen met schoon water – die blijft in een dampende massa onder je liggen zodat jij en iedereen die na je komt het kan zien. Dit is verdomme het privaat. Dit is verdomme mijn leven. Dit is geen zomervakantie.* Maar ze zei niets van dat alles.

'O, het was niet mijn bedoeling...' Delphines wangen begonnen weer te kleuren; ze keek met een vaag glimlachje om zich heen en leek ten einde raad. 'Nou,' zei ze ten slotte. 'Je hebt het duidelijk erg druk vandaag. Misschien kunnen we morgen gaan? Planten zoeken, bedoel ik?'

'Daar heb je mij niet meer voor nodig. Je kent de planten zelf goed genoeg.'

'Ja, maar het is leuker om het met zijn drieën te doen.'

'Dat vind ík niet,' zei Élodie.

'Dat vind jij wel.' Delphine stootte haar zus fronsend aan. Élodie rolde een beetje met haar ogen.

'O, ga toch met ons mee, Mitzy,' zei ze gedwee. 'Echt. We vinden het fijn als jij erbij bent.'

'Misschien. Als ik weg kan,' zei Dimity.

'Dan wacht ik bij ons thuis op je, oké? Kom mee, Élodie.' De zusjes liepen weg uit de achtertuin.

De volgende ochtend was Dimity's boosheid ontdooid en was ze blij dat ze met een bezoek aan de Aubrey's aan Valentina kon ontsnappen. Zij en Delphine stonden eerst nog wat onwennig tegenover elkaar, maar toen brak er een lach door en was alles weer als vanouds. Ze zwommen in zee, al was die kouder dan normaal, verzamelden eetbare planten en gingen het dorp in om in de winkel Engelse drop te kopen. Het was in die week dat Dimity zich bij twee dingen ongemakkelijk begon te voelen. Ten eerste zag ze Charles en Celeste in het dorp met het toeristenechtpaar staan praten. Ze zag hoe de onbekende vrouw haar affectie voor Charles tijdens het gesprek schaamteloos tentoonspreidde, openlijk zichtbaar voor de hele wereld. Ten tweede realiseerde ze zich dat Charles haar die zomer al verschillende keren had gezien, maar nog geen enkele keer had gevraagd of hij haar mocht tekenen. Valentina had al naar het geld gevraagd, maar Dimity verlangde meer dan dat. Ze verlangde naar zijn geconcentreerde aandacht, naar het gevoel dat ze kreeg als hij haar bestudeerde en tekende. Ze voelde zich dan levender, werkelijker dan op andere momenten, en de gedachte dat hij het om welke reden dan ook niet meer zou willen, bracht haar in paniek. Maar toch wist ze dat ze het niet kon vragen. Dat ze het niet moest vragen.

Dus volgde ze Charles met haar ogen zodra ze met hem in een kamer was, liep ze hem voor de voeten en probeerde ze fraaie houdingen aan te nemen. Ze woelde met haar vingers door haar haar om het woest en dik te krijgen, beet op haar lippen en kneep in haar wangen zoals Valentina deed voor er een bezoeker kwam. Het leek Charles niet op te vallen, maar ze zag Celeste meer dan eens naar haar kijken met diezelfde taxerende blik, zodat ze zich snel moest afwenden uit angst dat ze zichzelf zou verraden. Maar meestal was Charles er al op zijn eentje op uitgegaan als Dimity bij Littlecombe aankwam. In haar wanhoop stond ze een keer voor dag en dauw op om hem bij de oprijlaan op te wachten als hij het huis uit kwam. Ze zat te wachten op het bedauwde gras, met vochtige, koude tenen en een hart dat alleen klopte voor hem. De zon was nog maar net boven de horizon verschenen toen hij naar buiten kwam, in schilderkleding. Dimity stapte lachend zijn gezichtsveld binnen.

'Mitzy!' Er klonk een lach door in zijn gedempte stem, iets vrolijks, en het geluk raasde in haar oren. 'Beste meid. Alles goed?'

'Ja,' zei ze, buiten adem.

'Goed, mooi zo. Ze zijn nog niet wakker daarbinnen. Diep in slaap, het hele stel. Als ik jou was zou ik Delphine nog ruim een uur met rust laten voor je aanklopt. Ze vertelde me dat je haar binnenkort weer meeneemt om kruiden te plukken, klopt dat?' Dimity kon alleen maar knikken; haar tong zat in haar mond vastgeplakt. 'Prachtig. Nou, veel plezier dan maar. *A bientôt.*' Hij liep verder de oprijlaan af en stak een sigaret op; zijn passen waren lang en loom.

Achter zich hoorde ze het geluid van de deurklink en het zachte kraken van de opengaande deur, en toen ze zich omdraaide zag ze Celeste aan komen lopen. Ze was nog in haar nachtpon en haar lange, donkere haar viel over een smaragdgroene sjaal die ze om haar schouders had geslagen. Geen make-up op haar gezicht; de liefkozing van het vroege ochtendlicht maakte haar zo mooi en verschrikkelijk als een sprookjeskoningin. Haar gezicht stond strak en somber, maar Dimity voelde zich toch hopeloos verbleken bij haar schoonheid. Dimity deed een stap naar achteren, maar Celeste maakte een geruststellend gebaar.

'Wacht alsjeblieft, Mitzy. Ik zou je graag even spreken,' zei ze zacht.

'Ik ging net –' Dimity maakte haar zin niet af. Het maakte niet uit welke smoes ze gebruikte. Celeste kon recht door haar heen kijken.

'Dimity, luister even naar me. Ik weet hoe je je voelt, geloof me. Als hij zijn aandacht op je richt, voelt dat alsof de zon schijnt, hè? En als die aandacht weer verdwijnt, dan voelt het alsof de zon is ondergegaan. Koud en donker. Twee jaar lang heeft hij mij getekend zoals hij jou heeft getekend. En ik ben verliefd op hem geworden en dat is nooit overgegaan. Ik denk dat hij nog steeds van me houdt en bij me wil zijn, en hij houdt veel van onze kinderen. We zijn een gezin, Dimity; dat is iets om eerbied voor te hebben. Hoor je wat ik zeg? Zijn aandacht ligt niet meer bij jou, maar in zijn kunst en in zijn geest. Jij moet je aandacht ook ergens anders op richten, want je kunt de zijne niet terugkrijgen als die eenmaal weg is. Ik zeg dit met de beste bedoelingen. Jouw leven ligt bij iemand anders, niet bij Charles. Begrijp je?' Celeste trok de sjaal stevig om haar schouders en Dimity zag kippenvel op haar onderarmen. Toen ze niets terugzei schudde Celeste zachtjes haar hoofd. 'Je bent nog zo jong, Mitzy, je bent nog een kind –'

'Ik ben geen kind!' zei Dimity terwijl ze naar haar voeten keek. Haar bloed begon te koken en ze geloofde geen woord van wat de Marokkaanse zei.

'Laat ik dan tegen je praten als vrouw, en luister jij dan ook als vrouw en hoor de waarheid in wat ik zeg. Zo is het leven en zo is de liefde. Soms breken ze je hart en doden ze je kracht, doden ze alles wat je in je hebt.' Ze balde haar vuist en drukte die stijf tegen haar borst. 'Maar die tijden gaan voorbij en dan ben je weer heel. Maar pas nadat je de waarheid in het gezicht hebt gekeken en hebt erkend. Je moet vergeten wat je niet kunt hebben. Ik weet dat je dit allemaal niet wilt horen, maar toch moet het. Kom later terug voor mijn meiden – voor mijn Delphine, die dol op je is. Maar nu wil ik graag dat je gaat. Het spijt me voor je, Mitzy. Echt. Je was hier nog niet klaar voor, dat zie ik nu wel.' Celeste liet haar strenge, bedroefde blik nog even op Dimity rusten en draaide zich toen om.

Maar het lukte Dimity niet om Delphine op te zoeken; die dag niet en de volgende dag ook niet. Ze kon het niet, uit angst dat Celeste de waarheid had gesproken en Charles haar nooit meer zou willen tekenen. Als ze daaraan dacht voelde ze de grond onder haar voeten schudden, alsof ze op een winderige dag op het klif stond en de turf bij haar tenen begon af te brokkelen. Ze zouden haar kunnen ontglippen, begreep ze ineens. Uit haar leven weg kunnen glijden, even makkelijk als ze erin waren gegleden, en haar achterlaten zonder hoop op redding. Ze waren als heldere lichten die schaduwen wierpen over al het andere, en Charles was het helderst van allemaal.

Toen ze op de derde dag de was binnenhaalde, viel haar oog op een blouse van Valentina. Het was een van haar lievelingsblouses en ze droeg hem vaak als ze voor het eerst een nieuwe bezoeker kreeg. Hij was gemaakt van dunne, iets doorschijnende lichtblauwe kaasdoek, met smokwerk in de taille en aan de mouwen, en hij zat strak op de buste. Hij had een lage, wijde halslijn met een volant erlangs en er ontbrak maar één van de houten knoopjes aan de voorkant. Als Valentina hem droeg moest ze haar borsten in het lijfje persen, zodat ze er pikant bovenuit bleven steken en meedeinden met al haar bewegingen. Dimity stak de blouse, zorgvuldig opgerold, achter de tailleband van haar rok. Ze mocht er niet op betrapt worden dat ze hem leende; ze kon zich niet voorstellen wat de gevolgen zouden zijn. Voor ze het huis verliet kamde ze haar haar met zo veel kracht dat de tranen in haar ogen sprongen bij elke klit die ze ontwarde, stak het op en zette het vast met haarspelden. Een paar losse lokken liet ze in haar hals hangen. Op een veilig afstandje van The Watch trok Dimity achter een heg Valentina's blouse aan. Ze was kleiner dan haar moeder, had een smallere taille en minder volle borsten, maar de blouse paste goed. Ze had geen spiegel om te kijken hoe ze eruitzag, maar als ze haar borsten in de wijde halslijn zag, wist ze dat ze niet meer naar een kinderlijf keek.

Dimity ging in een klaverveldje bij het kustpad zitten, met een mandje bonen om te doppen, en toog aan het werk. Het was een gok, maar ze had Charles daar vaak zien lopen en het duurde niet lang voor ze zijn lange gestalte zag naderen. Haar hart sloeg wild tegen haar ribben. Ze ging rechtop zitten, trok haar schouders naar achteren en drapeerde de halslijn van de blouse er ruim overheen, zodat de rechte lijn van haar sleutelbeenderen en de zachte ronding naar haar bovenarmen goed zichtbaar waren. De zon was warm op haar huid. Ze probeerde ontspannen te blijven kijken, maar het was moeilijk om haar ogen niet halfdicht te knijpen in de felle zon. Na een tijdje moest ze met haar ogen knipperen en haar ogen fronsend dichtknijpen om door haar wimpers te kunnen kijken. Ze kneep geërgerd haar lippen op elkaar bij die tegenvaller, want nu kon ze niet meer opkijken zonder haar plannetje te verraden om onverhoeds ontdekt te worden. Het haar in haar hals waaide op in de wind en ze huiverde. Maar toen hoorde ze de woorden waarnaar ze bijna een jaar gehunkerd had, en ze sloot verzaligd haar ogen.

'Niet bewegen, Mitzy. Blijf precies zo zitten,' zei Charles. Dus bewoog ze zich niet, hoewel er vanbinnen iets trilde alsof ze elk moment in lachen kon uitbarsten. *Niet bewegen, Mitzy.*

Het werd een snelle tekening met open lijnen en veel ruimte; sober, suggestief. Maar op de een of andere manier was de gloed van de zon erin gevangen, en in Dimity's stuurse blik lag haar verrukking verscholen, ondubbelzinnig op het papier. Charles stopte zonder plichtplegingen, met alleen dat vertragen van de bewegingen van het potlood in zijn hand; een frons en een snelle uitademing door zijn neus. Toen keek hij op, glimlachte en draaide het schetsboek om zodat zij het kon zien. Haar adem stokte en er steeg een blos naar haar gezicht. Zoals ze had gehoopt was het inderdaad een tekening van een vrouw, niet van een kind, maar ze was er niet op voorbereid hoe mooi die jonge vrouw zou zijn, met haar gladde, zonverlichte huid en haar hoofd vol met haar eigen gedachten. Dimity keek Charles vol bewondering aan.

Er hing een spiegel in The Watch, in de hal; het was een oeroud rond geval met zilverkleurig glas vol ouderdomsvlekken. Hij was tien centimeter breed en Dimity wist al tijden hoe haar gezicht erin weerspiegeld werd. Een beetje vormeloos en vaag, en het vulde het hele oppervlakte. Als het gezicht van een slaaf die uit een patrijspoort onder in een schip kijkt. Ze kende het wit van haar eigen ogen goed. Op deze tekening stond een totaal ander wezen. Hij had haar niet getekend met bloed onder haar nagels, in elkaar gedoken om niet op te vallen, een kind dat wegkroop in de bosjes. Hij had daardoorheen gekeken en getekend wat eronder lag. Ze bleef ernaar staren, en naar hem. Alsof haar reactie hem verbaasde trok Charles de tekening naar zich toe.

'Vind je hem niet goed?' vroeg hij terwijl hij hem fronsend bekeek. Maar ineens leek hij te beseffen wat er veranderd was en hij trok zijn mond in een dunne streep die aan een kant omhoogkrulde. 'Het arme lelijke eendje, dat gebeten, geschopt en uitgelachen werd,' zei hij zacht. Hij glimlachte. Dimity begreep het niet. Ze hoorde alleen de woorden *lelijk, arm*; ze voelde zich diep gekwetst. 'O nee, nee! Mijn lieve Mitzy! Wat ik bedoelde was... Het verhaal gaat verder met: "Het maakt niet uit of iemand in het kippenhok is geboren als hij uit het ei van een zwaan komt." Dat bedoelde ik, Mitzy. Dat de nieuwe zwaan de mooiste van allemaal bleek te zijn.'

'Wilt u me dat verhaal vertellen?' vroeg ze ademloos.

'O, het is maar een kinderverhaaltje. Élodie kan het je wel voorlezen – het is een van haar lievelingssprookjes.' Charles maakte een afwerende beweging met zijn hand. 'Kom mee. Deze schets is een goed begin, maar ook niet meer dan dat.'

'Een goed begin waarvoor, meneer Aubrey?' vroeg Dimity terwijl hij opstond, zijn tas en zijn vouwkrukje pakte en naar de beek liep.

'Mijn volgende doek natuurlijk. Ik weet nu precies wat ik wil maken. Je hebt me geïnspireerd, Mitzy!' Dimity holde achter hem aan terwijl ze haar blouse hoger om haar schouders trok; verbijsterd, stralend, blij.

Toen ze de volgende middag met Élodie en Delphine aan het strand was vertelde Élodie, terwijl ze gillend van de kou het water in en uit sprong, haar stukje bij beetje het verhaal van het lelijke eendje. Dimity moest aldoor glimlachen bij het idee dat Charles zo over haar dacht.

'Iedereen kent dat verhaal, Mitzy,' zei Élodie geduldig, waarbij ze het bruisende water bestudeerde dat om haar knokige knieën speelde. Delphine zwom dicht bij het strand heen en weer, en ze lachte en knipoogde naar Dimity, die met opgerolde broekspijpen tussen de rotsen in het ondiepe water waadde en mossels en eetbaar wier in een emmer liet vallen.

'En nu ken ik het ook, Élodie. Dankzij jou,' zei Dimity, genereus gestemd uit blijdschap.

'Waarom vroeg je er eigenlijk naar?' vroeg het jongste meisje.

'O, zomaar. Ik hoorde iemand er iets over zeggen, meer niet,' loog Dimity soepeltjes. Ze was rustig en voelde zich trots. *Dat is hoe jij liefde toont voor een vrouw, Charles – je tekent haar gezicht.*

Toen ze laat in de middag op Littlecombe terugkwamen stond nog maar de helft van het theegerei op tafel. Celeste zat verstard op de bank met een vel papier in haar hand, dat ze bestudeerde met een gespannen uitdrukking op haar gezicht.

'Wat is er, mama? Gaat het?' vroeg Delphine, en ze ging naast haar zitten.

Celeste slikte en keek fronsend op, alsof ze hen niet herkende. Maar toen legde ze het vel papier op tafel. Het was Charles' laatste schets van Dimity. Dimity's hart gaf één harde slag, als het slaan van een klok.

'Ja, liefje, het gaat prima. Toen ik aan het opruimen was voor de thee zag ik deze tekening van je vader liggen. Kijk eens naar onze Dimity, kijk eens hoe mooi ze is!' riep Celeste uit. Haar woorden waren hartelijk, maar het klonk kribbig.

'Goh – Mitzy, kijk! Je ziet er inderdaad heel mooi uit,' zei Delphine.

'Is hij van plan nog een schilderij met jou als model te maken? Zei hij dat?' vroeg Celeste.

'Zoiets zei hij wel, geloof ik,' zei Dimity. Ze zei het bedeesd, maar een deel van haar kon het wel van de daken schreeuwen: dat Celeste ongelijk had gehad en dat Charles haar nog steeds wilde schilderen; dat zijn belangstelling voor haar nog niet voorbij was. Celeste haalde diep adem en stond op van de bank.

'Wat een vreemde wending. Ik had gedacht dat die toeriste met haar melkwitte Engelse huid de volgende zou zijn.'

'Welke toeriste, mama?' vroeg Élodie terwijl ze een pak koekjes openmaakte en ze op een schaal legde. Celeste legde haar hand even op haar voorhoofd en vervolgens op haar mond. Ze had rimpels in haar voorhoofd. 'Mama?'

'Niets, Élodie. Het doet er niet toe.' Met haar handen in de zij nam ze hen ze alle drie op. 'Zo! Wat een vies stelletje! Jullie hebben gezwommen, zie ik, dus jullie zullen wel honger hebben. *Alors* – ga je verkleden, dan maak ik de thee verder af. *Allez, allez!*' Ze dreef hen de kamer uit met dezelfde scherpe ondertoon als daarvoor, en het viel Dimity op dat haar ogen achterdochtig stonden en dat ze haar niet aankeek.

Dimity probeerde de lichtblauwe blouse nog voor zichzelf te houden, maar Valentina ontstak in zo'n razernij toen Dimity zei dat hij waarschijnlijk was weggewaaid, dat ze genoodzaakt was om te doen alsof ze hem terugvond in een van de bomen achter de achtertuin. Er kon geen dankjewel af, alleen een norse blik en de vermaning om de was voortaan zorgvuldiger op te hangen.

'Je hebt geen idee hoeveel maaltijden jij aan deze blouse te danken hebt,' zei ze. Dimity gaf hem haar terug met een naar gevoel. Ze had nog veel meer aan het kledingstuk te danken. Het had Charles bij haar teruggebracht; haar van de rand van de afgrond gered. De dagen daarop deed ze huppelend haar boodschappen, zwaaiend met haar mand, en liep ze in zichzelf te zingen. Op een middag zag ze Charles met de toerist voor de pub zitten, de man met het haar dat zwarter was dan teer. Ze zaten donker bier te drinken en te praten en Dimity, die zoals altijd op grote afstand van de pub bleef, vroeg zich af waarover mannen eigenlijk praatten. Ze was benieuwd of hij de man over haar zou vertellen – over zijn muze, en over het schilderij dat hij in gedachten had.

Toen ze langs de brievenbus over het dorpsplein liep schrok ze op van een hand op haar arm. Celestes verzorgde vingers omsloten stevig haar pols. De Marokkaanse zat achter de brievenbus weggedoken alsof ze verstoppertje speelde. Haar mooie gezicht was vertrokken van ongerustheid en woede. Intuïtief deinsde Dimity terug.

'Mitzy, wacht. Zie je die man, met wie Charles zit te praten?' fluisterde Celeste. Ze trok aan Dimity's arm, zodat ze zacht met elkaar konden praten zonder dat Celeste uit haar schuilplaats hoefde te komen.

'Ja, Celeste. Ja, ik zie hem,' zei Dimity nerveus.

'Dat is de man van die melkwitte vrouw. Heb je haar ook gezien? Weet je wie ik bedoel?'

'Ja.' De vrouw met de grote borsten die er ondanks haar preutse kleding uitzag als een loops teefje, dacht ze.

'Heb je haar weleens samen met Charles gezien? Alleen zij tweeën, bedoel ik. Aan het wandelen, of aan het praten. Heb je hen gezien?'

'Nee, ik geloof van niet.'

'Geloof je van niet, of heb je ze niet gezien?' drong Celeste aan. Haar vingernagels prikten in Dimity's huid, maar ineens durfde Dimity, net als bij Valentina, zich niet los te rukken.

'Nee. Ik weet zeker dat ik ze niet samen heb gezien,' zei ze. Celeste bleef nog even naar de twee mannen kijken en richtte haar blik toen op Dimity. Ze liet haar even onverwacht los als ze haar had vastgepakt.

'Mooi. Dat is mooi. Als je ze wel samen ziet, moet je het tegen me zeggen,' zei Celeste. Dimity, met een droge mond van de vreemde ontmoeting, wilde al weigeren, maar de blik in Celestes ogen weerhield haar daarvan. Onder haar boosheid school een soort paniek. Ze leek opgejaagd en over haar toeren. Dimity knikte vlug. 'Je bent een beste meid. Een beste meid, Mitzy.' Toen Celeste weg wilde lopen bleef ze nog even staan om eraan toe te voegen: 'Zeg maar niets tegen de meisjes. Alsjeblieft?'

De eerstvolgende keer dat Dimity op Littlecombe was, met haar haar weer opgestoken in de hoop Charles te zien, was hij tot haar teleurstelling uitgegaan. Omdat het een grauwe dag was stemde ze ermee in om binnen te blijven en Delphine en Élodie te leren aardbeienjam te maken. Delphine zag dat ze de kamer afzocht omdat de auto buiten stond en keek haar een beetje vermanend aan.

'Papa is niet thuis. Zou je vandaag voor hem poseren?' vroeg ze voorzichtig.

'O, nee,' zei Dimity gauw. 'Ik hoopte alleen dat... Mijn moeder vroeg er namelijk naar. Naar het extra geld.' Ze liet haar stem dalen bij het leugentje en zag tot haar schaamte dat de verwarring op het gezicht van haar vriendin plaatsmaakte voor medelijden.

'O, natuurlijk. Wat dom dat ik daar niet aan dacht,' mompelde Delphine. 'Misschien kun je in plaats daarvan een paar potten jam meenemen als we klaar zijn. Helpt dat?'

'Ja, graag.' Ze glimlachten naar elkaar en begonnen de helderrode vruchten schoon te maken. Delphine vroeg naar Wilf en Dimity gaf ondeugend gedetailleerd antwoord, hoewel ze nauwelijks aan hem had gedacht sinds de Aubrey's er waren, laat staan dat ze met hem alleen was geweest. De keuken rook al snel zoet van de aardbeien en toen Celeste naar beneden kwam snoof ze de geur op en glimlachte. Ze zag er moe uit en had scherpe lijnen rond haar mond, die Dimity bij haar weten niet eerder had gezien.

'Wat een heerlijke geur, meiden!' zei ze. 'Die herinnert ons eraan dat het zomer is, ondanks het slechte weer.' Het was tot dan toe inderdaad een kille zomer geweest, maar dat was Dimity nauwelijks opgevallen. ‘Nou, zon of geen zon, ik heb frisse lucht nodig. Ik ben in de tuin als jullie me nodig hebben.’

Twee uur later, toen de jam in de potten zat en Élodie tot aan haar ellebogen in het sop aan het aanrecht de pannen stond af te wassen, liep Dimity voorzichtig naar de achterdeur met een volle kop thee voor Celeste. Door de kier bij de deurpost zag ze een glimp blauw, en ze bleef staan toen ze er Charles’ speciale linnen tuniek in herkende, vol verfvlekken en vingerafdrukken. Zijn stem klonk zacht en afgemeten, alsof hij bang was Celeste te kwetsen of te verwonden als hij te ruw zou praten.

‘Maar dat is op dit moment onmogelijk, Celeste, dat weet je toch. Ik ben net aan een nieuw doek begonnen. Mitzy moet ervoor poseren en we hebben het geld nodig.’

‘Je kunt daar net zo goed werken, dat weet ik. Denk eens aan wat je allemaal hebt gedaan toen je er de eerste keer was!’

‘Ja, toen inspireerde jij me,’ zei Charles. Door de smalle kier kon Dimity nu zijn brede glimlach zien.

‘En nu inspireer ik je niet meer?’

‘Zo bedoelde ik het niet.’

‘We kunnen de kinderen bij je ouders laten. Ze willen vast wel voor ze zorgen, als jij uitlegt –’

‘Je weet best dat ze dat niet willen. Je weet hoe mijn moeder denkt over onze situatie.’

‘Maar als je tegen haar zegt... als je uitlegt dat we weg moeten. Dat ík weg moet. En dat wij wat tijd samen moeten hebben, Charles. *Mon cher.* Samen, als man en vrouw, zoals in het begin. Om het licht en de liefde en het leven tussen ons niet te vergeten, nu alles zo somber is geworden...’

‘Delphine en Élodie zijn de sterkste bewijzen van die liefde, Celeste, waarom zouden we ze achterlaten? Je weet hoe heerlijk ze het daar vinden.’

‘Of we kunnen ze bij Mitzy laten! Dat is een verstandige meid. Hoe oud is ze nu? Zestien? Ze zou voor ze kunnen zorgen, dat weet ik. Ze kan hier in huis komen logeren.’ Celestes stem klonk hoopvol.

'Geen sprake van.' Het klonk kortaf, onvermurwbaar. 'Die moeder van haar zou er zich ongetwijfeld mee bemoeien en Dimity is zelf nog een kind.' Nee, dacht Dimity, ademloos en onbeweeglijk. Ik ben een zwaan. Hij wilde niet weg met Celeste. Hij wilde in Blacknowle blijven, bij haar. Er vlamde blijdschap in haar op.

'Charles, alsjeblieft. Ik heb het gevoel dat er iets in me afsterft. Ik kan hier echt niet meer blijven. En ik heb het gevoel dat er ook iets afsterft tussen ons. Er is steeds meer afstand tussen ons. Ik moet naar huis! Ik moet naar de plek waar ik thuishoor. En ik moet bij jou zijn, zoals op onze huwelijksreis, zoals het was toen we elkaar net kenden en we het centrum van het universum waren. Alleen jij en ik, en niemand anders. Geen achterdocht en geen bedrog.' Ze pakte Charles' hand zo stevig vast dat haar vingers wit werden. Er viel een lange, afwachtende stilte.

'Als jij Dimity's moeder had gezien, dan zou je er niet over piekeren de kinderen bij haar achter te laten.'

'Maar Dimity kan toch hier blijven met ze – we kunnen haar er goed voor betalen! Dat bevalt die moeder toch altijd wel?'

'Haar goed betalen, nog een reis voor ons betalen en intussen niets verdienen, want zonder Mitzy kan ik niet verder werken –'

'Mon dieu!' Celeste schreeuwde van plotseling opvlammende woede. 'Ooit was er een tijd dat er nog meer onderwerpen onder de zon waren die je kon schilderen dan Mitzy Hatcher!'

'Oké, Celeste, rustig maar.'

'Nee! We gaan en staan altijd waar jij wilt, we plooien ons leven rondom jou en je werk. Ik heb álles opgegeven om bij je te zijn, Charles, en ik vraag maar weinig van je, maar kun je me dit niet eens gunnen, me gelukkig maken? Moet ik altijd maar vechten en smeken?' Ze schudde haar hoofd vol ongeloof, maar ineens vlamden haar ogen op. 'Het is die vrouw, hè? Voor haar wil je hier blijven!'

'Welke vrouw? Waar heb je het over?'

'Die in de pub logeert. De toeriste met die verloofde naar wie ze nauwelijks omkijkt. Die elke keer aan zichzelf moet zitten als ze jou ziet. Doe maar niet alsof je dat niet weet!'

'Maar ik ken die vrouw nauwelijks! Ik heb haar maar twee keer gezien! Je beeldt je dingen in, Celeste.'

'Niet waar! En ik zal je eens wat vertellen, Charles Aubrey. Of we gaan naar Marokko, weg van deze natte, treurige plek, of ik ga alleen met de meisjes en dan zie je ons nooit meer terug!'

Er volgde een lange, ongemakkelijke stilte, waarin Dimity nauwelijks durfde te ademen.

'Oké,' zei Charles ten slotte en Dimity werd er koud van. 'Dan gaan we met z'n allen,' zei hij.

'Wat? Nee!' protesteerde Celeste. 'Alleen wíj, Charles. We hebben tijd voor elkaar nodig.'

'Tja, dat kan niet. Dus gaan we met z'n allen.' Dimity kon niet langer stil blijven staan. Om haar komst aan te kondigen liep ze zo luidruchtig de hal door als ze kon zonder thee te morsen, en stapte ze met een zenuwachtige glimlach naar buiten.

'Alsjeblieft, Celeste, ik heb thee voor je,' zei ze, en ze deed haar best om te voorkomen dat haar stem ging trillen.

'Mitzy! Wat zou je denken van een reisje naar Marokko? Wij met zijn vijven. Dan kan Celeste haar familie opzoeken, en kan ik jou schilderen als haremvrouw of eventueel als Berberprinses... Je hebt nog nooit zoiets gezien, geloof me. Je zult het er prachtig vinden. Wat zeg je ervan?' Met zijn handen in de zij stond Charles haar met een soort radeloze strakheid aan te kijken, alsof hij Celestes onheilspellende blik wel voelde, maar hem niet durfde te zien.

'Jullie willen dat ik meega naar Marokko? Echt waar?' Dimity herademde en keek van hem naar Celeste en weer terug. 'Ik... ik zou het heerlijk vinden,' zei ze. 'Ik mag met jullie mee? Menen jullie dat?'

'Natuurlijk. Ik weet zeker dat je op reis een grote steun voor ons zult zijn. Je kunt helpen op de meisjes te letten zodat Celeste en ik tijd hebben om te rusten en bij elkaar te zijn.' Charles glimlachte dapper en durfde eindelijk naar Celeste te kijken. Ze stond met open mond van de schok naar hem te kijken, maar zei niets.

‘O, dank u wel! Heel erg bedankt!’ zei Dimity. Ze kon eigenlijk niet geloven dat het waar was. Ze glimlachte van oor tot oor, haar gezicht deed er pijn van. Ze zouden weggaan, maar dit keer zou ze met hen meegaan, met hem meegaan. Ze zou weggaan uit Blacknowle en verder reizen dan ze ooit voor mogelijk had gehouden. Het maakte haar niet uit dat Celeste haar niet mee wilde hebben. Voor haar was alleen belangrijk dat Charles het wel wilde; op dat moment kon haar liefde voor hem niet groter zijn.

‘Goed dan,’ zei Charles, niet op zijn gemak. ‘Ga maar naar binnen om het tegen de meisjes te vertellen. En zit er voor mij ook nog thee in die pot?’

‘Ik haal het wel voor u.’ Dimity stapte het naar aardbeien ruikende huis weer in. Vlak voor ze buiten gehoorsafstand was hoorde ze Celeste zeggen, met een stem ijskoud van woede: ‘Charles. Hoe kon je?’

Stro kriebelde op Zachs rug en de scherpe geur van vee drong zijn neus binnen, gefilterd door Hannahs dikke haar. Haar hoofd lag in de holte tussen zijn nek en zijn schouder; hij sloot even zijn ogen om te genieten van de manier waarop haar neus en kin tegen zijn lijf duwden. Haar warme adem werd geleidelijk aan rustiger, bijna normaal. Achter de strobaal waar hij tegenaan leunde begon ineens een schaap zwaar en hard te blaten. Hannahs hoofd schoot direct overeind; ze had moeite om haar ogen te focussen.

‘Is alles goed met haar?’ vroeg Zach. Hannah ging overeind zitten om te kijken en hun lichamen maakten zich van elkaar los. Zach voelde ineens koele lucht op bezwete, gevoelige huid.

‘Volgens mij wel. Ze krijgt het nu wel minder makkelijk, de arme meid. Maar ik moet wel even kijken.’ Ze klom van Zach af en ging staan, trok met moeite haar broek over haar heupen en ritste hem dicht. Op een van haar knieën zat schapenpoep. Ze liep om de baal heen en hurkte neer bij de werpende ooi, die zo snel ademde dat haar neusgaten zich opensperden en haar hele lijf schokte. Hannah keek onder haar staart en voelde voorzichtig aan wat daaronder uitstak. ‘Ik voel pootjes en neusvleugels.’

'Is dat goed?'

'Ja, dat is goed. Neusvleugels betekent een ongecompliceerde worp, met de kop eerst. Stuitligging is moeilijker.'

'O, mooi. Nou, ik heb dit nooit eerder gedaan. Seks gehad in een stal vol schapen, bedoel ik,' zei Zach terwijl hij zich aankleedde en het kaf van zijn huid veegde. Hannah keek op en lachte even.

'Het vrolijkt de lange uren wachten tijdens het lammeren wel wat op. Wil je die doek even naar me gooien?' Ze ving hem behendig op, veegde de viezigheid van haar handen en kwam weer naast hem op de baal zitten. Zach pakte haar hand en strengelde hun vingers in elkaar, met de kussentjes van hun duimen tegen elkaar aan, zodat hij het harde litteken op de hare kon voelen.

De kleine cappuccinokleurige ooien stonden her en der in de stal. Naast sommige lagen slaperige lammetjes opgekruld, andere lagen even hard te hijgen als het schaap dat Hannah net bekeken had, en weer andere kauwden hooi alsof het hun allemaal niets aanging. Het was drie uur 's nachts. Buiten was een volmaakt ronde maan opgekomen, die alles met zilverkleurige schaduwen overgoot. Zach keek door de deur naar buiten, naar de heuvel waarop The Watch laag tegen de horizon aan schurkte. Beneden in de keuken brandde een lichtje, en hij vroeg zich af of Dimity nog op was of had vergeten het uit te doen.

'Moet je er geen klodder van die groene verf op smeren? Of ze nummeren of zo, zodat je weet wie van wie is?' Hij wees naar de schapen die al lammetjes hadden. Alle ooien hadden klodders smaragdgroene verf op hun achterste.

'Dat weten de schapen wel. En ze worden allemaal gauw geoormerkt. Die groene verf is hardnekkig spul – als het erop zit, krijg je het er niet meer af. Niet ideaal voor biologische vachten. We smeren het op de borstkas van de ram om te kunnen zien wie hij gedekt heeft.'

'Gaat het lammeren altijd zo makkelijk?' vroeg hij. Hannah haalde haar schouders op.

'Dit is mijn eerste seizoen met deze kudde, weet je nog. Hopelijk floepen ze er allemaal zo makkelijk uit, want ik kan me nu geen veearts veroorloven.' Zach dacht even na.

'En je tekeningen dan? Ik bedoel, met alle respect, je krijgt niet veel aanloop in die winkel van jou. Zou je geen galerie of cadeauwinkeltje in de regio kunnen vinden dat ze in hun aanbod op wil nemen? Ik weet zeker dat ze goed zouden verkopen.'

'Dat zou kunnen. Maar ik weet het gewoon niet. Het idee spreekt me niet aan.'

'Welk idee? Het idee om een getalenteerd kunstenaar te zijn en wat bij te verdienen uit de verkoop van je werk? Wat is daar verkeerd aan?'

'Ik wil geen kunstenaar zijn. Ik wil een biologische schapenboer zijn.'

'Het een sluit het ander toch niet per se uit?'

'Min of meer. Als de tekeningen goed verkopen moet ik er alleen maar meer maken. Het is een hellend vlak. Binnen de kortste keren sta ik madeliefjes op gieters te schilderen en een cadeauwinkel te runnen in plaats van een boerderij.' Ze haalde haar schouders op en Zach lachte zachtjes.

'Maar je tekent al. De tekeningen zijn er al. Volgens mij kan het geen kwaad om ze ergens te hangen waar ze een grotere kans hebben verkocht te worden. Ik kan weleens rondkijken, als je wilt,' zei hij. Hannah keek in zijn ogen.

'Nee, het is goed zo. Ik zal erover nadenken,' zei ze. 'Maar jij dan? Ik durf te wedden dat je kunstenaar wilde worden. Waarom ben jij een galerie begonnen?'

'Vanwege het feit dat niemand mijn kunst wilde kopen en ik een vrouw en kind moest onderhouden. Of eigenlijk onderhield Ali zichzelf, mij en Elise. Ze is advocaat, en een goeie.'

'Dat was vast heel goed voor je ego.'

'Het was mijn eigen stomme schuld – het feit dat ik geen succes had. Ik heb mijn kans gehad en hem verprutst.' Zach schudde met een treurig lachje zijn hoofd bij de herinnering. Hij was destijds zo vol van zichzelf geweest, zo verdomd arrogant.

Het gebeurde in het jaar dat hij afstudeerde aan Goldsmith. Zijn eindexpositie werd overladen met lof van zowel docenten als studiegenoten, en van een journaliste die in haar tijdschrift een artikel schreef over jonge kunstenaars die de moeite waard waren om te volgen. *Zach Gilchrist,* stond er in het artikel, *combineert een klassiek oog met een gedurfde, bijna surrealistische benadering van onderwerp en betekenis.* Het gerucht ging dat Simon d'Angelico, een van de invloedrijkste verzamelaars van Britse hedendaagse kunst, naar de expositie zou komen om zijn werk te bekijken. Een echt, onvervalst gerucht, niet door Zach zelf in de wereld geholpen. Zo veel belofte, zo veel goede voortekenen. Zach verloor volledig uit het oog dat het niet meer was dan mogelijkheden en voortekenen, geen concrete feiten. Dat hij nog maar net was afgestudeerd, zich nog niet had waargemaakt – een belofte misschien, meer niet. Hij had het gevoel dat hij het al had gemaakt. En toen kwam er een vrouw genaamd Lauren Holt met hem praten; ze runde een kleine galerie bij Vyner Street in de City en wilde nieuwe kunstenaars opnemen in haar collectie. Toen ze vroeg of ze zijn laatste doek met nog twee andere stukken in haar galerie mocht hangen, luisterde hij nauwelijks. Hij had nog nooit van haar of haar galerie gehoord en dat zei, naar zijn mening, genoeg. Ze had vuurrood haar, hoewel ze ouder leek dan vijftig, dat vloekte met haar groene oogschaduw. Zach dacht dat ze er zeker uit wilde zien als de avant-garde; hij schreef haar af als een excentrieke amateur. Haar galerie was nog maar een halfjaar open en hij dacht dat het wel zo'n zaakje zou zijn dat kaarten van kunstwerken verkocht in een metalen draairek. Dus wees hij haar vierkant af en dacht er verder niet meer over na, in de veilige wetenschap dat er grootse dingen zijn kant opkwamen.

Negen maanden later presenteerde Lauren Holt in haar galerie een vernissage die een golf van opwinding in de pers ontketende, en in de kunstkringen waarin Zach wanhopig toegang probeerde te krijgen. Simon d'Angelico was helemaal niet op zijn eindexpositie geweest; er waren geen nieuwe artikelen in tijdschriften of kranten verschenen waarin Zachs naam werd genoemd. Toen Zach een bezoek bracht aan Laurens galerie liep hij met toenemende wanhoop rond bij het zien van de kwaliteit van de tentoongestelde werken, de perfecte belichting en de opgewonden conversatie. Verrassend werk van mensen van wie hij wél had gehoord, werd besproken door mensen die ertoe deden. Door een deur in de witte achterwand kwam Lauren Holt binnen, van top tot teen in het zwart, met glanzend rood haar. Zach probeerde zich achter een draadsculptuur te verstoppen, maar ze ving zijn blik en lachte een beetje schuins naar hem, eerder melancholiek dan triomfantelijk. Zach maakte zich klein. Hij schaamde zich te veel om haar te vragen of ze nog steeds belangstelling voor hem had. Nooit was hij er dichter bij geweest zijn werk door een invloedrijke galerie opgenomen te zien. Vanaf dat moment ging zijn carrière als kunstenaar alleen nog maar bergafwaarts.

'Waarom heb je haar niet ter plekke gevraagd of ze je alsnog wilde opnemen? De galerie was net nieuw. Als je door het stof was gegaan, had ze zich misschien gevleid gevoeld en toegestemd, al was het maar een enkel werk – dat afstudeerstuk dat ze goed vond,' zei Hannah. Ze liepen door het stro naar een andere ooi, waar de voorpootjes van het lammetje, gehuld in een glanzend grijs vlies, al uitstaken.

'Dat kon ik niet. Dat was te vernederend.'

'Je bedoelt dat je zelfs op dat moment nog te trots was?'

'Ik denk het.'

'Mannen!' Hannah rolde met haar ogen. 'Jullie zullen ook nooit eens iemand de weg vragen.'

'Ik denk dat ik nog steeds op een wonder hoopte. Maar dat was het. Mijn grote kans, en ik heb hem verspeeld.'

'Dat wil er bij mij niet in.' Ze legde haar handen om de glibberige pootjes van het lammetje en toen ze zag dat de ooi een wee kreeg trok ze rustig, tot het hele lijfje met een golf van nattigheid en een kreun van de ooi naar buiten gleed. 'Ja! Braaf schaap,' zei ze. Ze veegde het slijm van zijn bekje en neus en zwaaide het een paar keer voorzichtig heen en weer tot het nieste, snufte en zwakjes met zijn kop bewoog. Toen legde ze het naast zijn stomverbaasde moeder in het stro en veegde haar handen af aan haar jeans. Zach grijnsde. Lammeren was veel bloederiger dan hij had gedacht.

'Hoe bedoel je?'

'Wat bij jou hoort gaat niet aan je voorbij, zoals mijn oude opa altijd zei. Talent komt altijd naar buiten. Als je was voorbestemd om een professioneel kunstenaar te worden, zou dat je gelukt zijn,' zei ze. 'Maar het moest niet zo zijn.'

'Hm. Ik weet eigenlijk niet of die opvatting het beter of slechter maakt. Zijn we niet verantwoordelijk voor ons eigen geluk, onze eigen kansen in het leven?'

'En wat wil je daarmee zeggen? Dat je al die jaren je best niet hebt gedaan? Dat je daarom geen beroemd kunstenaar bent, je galerie op het punt van sluiten staat en je nu je boek niet af krijgt?'

'Nee, dat geloof ik niet. Ik heb toch wel het gevoel dat ik mijn best heb gedaan. Ik word al moe als ik eraan denk.'

'Zie je wel. Maak jezelf niet zo veel verwijten over één gemiste kans op een expositie.'

'Zeg jij eigenlijk dat ik van het begin af gedoemd was om te mislukken?'

'Precies. Zo – voelt dat niet beter?' Ze gaf hem grinnikend een duwtje tegen zijn schouder.

'O ja. Stukken beter,' zei hij glimlachend. Hannah zuchtte, deed een stap naar voren, pakte hem bij zijn shirt en hief haar gezicht op om hem te kussen.

'Kop op! Ik zie je nog steeds zitten, al ben je een enorme loser,' zei ze.

De dag na zijn lange nacht in de schapenstallen sliep Zach tot aan de lunch. Hij werd uitgehongerd wakker. Om twee uur 's middags zat hij achter een bord met ham, eieren en frites tussen de drinkers en hondenbezitters die kwamen schuilen voor de aanhoudende plensregen. Toen Zach zich naar het raam draaide om in de regen te staren, zag hij Hannah. Ze stond bij de bushalte te wachten in haar veel te grote geruite shirt dat allesbehalve waterdicht was, met haar jeans in haar rubberlaarzen gestoken en een oude slappe hoed, diep over haar hoofd getrokken. Zach ging rechtop zitten en wilde op het raam tikken om haar aandacht te trekken, maar hij besefte dat ze te ver weg stond om hem te kunnen horen boven het geluid van de regen uit. Hij leunde achterover en vroeg zich af waarom ze in vredesnaam in de regen bij een bushalte stond te wachten als ze met haar auto overal kon komen waar ze wilde. En als er iets met haar jeep was, zou ze zich niet bezwaard voelen om hem om een lift te vragen. Met een frons bleef hij met zijn kin op de leuning van zijn stoel naar haar zitten kijken. Ze stond met haar handen diep in haar zakken en haar rug kaarsrecht. Ze had haar schouders hoog opgetrokken en hoe langer Zach haar bestudeerde, hoe meer hij zich realiseerde dat ze een erg gespannen, zelfs ongemakkelijke indruk maakte. Het duurde niet lang voor de bus er aankwam, met zwiepende ruitenwissers. Er stapten twee bejaarde dames in doorzichtige plastic regenjassen uit. Hannah stapte niet in.

Zo'n twee minuten later keek Hannah op haar horloge; precies op dat moment stopte vlak voor de bushalte een vuilwitte Toyota, die modderwater uit de goot over Hannahs laarzen spatte. Ze deed een stap naar voren en boog zich naar het open raampje. Zach bleef kijken. Er zaten twee mannen in de auto, maar hij kon niet zien wie het waren. Ze spraken hooguit tien seconden met elkaar en toen haalde Hannah een gekreukelde envelop uit haar kontzak en gaf die aan hen. Door de voorruit kon Zach zien hoe de man in de bijrijdersstoel de envelop openmaakte en er met zijn vingers doorheen liep. Geld, dacht Zach. Dat moest wel. Hannah knikte, stapte achteruit en de auto trok op. Met haar handen weer in haar zakken keek ze hem na, en toen hij vlak bij de pub een hoek om sloeg zag Zach de mouw van de man op de bijrijdersstoel. De lila mouw van een sjofele sweater. Hij zag de enorme gestalte van de man en een slordige baard. James Horne. Hannah bleef nog even staan, met hangend hoofd en haar lichaam nog steeds gespannen. Toen stak ze de straat over naar de pub.

Hannah liep regelrecht naar de bar, waar ze met een brede lach haar pinpas naar Pete Murray uitstak.

'Wat, alles?' zei de herbergier verrast.

'O, gij ongelovige. Ik zei toch dat ik maar een paar dagen nodig had.'

'Dat is waar. Ik had alleen gedacht dat het iets langer zou worden.' Pete haalde zijn schouders op.

'Wrijf het er maar in. En vanavond kom ik terug om aan een nieuwe rekening te beginnen.' Tegen de bar geleund wachtte ze tot Pete haar betaling had afgehandeld, zonder om zich heen te kijken. Zach haalde al adem om haar te roepen, maar iets hield hem tegen. Misschien was het dat ze zich niet omdraaide om te kijken of hij er zat, maar met haar ogen op de lekplaten gericht ongeduldig met een bierviltje op het koper zat te tikken. Misschien waren het de vele vragen die zich in hem opstapelden. Hij wist dat ze die niet zou beantwoorden en daarom wilde hij ze niet stellen, maar hij kon nu niet met haar praten zonder te vragen waarom ze geld gaf aan iemand als James Horne, en waar dat geld ineens vandaan kwam. Maar toen ze weg wilde gaan, stond hij al achter haar voor hij het zelf in de gaten had. Haar gezicht sprak boekdelen toen hij haar bij de arm pakte. Haar ogen stonden strak en op hun hoede, haar mond was een vastberaden streep, en over alles lag een vleugje spijt. Zijn vragen stierven op zijn lippen en hij had een gevoel dat bijna op angst leek. Ineens zag hij voor zich dat hij haar zou kunnen verliezen.

'Hannah,' zei hij, en hij haalde diep adem. 'Wat het ook is, je kunt me vertrouwen. Ik hoop dat je dat weet.' Haar ogen werden groot en even zag ze er eenzaam en angstig uit. Maar toen kwam de vastberadenheid terug en schudde ze haar hoofd.

'In dit geval niet. Het spijt me, Zach.'

De volgende dag, donderdag, reed Zach de kustweg af om de snelweg naar Surrey te nemen. Het was de dag van zijn bezoek aan Annie Langton, de dame die een van de recent opgedoken portretten van Dennis had gekocht. Hij had die nacht maar weinig geslapen, in beslag genomen door gedachten aan Hannah en de problemen waarin ze misschien zat. Ze had misschien uit wanhoop contant geld van James Horne geleend; de discussie die Zach indertijd had gezien ging misschien over de terugbetaling. Maar deze lezing van de gebeurtenissen was toch niet houdbaar. Je betaalde een legitieme lening niet langs de kant van de weg af met een stapel cash in een envelop. Om te beginnen leende je al niet van iemand als James Horne. Zach kon zich geen moment voorstellen dat Hannah zijn hulp zou inroepen. Maar als het geld voor iets anders was, dan wilde Zach er niet aan denken wat dat zou kunnen zijn. En hij moest er niet aan denken hoe ze ineens aan dat geld in die envelop was gekomen.

Hij was zo moe en bezig met dit alles dat hij alleen aan zijn afspraak met mevrouw Langton dacht omdat een piepje van zijn telefoon hem eraan herinnerde. Tot zijn schrik realiseerde hij zich dat hij al meer dan een week niet eens had gedacht aan het boek dat hij moest schrijven. Hij had een overvloed aan notities en een stapel systeemkaarten waarop hij een eerste hoofdstukindeling probeerde te maken, met verwijzingen naar waar hij welke notities moest gebruiken. Maar er was ineens een reële mogelijkheid dat het boek nooit zou worden geschreven. Het boek waaraan hij was begonnen, was niet meer het boek dat hij wilde schrijven. Hij had geweten dat het niet zo sterk was, maar nu begreep hij dat het nog erger was dan dat. Het was zinloos.

Hij wilde schrijven over de man, niet over de kunstenaar. Hij wilde schrijven over Blacknowle en de mensen die daar woonden, en hoe die over de beroemde man in hun midden dachten. Hij wilde schrijven over Dimity Hatcher en de onlangs verkochte werken uit de onbekende collectie in Dorset. Hij wilde achterhalen wie Dennis was en waar Delphine terecht was gekomen nadat haar vader in de oorlog was omgekomen. Hij wilde weten wat Celeste met de rest van haar leven had gedaan. Maar de enige die alle witte plekken in kon vullen, was Dimity, en hij kon haar moeilijk dwingen om deze dingen te vertellen als ze dat niet wilde. De verhalen die ze hem al had verteld waren fantastisch, levend gehouden door haar liefde voor Charles Aubrey. Maar hij kon er geen heel boek mee vullen. Hij zag al voor zich dat hij terugging naar de galerie, ofwel om die officieel te sluiten en te verhuizen, ofwel om hem weer te openen en er het beste van proberen te maken. De gedachte riep een golf van misselijkmakende angst in hem op. Hij zag het metalen rek met de ansichtkaarten voor zich, dat stof stond te verzamelen terwijl de kleuren van de inkt in de zon verbleekten. En dat zou ook met hem gebeuren als hij terugging, besefte hij ineens. Hij zou stof verzamelen en zijn kleuren zouden vervagen tot niets, en hij zou Hannah nooit meer zien.

Annie Langton woonde in een grillig gevormd vrijstaand huis van rode baksteen aan de rand van Guildford. De hele voorgevel ging schuil onder klimrozen, die hun laatste gele blaadjes op de kiezels van de oprit lieten vallen. Het zag er schilderachtig uit, maar Zach wist dat een vrijstaand huis in die streek op grote welstand duidde. Een zwart-witte kat draaide om zijn benen heen toen hij na zijn klop op de voordeur stond te wachten. Mevrouw Langton zelf bleek, toen ze opendeed, een kleine, kwieke vrouw te zijn, gekleed in een gedistingeerde ribcord broek met een lichtbruine trui. Ze had steil, kortgeknipt staalgrijs haar en een haakneus onder schrandere blauwe ogen.

'Meneer Gilchrist, neem ik aan,' begroette ze hem met een zakelijke handdruk.

'Mevrouw Langton. Erg fijn dat ik uw tekening mag komen bekijken.'

'Kom binnen. Zal ik koffiezetten?' Ze ging hem voor naar een smetteloze zitkamer vol banken bekleed met zware, luxueuze stoffen. 'Gaat u zitten. Ik kom er zo aan.'

Ze liep de kamer uit en Zach keek om zich heen naar de kunst aan de muren. Ze had nog een paar mooie twintigste-eeuwse stukken, waaronder zo te zien een schets van Henry Moore, een ontwerp voor een van zijn suggestieve bronzen beelden. Toen trok een andere tekening zijn aandacht. Zelfs vanaf de andere kant van de ruime zitkamer kon hij zien dat het een Aubrey was. Hij liep erheen om hem van dichtbij te bekijken en lachte opgetogen. *Mitzy, 1939.* Zach kende hem – een prachtige schets van Mitzy, met blote schouders badend in het zonlicht. Hij was zo'n elf jaar geleden ter veiling aangeboden, maar Zach had niet eens de moeite genomen om erop te bieden. Hij had geweten dat hij hem nooit zou kunnen betalen, want het was de mooiste tekening van haar die er bestond, al was hij losjes neergezet. Ze was gekleed in een laag uitgesneden boerenblouse, waarin haar borsten aan de bovenkant fier opbolden. Een zonovergoten moment van zeventig jaar geleden; een mooi jong meisje met ogen waarin het licht danste. Alleen een ijskoud mens zou naar dat jonge gezicht kunnen kijken zonder zijn handen eromheen te willen leggen en het te overdekken met kussen. Haar bovenlip stak een beetje uit, als een soort aanmoediging.

'Wat is ze mooi, hè?' vroeg Annie Langton, die achter hem opdook met een blad met een cafetière en koffiekopjes erop. Ze glimlachte trots in de richting van de tekening. 'Ik heb er veel te veel voor betaald. Mijn man John leefde toen nog en hij heeft er bijna een hartaanval van gekregen. Maar ik moest hem gewoon hebben. Ze schittert, vindt u niet?'

'Nou en of. Ik was op de veiling, die dag. Ik kon het niet laten, al wist ik dat het een kwelling zou zijn om te zien dat iemand anders hem kocht, in de wetenschap dat ik hem nooit meer zou zien.'

'Wat maar weer bewijst dat we in dit leven nooit iets zeker weten. Melk en suiker?'

'Alleen melk, graag.' De verleiding was groot om mevrouw Langton te vertellen dat hij Dimity had gevonden, dat ze nog leefde en dat hij haar had leren kennen, maar hij hield zijn mond. Die onthulling moest hij bewaren voor in het boek, als hij dat ooit afkreeg.

'Zoals ik destijds tegen John zei: geld is maar geld. Terwijl echte schoonheid haar waarde nooit verliest, zoals iemand al eerder heeft gezegd, meen ik.' Ze keek met zo veel verlangen naar de tekening van Mitzy, dat de uitdrukking op haar gezicht iets opriep bij Zach.

'Was u toevallig een van Aubrey's minnaressen?' vroeg hij met een glimlach. Annie Langton keek hem heel streng aan.

'Jongeman, ik was nog lang niet geboren toen Charles Aubrey de oorlog in ging.'

'Natuurlijk niet. Sorry.'

'Geeft niet.' Ze zwaaide kordaat met haar hand. 'Voor iemand van uw leeftijd lijkt iedereen boven de vijftig waarschijnlijk even oud.'

'Zo jong ben ik niet,' zei Zach.

'Alleen onhandig dan?' Haar gezicht bleef ernstig, maar haar ogen glinsterden en Zach lachte schaapachtig. Met een flauw glimlachje veranderde ze van onderwerp. 'Ik heb van Paul Gibbons begrepen dat u vooral geïnteresseerd bent in de portretten van Dennis die Aubrey heeft gemaakt? Dus u weet wie hij was?'

'Nee. Ik hoopte half en half dat u me dat zou kunnen vertellen.'

'Aha, dan blijft het in nevelen gehuld. Nee, ik heb helaas geen idee wie hij was. Ik heb wel wat onderzoek gedaan, hoewel ik niet wil beweren dat ik evenveel over Aubrey weet als een kenner als u. Ik heb nergens een verwijzing naar hem gevonden.'

'Nee, ik ook niet.'

'O jee, ik hoop dat u niet helemaal hierheen gekomen bent om te kijken of ik het wist?'

'Nee, nee. Ik heb een soort theorie over de tekeningen van Dennis. Als ik uw origineel zou zien, hoopte ik dat dat iets zou verhelderen.'

'O ja?' Ze dronk kleine slokjes van haar koffie en bleef hem maar aankijken. Zach zag dat het geen zin had om haar iets op de mouw te spelden.

'Het zit me dwars dat Dennis nergens wordt genoemd. Ik kan het bijna niet geloven, gezien de data waarop de portretten getekend schijnen te zijn. Als de data kloppen, moet Dennis zo goed als zeker op een bepaald moment in Blacknowle geweest zijn. Maar ik ben in Blacknowle geweest en heb met een paar mensen gesproken die daar in die tijd woonden. En ook daar heeft niemand van hem gehoord.'

'Getekend *schijnen* te zijn, zegt u? Moet ik daaruit opmaken dat u denkt dat de portretten niet echt zijn?'

'Ik weet dat niemand dat graag hoort. Maar vindt u het niet vreemd dat deze portretten, de enige die we kennen van Dennis, allemaal in de afgelopen jaren te koop aangeboden zijn? Kennelijk door dezelfde verkoper? En dat ze allemaal zo op elkaar lijken, terwijl ze toch niet helemaal hetzelfde zijn?'

'Dat ben ik met u eens. Het is erg vreemd. Maar je hoeft maar naar de tekenstijl te kijken om te weten dat ze echt van Charles Aubrey zijn. Misschien heeft hij ruzie met Dennis gekregen, wie hij dan ook was. Misschien heeft Aubrey de jongen uit zijn leven gebannen voor hij overleed. Of misschien was hij ontevreden over de tekeningen en heeft hij ze achtergehouden. Misschien zijn ze daarom nooit verkocht. Tot nu.'

'Dat zou kunnen. Maar eerlijk gezegd geloof ik het gewoon niet.'

'Goed, laat ik u meenemen naar mijn Dennis. Mogelijk helpt hij u uw mening te vormen.'

Ze ging hem via de hal voor naar een grote studeerkamer, met een flink bureau van glanzend notenhout erin. Langs de wanden stonden boekenkasten, en overal waar nog een plaatsje over was, hing een kunstwerk aan de muur. Zach zag *Dennis* direct en liep er al naartoe voor mevrouw Langton hem aanwees. Hij kende het werk natuurlijk al, want hij had het meer dan eens bekeken in de catalogus van het veilinghuis. Nu hij het weer bestudeerde voelde hij zijn teleurstelling met de seconde groeien. Het zien van het origineel bracht geen enkel licht in de zaak. Hij was zich ervan bewust dat mevrouw Langton hem aandachtig stond op te nemen en besloot uit beleefdheid meer belangstelling te tonen dan hij voelde.

'Mag ik het vasthouden om er bij het raam naar te kijken?' vroeg hij.

'Natuurlijk. Ga uw gang.' Er zat een zware houten lijst om de tekening, die Zach stevig vasthield toen hij hem van de muur haalde. Bij het raam draaide hij hem zo dat het licht vol op het papier viel. Hij keek naar de potloodlijnen, naar de signatuur, naar de ondefinieerbare gezichtsuitdrukking van de jongeman. Al kijkend hoopte hij dat er iets boven zou komen, maar dat gebeurde niet. Toch kon hij het gevoel nog steeds niet van zich afzetten dat de tekening niet was wat hij leek te zijn.

'Het is geen meesterwerk, ik weet het, maar een heel aardige tekening, heb ik altijd gevonden. En het was een koopje,' zei Annie Langton toen de stilte voortduurde. 'Zal ik u even alleen laten?' voegde ze eraan toe.

'Nee, dat hoeft niet,' zei Zach.

'Hebt u gevonden wat u zocht? Nu al?'

'Niet echt, nee. Hebt u toevallig ooit achterhaald wie de verkoper was?'

'Nee, al heb ik dat wel gevraagd – ik was net als iedereen benieuwd waar deze nieuwe stukken ineens vandaan kwamen. Meestal mag de koper het wel weten, maar dit keer niet. Strikt anoniem.' Ze trok spijtig haar wenkbrauwen op.

'Zat hij in deze lijst toen u hem kocht?'

'O nee. Er zat geen lijst omheen toen hij bij het veilinghuis aankwam. Hij was slordig opgerold in een paar smoezelige vellen krantenpapier – niet te geloven – niet de beste methode. Gelukkig was het krantenpapier alleen een beetje doorgedrukt op de achterkant van het portret, niet op de voorkant.'

'In krantenpapier? Degene die hem verkocht ging er dus niet erg respectvol mee om. Weet u nog welke krant het was?'

'*The Times,* geloof ik, maar ik weet het niet helemaal zeker. Er viel niets uit op te maken – de datum was van een maand voor de verkoop. Ik heb ze nog, wilt u ze zien?'

'U hebt ze bewaard? Ja, graag.' Zach bad in stilte dat het pagina's van een lokale krant zouden zijn, en niet van een landelijke.

'Ja, voor mij gaat dat soort dingen deel uitmaken van de herkomst van een werk, hoe ongepast ze ook zijn.' Mevrouw Langton liep naar een grote ladekast, bukte zich om de onderste la open te trekken en haalde er een licht geplette rol krantenpapier uit. 'Alstublieft, maar ik ben bang dat u er niet veel aan hebt.'

Het waren pagina's uit *The Times.* Teleurgesteld rolde Zach de vellen open en liet zijn ogen over de datum en een paar koppen gaan. Hij wist niet goed waar hij op uit was, maar er bestond een kans dat de vroegere bezitter van de tekening een of andere aanwijzing achtergelaten had over wie hij was. Hij draaide de vellen om om de andere kant te bekijken en ineens viel hem in de rechterbenedenhoek iets op. Er zaten een paar gekleurde vlekken op het papier; inktvlekken in een heldere, smaragdgroene kleur. Ze leken op vingerafdrukken. Toen Zach er fronsend naar keek en probeerde te bedenken waar hij die kleur kortgeleden nog had gezien, zag hij iets waar hij koud van werd.

'Gaat het, meneer Gilchrist? U ziet ineens zo bleek.' Annie Langtons hand lag op zijn arm, maar haar stem leek van ver weg te komen. Zach kon haar bijna niet horen boven het bonzende bloed in zijn oren uit. Zijn handen, met de krant erin, begonnen onbeheersbaar te trillen. In de hoek van de krant, vlak langs de rand, stond een duimafdruk in precies de smaragdgroene kleur waarmee de gedekte ooien van Hannahs kudde waren gemerkt. Een duimafdruk met de scherpe lijn van een litteken schuin erdoorheen; duidelijk en niet mis te verstaan.

8

Dimity was zeeziek op de boot naar Tanger.

'Ik dacht dat je vader zeeman was,' zei Élodie. Ze stond met wapperende haren op het dek van de stoomboot; haar woorden verwaaiden in de wind.

'Maar ik niet,' zei Mitzy, en ze boog zich over de reling omdat haar maag weer omhoogkwam. Maar ze had niets meer om uit te braken en veegde een sliert speeksel van haar kin. 'Ik heb nog nooit op een boot gezeten.'

'Kunnen we iets voor je halen, Mitzy? Een glas water?' vroeg Delphine.

'Gember is het beste, als ze dat hebben, of munt,' zei ze schor met haar rauwe, pijnlijke keel; ze was zo duizelig dat ze de reling niet los durfde laten. Haar ogen zochten Charles. Hij zat op een bankje op het bovendek een paar jongetjes te tekenen die met hun miniatuurvliegtuigjes speelden. Ze was deels blij dat hij niet zag dat ze zeeziek was en deels jaloers op de jongens. Celeste voelde zich bijna net zo beroerd op zee als zij, maar de Marokkaanse bleef op bed liggen in haar verduisterde hut. Het was een stil vertoon van een persoonlijke waardigheid die Dimity ook graag zou willen bezitten, maar als ze naar binnen ging voelde ze zich alleen maar slechter, met bonzende slapen van het bloed dat in volume verdubbeld leek te zijn. Haar enige hoop was naar de horizon kijken en aan de lijzijde van de relingen te blijven. Toen Delphine uit de kombuis terugkwam met een takje munt en vroeg of ze het moest koken of zo, graaide Dimity het uit haar handen en kauwde wanhopig op de rauwe blaadjes, in de hoop dat het geweld in haar maag zou stoppen. De munt hielp in elk geval tegen de vieze smaak in haar mond. Élodie stond met afkeer en een vleugje medelijden naar haar te kijken.

'Het is de moeite waard, als we daar zijn, echt waar,' zei ze loyaal.

Na een tijdje joeg de vermoeidheid Dimity naar binnen, waar ze op een bank onder een raam ging liggen slapen. Ze had geen flauw idee van de tijd toen Delphine haar met een opgewonden gezicht wakker schudde.

'Kom eens kijken,' zei ze. Ze trok Dimity aan haar handen omhoog tot ze onvast op haar benen stond. Delphine trok haar mee naar het dek, waar Charles, Celeste en Élodie al aan de reling stonden. Het licht was zo verblindend dat Dimity automatisch haar ogen dichtdeed. Het scheen zo scherp op haar oogleden dat ze opgloeiden, roder dan vuur. Toen ze ze weer open kon doen was het zo overweldigend dat ze ineenkromp. 'Kijk! We zijn er. Marokko!' zei Delphine terwijl ze haar voorzichtig naar de reling duwde. Dimity kon eindelijk weer wat zien en hield haar adem in.

De stad Tanger rees op uit het water boven de haven in de ronde baai, bijna te fel om naar te kijken; groepjes witte huizen als een allegaartje van bouwstenen waartussen palmbomen en fragiel ogende torens omhoogstaken. Hier en daar tuimelde een kleurige massa roze bloemen over een muur of een balkon. De stad leek te glimmen boven het glinsterende turquoise water. De haven lag bomvol boten in allerlei vormen en maten, van kleine vissersbootjes in alle kleuren van de regenboog tot grote plompe vrachtboten en passagiersschepen zoals dat waarop zijzelf voer. Op de kade waren donkere mannen met harde gezichten aan het discussiëren en verkopen, aan het in- en uitladen. Op de walkant vlak bij hun boot was een verhitte discussie gaande tussen een man met een stroopkleurige huid en ruimvallende groene gewaden aan, en een blanke man in een modieus linnen pak. Dimity keek haar ogen uit. De mannen praatten in een vreemde taal, even onbegrijpelijk als het tafereel voor haar. Precies zoals Delphine ooit gezegd had was de zee van een andere kleur blauw dan in Engeland, evenals de lucht; de slanke torens zagen er vreemd en bovennatuurlijk uit, te hoog en te smal om een storm te weerstaan. De lucht rook naar zee, maar ook naar hitte en stof; naar kruiden die ze niet kende; naar bloemen die ze nog nooit had gezien. Overweldigd keek ze naar Delphine en zag vier paar ogen op zich gericht, die glimlachten om de verbazing op haar gezicht.

Élodie barstte in lachen uit.

'Je zou je gezicht eens moeten zien, Mitzy! Ik zei toch al dat het de moeite waard was,' zei ze. Dimity knikte sprakeloos. Celeste gaf haar een zacht klopje op haar hand, die ze om de reling geklemd had als steun.

'Arme Mitzy! Dit moet erg verwarrend voor je zijn. Maar adem het in, dompel jezelf erin onder, en dan zul je het gauw heerlijk gaan vinden. Dit is Marokko, mijn thuis. Het is een land van wonderen en schoonheid, van wreedheid en ongemak. Dit is het landschap van mijn hart,' zei ze. Ze draaide zich om en nam het uitzicht in zich op. De zon leek Celestes ogen geen pijn te doen; hij bracht haar zwarte, glanzende haar tot leven.

'Kom mee,' zei Charles. 'Tijd om van boord te gaan en een plek om te eten te zoeken. Als jullie maag weer op orde is, dames, hebben jullie honger als een paard.'

'Wat vind je ervan?' vroeg Delphine. Ze pakte Dimity's hand en hield die stevig vast bij het ontschepen. Dimity zocht naar woorden om uit te drukken hoe ze zich voelde. Dat de warmte, het licht en de kleuren haar tot barstens toe leken te vullen en haar in verrukking brachten. Dat ze eigenlijk niet kon geloven dat zo'n plek bestond.

'Ik vind… Ik vind het net een droom. Volgens mij is dit een heel andere wereld,' zei ze schor, met bonzend hoofd.

'Dat is het ook,' zei Delphine met een glimlach. 'Het is een totaal andere wereld.'

Ze bleven maar een nacht in Tanger, een nacht waarin Dimity maar weinig sliep; ze snoof de vreemde lucht met zijn onbekende geuren op en voelde zich duizelig. Het was duizelingwekkend, verbijsterend; alles was zo vreemd en ongerijmd als in een sprookjesland. Ze werd 's nachts regelmatig wakker met het gevoel dat het land onder haar voeten hol was, niet massief. Alsof het niet stevig was en de buitenlaag kon knappen zodat zij in het niets zou tuimelen. Na een tijdje begreep ze waarom. Het gebulder van de zee was weg; de manier waarop dat in Blacknowle altijd door haar voeten naar boven resoneerde, als een enorm kloppend hart. Zonder dat voelde ze zich zo luchtig als een elfje; als een vlieger waarvan het touw gebroken was. In een droom viel haar eigen loodzware hart stil, en wakker worden leek op opnieuw geboren worden, in een nieuwe huid.

Ze huurden een auto met chauffeur voor de lange rit naar Fez, een reis die lang duurde vanwege het zand dat op sommige plekken op de weg gewaaid was. De auto schommelde zachtjes heen en weer in de wind en Dimity keek uit het raam terwijl de anderen lagen te slapen. Ze was nog steeds stomverbaasd hoe groot alles was, hoe woest en anders. De lucht was smetteloos, meedogenloos strak. Onder de felle zon zinderde het land van de hitte; zo ver als het oog reikte was het stoffig, met rotsen en een ogenschijnlijk uitgedroogde begroeiing. In de verte dacht Dimity op de weg waar ze net hadden gereden de stofwolk van een ander voertuig te zien, maar ze wist het niet zeker. Laat in de middag, toen de zon lange schaduwen wierp van zelfs de kleinste stenen en planten, doemde eindelijk de stad voor hen op, laag en uitgespreid in de wijde vlakte. Eerst dacht Dimity dat de stad niet groter was dan Wareham, maar hoe dichter ze erbij kwamen, hoe uitgestrekter hij leek. Toen de anderen wakker waren wees Celeste erop dat de dichte bebouwing die Dimity voor de hele stad had aangezien feitelijk alleen de koloniale wijk was, waar de Fransen en de andere Europeanen woonden.

‘Omdat we onszelf te goed vinden om tussen de Arabieren en Berbers te wonen,’ zei Delphine onschuldig.

‘Omdat we zo fijngevoelig zijn om een respectvolle afstand te bewaren,’ verbeterde Charles haar.

‘Achter die gebouwen ligt Fez el-Djid. Het nieuwe Fez.’ Celeste wees naar de stad, waar de donkere straten al verlicht werden door fonkelende lampen.

‘Is het nieuw? Ik dacht dat het een oude stad was,’ zei Dimity.

‘De nieuwe stad is alleen nieuw in vergelijking met de oude. De nieuwe is nog steeds honderden jaren oud, Mitzy. Maar de oude… Fez el-Bali is de oudste stad in Marokko die niet gebouwd is door de Romeinen of een ander volk uit de oudheid. Hier is het, hier. Kijk!’ Toen de auto langzaam tot stilstand kwam aan de rand van een dal zwaaide Celeste met haar arm naar het plotselinge uitzicht op de stad, die zich in de laagte onder hen uitstrekte; een wirwar van daken, zo dicht op elkaar dat Dimity geen enkele straat verder dan een paar meter kon volgen.

Ze stapten uit de auto om het beter te kunnen zien en stonden naast elkaar uit te kijken over de stad. Er woei een stevige bries uit het zuiden, nog warmer dan de lucht, als de adem van een enorm beest. Celeste ademde diep in en glimlachte.

‘De wind komt uit de woestijn vandaag. Voel je de warmte, Mitzy? Meisjes? Dat is een woestijnwind; de *arifi,* de dorstige wind. Je voelt hoe sterk hij is. Op een dag als vandaag zou de zon een man kunnen doden, net zo effectief als een mes door het hart. Het zuigt het leven uit je bloed. Ik heb het gevoeld – de drang om te gaan liggen is sterk, erg sterk; en vervolgens ben je er niet meer. Weggesleten tot het zoveelste korreltje zand in de onmetelijke oceaan van de Sahara.’

‘Celeste, je maakt ze bang,’ zei Charles afkeurend, maar Celeste stak uitdagend haar kin in de lucht.

‘Misschien moeten ze ook bang zijn. Dit is geen gemakkelijk land, waar we nu zijn. Je moet er respect voor hebben.’ Dimity ging wat meer rechtop staan en probeerde de vermoeidheid van de lange reis van zich af te schudden, voor het geval ze in slaap zou vallen en er alleen maar zand van haar overbleef. Ze voelden het allemaal, de angst voor de slaapverwekkende wind. In de stilte die volgde hoorden ze niets anders dan de zacht kreunende wind en de zoemende vliegen.

Toen hoorde Dimity een man zingen. Het leek op geen enkel lied dat ze ooit had gehoord. Een hoge, ijle woordenstroom, breekbaar en meeslepend tegelijkertijd, vol van betekenissen die zij nooit zou begrijpen. Uit de stad kwamen geen auto- of verkeersgeluiden. Ze hoorde alleen blaffende honden, ratelende wagenwielen en zo nu en dan een balkende muilezel of mekkerende geit; een zacht achtergrondgeluid van vele mensen die dicht op elkaar leefden.

'Waarom is die man aan het zingen? Wat zingt hij?' vroeg Dimity aan niemand in het bijzonder. Haar stem klonk gedempt en ze kon haar ogen niet van de warwinkel beneden hen afhouden.

'Dat is de muezzin, een soort priester, die de gelovigen oproept om te bidden,' zei Charles.

'Net als de kerkklokken thuis?'

'Ja.' Charles gniffelde. 'Precies zo.'

'Ik vind het zingen mooier dan de klokken,' zei ze.

'Maar je weet niet wat hij zingt. Welke woorden hij zegt,' zei Celeste, bloedserieus.

'Dat maakt niet zo veel uit bij een lied. Woorden zijn maar de helft van een lied, de andere helft is muziek. Ik begrijp de muziek,' zei ze. Toen ze naar Charles keek, zag ze dat hij haar bedachtzaam stond op te nemen.

'Goed zo, Mitzy,' zei hij. 'Helemaal waar.' Dimity kreeg een kleur van blijdschap.

'Meisjes, wisten jullie dat Fez el-Bali gebouwd is op de plek van een Berberkamp?'

'Ja, mama. Dat heb je al eens verteld,' zei Élodie. Celeste sloeg lachend een arm om haar beide dochters.

'Sommige dingen zijn het waard om vaker te vertellen. Er stroomt Berberbloed door jullie aderen. Deze stad zit jullie in het bloed.'

'Nou, Mitzy? Wat vind je ervan?' vroeg Charles. Dimity voelde alle ogen op zich gericht, in afwachting van haar oordeel of een scherpe observatie.

'Ik vind niets,' fluisterde ze en ze zag de teleurstelling op het gezicht van Charles en Celeste. Ze slikte, dacht geconcentreerd na, maar haar hoofd duizelde. 'Ik kan niet nadenken. Het is alles,' zei ze. Charles klopte haar licht troostend op haar schouder.

'Stil maar. Je moet wel doodmoe zijn. Kom mee. Terug in de auto en naar het pension,' zei hij.

'Logeren we niet bij jouw familie, Celeste?' vroeg Dimity zonder erbij na te denken. Delphine wierp haar een veelbetekenende blik toe en Celeste fronste haar voorhoofd.

'Nee,' zei ze kortaf.

Ze moesten de auto bij de stadsmuren achterlaten en de laatste vierhonderd meter naar hun logeeradres lopen, want de straten waren te smal om erdoorheen te rijden. De *riad,* die hun pension was, had een hoge, gebeeldhouwde deur, maar bleek net als de andere gebouwen in de smalle straat verwaarloosd en in verval. Dimity was een beetje teleurgesteld, tot ze op een betegelde binnenplaats kwamen met een marmeren fontein in het midden, stenen banken met verschoten kleden en kussens erop verspreid, en verwilderde rozen rond de pilaren die de bovenverdiepingen van het huis stutten. De meisjes keken met verbazing omhoog. Het was heel bijzonder om een gebouw binnen te komen en dan de heldere, lichtgroene hemel nog boven je te zien. Er schitterde een ster; een enkel glinsterend lichtpuntje. De vloer bestond uit een ingewikkeld blauw en wit mozaïekpatroon, de muren waren deels betegeld, deels gepleisterd en geverfd. Er zaten overal ontbrekende stukjes, scheuren of lege plekken van losgeraakte tegels, maar die onvolkomenheden leken alleen maar bij te dragen aan de betovering van het geheel.

'Zoiets bouwen ze niet in Dorset, hè?' fluisterde Celeste in Dimity's oor, waarop Dimity zonder iets te zeggen haar hoofd schudde.

Toen ze op de binnenplaats zaten werd hun een blad met sterk gezoete muntthee gebracht. Een bediende rende de deur in en uit om hun bagage, met een paar koffers tegelijk, vanaf een handkar naar boven te brengen. Elke keer als hij voorbijkwam bleef Dimity naar de jongen kijken; naar zijn zwarte krulhaar en koffiekleurige huid. Toen ze hem voorbij zag lopen met haar kleine, goedkope reistas in zijn handen kneep haar maag op een rare manier samen. Nog nooit had iemand iets voor haar gedragen, laat staan een bediende. Iemand aan wie ze iets kon vragen en die verplicht was om haar te gehoorzamen. Ze strekte haar hals om hem zo lang mogelijk na te kijken, tot hij om een bocht in de trap verdween. Delphine, die naast haar zat, gaf haar met een por in de ribben nog een veelbetekenende blik.

'Niet slecht, geef ik toe,' fluisterde ze. 'Maar hij haalt het niet bij Tyrone Power.' Hun ingehouden lachen stuiterde tegen het afbrokkelende roze pleisterwerk en weerkaatste door de hele binnenplaats.

Dimity, Delphine en Élodie deelden een kamer met een laag, gewelfd plafond waaraan een ijzeren sierlamp hing die gefragmenteerde lichtpatronen wierp. De kamer had een koele tegelvloer en okerkleurige, bladderende muren. Op de bedden lagen dunne, harde matrassen met kleine peluwen als hoofdkussen en aan het voeteneind van elk bed lag één geweven deken. Hoge ramen met een stenen balustrade ervoor boden aan de voorkant uitzicht op een aangrenzend gebouw en aan de rechterkant, heuvelafwaarts, over de rest van de stad. De lucht was inmiddels fluweelzwart en er pinkelden meer sterren dat Dimity ooit had gezien.

'Het lijkt een heel andere hemel, vind je niet?' zei Delphine, die naast haar kwam staan terwijl Élodie een handstand maakte tegen de muur achter hen, met de pijpen van haar pyjamabroek afgezakt zodat haar magere benen zichtbaar waren. 'Ik kan me bijna niet voorstellen dat dezelfde maan en sterren nu ook boven Engeland staan te schijnen.'

'Er zijn nachten in Blacknowle, in de zomer, dat er ook ongeveer zo veel sterren zijn. Ongeveer, maar de lucht is nooit zo zwart en de sterren zijn nooit zo helder,' zei Dimity. 'Koelt het hier 's nachts niet af?'

'Tegen de ochtend wel, en in de woestijn wordt het ijskoud.

Maar hier in de stad blijft het na zonsondergang nog lang warm. De bebouwing houdt de warmte vast,' zei Delphine. Dimity keek neer op de smalle straten, waar ze de hete lucht bijna kon zien liggen, vet en lusteloos als een hond die te veel gegeten heeft. Plotseling was ze zo moe dat ze bijna niet meer kon staan en steun moest zoeken bij de balustrade. 'Gaat het wel? Heb je genoeg water gedronken?'

'Ik... ik weet het niet.'

'Je moet veel drinken hier, ook als je geen dorst hebt. Anders val je flauw van de hitte. Ik haal wat voor je.'

'Neem voor mij ook wat mee, Delphine!' zei Élodie toen haar zus de kamer uit ging. Ze stond nog steeds op haar handen.

De meisjes bleven laat op. Élodie en Dimity luisterden in vervoering naar Delphines lugubere verhalen over Marokkaanse slavenhandelaren die Europese mannen gevangennamen en hen dwongen tot aan hun dood te werken bij de bouw van paleizen, wegen en hele steden. Die Europese vrouwen gevangennamen en hen dwongen te trouwen met dikke, lelijke sultans, waarna ze voor altijd in de harem moesten wonen en er nooit meer uit mochten. Na een tijdje lieten de twee jongste meisjes zich door de slaap overmeesteren, maar Dimity lag ondanks haar vermoeidheid nog lang wakker, terwijl het overal stil was in huis. Ze stond bij het raam met haar handen om de warme balustrade, ademde diep in en probeerde de verschillende geuren in de warme lucht te onderscheiden.

Ze rook rozen, en ook jasmijn; en de harsachtige geur van cipressen, bijna zoals de door de zee gehavende pijnbomen in Dorset. De wind droeg volle, kruidige geuren aan van salie of rozemarijn, maar ook de stank van warme dieren en mest; en van menselijke uitwerpselen: de zoete, vertrouwde stank van het privaat, niet doorlopend, maar af en toe. Er hing een scherpe, leerachtige vleesgeur waarvan ze de herkomst niet kon raden, een metalige geur die deed denken aan bloed en die ze niet prettig vond, en een prikkelende geur van kruiden die ze half herkende uit het eten dat ze hadden gehad en de *pastilla* die Celeste vaak klaarmaakte op Littlecombe. Bij al die nieuwe geuren was er één opvallend afwezig: de zilte geur van de zee. De gedachte aan Littlecombe en Blacknowle werkte ontnuchterend op Dimity, en ze merkte dat Blacknowle heel ver weg leek, zowel in afstand als in tijd. Alsof haar hele leven tot nu toe een droom was geweest, die nu in rap tempo uit haar geheugen werd gewist, zoals alle dromen bij het ontwaken. Dit was een heel nieuw leven, een leven waar de zee haar niet meer aan banden legde, haar niet meer opsloot in zijn ritme. Een leven waarin ze vrij en zelfstandig was, dat niet vertrouwd was en heel anders. Ze klemde haar handen stevig om de stenen balustrade en voelde zich bijna onverdraaglijk gelukkig.

's Ochtends na het ontbijt hielp Celeste haar dochters zich klaar te maken om naar haar ouderlijk huis te gaan, buiten de muren van Fez El-Bali in de ruimere straten van Fez El-Djid. Ze kamde met vlugge, gespannen vingers het haar van de meisjes netjes achterover uit hun gezicht en trok hun katoenen rokken en bloesjes recht. Dimity streek haar eigen kledij – de versleten vilten rok die ze thuis vaak droeg – verlegen glad.

'Zie ik er wel netjes genoeg uit in deze kleren?' vroeg ze bezorgd, waarop Celeste fronsend opkeek tot ze het begreep.

'O, Mitzy! Het spijt me, maar dit bezoek moet ik alleen met de meisjes doen. Ik heb mijn ouders al meer dan een jaar niet gezien. En na zo'n lange tijd moeten we eerst even onder elkaar zijn. Begrijp je dat?' Ze kwam voor Dimity staan, legde haar handen op haar schouders en nam haar vanaf een armlengte kritisch op. Dimity knikte, ineens met een brok in haar keel. 'Je bent een beste meid. Charles is een wandeling gaan maken, maar als hij terugkomt zal hij wel aan een paar schetsen willen beginnen. Wij komen terug om... Ik weet eigenlijk niet hoe laat we terugkomen. Het hangt ervan af. Hoe dan ook, tot straks.' Ze duwde de jongere meisjes naar de deur, en ze glimlachten in het voorbijgaan naar Dimity – Delphine verontschuldigend en Élodie harteloos. In de deuropening keek Celeste nog even naar haar om. 'Je kunt die wollen kleren hier niet dragen. Dat is veel te warm. Als we terug zijn zal ik iets luchtigers voor je zoeken.' Ze knikte om haar belofte kracht bij te zetten en was weg.

Alleen achtergebleven sloeg Dimity haar armen stijf om zich heen om haar opkomende nervositeit te bedwingen. Verlamd door onzekerheid vroeg ze zich af of ze in haar kamer moest blijven of weggaan. Ze wist niet wat er van haar verwacht werd, wat de regels waren. Ze liep stilletjes tot boven aan de trap en keek neer op de binnenplaats onder haar, waar de fontein zacht klaterde en de jongen met het krulhaar met een harde bezem de vloer aan het vegen was. Er klonken gedempte stemmen, maar de betekenis ging verloren in een vage, onbegrijpelijke woordenstroom. Ze liep over het terras naar de deur van hun slaapkamer, bestudeerde de sierlijke tegels en het beeldhouwwerk op de deuren, keek vanuit alle mogelijke hoeken naar de binnenplaats en naar de strakblauwe lucht boven haar hoofd. Ze had nog nooit zo'n mooi gebouw gezien, laat staan dat ze erbinnen was geweest of had gelogeerd. Uiteindelijk raapte ze de moed bij elkaar om naar beneden te gaan, maar toen ze onder aan de trap was zag ze dat de voordeur dicht was. Ze controleerde of de kust veilig was, liep ernaartoe en probeerde de deur open te trekken, maar die gaf niet mee. Ineens stond de jonge bediende naast haar, die iets tegen haar zei. Zijn tanden staken erg wit af in zijn donkere gezicht. Toen Dimity een stap achteruit deed, stootte ze haar schouders tegen de deur. Lachend zei de jongen weer iets, dit keer met woorden in de bekendere, bijna vertrouwde klanken van het Frans, dat ze Charles en Celeste soms hoorde spreken. Maar ook al kon ze afzonderlijke woorden onderscheiden, ze wist nog steeds niet wat ze betekenden. Ze sloop van hem weg, draaide zich om en vluchtte de trap weer op.

Uren later lag ze op haar rug te doezelen op haar dunne matras. Ze droomde met tussenpozen dat ze verdwaald was in de onmetelijke droge vlakte waar ze de dag daarvoor doorheen gereden waren, en voelde hoe de wind haar in zand veranderde en wegblies, korreltje voor korreltje. Ze werd wakker van voetstappen buiten en een plotselinge klop op de deur, en Charles stond al in de deuropening voor ze de kans had om open te doen. Hij was een beetje verbrand op de brug van zijn neus en op zijn jukbeenderen, en zijn verwaaide haar was zweterig. Dimity krabbelde overeind, streek haar haar uit haar gezicht en probeerde haar geest helder te krijgen. Ze had geen idee of ze duizelig was omdat ze te snel was opgestaan, of omdat zijn aanblik haar overweldigde.

'Mitzy! Wat doe jij hier in je eentje?'

'Ze zijn naar Celestes familie, alleen kon ik niet mee omdat ik geen familie ben,' zei ze terwijl ze de slaap uit haar ogen wreef. Charles keek boos.

'Ze had je hier niet alleen mogen achterlaten; dat is niet eerlijk. Kom mee. Heb je honger? Ik was van plan iets te eten en dan op een muilezel naar de Merinidische graftombes boven de stad te gaan. Heb je zin om mee te gaan?'

'Ja,' zei ze onmiddellijk, en vroeg zich vervolgens af hoe ze ooit fatsoenlijk op een muilezel kon zitten met een vilten rok aan.

Bijna hollend om hem bij te kunnen houden liep ze achter Charles aan door de stoffige straatjes naar het hart van het oude Fez. Ze zigzagde tussen drommen mensen door, die zich als kruipende slangen in alle richtingen bewogen, allemaal gekleed in krijtachtig grijze of geelbruine gewaden: woestijnkleuren, alsof het zand, de stenen en het afbrokkelende pleisterwerk om hen heen in hen was doorgesijpeld. Langs de straten lagen kleine winkeltjes, die hun koopwaar meestal aan haken buiten hadden opgehangen waardoor de wegen nog smaller werden. Grote metalen borden en potten, rollen textiel, dikke bossen gedroogde kruiden, allerlei producten van leer, lantaarns, manden, machineonderdelen en onbekende gereedschappen.

'We gaan niet ver de stad in. Hier vlakbij is een klein restaurantje waar we kunnen eten, en ernaast woont iemand die ons voor de rest van de dag een paar muilezels uit kan lenen,' riep Charles over zijn schouder. Dimity's aandacht werd getrokken door plotseling vleugelgeklapper en toen ze opkeek zag ze een groepje witte duiven opstijgen van een dak. Op een balkon dat boven de straat hing stonden twee lange vrouwen er ook naar te kijken. Hun huid was zo zwart als pek; de sieraden om hun hals en aan hun oren staken vlammend af tegen hun donkere huidskleur. Dimity bleef ze aangapen tot ze tegen een vrouw met kinderen aan haar rokken aan botste die haar tegemoet kwam; de vrouw was van top tot teen in het grijs gehuld en gesluierd. De kinderen droegen zijden kaftans in tinten indigo, limoengroen en donkerrood, mooi en fleurig als vlinders. De gesluierde vrouw mopperde boos en haar kinderen giechelden in het voorbijgaan.

Toen ze de hoek omgingen naar een steile straat met kinderkopjes draaide Charles zich naar haar om. 'Kijk uit waar je loopt, we zijn hier dicht bij de slagers.' Toen Dimity naar beneden keek zag ze tot haar verbazing een stroom helderrood bloed midden over de straatkeien van het steegje kabbelen. Haastig stapte ze opzij en keek een eenzaam wit veertje na, dat als een bootje meevoer op de lugubere, kleverige rivier.

'Hoeveel dieren zijn er nodig voor zo veel bloed?' vroeg ze.

'Veel, heel veel. Maar het is bloederig water, niet alleen bloed. De slagers gieten het met emmers tegelijk naar buiten,' zei Charles. Hij keek haar even aan. 'Ik kan me niet voorstellen dat zo'n jager als jij gauw vies van iets is?'

'Nee, meneer Aubrey,' zei ze hoofdschuddend, hoewel haar knieën op een vreemde manier zwak aanvoelden. Ze vond het leuk dat hij haar een jager noemde. Het bloed rook zwaar en indringend. Toen ze voorzichtig nog een stap bij de stroom vandaan deed bleef haar hiel ergens achter haken en struikelde ze. Ze keek in het gespleten oog van een geit en deinsde terug. Er lagen honderden ogen stil te staren. Een stapel afgehouwen geitenkoppen, met bloed dat uit hun nekken droop en rechte tandjes achter teruggetrokken lippen. De oude man achter deze gruwelijke stapel lachte naar haar, maar Dimity haastte zich met een draaiende maag achter Charles aan.

De plek waar ze lunchten was geen echt restaurant, maar een nis in de muur tussen houten luiken. Een oude vrouw stond er deegbodems uit te rollen en bakte die snel op een ijzeren plaat waar de hitte vanaf sloeg. Ze vulde ze met handenvol roerei en olijven en vouwde ze behendig op voor ze ze aan Charles gaf. Ze gingen op een oud stoepje tegenover de winkel zitten eten. Ze brandden hun lippen aan het hete brood en moesten een zwerm dikke, blauwzwarte vliegen wegjagen die om hen heen zoemden. Ongevraagd kwam een jongen hen twee glazen thee brengen, en Charles veegde zijn vingers af aan zijn broek voor hij ze aanpakte en de jongen er een munt voor gaf. Hij leek volkomen op zijn gemak en helemaal gewend aan de manier van leven die voor Dimity zo vreemd was. Ze deed haar uiterste best om haar verbazing niet te laten blijken en zich niets aan te trekken van de openlijk nieuwsgierige blikken van de langslopende Arabieren. Alsof hun aandacht hem ineens ook opviel lachte Charles even naar haar.

'Niet in je eentje op pad gaan, hè, Mitzy? Het is waarschijnlijk veilig genoeg, maar je raakt de weg zo makkelijk kwijt in de oude stad. Dat is mij overkomen toen ik hier voor het eerst was. Het heeft me vier uur gekost om eruit te komen! Uiteindelijk heb ik een pakezel uitgekozen en ben ik daar achteraan gelopen. Hij ging gelukkig naar een van de poorten en van daaruit wist ik de weg weer. Je kunt misschien maar beter dicht bij me blijven.'

'Dat zal ik doen,' zei ze. Na nog een hap zat Charles even peinzend te kauwen.

'Ik krijg een idee voor een schilderij. Ik zie het nog niet helemaal voor me, maar ik denk dat het in de woestijn zou moeten, niet in de stad. We zien nog wel. Nu je toch hier bent moet je de looikuipen zien. Die zijn echt verbazingwekkend. Maar niet te snel na de lunch, denk ik. Ze ruiken nogal sterk,' zei hij lachend. Dimity knikte. Ze wilde alles wel doen, alles wat Charles voorstelde.

Hun muilezels hadden harde, roze-achtige leren zadels die een beetje naar vlees roken; de geur mengde zich met die van de dieren zelf. Charles onderhandelde uitgebreid in het Frans met de muilezeldrijver, en gaf hem uiteindelijk een paar munten met het gebaar van een man die weet dat hij wordt afgezet. Pas toen ze opgestegen en weggereden waren, fluisterde hij met een knipoog tegen Dimity dat het een koopje was. Dimity, die gedwongen was haar rok om haar heupen op te rollen om schrijlings op haar muilezel te kunnen zitten, zat te zweten onder de deken die ze had gekregen om haar onderlichaam zedig te bedekken. Ze bond de deken om haar middel als een reusachtig schort. Haar knieën jeukten van de ruwe stof. Binnen een paar honderd meter had ze al zadelpijn, maar haar muilezel volgde die van Charles zonder protest, en dat zou zij ook doen.

Ze reden zeker een uur door de drukkende middaghitte, almaar stijgend op een rotsige heuvel ten noorden van de stad. Voor zich zag Dimity de vierkante, ommuurde restanten van gebouwen waar ze, vermoedde ze, naartoe gingen. Het zweet droop over haar rug, haar houding werd slap in het zadel en ze voelde de zon op haar gezicht branden. Charles had een breedgerande hoed op en ze wilde dat zij er ook een had. Haar haren plakten op haar hoofd en in haar nek, en ze dagdroomde over een duik vanaf de kade in Tanger in het koele turquoise water. Lange tijd was er niets te horen dan de klepperende hoeven van de muilezels over de stenen en kiezels op de grond, het gekraak van de zadels en het gekreun van de wind. Dicht bij de top passeerden ze een veld met geitenvellen die lagen te drogen in de brandende zon. Ze waren knalrood, felblauw en hardgroen geverfd en lagen verspreid op de rotsige grond als afgevallen bladeren van een reusachtige bloem. Terwijl haar muilezel zijn weg ertussendoor zocht staarde Dimity ernaar, verbluft door de kleuren.

Toen ze ten slotte bij de voet van een hoge, bouwvallige stenen tombe arriveerden, stapte Charles af en nam een grote slok uit een fles water voordat hij hem aan Dimity gaf.

'O, verdorie – je hebt je gezicht verbrand! Heb je geen hoed?' vroeg hij. Dimity schudde haar pijnlijke hoofd zonder zich druk te maken over haar roodverbrande huid, want als zij uit zijn fles dronk raakte haar mond de zijne. 'Nou ja, zet op de terugweg de mijne maar op. Kom een poosje in de schaduw zitten.' Pas toen Dimity zich stijfjes van haar ezel had laten glijden en met haar rug tegen de afgebrokkelde stenen zat, begreep ze waarom Charles deze warme, oncomfortabele trip had gemaakt. Heel Fez lag aan hun voeten, aan alle kanten omgeven door de vlakte en de rode heuvels. In het westen zakte de zon en werd alles overgoten met een oranje gloed; de stadsmuren leken wel in brand te staan. Ze hield haar adem in bij het schouwspel en Charles, die ook stond te kijken, glimlachte.

'Je begrijpt vast wel waarom die koningen uit de oudheid dit als hun laatste en eeuwige uitzicht wilden, hè?' zei hij zacht. Dimity knikte. Onder hen gingen op de donkerste plekken in de medina de lampen al aan. Ze twinkelden als vallende sterren.

'Al die tijd in Blacknowle heb ik me nooit voorgesteld dat er een plek als deze bestond. Het lijkt niet eerlijk dat dit altijd al bestaan heeft, terwijl ik er niets van wist.'

'Er zijn nog eindeloos veel meer plaatsen, Mitzy. Hoe meer je reist, hoe beter je zult begrijpen hoe enorm groot de wereld echt is.'

'Mag ik dan met u mee naar andere plaatsen, meneer Aubrey? Mag ik mee als u daarheen gaat?' Vlak nadat ze het gezegd had kon ze zelf al niet meer geloven dat ze het hardop uit haar mond had gekregen. Charles zei een hele tijd niets en Dimity's hart kromp in elkaar, in afwachting van de klap.

'Ik zal mijn best voor je doen, Mitzy. Wie weet waar het leven ons zal brengen,' zei hij ten slotte. Dimity keek hem even aan, zoals hij daar over de stad zat uit te kijken, met het licht dat weerspiegelde in zijn ogen. Zo'n intense, dromerige blik; alsof hij in een toekomst probeerde te kijken die ze geen van beiden konden zien. Ze knipperde met haar ogen en haar hart ontspande zich weer. *Ik zal mijn best voor je doen, Mitzy.* Ineens klonk de grootste belofte van de wereld in die woorden door. *Voor jou, Mitzy.* Ze bleven lang zitten terwijl de lucht boven hen langzaam zijn glans verloor en er roze plekjes in het turquoise verschenen; een paar plukjes hoog in de lucht gloeiden zilver en goud op. Er hing een hemelse geur om hen heen; toen Dimity over haar schouder keek zag ze een jasmijnstruik die over de afgebrokkelde muur van de tombe omhoogklom en als een huwelijksboog zijn geuren over hen uitstrooide.

Celeste en de meisjes waren al in de *riad* toen Charles en Dimity uitgedroogd en stoffig terugkwamen op het moment dat het echt donker werd. Ze waren alle drie op de binnenplaats; Celeste en Élodie zaten tegen elkaar aan op een lage bank, terwijl Delphine voorovergebogen op de rand van de fontein zat te kijken naar het continue spel van het water. Celeste keek op toen Charles haar begroette en Dimity zag geschrokken dat haar ogen rood en gezwollen waren en haar gezicht vol vuile vegen zat.

'Lieverd! Wat is er met je? Is er iets gebeurd?' vroeg Charles, en hij ging op zijn hurken bij haar zitten. Zijn woorden en zijn houding gaven Dimity een onaangenaam gevoel. Ze bleef bij hen in de buurt en ging naast Delphine zitten, die niet opkeek. In het voorbijgaan voelde ze Celestes brandende ogen op zich gericht. Ze hoefde haar gezicht niet te zien om te weten hoe ze keek: net zo kwaad als toen ze haar in de keuken van Littlecombe hadden aangetroffen met Charles' tekening van Dimity in haar hand.

'Ik vertel het straks wel. Waar zijn jullie geweest? We werden al ongerust.' Celeste klonk hees.

'Naar de tombes. Ik zei toch dat ik daarheen wilde vanwege het uitzicht –'

'En je hebt Mitzy meegenomen? Ik dacht dat we besloten hadden dat we morgen met zijn allen naar de tombes zouden gaan. Delphine wilde –'

'O, we kunnen toch nog een keer gaan. Jij kunt de meisjes meenemen wanneer je maar wilt. En natuurlijk heb ik Mitzy meegenomen – ze had hier al de hele ochtend alleen gezeten.'

'Mitzy kan het heus wel aan om even alleen te zijn,' zei Celeste met een vervaarlijk scherpe klank in haar stem. Dimity durfde niet op te kijken. Naast haar vielen Delphines vingers, die draaikolkjes aan het maken waren, stil.

'Dat leek me niet eerlijk,' zei Charles voorzichtig.

'Onze dochters willen misschien ook wel een poosje met jou optrekken, Charles.'

'Jij hebt onze dochters meegenomen op familiebezoek. Moet de hele wereld dan stilstaan en zijn adem inhouden tot jij terug bent?' zei Charles koud. Er viel een geladen stilte. Dimity keek heel voorzichtig op en zag de twee woedend naar elkaar kijken. Élodie, nog steeds tegen haar moeder aan genesteld, zag er gespannen en ongelukkig uit.

'Meisjes. Ga naar boven, naar jullie kamer,' zei Celeste. Zonder aarzelen gehoorzaamden ze alle drie.

Hun stemmen echoden op uit de binnenplaats en Dimity probeerde niet te laten merken hoe graag ze wilde luisteren. Alsof ze dat wist zong Élodie een liedje over een kikker en bleef dat eindeloos doen, zodat de exacte woorden van haar ouders niet te verstaan waren. De ruzie ziedde als de zee in een storm, van zacht naar hard, van een fluistering tot een boos crescendo van Celeste. Delphine boog zich over het balkon heen alsof ze zo ver mogelijk bij dit alles uit de buurt wilde blijven. Omdat ze toch niet kon horen waar de ruzie over ging, ging Dimity bij haar staan. Delphine keek haar bezorgd aan.

'Zo gaat het soms. Maar daarna houden ze altijd weer veel van elkaar,' zei ze.

'Waarom hebben ze ruzie? Het leek wel of je moeder daarvoor al gehuild had.'

'Ze is van streek geraakt bij *grandmère et grandpère* thuis.'

'Waardoor?'

'Nou, haar moeder was zo blij om haar te zien. We hebben zo gezellig met haar geluncht. Ze is een Berber, maar dat weet je natuurlijk. Maar toen haar vader thuiskwam –'

'Delphine! Je hoeft haar niet álles te vertellen!' viel Élodie midden in haar liedje uit. In de stilte daarna hoorden ze Charles' stem van beneden.

'Je bent onredelijk. Dat ben je altijd als je bij je ouders bent geweest!'

'Ik heb álles voor jou opgegeven!' huilde Celeste.

'Maar ik heb jou alles gegeven wat je wilde!' ging Charles ertegen in. Élodie begon vlug weer te zingen.

'Wat deed haar vader dan?' vroeg Dimity.

'Hij... nou, hij is een Fransman en al erg oud. Mama zegt weleens dat hij uit een andere eeuw komt; ze bedoelt dat hij erg ouderwets is. Hij wil haar niet zien of spreken, en ons ook niet, omdat –'

'Omdat ze niet getrouwd zijn?'

'Ja.' De twee meisjes stonden even over de in de stad verspreide lichtjes uit te kijken en te luisteren naar het liedje van Élodie, dat steeds vermoeider en onduidelijker klonk tot het alleen nog maar nonsensgeluidjes waren. De stemmen achter die klanken waren niet meer te horen, en toen Élodie stilviel spitsten ze alle drie hun oren om het kleinste geluid op te vangen. Er kwam niets, en na een halve minuut ademde Delphine luid uit en liet haar schouders zakken. 'Zo. Klaar,' zei ze opgelucht.

'Waarom zijn ze niet getrouwd?' vroeg Dimity.

'God, Mitzy, wat ben jij een nieuwsgierig Aagje!' zei Élodie, en hoewel Dimity het dit keer met haar eens was, wilde ze het toch weten.

'Dat wil papa niet. Hij kan het niet, omdat –'

'Delphine! Je weet dat je dat niet mag vertellen!' riep Élodie.

'Ik zal het niet verder vertellen,' zei Dimity, maar Delphine beet op haar lip en schudde haar hoofd.

'Ik mag het niet zeggen, maar hij heeft er een goede reden voor. En meestal vindt ze het niet erg. Nu wel, omdat haar vader haar zo behandelt. Hij wil... hij wil haar niet eens binnenlaten. Hij was vandaag zo boos toen hij thuiskwam en haar zag, maar je kunt zien dat hij er ook onder lijdt. Het was afschuwelijk. Hij wilde meteen haar hand zien en toen hij zag dat er geen ring om haar vinger zat, was het gebeurd. Hij zei dat ze weg moest. Arme mama! Ze houdt heel veel van haar vader.' Er klonk een lichte wanhoop in Delphines stem, maar Dimity hoorde haar eigenlijk niet. Ze dacht koortsachtig na over alles wat er gezegd was; aan hoe Celeste beneden naar haar had gekeken, aan Élodie die haar zus verbood om het hele verhaal te vertellen. Ze probeerde te raden waarom Charles niet met Celeste wilde trouwen, en het antwoord dat naar boven kwam zette haar in lichterlaaie, als de opkomende zon.

De volgende dag wenkte Celeste Dimity haar kamer binnen en opende een canvas tas die op het bed lag. De tas zat vol kleren.

'Die waren van mij toen ik een meisje was. Ik dacht dat ze jou wel zouden passen. Ik heb ze gisteren opgehaald uit het huis van mijn ouders. Ze zijn beter om te dragen zolang je hier bent.' Ze trok er een paar dingen uit, die ze aan Dimity gaf. Haar ogen waren niet meer gezwollen, maar haar gezicht leek nog getekend door verdriet. Haar haar, dat steil langs haar gezicht viel, zat in de war. 'Wat denk je? Zou je die willen dragen, of niet?'

'Ja graag, Celeste. Dank je wel,' zei Dimity gedwee. Ze rolde de kleren die ze gekregen had in een bundeltje. Ze waren van zacht, luchtig katoen.

'Nou, blijf daar niet zo staan! Ga ze passen!' zei Celeste kortaf. Haar ogen vlamden even boos op, maar stonden toen weer bedroefd. 'Sorry, Mitzy. Ik ben niet boos op jou. Het is jouw schuld niet dat... dat je hier bent. Ik ben kwaad op mannen. De mannen in mijn leven! De regels die ze voor ons verzinnen om een stok te hebben om ons mee te slaan. Ga, ga maar. Pas die kleren. De broek moet eerst, onder de lange tuniek.' Ze stuurde Dimity met een handgebaar weg en ging verder met het uitpakken van de canvas tas en het setjes maken van de kleren.

Met hulp van Delphine trok Dimity in haar eigen kamer een wijde broek aan met een lintje in de taille en boorden met knoopjes bij de enkels, een licht hemd en een lange, loshangende tuniek met wijde mouwen, die met een brede sjerp om haar lijf gebonden werd. Het leek erg op de gewaden die ze Celeste vaak in Blacknowle zag dragen, maar op haar eigen lichaam voelde de kleding vreemd en ongewoon. Ze maakte een pirouette en keek hoe de stof uitwaaierde om haar heen. De kleur was dieppaars en er zat borduursel rond de halslijn. Het woog zo weinig in vergelijking met haar zware vilten rok dat ze er bijna niets van voelde. Ze had nog nooit zoiets moois aangehad. Toen ze haar voeten in haar schoenen schoof, schoot Delphine in de lach.

'Zie ik er gek uit?' vroeg Dimity.

'Je ziet er prachtig uit, maar je kunt die zware oude schoenen er niet bij aan! Dat staat gek. Hier, leen mijn sandalen maar totdat je er zelf een paar hebt. Nu zie je eruit als een echte Marokkaanse dame. Vind je niet, Élodie?' Delphine keek naar haar jongere zusje, die heel boos keek, maar Dimity nam aan dat het betekende dat ze er goed uitzag.

'Maar ze is niet Marokkaans – wij zijn meer Marokkaans dan zij! *Ik* wil een kaftan. Ik ga het tegen mama zeggen!' Élodie liep stampvoetend de kamer uit.

'Doe niet zo kinderachtig, Élodie!' riep Delphine haar na. Ze keek naar Dimity en ze moesten allebei lachen. 'Die jongen die hier woont valt steil achterover als hij jou ziet,' zei Delphine. Maar Dimity was absoluut niet in hem geïnteresseerd. Ze keek naar de heldere kleuren die haar lichaam omhulden en vroeg zich af of Charles het mooi zou vinden.

Nerveus en trots ging Dimity met de meisjes naar beneden, waar ze Charles en Celeste op een van de banken op de binnenplaats aantroffen.

'En? Wat vinden jullie van onze Marokkaanse Mitzy?' vroeg Delphine terwijl ze Mitzy een duwtje gaf om haar langzaam rond te draaien. Ze streek het lichte textiel nerveus over de contouren van haar lichaam. Ze zag dat Charles het mooi vond. Zijn ogen werden eerst een beetje groter, en daarna keek hij nadenkend naar haar met zijn hoofd schuin en zijn ogen wat toegeknepen, zodat ze wist dat hij al bijna zover was om te gaan tekenen of schilderen. Celeste keek haar strak aan, met een moeilijk te ontcijferen gezichtsuitdrukking, maar toen Dimity naast haar ging zitten merkte ze dat Celestes lichaam gespannen was en licht trilde; haar kleine, maanvormige neusvleugels stonden opengesperd.

'Hoe oud ben je nu, Mitzy?' vroeg ze zachtjes.

'Ik denk dat ik deze winter zestien ben geworden.'

'Dat denk je?'

'Ma heeft nooit... Ma heeft nooit zo duidelijk gezegd in welk jaar ik geboren ben, maar ik kon het wel zo'n beetje raden.'

'Een echte vrouw dus nu, en oud genoeg om te trouwen,' zei Celeste, nog altijd met diezelfde onnatuurlijke kalmte waar Dimity zich zo onbehaaglijk bij voelde. Ze was opgelucht toen Élodie, die altijd honger had, hen allemaal aanspoorde om naar een lunch op zoek te gaan.

De volgende weken schetste Charles Dimity vele malen, alsof de aanblik van haar in Marokkaanse kleding genoeg was geweest om de beelden in zijn hoofd bij elkaar te brengen. Hij schilderde haar in zachte kleurschakeringen met waterverf, een materiaal dat hij zelden gebruikte, terwijl ze poseerde bij een bron onder een van de stadspoorten die genezende krachten zou hebben en elke vrouw van rugpijn af kon helpen. Hij beeldde haar af in olieverf terwijl ze water uit een van de sierlijk betegelde fonteinen in de stad stond te drinken, of uit haar tot een kommetje gevouwen handen met de wijde mouwen van haar kaftan opgeslagen om ze droog te houden. Weer terug bij de Merinidische graftombes, dit keer ook met Celeste en de meisjes, tekende hij haar half verscholen achter het afgebrokkelde metselwerk, met het weidse uitzicht vanaf die plek voor haar voeten. En elke keer als ze voor hem poseerde kon Dimity elke streek van de pen, het penseel of het grafiet voelen, alsof het zijn handen waren in plaats van zijn ogen die continu goedkeurend over haar heen gingen. Ze huiverde ervan, voelde haar huid koud worden en tegelijkertijd in brand staan bij elke ingebeelde aanraking van zijn vingers. Twee of drie keer moest hij haar vragen haar ogen open te doen, want ze had die onbewust gesloten omdat al haar aandacht naar binnen gericht was, op de extase van dat gevoel.

Maar als Celeste dat toevallig zag, glimlachte ze niet; ze keek serieus en onderzoekend, alsof ze Dimity's gedachten kon lezen en zo haar vermoedens had over de reden waarom Dimity haar ogen sloot. Toen Charles hun vertelde over het doek dat hij in gedachten had, een Berberse marktscène met een jong meisje als symbool van alles wat mooi kon zijn in een dor landschap, wees Celeste hem erop dat hij uit twee rasechte Berbermeisjes en een Berberse maîtresse kon kiezen. De schrik sloeg Dimity even om het hart, maar Charles haalde zijn schouders alleen maar op en zei afwezig:

'Ik zie Mitzy voor me. Ze heeft de perfecte leeftijd.' Perfect, perfect. De woorden zongen blij in haar oren.

'Delphine is nog geen twee jaar jonger en even lang,' bracht Celeste naar voren.

'Maar Delphine heeft niet Mitzy's –' Hij brak ongemakkelijk af.

'Mitzy's wat,' zei Celeste op een dreigend toontje.

'Laat maar.'

'Wat, Charles? Zeg het. Zeg eens wat jou zo fascineert dat je haar gezicht op elk schilderij wilt en dat van je dochters en je minnares op geen enkel?' Celeste boog zich naar hem toe en keek hem indringend aan. Dimity was blij dat Delphine en Élodie zo ver weg zaten dat ze hen niet konden horen. Haar wangen gloeiden en ze hield haar ogen neergeslagen in de hoop dat ze aan Celestes aandacht zou ontsnappen.

'Er zit niets achter, Celeste. Het is gewoon een kwestie van leeftijd, en de vraag of het fatsoenlijk is om je eigen kind als model te gebruiken voor een eerbetoon aan vleselijke aantrekkingskracht...'

'Ik begrijp het al. Ik ben niet jong genoeg en Delphine is niet mooi genoeg. Je bent wel eerlijk, maar niet loyaal,' snauwde ze. Ze stond op en keek Charles fel aan. Dimity wierp haar een vlugge blik toe, maar keek direct weer weg toen de ogen van de Marokkaanse op haar neerstreken. Er volgde een akelige stilte, en daarna opluchting toen Celeste zonder verder iets te zeggen wegbeende en Dimity achterliet met de prettige naklank in haar hoofd van Charles die over haar schoonheid sprak.

Tien dagen lang maakten ze samen uitstapjes, tussen Charles' creatieve oprispingen door. Het viel Dimity op dat Celeste het liefst dicht bij haar dochters liep, in plaats van bij haar of Charles, een opstelling die haar goed beviel. Ze bezochten *El Attarine,* de uitgestrekte rietgedekte soek in het centrum van de stad, waar je alles onder de zon kon kopen als je wist waar je moest zijn in de benauwende wirwar van winkels. Ze liepen de trap van een huis op, gaven de bejaarde man die er woonde een paar centen fooi en liepen zijn dak op om naar de looi- en verfkuipen beneden te kijken:

rijen baden van leem vol met stinkende huiden en looistoffen of de bonte regenboogkleuren van de verf. Ze zagen hoe blauw en wit keramiek en tegels werden gemaakt, geverfd en gebakken; en per ongeluk zagen ze ook hoe een klein bruin geitje dat aan zijn achterpoten was opgehangen, wanhopig spartelde toen zijn keel werd doorgesneden. Vanaf een ander uitkijkpunt keken ze naar de jadegroene toren van de Karaouine Moskee en de verzameling koranschoolgebouwen eromheen, versierd met mozaïek en omgeven door gewijde pleinen die verboden terrein waren voor ongelovige voeten.

'Wat zou er gebeuren als er een christen naar binnen zou gaan?' vroeg Dimity, vol ontzag voor de schoonheid en de grandeur van het geheel.

'Daar wil je liever niet achter komen, denk ik zo,' zei Charles.

'Het is zo mooi en volmaakt, terwijl ze zo veel andere mooie gebouwen in de stad maar laten vervallen,' zei Delphine. Celeste legde een hand op de schouder van haar dochter.

'De Marokkanen zijn een volk van nomaden. Zowel de Berbers als de Arabieren. We bouwen tegenwoordig wel stenen huizen voor onszelf, maar we denken er nog steeds over als tenten. Alsof ze tijdelijk zijn, niet permanent,' zei ze.

'Nou, er is geen betere manier om een bouwsel tot iets tijdelijks te maken dan verwaarlozing, zou ik zeggen,' zei Charles, grijnzend naar Celeste om te laten zien dat hij een grapje maakte. Ze lachte niet terug en zijn glimlach stierf weg.

Die avond spraken ze onder het eten over het eind van de reis en een terugkeer naar Blacknowle voor de zomer voorbij was. Celeste hield Charles' blik met harde, onverstoorbare ogen vast.

'Ik zou hier wel altijd kunnen blijven. Maar zoals altijd staan we tot jouw beschikking. Dat was mijn keuze,' zei ze botweg.

'Celeste, alsjeblieft. Doe nou niet zo,' zei Charles terwijl hij haar hand pakte.

'Ik ben wie ik ben. Gevoelens verdwijnen niet.' Ze haalde haar schouders op. 'Al zou dat het leven soms makkelijker maken.' Ze keek hem zonder rancune, maar met zo veel gevoel aan dat hij zijn blik van haar afwendde en een tijdje niets zei. Midden in de nacht kreeg Dimity het gevoel dat ze in brand stond, dat al haar ingehouden gedachten vlam hadden gevat. *Nee.* Het woord verschroeide haar zwijgende tong. Ze wilde dat de reis eindeloos zou duren – dat het geen reis zou zijn, maar een nieuw leven, een nieuwe werkelijkheid. Op deze plek waar ze elke dag voor Charles kon poseren en waar niemand haar nafluisterde of uitschold; waar geen verbitterde Valentina van haar eiste dat ze om geld vroeg; waar ze eten geserveerd kreeg door jongemannen met zwarte ogen en ze het niet zelf in kletsnat struikgewas hoefde te vangen of te verzamelen; waar ze het niet zelf hoefde te villen, te plukken en te koken; waar ze kleren kon dragen die kleurrijk waren als de bougainville en de tegels op de muren en daken van de heilige gebouwen, kleren die om haar heen zwierden alsof ze een koningin was; waar ze in een huis woonde met een fontein in het midden en een warme hemel in plaats van een plafond. Marokko was een droomland en ze wilde niet ontwaken.

De volgende dag ging Celeste weer met haar dochters naar haar moeder. Dimity probeerde haar opwinding niet te laten blijken, niet te laten zien hoe blij ze was om alleen met Charles achter te blijven. Ze was opgetogen, en was bang dat Celeste dat zou zien. Bij de deur draaide Celeste zich nog even om en keek hen allebei strak aan, maar ze zei niets. Charles leek afwezig en keek stuurs toen ze naar de stad vertrokken, met zijn kunstenaarsmateriaal in een leren tas over zijn schouder. Hij liep in snel tempo voorop, zodat Dimity haar best moest doen om hem bij te houden. Ze hield haar ogen op zijn rug gericht en zag hoe een donkere waaier van zweet zich langzaam over zijn shirt verspreidde. Na een poosje leek het wel of hij bij haar weg wilde rennen, haar achter wilde laten. Ze ging nog harder lopen, met een groeiende wanhoop die ze niet helemaal kon verklaren. Wanhopig om erbij te horen, niet achtergelaten te worden. Wanhopig om te worden bemind, getekend, gewenst. Haar hart was vol van hem; de woorden die hij had gesproken zei ze als gebeden op in haar hoofd. *Ik zal mijn best voor je doen, Mitzy. Ze is perfect.* Had hij dat gezegd? Haar perfect genoemd? Ze wist het zeker. *Wie weet wat de toekomst zal brengen?* En hoe hij had gekeken nadat hij dat zei: verzonken in zijn gedachten, opgaand in de beelden in zijn hoofd; de toekomst die hij voor zich zag was duidelijk anders dan het heden. En hij zou niet met Celeste trouwen; hij had een goede reden om het niet te doen. Een reden die de meisjes haar niet mochten vertellen. Een reden die met háár te maken had? *Perfect. Voor jou, Mitzy. De nieuwe zwaan was de mooiste van allemaal.*

Ze waren al snel het drukke stadscentrum uit en liepen door rustiger straten tussen huizenblokken. Dimity snakte naar adem en met elke stap voelden haar benen zwaarder. Ze besefte dat ze heuvelopwaarts liepen en voelde het zweet nu op haar eigen rug prikken. Ze moesten de hele stad doorkruist hebben en het dal hebben verlaten, heel ver bij het pension vandaan. De zon steeg naar zijn hoogste punt en stak fel, scherp als een mes. Ze kwamen op een plek waar de muren aan weerskanten van de steeg niet veel meer dan een halve meter uit elkaar stonden; de schaduw ertussen was koel en diep. Dimity kon het tempo niet meer volhouden, gaf het op en leunde even tegen de muur om op adem te komen. Toen het tot hem doordrong dat hij haar voetstappen niet meer hoorde, keek Charles naar haar om. Hij had nog steeds die afwezige frons.

'Ja, natuurlijk, je moet even uitrusten,' zei hij. 'Onattent van me.' Hij ging tegenover haar staan, stak een sigaret op en nam een lange trek.

'U bent nooit onattent,' zei Dimity. Charles glimlachte.

'Behalve jij denkt volgens mij niemand er zo over, en ik geloof dat je eerder loyaal bent dan eerlijk. De mensen rond een kunstenaar verliezen het vaak van de kunst zelf. Het is onvermijdelijk. Soms heb ik gewoon niet genoeg ruimte in mijn hoofd voor iedereen.'

'We hebben allemaal tijd voor onszelf nodig. Tijd om adem te halen en met rust gelaten te worden. Anders zouden we vergeten wie we echt zijn.'

'Ja! Dat is het precies. Tijd om adem te halen. Mitzy, je bent soms een verrassend meisje. Het is zo makkelijk om je aan te zien voor een ongeschoolde *naïf,* en dan kom je ineens met een simpele waarheid die de kern van de menselijke essentie raakt. Opmerkelijk.' Hoofdschuddend nam hij nog een trek van zijn sigaret. Dimity glimlachte.

'Gaat u vandaag tekenen?' vroeg ze.

'Ik weet het niet. Ik wilde wel, maar Celeste...' Hij schudde zijn hoofd. 'Ze is een natuurkracht, die vrouw. Als het bij haar stormt, is ze niet kalm te krijgen.'

'Ja,' beaamde Dimity.

Ze keek naar de sigaret tussen zijn lippen, de beweging van zijn keel en de manier waarop hij zijn ogen dichtkneep tegen de rook. Ze stonden tegenover elkaar, slechts een paar centimeter van elkaar af; tussen hen in was niets anders dan de warme, beschaduwde lucht. De ruimte leek aan Dimity te trekken, haar naar hem toe te dwingen. Toen Charles haar lachend aankeek deed ze onwillekeurig een stap naar voren. Ze stond maar een handbreedte van hem vandaan en hoe dichter ze bij hem kwam, hoe meer ze voelde dat ze dit nodig had om te leven. Dat ze het contact met zijn lichaam, zijn huid, nodig had, door hem verteerd wilde worden. Een verlangen dat ze geen seconde meer kon beheersen.

'Mitzy,' zei Charles. Er kwam een rimpeltje in zijn voorhoofd, waar ze de echo van haar eigen behoefte in zag, een krachtsinspanning om niet toe te geven aan wat aan hen trok. Ze deed nog een stap, zodat haar lichaam het zijne raakte. Haar borsten, haar buik, haar heupen en bovenbenen; huiverend voelde ze het verlangen nog sterker worden, nog dringender. Met trillende vingers pakte ze zijn hand, legde die om haar middel en liet hem daar liggen, warm en stevig. Ze voelde de druk van zijn vingers en toen ze opkeek staarde hij naar haar. 'Mitzy,' zei hij weer, zachtjes nu. Ze hief haar hoofd op, maar door het verschil in lengte kon ze niet dichter bij hem komen; ze nestelde zich steviger tegen hem aan. Toen ze haar ogen dichtdeed voelde ze zijn mond op de hare; zacht, met de geur van rook, en met de onverwachte aanraking van zijn snor heel anders dan Wilf Coulsons kus. Ze voelde heel even het natte puntje van zijn tong langs de hare strijken. Hij werd hard en groot tegen haar bekken, en één lang moment drukte hij zich tegen haar aan, legde zijn handen om haar middel en trok haar dichter naar zich toe. Het was alsof haar hart explodeerde, een ondraaglijk gevoel van geluk. Toen verdween zijn kus en duwde hij haar zo abrupt van zich af dat ze met een klap tegen de muur achter haar botste.

Dimity stond met haar ogen te knipperen, gedesoriënteerd door haar verlangen.

'Nee, Mitzy!' Charles ging met zijn handen door zijn haar, legde toen een hand voor zijn mond en keek haar aan, met zijn lichaam opgelaten van haar afgewend. Wanhopig stak ze haar handen weer naar hem uit, maar hij greep ze vast en hield ze van zich af. 'Stop. Je bent nog maar een kind.'

'Ik ben géén kind. En ik hou van je.'

'Je weet... je weet nog niets van de liefde. Dat kan toch niet? Het is een bevlieging, meer niet. Ik had het al eerder moeten zien. Celeste heeft me gewaarschuwd. Het spijt me, Mitzy. Dat had ik niet moeten doen. Ik had je niet moeten kussen.'

'Maar je hebt het wel gedaan!' Ze stikte bijna in haar tranen. 'Waarom heb je me gekust als je het niet wilde?'

'Ik...' Charles viel stil en keek weer bij haar weg. Zijn wangen waren rood. 'Het is soms heel moeilijk voor een man om weerstand te bieden.'

'Ik weet dat je me wilt... Ik heb het gevoeld.' Haar neus begon te lopen van haar tranen, maar ze maakte zich er niet druk om. Ze kon zich er niet druk om maken; ze kon alleen manieren verzinnen om hem te overtuigen, manieren om de verrukking van zijn kussen weer te voelen.

'Alsjeblieft, Dimity, hou op! Het had niet mogen gebeuren en het moet niet weer gebeuren. We kunnen... We kunnen niet zomaar pakken wat we willen op het moment dat we het willen. Dat is een feit, een wreed feit, maar desalniettemin een feit. Het zou verkeerd zijn en ik ben niet vrij om... Celeste en ik...'

'Ik zou het nooit aan iemand vertellen, dat zweer ik. Alsjeblieft, ik hou van je. Ik wil je weer kussen; ik wil je bevredigen –'

'Genoeg!' Hij sloeg haar handen van zich af. Ze zag dat hij een gevecht leverde met zichzelf, met opeengeklemde tanden en opengesperde neusvleugels, en ze bad dat hij zou verliezen. Maar dat gebeurde niet. Hij sloeg zijn armen over elkaar, haalde diep adem en blies met bolle wangen uit. 'Kom mee, laten we doorlopen en er niet meer over praten. Binnenkort zul jij een jongeman erg gelukkig maken en een geweldige vrouw voor hem zijn. Maar ik kan dat niet zijn, Mitzy. Zet het uit je hoofd.' Hij liep weg door de steeg, maar het duurde even voor Mitzy zover was dat ze hem achterna kon lopen. Ze likte met haar tong langs haar lippen om zijn laatste aanraking te voelen, maar haar hoofd was verdoofd en verward. Het leek wel of zijn kus al haar gedachten op zijn kop had gezet.

Toen ze de volgende dag wakker werd, voelde ze zich duizelig en slap. De matras voelde hard aan tegen haar bezwete rug en ze moest er niet aan denken om op te staan of te ontbijten. Delphine drentelde een tijdje ongerust om haar heen en bracht water, terwijl Élodie vanuit de deuropening stond toe te kijken, openlijk nieuwsgierig en niet hulpvaardig. Toen Delphine weg was, kwam ze naar Dimity toe en keek haar aan.

'Als je denkt dat je door te doen alsof je ziek bent weer een dag bij papa kunt zijn in plaats van bij ons, dan heb je het mis. Hij is al weg, naar een bevriende kunstenaar die gisteravond in Fez is aangekomen. Dus je zit hier de hele dag alleen,' zei ze koeltjes. Dimity staarde haar aan en Élodie staarde terug, zonder met haar ogen te knipperen. Zelfs als Dimity zich niet zo ziek had gevoeld had ze dit donkere, opmerkzame kind niet de voldoening gegund om haar haar toneelspel te zien opgeven en op te staan. In de blik die ze uitwisselden lag alle macht die Élodie nu over haar had doordat ze de geheimen van Dimity's hart had doorgrond, en alle wilskracht waarmee Dimity haar tegenstand bood. Na een tijdje lachte Élodie alsof ze had gewonnen en liep terug naar de deur. 'Iedereen weet het, weet je. Je laat het zo duidelijk merken,' zei ze bij het weggaan. Dimity bleef heel stil liggen, nog zieker dan daarvoor. De wereld leek te kantelen en bracht haar uit balans; ze moest zich goed vasthouden om niet te vallen.

Ze bleef een paar uur lang in een soort trance liggen. Daarna kleedde ze zich aan, onvast op haar benen, en liep naar het binnenbalkon om op de binnenplaats neer te kijken. Er was niemand te zien. Ze liep de hal door naar de kamer van Charles en Celeste, luisterde even aan de deur en klopte zacht aan. Er kwam geen antwoord, er was geen beweging. Ze klopte nog eens, harder nu, en nog gebeurde er niets. Haar keel was droog en voelde strak en rauw aan. Ze draaide zich om, bleef even staan, maar toen had ze nog voor ze het zelf doorhad hun deur opengedaan en stond ze binnen. De luiken waren dicht om de kamer koel te houden in de hitte van de dag. In het vage licht dat erdoorheen kwam stond Dimity om zich heen te kijken, naar de kleren en schoenen die in het rond lagen; naar Charles' stapels tekeningen en kleine doeken, zijn boeken en dozen met potloden en penselen. Ze ging aan het voeteneind van het bed staan om te raden aan welke kant Celeste en aan welke kant Charles sliep. De kussens waren nog een beetje ingedeukt van hun hoofden, en toen ze in een ervan een lange, zwarte haar vond, liep ze naar de andere kant en streek met haar vingers zachtjes over de plaats waar zijn hoofd had gelegen. Ze knielde langzaam neer, bracht haar gezicht ernaartoe en ademde diep in, op zoek naar zijn geur. Maar de textielverf van het gestreepte bedlinnen was te sterk, ze kon niets anders ruiken dan dat. Ze probeerde zich een beeld te vormen van Charles als hij sliep en realiseerde zich dat ze dat nooit had gezien. Dat ze nooit zijn slapende gezicht, zacht en kwetsbaar, had gezien, de beweging van droomflarden die zich achter zijn oogleden afspeelden, zijn kalme, regelmatige, diepe ademhaling. Het beeld bracht een schok teweeg, alsof er iets scheurde binnen in haar. Ze dompelde zich onder in de verrukkelijke herinnering aan zijn kus, die in haar geheugen gegrift stond.

In een hoek van de kamer stond een houten tafel met een spiegel erop en een gestoffeerd krukje ervoor. Celeste gebruikte de tafel als kaptafel, want het blad lag bezaaid met haar sieraden, haarborstels, potjes gezichtscrème en poeders. In een klein, goed sluitend doosje lag een kommetje van zacht plastic ter grootte van een eierdop voor een mini-eitje. Het was rond aan de onderkant, dus het wilde niet blijven staan. Dimity stond er even naar te kijken en zich af te vragen waar het voor kon zijn. Na een tijdje legde ze het weg en pakte een paar zilveren oorbellen van Celeste, hangers met turquoise steentjes; ze hield ze tegen haar oren en maakte ze vervolgens vast aan haar oorlellen door de achterkant stevig aan te draaien. Ze nam haar haar in een knot bijeen op haar achterhoofd om beter te kunnen zien hoe ze stonden, om de steentjes langs haar kaak heen en weer te zien zwaaien. Haar hartslag steeg evenredig met het schuldgevoel over haar onbezonnen vergrijp. Er lagen ook halskettingen. Ze pakte haar favoriet, de ketting die Celeste alleen 's avonds bij het diner droeg. Een gevlochten snoer met zwarte en grijze zoetwaterparels die bij kaarslicht fonkelden en schitterden op de huid van de Berbervrouw. Dimity trok de hals van haar kaftan wat verder open zodat de parels, koel en zwaar, op haar huid konden liggen. Naast de kaptafel stond een sierlijk bewerkt houten scherm, waar Celeste haar onderjurk en een paar andere dingen overheen gehangen had – de sjaals die ze af en toe om haar haar of haar middel droeg; de ceintuurs en sjerpen waarmee ze haar kleren dichthield. Dimity koos zorgvuldig iets uit: een gaasachtige, doorzichtige sluier van roomkleurige zijde met kleine zilveren muntjes langs de randen. Ze drapeerde hem zo over haar hoofd dat hij haar haar bedekte en bekeek het effect in de spiegel. In kaftan, met sieraden en sluier herkende ze zichzelf bijna niet. Ze zag hazelnootkleurige ogen met volle, donkerbruine wimpers eromheen, een gave huid en kringen onder haar ogen na haar slechte nacht die alleen maar extra kwetsbaarheid leken toe te voegen, haar breekbaarder maakten.

Ze bleef lang naar haar schemerige spiegelbeeld staan kijken. Ze keek in de ogen van een jonge vrouw, een schoonheid, een geliefde gehuld in de cadeautjes van een minnaar.

'Ik ben Dimity Hatcher,' zei ze zachtjes. Ze keek naar de bewegingen van haar lippen, hoe vol en zacht ze leken. Ze stelde zich voor hoe ze Charles' lippen hadden aangeraakt en hoe dat gevoeld had. Ze voelde haar hart kloppen tussen haar dijen. 'Ik ben Dimity Hatcher,' zei ze nog een keer. Toen: 'Ik, Dimity Hatcher.' Ze trok de lichte sjaal een beetje verder over haar voorhoofd, alsof ze een bruid was. De zilverkleurige muntjes glinsterden. 'Ik, Dimity Hatcher, neem u, Charles Henry Aubrey...' Haar keel brandde toen ze die woorden hardop uitsprak en toen ze ze hoorde, bonsde haar hart zo fel dat ze ervan stond te trillen. Ze schraapte zachtjes haar keel en zei iets harder: 'Ik, Dimity Hatcher, neem u, Charles Henry Aubrey, tot mijn wettige echtgenoot...' Achter haar zoog iemand scherp haar adem in, en toen Dimity in de spiegel keek zag ze tot haar ontzetting Celeste in de deuropening staan.

Toen hun ogen elkaar ontmoetten viel er een afschuwelijke, geladen stilte; een ijzig moment, waarin Dimity het bloed uit haar gezicht voelde wegtrekken. Celestes mond hing een stukje open; haar ogen werden zo groot dat het wit duidelijk zichtbaar was. 'Ik was alleen maar –' begon Dimity, maar Celeste snoerde haar de mond.

'Doe mijn spullen uit,' fluisterde ze. Haar stem was ijskoud. 'Uitdoen. Nu.' Met trillende handen probeerde Dimity te gehoorzamen, maar ze was niet snel genoeg. Met drie snelle stappen stond Celeste bij haar. Ze trok de sjaal zo ruw van haar hoofd dat er een pluk haar meekwam en ze rukte zo hard aan de sluiting van de ketting dat Dimity's vel ertussen kwam.

'Celeste, alsjeblieft! Niet doen – je trekt hem kapot!' riep ze, maar Celestes gezicht brandde van een fellere woede dan ze ooit had gezien en ze ging door tot de halsketting losliet. Hij brak en de parels vielen als hagelstenen op de vloer.

'Hoe durf je? Hoe dúrf je?' beet ze haar toe. *'Coucou! Coucou dans le nid!* Je bent een koekoeksjong!'

'Ik bedoelde er niets mee!' huilde Dimity. Haar ogen waren verblind door tranen. Celeste pakte haar pols met de kracht van een bankschroef en bracht haar gezicht zo dicht bij dat van Dimity dat ze de warme, koortsachtige adem van de vrouw kon voelen.

'Lieg niet tegen me, Mitzy Hatcher! Wáág het niet om tegen me te liegen! Heb je met hem geneukt? Nou? Zeg op!'

'Nee! Eerlijk niet, echt niet.' Zonder enige waarschuwing sloeg Celeste haar hard in haar gezicht, met vlakke hand maar met een grote armzwaai. Dimity had geen tijd om zich schrap te zetten en werd van de kruk af gemept, die omviel. Ze stootte haar hoofd tegen de rand van de tafel en voelde een stekende pijn opkomen. Met haar handen voor haar gezicht begon ze te snikken.

'Leugenaar!' schreeuwde Celeste. 'O, wat ben ik een idioot. Hoe idioot dacht je dat ik was! Kom overeind. Sta op!'

'Laat me met rust!' huilde Dimity.

'Jou met rust laten? Je naar hem laten kijken, laten hunkeren en van me weglokken? Jou alles laten afnemen wat mij dierbaar is? O nee, dat sta ik niet toe. Sta op,' commandeerde Celeste opnieuw met zo'n dreigende stem dat Dimity niet ongehoorzaam durfde te zijn. Ze krabbelde op en deinsde achteruit voor de vrouw. Celeste trilde van top tot teen; ze had haar vuisten gebald en haar gezicht stond op onweer.

'Wégwezen nu! Uit mijn ogen – ik kan je niet meer zien! Weg!' schreeuwde ze. Verblind maakte Dimity zich uit de voeten. Ze rende struikelend de trap af en viel bijna; ze rukte de hoge deur open en rende de stoffige straat door zonder om te durven kijken. Binnen de kortste keren had de stad haar ingesloten en diep in zich opgenomen.

9

Regen druppelde door de schoorsteen, viel met kleine plofjes in de berg koude as en maakte zwartglanzende vlekken op het rooster. Dat gebeurde zelden – meestal viel de regen schuin vanuit zee op het land en het dak van het huis. Dit soort recht neervallende, aanhoudende regen was er maar een paar keer per jaar. Dimity keek naar de vallende druppels en hoorde bij elk een doffe toon: geen noot, maar een lettergreep, besefte ze. Ze spitste haar oren en wachtte angstig af. Er kwamen er weer drie, korter na elkaar dit keer, maar niet mis te verstaan. *Él-o-die*. Ze hield haar adem in, in de hoop dat ze het niet goed gehoord had. Toen er een enkele druppel neerkwam vlamde de hoop op. Maar daarna weer drie. *Él-o-die*. Met een schreeuw keerde Dimity zich abrupt af van de haard, snel genoeg om een schaduw tegen de muur van de zitkamer te zien staan. Ondersteboven: in een handstand.

'Élodie?' fluisterde ze. Ze liet haar ogen heen en weer gaan om alle hoeken van de kamer te doorzoeken. Rappe, vinnige, slimme Élodie. Nog een wonder dat ze niet eerder was teruggekomen; een wonder dat ze nooit een ingang had gevonden, tot nu. Een amulet in een schoorsteenpijp was geen partij voor een vastberaden kind dat zich niet makkelijk voor de gek liet houden. Een frons op een jong, zacht voorhoofd, een madeliefje in haar zwarte haar. Een pruilende onderlip, de bereidheid om te vechten, ruzie te maken, uit te dagen.

Dimity vluchtte van haar weg. De schim duwde haar benen van de muur af, ging rechtop staan en kwam haar snel en lichtvoetig achterna. 'Het was niet mijn schuld!' zei Dimity over haar schouder, en vlug liep ze de keuken in. Daar was ze zeker van, maar toch ook weer niet helemaal. De woorden klonken goed, en waar, maar ergens hoorde ze Valentina lachen en zag ze de alwetende blik in haar ogen. En erger nog, veel erger: iets van ontzag. Een onwillig, stil ontzag. *Maar het was niet mijn schuld!* Ze draaide de schakelaar aan de keukenmuur om, maar het bleef donker; het peertje, overdekt met stof en spinnenwebben, hing levenloos aan de draad. Dimity hield haar adem in, haar handen beefden van angst en haar darmen begonnen te rommelen.

Daar stond ze, in het donker tegen het aanrecht aan gedrukt terwijl ze nergens heen kon, behalve naar buiten. Maar buiten wachtten de storm, het klif en de zee. Ze keek door het raam naar een nacht die net zo donker was als Élodies haar. Vage witte strepen woelig water langs de kust, regenwolken die de maan en sterren doofden. Ze zag koplampen op Southern Farm afgaan, zag de lampen in het huis aangaan en niet veel later de auto weer vertrekken. Er waren mensen in de buurt, er was leven, maar dat was een andere wereld, een wereld waarin zij niet thuishoorde. Buitenstaanders wilden altijd verder naar binnen dan jij ze had gevraagd. Ze wilden er helemaal in, alles zien, alles weten. Zich als een geur verspreiden tot in alle hoeken. Zoals Zach, die herinneringen aan Charles had meegebracht. Ze had alles op het spel gezet om er een tijdje van te genieten, maar die wereld was de hare niet meer. Ze had die lang geleden verlaten om in een zelfgecreëerde gevangenis te gaan: The Watch. Maar die gevangenis was heel lang een toevluchtsoord geweest. Een plaats vol liefde, toen Valentina er eenmaal niet meer was. *Wat ben je toch dom, Dimity!* zei Élodie; ze gebruikte het patroon van de regen tegen het raam als stem. *Het was niet mijn schuld,* zei Dimity in stilte. Er welde een halfvergeten wijsje in haar op, uit een plaats en een tijd in een ander leven. Een liedje dat ze niet begreep, dat ze nooit had begrepen; het deuntje was even ongrijpbaar als de warme woestijnwind. *Allahu akbar... Allahu akbar...* De dagdroom hield haar de hele nacht in zijn greep.

Zach liep langzaam naar The Watch. Sinds zijn bezoek aan Annie Langton had hij alles langzaam gedaan, van autorijden tot eten en nadenken, want alles was uitgedoofd en halfverstikt door wat hij nu wist. Dat Hannah degene was die de tekeningen van Dennis had verkocht; dat ze er vanaf het begin alles over wist en tegen hem had gelogen. Hij dacht aan haar tekeningen van schapen die hij in haar kale winkeltje had gezien. Ze waren goed, maar de portretten van Dennis waren van een ander kaliber. Zou ze goed genoeg zijn om een tekening van haarzelf voor een Aubrey te kunnen laten doorgaan? Hij schudde geërgerd zijn hoofd. Maar wat dan? Waar haalde ze ze vandaan? Met een draaierig gevoel in zijn maag dacht hij aan James Horne en de boot waar Hannah naar had staan kijken; aan haar kennis van de kust en de stromingen. Er viel hem iets in toen hij dacht aan de betaling die hij Hannah aan James had zien doen op dezelfde dag dat ze haar drankrekening bij Pete Murray had voldaan. Hij pakte zijn telefoon om de datum te checken en bleef stilstaan voor hij nog verder afdaalde naar zee, waar zijn mobiel geen bereik meer had. Vier dagen geleden was de veiling bij Christie's geweest. Hij stuurde een sms'je naar Paul Gibbons bij het veilinghuis.

Is Dennis verkocht? Wil je me svp vertellen voor hoeveel? Betaling meteen afgewikkeld, zonder problemen? Hij wachtte ongeduldig op antwoord, zittend op een bank met uitzicht over de kliffen en met gedachten die even woelig waren als de golven in de verte. Tien minuten later piepte zijn telefoon. *Vanwaar deze onverwachte belangstelling? Ja, verkocht – zes punt vijf. Koper uit Wales, alles afgehandeld. Paul.* Zesenhalfduizend pond. Zach zou boos op haar willen zijn, omdat ze hem voor de gek had gehouden. Maar in plaats daarvan voelde hij zich verraden. Hij had gedacht dat hij haar kende. Hij was voor haar gevallen. Nu was alles veranderd en voelde hij zich diep gekwetst.

Maar Dimity Hatcher leek te afwezig om zijn sombere stemming op te merken. Ze was zo onrustig dat hij zelf thee moest maken terwijl zij heen en weer liep, ging zitten en weer opstond, terwijl ze continu met haar vingers friemelde, het vuil onder haar nagels weghaalde, dode velletjes lostrok en zich krabde. Hoezeer hij ook in zijn gedachten verdiept was, uiteindelijk kon Zach het niet meer negeren.

'Dimity, gaat het wel goed met je? Wat is er? Je lijkt nerveus vandaag.'

'Nerveus? Zou kunnen, zou kunnen,' mompelde ze. 'Controleer die haardamulet even, wil je?'

'Wat bedoel je?'

'Die amulet die je voor me hebt opgehangen... Ik kan hem niet controleren. Ik mag hem niet aanraken – jij hebt hem opgehangen, zijn kracht gegeven. Kijk even of hij er nog zit, of hij stevig vastzit,' smeekte ze.

'Oké.' Hij dook in de haard en keek het rookkanaal in, waar het misvormde hart hing. Hij trok zijn neus op. 'Het ruikt niet zo best, maar hij zit er nog.'

'Maakt niet uit, daar zorgt de rook binnenkort wel voor. Als hij er maar is.'

'Hij is er.' Dimity fronste en beet even op haar lip.

'Dan kan ze toch geen kwaad in de zin hebben?' zei ze zacht. Ze klonk onzeker. 'Als ze met kwade bedoelingen gekomen was, zou hij haar toch hebben buitengehouden?'

'Wie, Dimity?' vroeg Zach.

'De kleine. Ze is teruggekomen. Ze was hier.'

'De kleine?' Zach probeerde te bedenken wie ze kon bedoelen. 'Bedoel je Élodie?' Toen ze de naam hoorde verstrakte Dimity. Ze keek Zach zo doordringend aan dat hij zich ineens ongemakkelijk voelde. 'Zal ik de thee halen?' vroeg hij. Hij wilde langs haar heen naar de keuken lopen, maar ze pakte met beide handen zijn hand vast en drukte de nagels van haar duimen in zijn handpalm. Toen hij de harde, vuile wol van haar mitaines op zijn huid voelde, wilde hij zijn handen wegtrekken. Er viel een lange lok wit haar over haar ogen, maar dat negeerde ze.

'Ze is dood. Élodie is dood,' fluisterde ze. Zach slikte en even dacht hij dat hij in de woorden een vraag hoorde, een vraag om bevestiging.

'Ja. Dat weet ik,' zei hij. Dimity knikte snel en leek van hem terug te willen deinzen. Ze liet zijn hand los en liet de hare slap langs haar zij vallen.

Zach ontsnapte naar de keuken, waar hij onder het slaken van een diepe zucht de thee in twee mokken schonk. Hij had voor de eerste keer het gevoel dat Dimity Hatcher zich niet helemaal in dezelfde ruimte bevond als hij. Niet helemaal in dezelfde wereld. Hij had al eens eerder gedacht dat ze tegen hem niet altijd de waarheid sprak. Maar nu begon hij ook te twijfelen aan dingen die zij zelf duidelijk voor waar hield. Hij schudde het gevoel van zich af. Sinds hij ontdekt had dat Hannah had gelogen twijfelde hij aan alles en iedereen in Blacknowle. Met een geforceerde glimlach kwam hij de zitkamer weer binnen.

'Als dat meisje niet gestorven was, zouden we getrouwd zijn. Als ze was blijven leven, waren we getrouwd, ik weet het zeker,' zei Dimity. Ze negeerde de thee die hij naast haar neerzette.

'Door Élodies dood kwam alles tot stilstand, hè? Het moet voor Charles een heel moeilijke tijd zijn geweest. Uit wat jij me hebt verteld en wat ik heb gelezen, komt hij naar voren als een toegewijde vader. Een liefhebbende vader, al was hij soms wat afwezig. Kwam het door Élodies dood dat hij de oorlog inging?' Nadat Zach dit gezegd had, bleef het lang stil en toen dacht hij een zacht wijsje te horen, een zacht klaaglijk neuriën, dat van Dimity leek te komen. 'Het moet gekmakend zijn geweest,' zei hij. 'Ik weet dat ik ergens heb gelezen waaraan ze overleden is. Was het niet griep? Ik weet het niet meer precies. Stierven er in de jaren dertig nog kinderen aan griep?' zei hij min of meer tegen zichzelf, omdat Dimity met haar gedachten nog steeds ergens anders zat.

'Griep,' zei ze toen ze zich weer op hem richtte. 'Nee, het was...' Ze hield abrupt haar mond en ging even met haar tong over haar lippen. 'Griep. Ja. Dat was het. Haar maag – buikgriep. Arm kind, arm kind; weggerukt...' Ze schudde verdrietig haar hoofd en bleef stil zitten. 'Ze was soms gemeen tegen me, Élodie. Ze vond het niet prettig dat haar vader van me hield. Ze was een jaloers kind, erg jaloers,' zei ze. 'Celestes lievelingskind, o ja. Een moeder zou geen lievelingskind moeten hebben, maar zij wel. Zij wel. Élodie leek op haar, snap je. Ze was het evenbeeld van haar moeder. Ze zou erg mooi zijn geworden als ze was blijven leven.' Dimity's stem stierf weg tot een onhoorbaar gefluister, zodat Zach zich voorover moest buigen.

'Is Celeste daarom verdwenen, na haar overlijden? Waar is ze naartoe gegaan?'

'Ik weet het niet. Niemand weet het. Weggewaaid met de wind... Hij vroeg het me ook; hij dacht dat ik het misschien wist. Maar ik wist het niet – ik weet het niet. *Ik weet het niet!*'

'Stil maar, het is al goed,' zei Zach sussend. Dimity's ogen dwaalden de kamer rond. Haar mond vormde woorden die ze niet uitsprak. 'Hoe ging Delphine ermee om? Hadden ze een nauwe band, de twee zusjes?' Dimity's ogen bleven op hem rusten, vol tranen.

'Een nauwe band?' zei ze hees. 'Zo nauw als alleen zusjes kunnen hebben.'

Ze zeiden allebei een hele tijd niets. Zach dacht aan zijn portret van Delphine, dat naast dat van haar moeder en Mitzy aan de muur van zijn galerie hing. Hij had een van de drie springlevend aangetroffen, maar de andere twee waren verdwenen in de mist van het verleden. Hij zuchtte. Blacknowle leek ineens ver weg, vol geheimen, en hoe graag hij de raadsels ook wilde oplossen, het leek niet eerlijk om een oude vrouw daarmee te kwellen.

'Je kent Hannah al heel lang, hè?' vroeg hij aarzelend.

'Hannah?' Dimity hield haar hoofd schuin en glimlachte toen, met een begrijpend, bijna ondeugend lachje. 'Ik heb jullie samen gezien. Op het strand en bij de boerderij,' zei ze. Zach voelde dat zijn eigen glimlach vreugdeloos was.

'Ik mag haar graag. Dat wil zeggen: ik dacht dat ik haar kende, maar...' Hij trok een schouder op en vroeg zich af hoeveel hij kon zeggen en wat hij kon vragen, als dat al kon. Maar het drukte te zwaar op hem en hij moest er met iemand over praten.

'Ik ken haar al van toen ze nog klein was. Niet echt goed, niet als vrienden, maar als buren. Ze is een goede buurvrouw. Een goed meisje.'

'Ja?'

'Ja. Waarom? Wat heeft ze tegen je gezegd?' Dimity klonk ineens ongerust.

'Tegen me gezegd? Niets, dat is het probleem. Ik heb ontdekt dat ze tegen me heeft gelogen. Over iets heel belangrijks.'

'Gelogen? Nee. Ik heb nooit gemerkt dat ze dat deed.'

'Nou, wel dus. Geloof me maar,' zei Zach ongelukkig.

'Iets niet vertellen is niet hetzelfde als liegen, dat weet je toch? Absoluut niet hetzelfde,' zei Dimity overtuigd.

'Ik heb ontdekt dat... Herinner je je die tekeningen van Charles nog, die ik je heb laten zien, van een jongeman die Dennis heette?' Dimity kneep haar mond stijf dicht en knikte krampachtig. 'Ik heb ontdekt dat Hannah degene is die ze verkocht. Hannah heeft ze. Of maakt ze,' mompelde hij. 'Of heelt ze,' voegde hij eraan toe. Hij wreef met zijn duim en wijsvinger over zijn vermoeide ogen tot hij zwarte vlekjes zag. 'Ze heeft de hele tijd geweten dat ik wilde uitzoeken waar ze vandaan kwamen. Ze heeft het de hele tijd geweten. Ik moet idioot geklonken hebben met al mijn theorieën...'

Even later drong het tot hem door dat Dimity nog niets had gezegd. Hij had verwacht dat ze haar buurvrouw zou verdedigen, of misschien woedend zou zijn omdat er onder haar neus stiekem werk van Aubrey werd verkocht. Hij keek fronsend op. Dimity zat doodstil, met een uitdrukkingsloos gezicht en haar lippen stijf op elkaar. 'Dimity? Is alles in orde?' vroeg Zach.

'Ja.' Ze bracht het woord moeizaam uit; het kroop tussen haar onwillige lippen door. Zach haalde diep adem.

'Dimity. Wist... wist jij hiervan?'

'Nee! En ik weet zeker dat je je vergist! Hannah is een beste meid. Ze zou nooit iets doen wat verkeerd is, of tegen de wet. Echt niet. Ik ken haar al van kleins af aan... Ik kende haar familie al voordat jullie allebei waren geboren!'

'Tja, het spijt me. Maar ze heeft ze écht verkocht en ik kan me niet voorstellen waarom ze dat geheimhield als ze niet wist dat het niet goed was! Ik heb altijd geweten dat er íéts niet klopte aan die tekeningen. Nu weet ik in ieder geval aan wie ik het moet vragen.' Hij zweeg en keek Dimity weer aan, maar ze zat alleen maar hulpeloos te kijken, alsof ze hem niets meer te zeggen had. 'Ik moet gaan,' zei hij en hij stond op. Toen Dimity ook opstond klonk er een bons boven hun hoofd, en een geritsel alsof er een krant op een kale vloer viel. Dimity verstijfde en hield haar ogen neergeslagen alsof ze zich vast had voorgenomen om er niet op te reageren. Zach wachtte of er nog meer geluid kwam, maar het huis bleef doodstil. Hij voelde een prikkeling tussen zijn schouderbladen, alsof iemand zo dicht achter hem stond dat hij hem kon voelen ademen.

'Dimity,' zei hij zacht. 'Wie is er boven?'

'Niemand.' Haar blik was vastberaden, maar daaronder lag een smeekbede die hij niet kon ontcijferen. 'Gewoon ratten in het riet,' zei ze. Zach wachtte even, maar wist dat hij verder niets zou horen.

Dimity liep met hem mee naar de deur en bleef op de drempel staan toen hij naar buiten stapte. Er hing een grote bos gedroogd zeewier aan een spijker naast de deur. Lange, dikke uitlopers aan een centrale stengel, die ritselden als zacht papier toen Dimity haar vingers erdoorheen liet glijden.

'Regen, later op de dag,' zei ze. Toen ze Zachs vragende gezicht zag, knikte ze. 'Dit is zeegordel. Als er regen op komst is onttrekt hij water aan de lucht en wordt slap, zoals deze nu.' Haar glimlach verdween. 'Er is slecht weer op komst. Wees voorzichtig,' zei ze. Zach knipperde met zijn ogen en vroeg zich af of het een waarschuwing was of een dreigement. 'Wil je die tekening uit Marokko bij me achterlaten? Mag die ene bij mij blijven?' vroeg ze ineens, en ze greep hem bij de mouw toen hij weg wilde lopen.

'Natuurlijk.' Hij haalde de print uit zijn tas en gaf hem aan haar.

Zo gretig als een kind trok ze hem uit zijn handen. Ten afscheid gaf Zach een zacht kneepje in haar arm.

Halverwege het pad naar het dorp zag Zach voor zich uit iets bewegen en toen hij beter keek, zag hij de gekromde, verschrompelde gestalte van Wilf Coulson omkeren en zich om de bocht van hem wegdraaien. Zach begon te hollen tot hij de oude man had ingehaald.

'Hallo, meneer Coulson. Was u op weg naar Dimity?' vroeg hij.

'Dat gaat u niets aan,' wees Wilf Coulson hem terecht. Hij droeg een dichtgeknoopt tweedvest onder zijn oude jasje met elleboogstukken; zijn haar was netjes één kant op gekamd. Het ontlokte Zach bijna een glimlach.

'U hebt u een beetje voor haar opgedoft, zie ik,' zei hij. Wilf bleef even naar hem staan kijken.

'Zoals ik al zei, het gaat u niet aan wat ik doe of wat zij doet of wie dan ook…'

'Ja, u hebt gelijk. Maar dat is het probleem met mensen, hè? We kunnen het niet uitstaan om iets niet te weten. Iets niet weten is onverdraaglijk.'

'Wat niet weet, dat niet deert, heb ik weleens horen zeggen,' zei de oude man ad rem. 'Wat hebt u haar gevraagd?'

'Aha, ziet u wel, meneer Coulson? U hebt ook vragen.'

'Het verschil is dat de antwoorden mij iets aangaan, in ieder geval voor een deel.' De oude man liep langzaam verder en Zach paste zijn tempo aan hem aan.

'Ik weet het. Meneer Coulson, weet u nog waaraan Élodie Aubrey gestorven is? De jongste dochter van de Aubrey's?'

'Ze waren nogal op zichzelf. Niemand is het gaan vragen.'

'Echt niet? Er overlijdt een negenjarig meisje in een dorp van deze omvang en niemand is geïnteresseerd?'

'Griep, zei de dokter. Buikgriep of iets dergelijks. Een natuurlijke dood, hoewel er mensen waren die iets anders beweerden. Maar er is geen lijkschouwing geweest en er zijn geen vragen gesteld. De mensen wisten toen nog wanneer ze iemand met rust moesten laten.'

'Wie beweerden er iets anders? Wat werd er dan gezegd?' vroeg Zach, maar de oude man trok een halsstarrig gezicht en gaf geen antwoord. 'En was dat de reden dat Celeste wegging en Charles Aubrey dienst nam in het leger?' ging Zach verder.

'Hoe moet ik dat weten? Kan ik soms in het hart van die mensen kijken?'

'Nee, natuurlijk niet. Maar u was toch naar haar op weg? Ik vertelde Dimity vorige week dat ik u had ontmoet. Ze zei dat u een goed mens bent.' De oude man wierp een vluchtige blik op Zach.

'Zei ze dat over me?' Zijn stem klonk zacht en verdrietig.

'Ja. Ik denk... Ik denk dat ze u graag weer wil zien, hoewel ze het liet klinken alsof dat heel ingewikkeld was. Het verleden wordt hier niet gauw vergeten, hè?'

'Nee. Dat is geloof ik wel zo.' Wilf stond stil en keek met een frons naar The Watch.

'Soms krijg ik het gevoel, als ik met Dimity praat, dat ze me niet de hele waarheid vertelt,' zei Zach aarzelend. Wilf keek hem smalend aan.

'Ze heeft u vast al meer verteld dan waar u recht op hebt, jongeman. Wees er tevreden mee, zou ik zeggen.'

'U bent erg loyaal aan een vrouw die u lang geleden hebt gekend en tientallen jaren niet meer hebt gezien.'

'Als u het zegt.'

'Vertel eens, meneer Coulson – alstublieft. Zegt u eens – is Dimity Hatcher een goed mens?' vroeg Zach. Ze bleven stilstaan en Wilf draaide zich om naar de zee, waar zich een zwaar wolkendek opbouwde.

'Mitzy is evenveel kwaad aangedaan als ze zelf heeft gedaan,' zei hij na een tijdje. 'Dat leken de mensen nooit te beseffen, al probeerde ik het nog zo vaak uit te leggen. Ze kon er niets aan doen dat het zo is gelopen. En na dat alles wilde ik nog altijd met haar trouwen. Als ze me had willen hebben. Dan was ik evengoed met haar getrouwd. Maar ze wilde niet. In haar hart was maar ruimte voor één man, en die man was Charles Aubrey, of hij het nou waard was of niet. Maar hij heeft nooit van haar gehouden zoals ik.

Hoe zou dat ook kunnen? Ik kende haar van haver tot gort; ik wist waar ze vandaan kwam. Maar ze wilde me niet. Zo. Meer vertel ik je niet. Vraag maar niets meer, want je krijgt niets meer te horen.'

'Oké,' gaf Zach toe. Wilf knikte kort. 'Maar laat u niet tegenhouden door het feit dat ik u heb gezien, als u van plan was naar haar toe te gaan. Ik geloof dat ze eenzaam is, daar. Het is niet goed voor een mens om zo veel alleen te zijn.'

'Zeker niet, maar ze kiest er zelf voor,' zei Wilf somber. 'Ik heb geprobeerd contact met haar te zoeken, hoewel dat al een tijd geleden is. Geprobeerd en afgewezen. Dus, nee. Ik denk dat het nu ook geen goed moment is.'

Ze liepen zwijgend door naar het eind van het pad, waar Wilf afsloeg en met een vaag knikje afscheid nam. Zach keek hem na tot hij een eenzaam figuurtje in de verte was; een donkere gestalte op de smalle weg, gebukt onder het gewicht van al zijn herinneringen. Zach liep door naar de pub, met een verloren en ongemakkelijk gevoel na zijn gesprek met Dimity. Bij de deur van de Spout Lantern trilde tot zijn verbazing zijn telefoon. Hij diepte hem op uit zijn zak en zag een enkel streepje bereik. Een sms'je van Hannah; hij schrok toen hij haar naam zag. *Straks de kroeg in? Lammeren is klaar.* Hij drukte 'beantwoorden' in, maar wachtte toch even. Het vooruitzicht om haar te zien leverde een verwarrende mengeling van gevoelens op. Hij had haar drie dagen geleden voor het laatst gezien en hij miste haar, maar hij kon niet negeren wat hij wist. Hij wist dat hij geen antwoord zou krijgen op zijn vragen en dat ze boos en koppig zou worden als hij haar ermee confronteerde. Hij wilde haar in zijn armen nemen en stevig vasthouden, maar tegelijkertijd wilde hij haar door elkaar schudden tot er een paar antwoorden loskwamen. *Oké,* antwoordde hij, en daar liet hij het voorlopig maar bij.

De schemering viel die avond vroeg. Er hing een sluier van dreigende wolken over de kust, en toen Zach naar de bar ging vielen de eerste regendruppels, zoals Dimity al had voorspeld. Zach had zijn eerste pint al op toen Hannah en Ilir arriveerden. Ze lieten hun natte, modderige laarzen bij de deur staan en kwamen op dikke sokken op hem aflopen. Bij het zien van Hannahs smalle, sterke gezicht, op en top beheerst, kreeg Zach een akelig, bijna wanhopig gevoel over zich. Maar met Ilir erbij kon er geen sprake zijn van een confrontatie. Zach kon zo geen lucht geven aan zijn gevoelens.

Hannah gaf een rondje voor iedereen en ging zitten met een glimlach op haar gezicht. Ze zag er moe en bezorgd uit, maar erg op haar hoede. Diezelfde nerveuze ondertoon die hij eerder had gezien. Er hing even een gespannen stilte voordat iemand iets zei.

'Hoe staan de zaken ervoor? Nog problemen gehad met de ooien?' vroeg Zach. Ze schudden allebei hun hoofd. Zach had de indruk dat Hannah zich een klein beetje ontspande.

'Geen problemen,' zei Ilir. Hij streek met zijn handen door zijn dikke, natte haar. Het leek wel of zijn diepe huidskleur het zwakke licht absorbeerde. 'Op het laatst kwamen tweelingen – twee paar tweelingen. Geen wonder dat de schapen niet wilden werpen. Zwaar werk voor ze.'

'Maar dat is toch mooi? Twee lammeren voor de prijs van één?'

'Min of meer. Je moet ze ook in de gaten houden. De ene is altijd groter dan de andere en de kleinste doet het nooit zo goed of wordt niet zo vlezig,' zei Hannah.

'Maar het lammeren is nu dus gedaan. Nu kun je in ieder geval aan slapen toekomen,' zei Zach. Hannah en Ilir wisselden een vlugge, bijna steelse blik en stemden in. Met een wrang lachje hief Zach zijn glas. 'Op de nieuwe generatie Portlands van Southern Farm,' proostte hij.

'En op een nieuwe start,' voegde Hannah eraan toe. Terwijl ze een slok namen zag Zach nog net een bijna paniekerige uitdrukking over Ilirs gezicht glijden, een golf van radeloosheid die weer wegtrok.

'Een nieuwe start,' herhaalde Ilir ernstig. Hannah legde even haar hand op zijn arm, waarop Zach in een opwelling ineens vroeg: 'Heb je nooit heimwee, Ilir?'

De Roma-man keek hem onderzoekend aan en wachtte even met antwoorden.

'Ja, natuurlijk wel.' Hij haalde zijn schouders op. 'De ene dag meer dan de andere. Je thuis is altijd de plek waar je geboren bent, zelfs al is het niet zo'n beste plek.'

'Hoe is Kosovo? Ik ben er nog nooit geweest. Ik bedoel, ik denk niet dat ik iemand ken die er ooit is geweest. Het staat nog niet echt op de toeristenkaart, geloof ik,' zei hij verontschuldigend.

'Natuurlijk, mensen horen er al jaren alleen over vanwege de oorlog. Het is een jong land met een erg oud hart. Het is heel mooi daar, maar ook heel moeilijk. Nog steeds problemen. Niet genoeg werk. Niet genoeg geld en soms zelfs geen elektriciteit. En de mensen vechten nog steeds met elkaar. We horen één volk te zijn, maar zo voelt het niet.'

'Het klinkt als een moeilijke plek om te leven,' zei Zach.

'Vergeleken met Dorset is het zwaar, ja. En ik zou niet terug willen, dat is zo. Maar ik heb veel achtergelaten toen ik hierheen kwam. Ik heb veel dierbaars achtergelaten.' Even hing Ilirs verdriet bijna tastbaar om hen heen.

'Maar het was de juiste beslissing,' zei Hannah ferm.

'Ja. Voor mijn volk is het leven daar nog zwaarder. Zij hebben nog meer problemen, nog minder geld en minder werk. De Roma zijn niet geliefd. Engeland is een goed land. Een goed land om te wonen. Als ik naar het nieuws luister, denk ik weleens dat jullie niet beseffen hoe goed het hier is.'

'Ja, daar heb je wel gelijk in. Maar mensen vinden altijd wel iets om te klagen. Dat zei mijn vader altijd en hij was een van de grootste optimisten ter wereld. Eigenlijk denk ik nu dat hij het vooral over mijn moeder had. Hij zei altijd dat het eerste wat ze zou doen als ze naar de hemel ging, was aan God te laten weten dat de wolken te zacht zijn.' Hij lachte flauwtjes en Ilir knikte.

'Ik denk dat jouw moeder en de mijne veel te bespreken zouden hebben,' zei hij.

'Kom op, genoeg gesomberd. Drink,' commandeerde Hannah. Ze stootte haar glas tegen dat van de anderen.

Veel later, terwijl Ilir zich door de drukte een weg naar de bar baande, boog Zach zich naar Hannah toe om haar te kussen, met één hand bij haar hoofd voor het geval ze zich zou terugtrekken. Dat deed ze niet. Hij legde zijn voorhoofd tegen het hare en genoot met gesloten ogen van haar geur. Ze rook warm, aards en naar dieren. Het bier zorgde samen met zijn vermoeidheid voor een loomheid die het moeilijk maakte om na te denken. Toen hij haar losliet, keek ze bedachtzaam.

'Wat stelt dit voor, Hannah?' vroeg hij.

'Wat bedoel je?'

'Is dit alleen seks voor jou? Ben ik maar een... vakantievriendje?' Ze leunde een stukje van hem vandaan en nam een flinke slok bier voor ze antwoord gaf.

'Ik ben niet op vakantie,' zei ze.

'Je weet wat ik bedoel. Wat gaat er gebeuren als ik hier weg ben? Is het dan voorbij?'

'Ga je dan weg?' vroeg ze. De vraag overviel hem. Hij realiseerde zich dat hij er nog niet over nagedacht had of en wanneer hij klaar was in Blacknowle.

'Ja, ik kan hier niet altijd in een kamer boven een pub blijven wonen, toch?'

'Ik zou het echt niet weten, Zach,' zei ze, maar hij wist niet op welke vraag dit een antwoord was. Hij trok met zijn vingers lijnen tussen een paar bierdruppels op de tafel en maakte de vorm van een zeester.

'Ik weet dat je dingen verborgen houdt,' zei hij zacht. Hannah zat onbeweeglijk naast hem. 'Ik weet dat je ergens bij betrokken bent.'

'Ik dacht dat je hier was om onderzoek te doen naar Charles Aubrey, en niet naar mij,' zei ze, op hardere toon.

'Dat deed ik ook. Dat doe ik ook. Maar volgens mij weet jij ook wel dat die twee meer verband met elkaar houden dan we tot nog toe besproken hebben.' Ze keken elkaar aan. Hannahs ogen knipperden niet. 'Ga je nog iets zeggen?' vroeg Zach uiteindelijk. Hannah keek naar haar handen en diepte een randje vuil op onder een duimnagel. Ze keek stuurs.

'Rustig aan, Zach,' mompelde ze.

‘Rustig aan?’ herhaalde hij ongelovig. ‘Is dat alles wat je me te zeggen hebt?’

‘Zach, ik mag je heel graag. Echt waar. Maar je hebt geen idee waar ik mee bezig ben.’

‘Misschien weet ik wel meer dan jij denkt.’

‘Nee.’ Ze schudde haar hoofd. ‘Wat je ook denkt te weten, je kent niet het hele verhaal. En ik kan het je niet vertellen, Zach. Ik kán het niet. Zet me dus niet onder druk, want als we alleen samen kunnen zijn als jij het weet, kunnen we dus niet samen zijn. Begrijp je?’ Ze keek hem aan met een treurige, maar tegelijkertijd vastberaden uitdrukking in haar ogen. De boosheid die Zach had voelen oplaaien ging over in verwarring.

‘Hoe kunnen we samen zijn als je me niet toelaat? Bedoel je nu dat het voorbij is?’

‘Ik zeg… vertrouw me, als dat kan. Probeer het te vergeten.’

‘En als ik dat niet kan?’ vroeg hij. Haar enige antwoord was die vastberaden blik.

Ze werden onderbroken door luide mannenstemmen bij de bar, en Hannah wendde zichtbaar opgelucht haar blik af. Eén stem in het bijzonder klonk boven de andere uit, hard en agressief. Hannah stond op.

‘Nee, ik ga verdomme niet staan wachten terwijl jij dat stuk tuig vóór mij helpt!’ De verontwaardiging in de stem van de man reikte tot in alle hoeken van de ruimte. Geleidelijk aan vielen alle andere gesprekken in de pub stil. ‘Ik woon hier, vriend – ik hóór hier. Waar hoor jij thuis, verdomme?’

‘O, jippie. Onze favoriete vreemdelingenhater heeft besloten langs te komen,’ zei Hannah zo hard als ze kon. Zach vloekte inwendig toen ze naar de bar liep. Ze was ruim een kop kleiner dan al die mannen, maar liep zo zelfverzekerd als iemand van drie meter lang. Ze weken voor haar uiteen zoals haar schapen dat deden.

‘Hannah, het is nergens voor nodig dat je je hierin mengt en het nog moeilijker maakt,’ zei Pete Murray.

‘Waarom hou je je brutale mond niet een keer dicht? Ik was

hier eerst en die Poolse slaaf van je drong voor. Persoonlijk vind ik dat hij hier helemaal niet bediend zou moeten worden.' De man die dit zei was lang, kaal en rond de vijftig, met een slappe dikke buik die over de rand van een versleten spijkerbroek hing. Zijn gezicht en ogen waren rood van de stijgende bloeddruk, alcohol en woede.

'Gelukkig is niemand hier geïnteresseerd in wat jij vindt, Ed,' zei Hannah liefjes. Ilir stond kwaad naar de man te kijken, zijn gezicht nog donkerder van woede. Toen hij iets in zijn eigen taal mompelde, deinsde Ed terug voor de woede die in zijn woorden lag.

'Horen jullie dat? Ik herken een dreigement direct, ook al komt dat van een aap die niet eens de taal spreekt. Gooi jij hem eruit, Murray, of moet ik het zelf doen?'

Pete Murray keek van Hannahs woedende gezicht naar dat van Ed en zei ongelukkig tegen Ilir: 'Misschien kun je er voor vanavond beter een punt achter zetten, vriend. Het is het gezeur niet waard, hè?'

'Nee! Waarom moet hij weg, alleen omdat deze dronken idioot dat zegt?' vroeg Hannah.

'O, hoor haar, míj een zuiplap noemen! Vooruit, hond, terug in je hok.' De kale man zwaaide met zijn hand naar Ilir, zich niet bewust van de vijandige gezichten om hem heen. Er viel een korte, geladen stilte. Zach wilde een kalmerende hand op Hannahs schouder leggen, maar ze stond zo te trillen van boosheid dat hij half bang was dat ze zich zou omdraaien en hem zou slaan. Toen niemand iets deed, keek Ed opnieuw Ilir aan, met woede en gespeelde verbazing. 'Nog steeds hier? Maak dat je wegkomt, voor ik de vreemdelingenpolitie bel.' Dit had een zichtbaar effect op Ilir. Het bloed steeg naar zijn wangen en zijn ogen werden groot. Zach hoorde Hannah scherp inademen, en er brak een brede glimlach door op Eds rode gezicht. 'Aha, zit dat zo,' zei hij opgewekt.

Ed keek de pub rond en probeerde alle gezichten in zijn geheugen te prenten. 'Jullie hebben het allemaal gezien, hè? Heb ik een gevoelige snaar geraakt, of niet? Zou het bij een bezoekje van oom agent kunnen blijken dat je papieren niet helemaal in orde zijn? Hè, lekkertje?' Hij tikte Ilir met een vinger op zijn borst, en Zach realiseerde zich dat hij wel erg dronken moest zijn als de moordzuchtige uitdrukking op het gezicht van de Roma hem ontging.

'Natuurlijk zijn zijn papieren in orde, klootzak,' gromde Hannah tussen haar tanden door.

'Nou, dan is het toch geen probleem als ik morgen de smerissen een seintje geef dat ze dat eens na moeten kijken?' Eds gezicht glom van triomf.

'Kom op, Ed, vergeet het en drink lekker je biertje op. De dingen gaan zoals ze gaan. Het heeft geen zin om problemen te maken,' zei Pete slapjes terwijl hij een versgetapt biertje voor hem neerzette. Ed keek met een opgewonden, hatelijke grijns naar Ilir.

'Je kunt je boeltje maar beter pakken vanavond. Ik begrijp dat ze je niet veel tijd gunnen voor ze je naar huis sturen.' Hij draaide zich van hem af, pakte zijn glas en probeerde zonder morsen te drinken. Op het volgende moment vloog Ilir hem aan.

De eerste vuistslag schampte af langs Eds hoofd, waardoor hij alleen zijn evenwicht verloor en zijn pint liet vallen. Het bier spatte in een wolk van schuim en glassplinters uiteen op de vloer. Ilir, met ontblote tanden van pure woede, pakte Ed bij zijn shirt en duwde hem tegen de bar. Zach hoorde Hannah naar adem happen, en terwijl hij als aan de grond genageld toekeek, rende zij naar voren en probeerde Ilir weg te trekken. Ed was erger aangeschoten, maar hij was langer dan Ilir en had een groter bereik met zijn armen. Hij wist zijn vuist in het oog van de Roma-man te planten voordat Ilir hem opnieuw kon slaan, een stomp in zijn maag die Ed wel de adem benam, maar die niet hard genoeg was om hem dubbel te laten klappen of tegen te houden.

'Ilir! Niet doen!' schreeuwde Hannah. Er kwamen een paar mannen bij die Ilirs armen vastgrepen en ook die van Ed, toen hij met opgeheven kin en bloeddoorlopen ogen achter zijn aanvaller aankwam, een en al lompe vechtlust. Ilir zag eruit alsof hij de man wel kon vermoorden, en toen Zach tussen hen in naast Hannah ging staan, was hij blij dat hun armen stevig werden vastgehouden.

'Hánnah!' riep Pete Murray. Hij stond met gestrekte armen op de bar geleund, alsof hij er zo overheen zou kunnen springen om zich in het strijdgewoel te storten.

'Ja! We gaan al!' zei Hannah kort. Er zat een rode kneuzing op Eds wang, op de plek waar de eerste slag op het bot was afgeschampt.

'Jullie hebben het allemaal gezien! Jullie zagen het! Hij viel me aan! Denk maar niet dat ik geen aangifte ga doen, stuk analfabeet! Ik heb getuigen!' Eds stem klonk schel van woede.

'Even rustig aan, Ed. In de hitte van de strijd kan er van alles gebeuren. Volgens mij zijn we allemaal te beduusd om nog te weten wie de eerste klap heeft uitgedeeld, of niet soms?' De waard keek naar een paar van zijn vaste klanten, die met een kort knikje reageerden. Ed haalde diep adem en lachte spottend.

'Zielig stel lafbekken! Jullie allemaal!'

'Lucy, wil je even een taxi voor Ed bellen? Hij ziet er een beetje aangeschoten uit. En jij,' Pete wees naar Ilir, 'laat gaan en ga naar huis. Nu meteen.' Ilir vloekte uitgebreid in zijn eigen taal, rukte zijn armen los van de mannen die hem vasthielden en liep naar de deur; in het voorbijgaan pakte hij zijn laarzen. 'Jij ook, Hannah. Dit lijkt me wel genoeg voor één avond.'

'Mij best,' zei Hannah. Ze keek Ed aan en haar ogen schoten vuur.

'Oké, nou... Goedenacht allemaal,' zei Zach, waarna hij achter haar aan naar buiten liep.

Ilir liep al midden op straat in de tegenovergestelde richting van de boerderij. Hij slingerde en had zijn laarzen, met rare vouwen bij de enkel, aan zijn verkeerde voeten zitten.

'Ilir! Wacht even!' Hannah worstelde onder de overdekte portiek van de pub met haar eigen laarzen. De regen viel in grijze golven neer. Ilir had niets op zijn hoofd en in de zwakke gloed van de straatlantaarn zag zijn haar er glanzend en glad uit. 'Ilir!' Ze rende hem achterna, haalde hem in en trok zachtjes aan zijn arm. Zach wist niet wat hij moest doen en bleef staan, met zijn schouders opgetrokken vanwege de nattigheid. Hij hoorde Hannah iets zeggen tegen de man, maar kon niet verstaan wat ze zei, en tot zijn verbazing zakte Ilir vervolgens op zijn knieën. 'Zach!' riep Hannah. Met een vloek rende Zach de regen in. Uit de hoek van Ilirs rechteroog druppelde bloed. Het droop langs zijn gezicht, vermengd met regenwater. Het oog zat dicht, het ooglid was gezwollen.

'Jezus, moet dat gehecht worden?' vroeg hij. Hannah legde haar natgeregende handen rond het gezicht van de man om beter te kunnen kijken. Ilir deed zijn andere oog ook dicht. Hij ademde snel en slikte krampachtig.

'Nee, alleen... Help eens om hem overeind te krijgen. Ed moet hem harder geraakt hebben dan ik dacht.' Ze pakten allebei een arm en hesen Ilir overeind, maar het leek wel of hij pap in zijn benen had.

'Ik ga de auto halen. Wacht hier.'

'Wacht. Hoeveel heb je gedronken?' vroeg Hannah.

'Ik ben verdomme broodnuchter na dat incidentje. En ik zou wel erg veel pech hebben als ik een blaastest moest doen op dat stukje van hier tot de boerderij. Of wil je hem liever lopend thuis proberen te krijgen?'

'Oké, ga maar,' zei ze. Ilir ging weer zitten, met zijn handen boven zijn hoofd alsof hij een erbarmelijke smeekbede deed. Hannah hurkte bij hem neer en sloeg haar armen om hem heen. Haar kin lag op zijn druipende haar. Zach had haar niet eerder zo'n teder gebaar zien maken en ondanks zichzelf voelde hij een steek jaloezie.

Ze wisten Ilir op de achterbank van Zachs auto te krijgen, waarna Hannah voorin instapte en Zach optrok. Het stuur glibberde in zijn natte handen. Hij had moeite zijn ogen te focussen door het gordijn van regen en was blij toen ze het weggetje naar de boerderij insloegen, waar ze geen ander verkeer zouden tegenkomen.

Hij parkeerde de auto zo dicht mogelijk bij het huis, maar toch werden ze kletsnat toen ze de bevende Ilir weer uit de auto hielpen. De regen viel meedogenloos. Hannah en Zach droegen hem via de keuken min of meer tussen hen in naar zijn kamer boven, tussen hopen afval en afgedankte meubels door. Toen ze zijn deur openmaakten, leek het wel alsof ze een ander huis binnen stapten.

Ilirs kamer was brandschoon en opgeruimd. Het bed was netjes opgemaakt met lakens en dekens, de gordijnen waren gewassen en dichtgetrokken, er lagen geen kleren of schoenen op de vloer, onder de spiegel op de schoorsteenmantel lagen onopvallend een deodorantroller en een kam, en de vloerbedekking was grondig gestofzuigd. Hannah zag Zachs verwonderde blik.

'Ik weet het.' Ze gooide haar handen in de lucht en liet ze weer vallen. 'Geloof me, ik heb tegen hem gezegd dat hij de rest van het huis ook aan mocht pakken, maar hij zegt dat alleen deze kamer van hem is en dat hij zich niet met de rest moet bemoeien.'

'Ik kan het hem niet kwalijk nemen.'

'Nee, zo bedoelde hij het niet. Hij probeerde hoffelijk te zijn. Tactvol.' Ze ging naast Ilir op de rand van het bed zitten en legde de onderkant van de deken over zijn voeten.

'Ik ben niet dood. Praat niet alsof ik er niet meer ben,' mopperde Ilir. Hannah glimlachte.

'Natuurlijk ben je er nog. We dachten dat je flauwgevallen was.' Voorzichtig ging Ilir wat meer rechtop zitten en voelde met zijn vingers aan de snee boven zijn oog, waar nog steeds bloed uit sijpelde.

'Ik val flauw als ik geen koffie krijg,' zei hij.

'Ik ga het wel maken,' zei Zach.

'En ik ga watten halen om dat oog schoon te maken.'

'Je hoeft me niet te verzorgen, Hannah, ik ben geen baby.'

'Gedraag je dan ook niet zo en laat je verbinden,' zei ze kortaf.

Beneden in de keuken zette Zach water op en stond te kijken hoe Hannah in kasten en laden een glazen kom, zout en watten opdiepte.

'Is Ilir hier illegaal?' vroeg hij. Hannah fronste zonder op te kijken.

'Formeel. Misschien. Maar heeft hij het recht om hier te zijn? Nou en of.'

'Kan hij geen visum krijgen of zoiets?'

'Goh, Zach, daar hebben wij nou nog nooit aan gedacht. Luister, als er een snelle, makkelijke manier was om het papierwerk rond te krijgen, dan hadden we dat wel gedaan, oké? Hij heeft niet eens een paspoort.'

'Jezus, Hannah, maar wat als die Ed nu echt de politie belt? Dan heb je toch een probleem?'

'Dan heb ík een probleem?' Ze draaide zich om en ging vinnig recht voor hem staan. 'Ilir woonde vroeger in de Roma Mahalla in Mitrovica. Na de oorlog werd iedereen uit zijn buurt uit huis gezet en gedwongen om in een vluchtelingenkamp te wonen. Het kamp waar hij in werd gezet was gebouwd op de afvalhopen van een loodmijn. Een lóódmijn, Zach. Het heette Cesmin Lug. Het is nu gesloten, maar ze hebben hen daar járenlang laten wonen. Zijn ouders hebben het niet overleefd. De kinderen daar groeiden op met loodvergiftiging. Nu heeft de VN een aantal van hun huizen in Mitrovica weer opgebouwd en willen ze de mensen terug laten gaan – naar een stad waar ze nog steeds gediscrimineerd worden en in angst leven voor racistisch geweld. Naar een stad die niemand van hen al een generatie lang als thuis heeft beschouwd. En dan zeg jij dat ík een probleem heb als hij wordt teruggestuurd?' Ze schudde vol ongeloof haar hoofd.

'Ik bedoelde alleen... Nou ja, je kunt een forse boete krijgen voor het in dienst nemen van een illegaal.'

'Een illegaal? Heeft hij geen naam meer?'

'Dat kwam er een beetje verkeerd uit. Het was niet mijn bedoeling...'

'Wat stellen onze kleine angsten voor in vergelijking met wat hem te wachten staat als hij wordt uitgezet,' zei ze. 'Wat maakt het uit hoeveel mijn lammeren opbrengen, of jij je boek afkrijgt of hoe we deze "relatie" noemen. Hoe belangrijk is dat, vergeleken met waar hij mee zou moeten leven?'

'Is hij degene die jou erbij heeft betrokken? Bij waar je dan ook mee bezig bent? Smokkelen, vervalste tekeningen verkopen... Ik schat zo in dat hij meer contacten in die wereld heeft dan jij.' Hannah stond hem even perplex aan te kijken, maar daarna spuwden haar ogen vuur.

'Hou daarover op of ga weg. Ik meen het.' Ze strekte haar arm en wees naar de deur, en Zach zag dat de vinger aan het eind van die arm bewoog. Hij trilde.

'Oké,' zei hij zacht. 'Oké. Ik ben alleen... Ik maak me gewoon zorgen om je.' Hannah liet haar arm vallen en pakte de watten en het zoute water.

'Dat hoeft niet. Het gaat prima met me.' Ze draaide zich om en ging naar boven.

Even overwoog Zach om weg te gaan. Weg te gaan in de stromende regen, getart en alleen. Hij probeerde zich voor te stellen dat Hannah achter hem aan zou rennen zoals ze achter Ilir was aangehold, maar hij wist dat de kans veel groter was dat ze hem gewoon zou laten gaan. Hij zocht de keuken af naar een pot oploskoffie, maakte drie bekers klaar en deed in alle drie alleen suiker toen hij geen melk kon vinden die hij zou durven gebruiken. Was het alleen omdat hij wist dat ze iets voor hem verborg? Was dat de enige reden dat hij bleef? In dat geval zou hij juist moeten vertrekken. Hij zou dan niets meer met haar te maken moeten willen hebben, want het openlijk aanvechten van de authenticiteit van de tekeningen van Dennis zou tot de ontmaskering van Hannah leiden. Maar toen zag hij haar weer voor zich zoals ze op het eind van de stenen uitloper helemaal in haar eentje over de lege vlakte van de zee stond te staren. De vastberaden stand van haar schouders, de directe manier waarop ze de wereld tegemoet trad en zich niet liet kennen, terwijl het thuis, privé, een en al chaos en verwaarlozing was. Hij had er hoofdpijn van, maar hij wist met absolute zekerheid dat hij niet bij haar weg wilde. Hij deed zijn ogen even dicht, vloekte, sloeg toen een van de bekers koffie in één teug achterover en liep met de andere twee voorzichtig terug naar Ilirs kamer.

Hij kon hun stemmen halverwege de trap horen, zacht maar duidelijk verstaanbaar. De trap kraakte niet, dus die zou hem niet verraden. Onwillekeurig ging hij langzamer lopen. Hij nam nog een tree en bleef toen, vol zelfhaat, stilstaan om te luisteren.

'Ik heb hem niets verteld, echt niet,' zei Hannah. Zach klemde uit protest zijn kaken op elkaar.

'Ik weet het, ik weet het. Maar als de politie komt, Hannah? Als Ed ze belt, zoals hij zei?'

'Dat varken was vanavond zo dronken dat hij nauwelijks op zijn benen kon staan. Hij weet morgen niet eens meer wat er vanavond is gebeurd of wat hij heeft gezegd.'

'Maar als hij het nog wel weet?'

'Als dat zo is, tja. We moeten gewoon volhouden tot aanstaande dinsdag. Dat is alles. Nog drie dagen, Ilir, dan is het voorbij! Je kunt verdwijnen. Als de politie komt, kun je je verstoppen. Ik zal wel zeggen dat je gevlucht bent na wat er in de pub is gebeurd. En dat ik niet weet waar je bent.'

'Je kunt er problemen mee krijgen, Hannah. Heb je dat voor me over?'

'Natuurlijk. We zijn nu al zo ver, toch?'

'Weet je het zeker?'

'Ik weet het zeker. Je zult zien dat alles goed komt. Nog drie dagen, Ilir. Drie! Dat stelt niets voor.'

'Het spijt me van daarnet. Van de pub. Ik had niet boos moeten worden. Ik had hem niet moeten uitdagen.'

'Hé, ik wil geen verontschuldiging van je horen omdat je Ed Lynch een oplawaai hebt verkocht, oké? Elke klap die die man incasseert is een dienst aan de samenleving.' Zach hoorde de lach in Hannahs woorden.

'Wat ga je tegen Zach zeggen als het voorbij is?' vroeg Ilir. Omdat hij niets meer wilde horen liep Zach nog drie treden op en ging in de deuropening staan. Twee paar ogen draaiden zich naar hem toe.

'Ja, wat ga je tegen me zeggen,' zei hij stijfjes. Hij had het ineens koud en was doodmoe. Er trilde een spiertje in Ilirs kaak en het was doodstil in de kamer. Hij zag dat Hannah een beetje in elkaar kromp, alsof er niets anders op zat dan zich over te geven. 'Wat gebeurt er aanstaande dinsdag?' vroeg hij.

'Zach,' zei ze, maar daar bleef het bij. Ze zei alleen zijn naam, beladen met het onaangename gewicht van onuitgesproken dingen, en Zach realiseerde zich dat het onmogelijk was, dat hij haar nooit had gehad, haar nooit had gekend. Met de overdreven voorzichtigheid van iemand die onvast op zijn benen staat, ging hij naar beneden en vertrok zonder nog iets te zeggen.

Dimity sliep onrustig, met Charles' tekening van haar in de woestijn naast zich. Ze had gehoopt van dat beeld te dromen; ze had in haar onderbewuste weer dat meisje willen zijn, dat mooie wezen dat Charles had gecreëerd. Maar er kwamen alleen lichamelijke herinneringen, geen beelden van verloren schoonheid. De roes van de druk van Charles' lichaam, zijn mond tegen de hare, zijn geur en zijn armen om haar heen in de kostbare seconden voor hij haar van zich af duwde. De pijn van haar hoofd dat tegen Celestes kaptafel sloeg; het gloeien van haar gezicht, alsof de klap van de vrouw giftig was geweest, een steek van een schorpioen. In haar slaap was ze overgeleverd aan deze waarheden, waarin een langgerekt refrein zich voortdurend herhaalde, alsof het de spot met haar dreef. *Allahu Akbar! Allahu Akbar!*

Hoog boven haar hoofd zong en riep de muezzin. Ze keek omhoog naar de duizelingwekkende hoogte van een minaret, die een stukje verderop verblindend groen afstak tegen de heldere hemel. Het zweet stroomde over haar gezicht en prikte in haar ogen; haar longen piepten van de droge lucht. Ze had een hele tijd gerend. Vechtend tegen de tranen ging ze op een stoffige drempel zitten, met haar rug tegen het antieke hout van een deur geleund, en wachtte tot ze weer op adem kwam. Ze werd misselijk en draaierig bij de gedachte aan Celestes woede. De felle blauwe ogen van de vrouw, de vlugge, hardhandige manier waarmee ze aan de sjaal en de ketting trok. Ze had Dimity haar huwelijksbelofte horen oefenen. Haar huwelijksbelofte aan Charles. Ze had moeten zeggen dat het maar een spelletje was. Maar dat was niet waar, en Celeste wist dat het niet waar was – alleen dat kon haar woede verklaren. Dimity durfde haar niet opnieuw onder ogen te komen, niet eens om zich te verontschuldigen. Ze moest er niet aan denken, maar toch zag ze geen manier om het te vermijden. Als ze niet naar het pension terugging, konden zij haar niet mee terugnemen, haar niet dwingen om terug naar Blacknowle te gaan, maar wat had dat voor zin als Charles met hen meeging? Er rolden hete tranen over haar wangen, nog heter dan de tropische middagzon.

Ze doezelde even weg in dromen waarin Charles haar kwam zoeken, zijn armen om haar heen sloeg en haar angsten wegkuste. De beelden deden haar pijn. Ze schrok wakker van stemmen. Er stonden twee vrouwen voor haar, van wie er een gehuld was in grijze gewaden, zodat alleen haar koolzwarte ogen te zien waren; de ander had die diepzwarte huid die Dimity zo fascineerde. Als ze praatte waren haar tanden net zo wit als de kam van een golf in de nacht. De zwarte vrouw glimlachte; ze voegde zachte, gemompelde reacties toe aan de woordenstroom van de gesluierde vrouw. Dimity kon niet zien of de gesluierde vrouw ook lachte, of dat ze boos of nieuwsgierig keek. Ze was letterlijk gezichtloos, ronduit bedreigend. Dimity had geen idee wat ze zeiden, dus bleef ze roerloos zitten, zonder iets te zeggen. Haar hart begon sneller te bonzen. De vrouwen keken elkaar even aan, waarna de zwarte haar hand op Dimity's arm legde en haar duidelijk maakte dat ze moest opstaan en met hen meegaan. Dimity schudde heftig haar hoofd. Ze moest ineens denken aan Delphines verhalen over blanke slaven. De zwarte vrouw trok nog eens aan haar arm, maar Dimity sprong op, rukte haar arm los en vluchtte weg, struikelend in haar haast. Ze verwachtte elk moment hun handen weer op zich te voelen.

Ze rende tot ze pijnscheuten in haar borst kreeg en niet meer verder kon. Haar slepende voeten schopten stofwolkjes en afval op, en af en toe gleed ze uit over de kinderkopjes. Aan beide kanten stonden de hoge, sobere gebouwen van Fez om haar heen, met pleisterwerk dat afbrokkelde van de rossige muren.

De ramen zaten verborgen achter verweerde luiken; geen balkons, geen bedrijvigheid van mensen. Langzaam hield Dimity op met rennen, bevangen door een nieuwe angst. Ze had geen flauw idee waar ze was, hoe ze weer bij het pension moest komen of zelfs maar de stadspoorten kon vinden, de rand van het doolhof. Luid ademend draaide ze zich langzaam om. *Niet in je eentje op pad gaan, hè, Mitzy?* De deuren aan de straat waren enorm groot en dreigend; het bewerkte hout hield het woestijnzand en het straatstof vast in de uitgesneden patronen. Dimity overwoog ergens aan te kloppen om de weg te vragen, alsof er dan een bekend gezicht zou opendoen, iemand die ze van thuis kende. Alsof ze de naam van het pension dan had kunnen noemen, of de straat waar het stond, en alsof ze het antwoord zou kunnen verstaan. Haar benen wogen zwaar van vermoeidheid en de hitte trok aan haar als een anker. Ze hoorde de muezzin niet meer en neuriede zelf de enige woorden die ze van hem verstaan had, alsof dat haar terug zou brengen bij de groene toren waarvan ze wist dat die niet ver van de *riad* vandaan was. *Allahu Akbar, Allahu Akbar…*

Naast haar ging knarsend een deur open. Een magere man tuurde met nieuwsgierige ogen naar buiten. Dimity's adem stokte, ze hield op met zingen en schudde haar hoofd toen de man een stortvloed van woorden op haar losliet. Ze draaide zich om en liep terug in de richting vanwaar ze gekomen was. Toen ze over haar schouder keek, stond de man haar op straat oplettend na te kijken. Het straatvuil in haar schoenen deed pijn aan haar hielen en tenen. Toen ze het zweet van haar gezicht veegde kwamen er zandkorreltjes van haar vingers op haar oogleden. Ze liep vlug verder, en bij elke stap groeide haar paniek en nestelde zich dieper in haar borst en hoofd, tot ze bijna niet meer kon denken. Charles had de oude stad een labyrint genoemd en zelfs Dimity wist dat dat een plek was waaruit je niet kon ontsnappen, een plek die speciaal gemaakt was om je er vast te houden en gek te maken. Een plek met blinde hoeken, doodlopende wegen en monsters in het centrum.

Ze liep uren achter elkaar door. Ze probeerde in een rechte lijn te lopen, nergens af te slaan, want ze dacht dat ze dan uiteindelijk in de woestijn terecht zou komen, maar er kwam geen eind aan de stad. Ze probeerde zo veel mogelijk rechtsaf te slaan, maar kwam steeds weer op hetzelfde pleintje uit, waar een uitgehongerde hond haar achterdochtig bekeek. Ze probeerde afwisselend links- en rechtsaf te gaan, zigzaggend, maar kwam nooit een gebouw tegen dat ze herkende of een straat waar ze al eerder was geweest. Ze probeerde te bedenken hoe ze gekomen was, maar als ze dezelfde weg terugliep kwam ze toch steeds ergens anders uit, alsof de stad betoverd was door een duiveltje dat de gebouwen en muren verplaatste als zij zich omdraaide. Ze was doodop van angst en vermoeidheid.

Toen ze bij een drukke bazaar kwam vlamde haar hoop op, tot ze zich realiseerde dat die veel kleiner was dan de centrale medina waar Charles haar mee naartoe had genomen, en van daaruit kwam ze weer in lege straten terecht. Ze had het gevoel dat ze in de gaten gehouden werd, alsof er iets kwaadaardigs op de loer lag dat wachtte tot ze in zou storten. Na een tijdje kwam ze bij de voet van een steile stenen trap. Na een pauze om op adem te komen klom ze, moeizaam vanwege haar zware benen, de trap op in de hoop een uitzichtpunt te bereiken, vanwaar ze iets zou zien wat ze herkende. Maar de treden eindigden bij een hoge stenen muur waar ze niet overheen kon kijken en de zoveelste gewelfde deur waar ze niet doorheen kon. Ze bonkte hulpeloos op de deur, eindelijk bereid om zich over te geven aan de genade van wie daar ook maar woonde. Een vriendelijk vrouw misschien, die haar iets te drinken zou geven en voor haar op onderzoek uit zou gaan. Ze stond lang te kloppen, maar er deed niemand open. Toch bleef ze aankloppen, maar toen ze het vel van haar knokkels schaafde en die gingen bloeden, zakte ze snikkend in elkaar tegen de meedogenloze muur.

Haar keel was kurkdroog. Ze had in haar hele leven nog nooit zo'n dorst gehad, of zich zo verloren en bang gevoeld. De zon zakte langzaam, maar was nog steeds zo fel dat haar ogen leken te schroeien en haar hoofd bonsde. Ze had geen idee hoelang ze boven aan de trap zat te wachten, maar uiteindelijk vond ze de kracht om op te staan en naar beneden te lopen. Terug in het labyrint van straatjes en steegjes, in de eindeloze hoeveelheid bochten en kronkels, poorten en deuren. Ze liep tot ze van vermoeidheid stond te trillen op haar benen en kwam uiteindelijk terecht in straten met winkels en mensen die zich voortrepten of diep met elkaar in gesprek verwikkeld waren.

Dat was zowel een opluchting als een nieuwe zorg. Dimity wenste dat ze lappen grijze textiel had om over haar hoofd en gezicht te gooien, ter bescherming tegen de blikken van de passerende mannen. Misschien droegen de vrouwen daarom wel sluiers, dacht ze, omdat die ogen zo hard en nadenkend keken, onvriendelijk, onderzoekend. Zelfs als ze hun taal had kunnen spreken had ze hun nooit om hulp durven vragen. Ze was voor altijd verdwaald en moest voortaan als een dolende geest door de nauwe straatjes zwerven. Ze deed haar uiterste best om haar paniek en kwetsbaarheid niet te laten zien. Toen liep ze een hoek om en kwam uit bij een kunstig betegelde fontein, met water dat neerkletterde in een stenen bak. Met een kreet van opluchting strompelde ze erheen en dronk morsend van de koperen tuit; ze vulde de kom van haar handen en bevochtigde haar kurkdroge keel. Ze dronk zo veel water dat haar buik ervan opzwol. Ze spoelde haar handen af en maakte haar vuile gezicht schoon, maar toen ze zich daarna omdraaide zag ze dat er een groep mannen in een halve cirkel achter haar stonden. Dimity verstijfde. Op hun gezicht stond niets te lezen, hun lippen waren een rechte streep, hun ogen stonden waakzaam en hun armen hingen slap langs hun lichaam. *Niet in je eentje op pad gaan, hè, Mitzy?* Charles' woorden, zijn subtiele waarschuwing, kwamen weer bij haar boven. *Wat zou er gebeuren als er een christen naar binnen zou gaan? Daar wil je liever niet achter komen.* Ze begreep dat ze haar de weg versperden, ze stonden allemaal hooguit een armlengte van elkaar af. Dimity moest aan koeien denken. Aan Bartons koeien in Blacknowle, die de zomer daarvoor een toeriste hadden ingesloten die haar hond op zijn land had uitgelaten. Ze waren gewoon om haar heen gaan staan en hadden haar ingesloten, terwijl ze naar haar bleven kijken. Toen ze probeerde om weg te komen sloten ze de gelederen. Ze trapten haar, braken haar been en ribben en doodden de hond.

Dimity's keel werd weer droog. Haar maag kwam in opstand en ze moest haar best doen om het water dat ze net gedronken had niet weer uit te spugen. Ze keek of er aan de andere kant een ontsnappingsroute was: langs de fontein naar de stille straat erachter. Er stond een houten slagboom voor, maar die bestond maar uit één balk, waar ze gemakkelijk onderdoor kon duiken. In de zware muur verderop in de straat zat een stel mooie, hoge poorten. Hoog erboven schitterde de groene toren van de Karaouine Moskee in de zon, wakend over alles. Dimity wachtte zo lang als ze kon, uit angst dat haar benen het zouden begeven als ze in beweging kwam en ze niet zou kunnen rennen. Toen haalde ze zenuwachtig diep adem, stapte van de fontein af en stormde naar de slagboom. Achter haar ontstond onmiddellijk een tumult van schreeuwende stemmen en rennende voeten. Dimity jammerde van angst. Ze haalde de slagboom en bukte zich al om eronderdoor te duiken, maar haar haar hing in haar ogen en ze maakte een inschattingsfout. Ze stootte haar hoofd hard en viel languit op de grond. Ze probeerde overeind te krabbelen, maar de wereld draaide om haar heen, er dansten witte vlekjes voor haar ogen en er kwam een golf van misselijkheid naar boven. De mannen kwamen in een kring om haar heen staan en praatten allemaal door elkaar heen; sommige stemmen klonken opgewonden, andere bijna bezorgd. Ze kon alleen hun gezichten zien, die haar als woeste golven insloten, en ze hoorde hun stemmen in haar oren dreunen. Er druppelde iets van haar voorhoofd in haar ogen, en toen ze knipperde kleurde de wereld rood. Ze moest weer aan de koeien denken, en aan de doodgetrapte hond, en wist dat ze het niet zou overleven als ze niet op zou staan. Op handen en voeten kroop ze naar de lege straat achter de slagboom, maar nog voor ze een meter had afgelegd voelde ze dat ze vastgepakt werd.

Dimity krijste. De mannen hielden haar bij haar enkels en polsen vast; aan haar schouders en bovenarmen; aan haar kuiten. Ze werd opgetild en weggedragen van die lege straat, van de vrijheid die hij leek te beloven. Ze verzette zich zo hard als ze kon, draaide en spartelde tot haar gewrichten rood en pijnlijk waren en haar spieren gingen trekken. Ze verwachtte dat ze hun handen op haar mond en haar keel zou voelen, dat ze het leven uit haar zouden wringen, maar begreep ineens dat ze haar niet wilden doden, maar wilden meenemen om haar ergens voor te gebruiken, voor wat voor akeligs dat dan ook was. Als een slavin die niet alleen moest werken, maar ook gebruikt kon worden om de tijd te verdrijven en om lust te bevredigen, en die kapotgemaakt kon worden. Door het rode waas in haar ogen heen zag ze een heldere, achteloze streep blauwe lucht boven haar hoofd, bijna onzichtbaar door de grimmige gezichten van haar overweldigers. Ze riep om Charles toen hun vingers in haar huid drukten en blauwe plekken veroorzaakten, en haar hoofd bonsde van pijn en angst, en op het laatst riep ze zelfs om Valentina. Toen werd de wereld donker en kon ze niet meer vechten.

Toen ze wakker werd probeerde ze overeind te komen, maar de felle zon scheen recht in haar ogen en dat voelde alsof er een mes in haar schedel werd gestoken. Ze deed haar ogen weer dicht en zakte kreunend achterover.

'Mitzy? Je bent wakker! Hoe voel je je?' Toen ze een smalle, zachte hand in de hare voelde, herkende ze met een intense golf van opluchting Delphine. Ze probeerde te bedenken wat er was gebeurd, hoe ze was teruggekomen bij de *riad* en waarom ze zo'n hoofdpijn had, maar de kamer draaide om haar heen en haar maag kwam in opstand.

'Ik moet overgeven,' zei ze slapjes.

'Hier. Ik heb een kom. Links van je,' zei Delphine, en Dimity voelde het koude porselein tegen haar kin. Ze kwam een stukje omhoog, draaide haar hoofd en gaf over. 'Dat komt vast door die klap op je hoofd. Ik heb een paar jaar geleden mijn hoofd gestoten toen ik van mijn pony viel en toen was ik ook misselijk,' zei Delphine. 'Hier, drink een beetje water.' Nog met haar ogen dicht voelde Dimity dat er een glas water aan haar lippen werd gezet, dat ze onhandig vastpakte. 'Kleine slokjes – niet te snel drinken, want dan komt het er allemaal weer uit.'

'Het licht is zo fel,' protesteerde ze met een hese stem. Ze hoorde geritsel toen Delphine opstond en daarna het geluid van luiken die gesloten werden. Dimity deed voorzichtig haar ogen open en zag in het zachtere licht dat Delphine op haar knieën naast het bed zat. Haar haar hing in twee dikke, glanzende vlechten over haar schouders naar voren.

'Welkom terug,' zei ze lachend. 'Was je verdwaald? We zijn allemaal zo ongerust over je geweest. We dachten dat je misschien wel ontvoerd was!'

'Verdwaald, ja. Ik dacht dat ik... hoe ben ik hier gekomen?'

'Papa heeft je gevonden. Hij heeft je teruggebracht. Trouwens, wacht even – ik kan nu beter tegen hem gaan zeggen dat je wakker bent. De dokter zei dat we hem weer moesten bellen als je vanavond niet wakker was, dus dat moet ik maar meteen doen. Kun je even alleen zijn?' vroeg ze. Dimity knikte zwijgend en Delphine glimlachte weer. 'Je bent nu veilig. Maar je hebt een flinke bult op je hoofd!' Ze stond op en liep met de kom braaksel de kamer uit.

Dimity had zich haar leven lang nog niet zo ziek gevoeld. Haar hoofd bonsde en haar lichaam voelde gekneusd en gehavend aan, zo zwak als dat van een jong katje. De kamer draaide nog steeds om haar heen en hoewel de warme droge lucht in haar keel schuurde, lag ze nog steeds te rillen van de kou. Haar huid voelde rauw aan. Ze hoorde een zachte klop op de deur en een krakend geluid toen hij openging. Toen ze Charles zag probeerde Dimity te gaan zitten, maar haar gezicht vertrok van de inspanning.

'Nee, blijf liggen, Mitzy,' zei hij. Hij ging bij het voeteneind van haar bed staan. Dimity ging voorzichtig met haar rug tegen de muur zitten. Ze zag tot haar ontzetting dat ze haar bebloede, vuile kleren nog aan had. 'Hoe voel je je?'

'Ik denk... ik denk dat ik misschien doodga,' fluisterde ze ongelukkig toen haar hoofd na de inspanning om overeind te komen aanvoelde alsof er soep in rondklotste. Charles lachte zachtjes en kwam naast haar zitten.

'Je hebt ons wel de stuipen op het lijf gejaagd. Hoe kwam je er in vredesnaam bij om zo weg te lopen?'

'Ik... Celeste...' Ze gaf het op, kon onmogelijk bedenken hoe ze het moest verklaren. Charles' hoofd leek dichterbij te komen, dichtbij genoeg om haar te kussen, en zich dan weer terug te trekken, rijzend en dalend als de golven. 'Hoe heb je me gevonden?' vroeg ze. Ze had gedroomd dat hij haar kwam redden en die droom was uitgekomen.

'Met heel veel moeite, toevallig. Ik ben in kringen rond het huis gaan lopen, in steeds grotere kringen. Ik was al úren aan het zoeken toen ik al dat kabaal hoorde –'

'Ik... ik was verdwaald,' zei ze. Ze keek verlegen naar hem op. 'Was je ongerust over me?'

'Natuurlijk was ik bloedongerust! Hoe kom je aan die buil op je hoofd? Ze hebben je toch niet geslagen?'

'O, die mannen!' zei ze hijgend, nu ze er weer aan dacht. 'Ik heb mijn hoofd gestoten toen ik onder de slagboom door wilde kruipen om van die vreselijke mannen af te komen –'

'Je hebt geprobeerd om voorbij de slagboom te komen? De moskee in?' Charles fronste.

'Nou, ik wilde... Ik wilde alleen maar weg. Ze schreeuwden allemaal naar me en probeerden me te pakken!'

'Ze zeiden tegen je dat je daar niet mocht zijn, domoor! En die straat achter de slagboom is absoluut verboden voor niet-moslims. Sterker nog, op die tijd is het ook verboden voor vrouwen, laat staan ongesluierde vrouwen, om daar te zijn. Erger had je het dus niet kunnen maken, kleine Mitzy!' Charles zuchtte en moest toen toch een beetje lachen. 'Geen wonder dat ze zo'n heisa maakten.'

'Ik bedoelde het niet zo! Ik wist dat niet!' huilde Dimity. 'Ik dacht dat ze me wilden vermoorden!'

'Stil maar, natuurlijk wilden ze je niet vermoorden, ze wilden alleen zorgen dat je geen godslastering pleegde. Een misverstand dus, maar het moet angstaanjagend zijn geweest. Dat kan ik wel begrijpen.' Dimity beet op haar lip en haar ogen vulden zich met tranen. Ze deed geen moeite om ze te verbergen.

'Het spijt me dat ik jullie zo'n last heb bezorgd. En dat je zo bezorgd over me bent geweest.'

'Zit daar maar niet over in. We zijn allemaal blij dat je weer gezond en wel bij ons terug bent. Celeste en de meisjes zijn ook zo ongerust geweest...'

Toen Celestes naam viel kromp Dimity in elkaar. Ze keek naar haar vuile handen in haar vuile schoot. Charles schraapte verlegen zijn keel. 'Mitzy, vertel me alsjeblieft wat er is gebeurd. Waar hadden jullie ruzie over?' vroeg hij.

'Heeft Celeste dat dan niet gezegd?'

'Nee. Ze wil het niet zeggen. Ze zegt dat dat iets tussen jullie tweeën is en dat ik het toch niet zou begrijpen.' Dimity dacht na. Ze was blij dat Celeste het niet aan Charles had verteld, maar tegelijkertijd wantrouwde ze haar beweegredenen. Alsof een geheim haar meer macht gaf.

'Ik was... ik was een paar van haar spullen aan het passen. In jullie kamer. Haar sieraden en een sjaal. Toen ze terugkwam vond ze me daar. Misschien dacht ze dat ik ze wilde stelen. Maar dat was niet zo! Ik zweer het! Ik bedoelde het niet slecht!'

'Is dat alles? Ze heeft je betrapt toen je een paar dingen van haar paste en dat was voor haar voldoende om zo woedend te worden?' Charles fronste zijn voorhoofd alsof hij het niet helemaal geloofde. Dimity slikte.

'Ik dacht dat ze me zou vermoorden,' zei ze kleintjes.

'Doe niet zo raar. Celeste houdt van je.'

'En jij?'

'Ik...' Charles viel stil en keek haar weer nadenkend aan, alsof hij ineens iets niet meer wist. Dimity hield haar adem in. 'Ja, natuurlijk, ik ook.' Zijn stem klonk vreemd gespannen. 'Als van een eigen dochter, Mitzy. Zo bont en blauw als je bent. Dit gaat er prachtig uitzien, weet je – morgenochtend is het paars. Voel maar.' Hij leidde haar vingers voorzichtig naar de eivormige bult op haar hoofd. Ze huiverde. 'Zelfs Élodie zal onder de indruk zijn,' zei hij.

'Dat betwijfel ik.'

'O, verdorie. Nu is het gaan bloeden. Hier.' Charles haalde zijn zakdoek tevoorschijn en depte het bloed van de wond op haar hoofd, terwijl hij met de andere hand voorzichtig haar kin vasthield om haar hoofd stil te houden. Dimity leunde tegen hem aan. Ze kon zijn adem op haar huid voelen en zijn lichaam, dat naar zweet rook, ruiken. Aarzelend legde ze een hand op zijn onderarm, de arm die haar gezicht ondersteunde. Charles keek naar de wond, maar bij haar aanraking verwijdden zijn ogen zich en schoten naar de hare, alsof hij iets gevaarlijks zag opdoemen. Hij stopte met het deppen van de wond en Dimity dacht even, een heerlijk moment lang, dat hij haar opnieuw zou kussen. Ze zag het al helemaal voor zich – zijn voorovergebogen hoofd, de aanraking van zijn mond. Het snelle kloppen van haar hart maakte haar hoofdpijn erger, maar dat kon haar niet schelen.

'Is het wel goed?' vroeg ze zacht.

'Is wat wel goed?' vroeg Charles, niet op zijn gemak. Hij schoof een stukje van haar af.

'Mijn hoofd.'

'O, ja. We hebben voor alle zekerheid de dokter naar je laten kijken, hij zegt dat je vooral rust nodig hebt. Maar,' Charles legde zijn hand even op haar voorhoofd, 'je voelt wel erg warm aan. Heb je koorts?'

'Ik weet het niet. Ik voelde me vanochtend al niet zo goed, voordat Celeste –'

'Ja, kijk nou, je bibbert van de kou! Ga liggen. Je moet rusten, Mitzy,' zei Charles en Dimity gehoorzaamde. Zijn warme bezorgdheid proefde zo zoet als honing op haar tong.

Hou je van me? Ja, natuurlijk. Toen hij weg was bleef Dimity het steeds opnieuw horen, een toverformule die alles liet sprankelen. Ze beeldde zich in dat ze nog kon voelen hoe hij haar vasthield, haar droeg om haar in veiligheid te brengen. Ze voelde zijn vingers in haar ribben drukken, de beschermende greep van zijn armen onder haar rug. Het voelde helemaal goed, helemaal *perfect.* Maar ze kon de pijn in haar hoofd niet negeren en toen ze voorzichtig weer aan de wond voelde, voelde ze ook een buil op haar slaap, een gevolg van toen Celeste haar van de kruk af had geslagen. Onwillekeurig zag ze de felle ogen van de vrouw weer voor zich. Ze kroop weg in haar kussen om aan die allesziende blik te ontsnappen.

Ze lag al onrustig te doezelen toen Delphine binnenkwam. Het werd buiten al een beetje donker en hoewel Dimity wist dat Delphine tegen haar praatte, besteedde ze geen aandacht aan wat ze zei, tot ze haar hoorde zeggen:

'Binnenkort zijn we weer in Engeland en dan zijn we dit allemaal vergeten.' Als Delphine hiermee haar vriendin had willen troosten, bereikte ze het tegenovergestelde. Dimity werd overvallen door een grauwe, ijskoude wanhoop. Ze schudde heftig haar hoofd.

'Nee! Zolang als ik leef zal ik dit niet vergeten. Ik wil hier altijd blijven,' zei ze wanhopig.

'Dat meen je niet! Ik bedoel, het is natuurlijk leuk om op vakantie te gaan, maar het voelt toch niet als thuis, hè,' zei Delphine. Ze zat met haar armen om haar knieën geslagen in haar pyjama naast Dimity. Achter haar keken Élodies donkere ogen, hard en glanzend als flessenglas, vanuit haar eigen bed toe.

'Het is hier beter dan thuis,' zei Dimity. Delphine keek haar vragend aan, maar Dimity kon niet meer praten, het was te vermoeiend. Ze bleef stil liggen en probeerde zich te concentreren op Charles, die tegen haar zei: *Natuurlijk hou ik van je.* Maar ze kon haar gedachten maar moeilijk bij hem houden omdat ze steeds in een nachtmerrie terechtkwam waar ze niet uit wakker kon worden; een zwarte verschrikking die bestond uit graaiende handen en flitsende blauwe ogen, uit rennen, vallen en voorgoed verdwaald zijn. De beelden bleven maar komen, oprijzend als de deinende golven terwijl haar lichaam rilde en gloeide. Op een bepaald moment in de nacht dacht ze dat iemand zich over haar heen boog en rook ze een vleugje van het volle bloemenparfum van Celeste. Ze was verbaasd van de angst die ze voelde en de vlaag van woede daarna.

Dimity beleefde de terugreis in een koortsige toestand van uitputting. Ze was zich alleen bewust van beweging en een uitgeput, akelig gevoel. Een stuk woestijnland, de frisse zeewind aan de kust, opnieuw het misselijkmakende geschommel van de boot. Ze was zelfs te zwak om verdrietig te zijn toen ze besefte dat Marokko langzaam achter haar verdween, hoewel ze diep vanbinnen wel wist dat dat nog zou komen. Het verdriet leek op de dode dieren die soms aan de stranden van Blacknowle aanspoelden: zwart en koud, misvormd en stinkend. Het wachtte haar op, tot zij voldoende was opgeknapt om te rouwen. Ze werd weer teruggebracht naar The Watch en aan Valentina's onbehouwen zorgen toevertrouwd, en toen ze eindelijk met een helder hoofd wakker werd, had ze geen idee hoelang ze al in haar eigen kinderbed had gelegen.

Aan de stand van de zon kon ze afleiden dat het middag was, geen ochtend, en ze lag zich een tijdje af te vragen waarom Valentina haar niet eerder wakker had gemaakt. Ze ging rechtop zitten; hoewel al haar spieren pijn deden en haar botten slap aanvoelden kon ze helder zien en had ze controle over haar lichaam. Ze rook een ziekelijke, zurige stank, die van haarzelf af kwam, en haar haar hing in vettige slierten langs haar gezicht. Toen ze met haar handen over haar gezicht streek zag ze de vuile randen onder haar nagels. Roodbruin: woestijnzand. Ze voelde een pijnscheut in haar buik, alsof er iets scheurde, en legde hulpeloos haar hand erop.

Langzaam liep Dimity naar beneden, waar ze in de keuken Valentina aantrof, die aan het aanrecht makreel aan het schoonmaken was.

'Terug in het land der levenden dus, en dat werd tijd ook,' zei ze.

'Hoelang ben ik hier al?' vroeg Dimity.

'Drie dagen, zonder iets te doen behalve liggen zweten en onzin uitkramen.' Valentina veegde haar handen vluchtig af aan haar schort en kwam naar haar dochter toe. Ze pakte een handvol van Dimity's haar en trok het achterover om de snee op haar voorhoofd te bekijken. De wond was inmiddels een rechte, donkere streep, de buil was behoorlijk geslonken en de blauwe plek was geel en bruin verkleurd.

'Wie heeft dit gedaan?' vroeg ze. Ze drukte er met haar wijsvinger op, zodat Dimity jammerde van de pijn.

'Niemand. Ik heb mijn hoofd gestoten.'

'Nou, dat was dan knap stom,' zei haar moeder. Ze keek Dimity aan en heel even was er iets in haar ogen, iets wat haar deed aarzelen. Een zweem van opluchting, iets wat niet uitgesproken werd. Toen perste ze haar lippen op elkaar en wijdde ze zich weer aan de vis.

'Is er iets te eten? Ik ben uitgehongerd,' zei Dimity. Valentina keek haar dochter even nors aan voor ze toegaf.

'Brood in de trommel, en meneer Brown heeft wat van de pruimenjam van zijn vrouw voor ons meegebracht, die staat daar.' Ze wees met haar bebloede mes. 'En hoe was dat verre land nou waar je zat?' Er klonk zo veel minachting door in de vraag dat Dimity zich afvroeg of er iets achter zat. Wat dat zou moeten zijn, wist ze niet. Toch geen jaloezie?

'Het was...' Ze wist niet welke woorden ze ervoor moest gebruiken. Hoe moest ze uitleggen dat het leven daar zo aangenaam was geweest, zo vol met kleur, ontdekkingen, Charles, comfort en nieuwe dingen, dat de oude woorden die ze altijd gebruikt had ineens volkomen tekortschoten? 'Het was er erg heet,' zei ze ten slotte.

'O, nou, dat klinkt fantástisch,' zei Valentina. 'Heb je nog wat extra's verdiend?' Dimity knipperde met haar ogen. 'Heeft hij aan je proberen te zitten?'

'Nee,' zei ze meteen en ze slikte, want haar behoefte om te vertellen wat er gebeurd was, om het echter te maken, was zo groot dat ze een brok in haar keel kreeg. Valentina bromde iets.

'Jammer. Ik was er bijna zeker van. Ver van huis, geen obstakels. Dan heb je duidelijk niet je best gedaan. Of ben je gewoon zijn type niet?' Ze lachte vals. Dimity dacht aan zijn kus, aan zijn aanraking en trok de herinnering dicht tegen zich aan. Als een schild tegen dit soort hatelijkheden. Ze had willen roepen: *Hij heeft bijna met me gevreeën. Als Celeste er niet was geweest, zou hij het hebben gedaan. Hij is niet vrij, dat zei hij. Maar anders had hij het gedaan, hij wilde het wel. En hij gaat het nog doen.* De zekerheid van deze gedachte verraste haar en bracht bijna een glimlach op haar gezicht.

'Dat zal wel niet,' zei ze, merkwaardig kalm.

'Ga je wassen als je gegeten hebt. Je ruikt naar zure melk.'

De eerste twee dagen nadat Dimity's koorts geweken was, was ze gauw moe. Ze had donkere kringen onder haar ogen en bewoog zich zo traag als een oud vrouwtje. Ze wilde mooi zijn op het moment dat ze Charles weer zou zien. Ze wilde eruitzien zoals ze geweest moest zijn in het steegje in Fez, met de glans van de zon op haar gezicht en sprankelende ogen. Dus wachtte ze en zag ze hoe klein, nat en bar saai Blacknowle eigenlijk was. Feitelijk was het altijd nat en saai geweest, maar ze had nog nooit beseft hoe onbeduidend het plaatsje was. Wat een armzalige levens de mensen er leidden, met elke dag hetzelfde eentonige gezwoeg. Geen tijd of mogelijkheid om met je hoofd in de warme zon over een balkon heen te hangen om naar de levendige drukte van een oude stad onder je te kijken. Hier liep je met je blik naar de grond omdat er geen abrikooskleurige bergen waren om naar te kijken, geen uitgestrekte woestijn die je ogen verblindde en afschrok en je verlokte met een hete, droge wind. Het was nog altijd zomer, maar de kleuren waren al dof. Als een krantenfoto, met een soort zeemist aan de randen en alleen grijstinten om de vormen aan te geven. Als Dimity haar ogen dichtdeed zag ze een stroom donkerrood bloed door een steegje met kinderkopjes lopen; ze zag felblauwe geitenvellen uitgespreid liggen op een heuvel; ze zag een limoengele sjaal wapperen rond een diepzwarte vrouwenhals en kinderen als veelkleurige vogeltjes, gekleed in turquoise, azuurblauw en aquamarijn. Ze zag zichzelf in een kaftan zo roze als de bougainvillebloesem in een streep koperkleurig zonlicht staan dat haar haar in vuur en vlam zette.

Een week nadat Dimity weer op The Watch was afgeleverd vond ze dat ze er goed genoeg uitzag om naar Littlecombe te gaan en Charles te zien. Ze stond er niet lang bij stil dat er nog niemand bij haar was komen kijken. Charles niet, Delphine niet. Dat had met Valentina te maken, had ze geconcludeerd. Elk fatsoenlijk mens dat haar moeder had ontmoet liep daarna met een grote boog om het huis heen. Het was allemaal Valentina's schuld, en dus vertelde Dimity haar niet dat ze binnenkort weg zou gaan. Dat Charles Aubrey haar dit keer mee zou nemen als hij uit Blacknowle zou vertrekken. *Ik zal mijn best voor je doen, Mitzy.* Hoewel ze bijna niet kon wachten om hem te zien, wandelde ze langzaam naar Littlecombe, want ze wilde niet bezweet of buiten adem aankomen. Er was geen teken van activiteit in het huis, maar de blauwe auto stond op de oprit geparkeerd. Toen Dimity hem zag kreeg ze een glimlach op haar gezicht, die hardnekkig bleef plakken toen ze monter en blij aanklopte.

Het duurde lang. Dimity dacht dat ze binnen iets hoorde bewegen, dat ze in het donker achter het keukenraam vaag een gezicht zag. Toen deed Celeste open, waarop Dimity's glimlach vervaagde en vervolgens helemaal verdween. De twee vrouwen stonden elkaar ieder aan een kant van de drempel aan te kijken en zeiden geen van beiden iets. Celeste zag er moe en gespannen uit. Haar gezicht stond ongeïnteresseerd en strak.

'Je bent weer beter, zie ik,' zei ze na een tijdje.

'Ik geloof van wel,' zei Dimity. De onheilspellende blik van de vrouw gooide haar gedachten aan gruzelementen en verwarde haar.

'Daar ben ik blij om. Wat er ook gebeurd is tussen ons, ik wens je geen kwaad toe.' Celeste sloeg haar armen over elkaar en trok haar sjaal strakker om haar schouders. Op de een of andere manier leek ze langer, en harder, alsof ze uit steen was gehouwen. Dimity kon het niet meer verdragen om Celeste in de ogen te kijken, dus richtte ze haar ogen op de grond tussen hen in. De afstand tussen hen besloeg een meter tuintegels, maar leek ineens breder dan het Kanaal. Ze wankelde een beetje alsof ze haar evenwicht zou verliezen. Haar handen trilden.

'Mag ik binnenkomen?' vroeg ze zachtjes. Celeste schudde langzaam haar hoofd.

'Ik vind het niet prettig om te zeggen, maar je bent hier niet meer welkom, Mitzy. Ik heb het zo goed als ik kon aan de meisjes uitgelegd, en aan Charles. Jij en ik weten allebei waarom. Soms blijven de dingen niet zoals ze begonnen zijn. Ze veranderen, en wij moeten mee veranderen. Het is beter als je hier niet meer komt.' Dimity's hart stuiterde in haar borst. Ze hikte, haar hart sloeg een slag over.

'Ik wil... Ik wil Charles spreken,' zei ze. Ze had 'Delphine' willen zeggen, maar precies op dat moment vocht de waarheid zich een weg naar buiten. Celeste boog zich met rode wangen van boosheid naar haar toe. Ze zag er groot en beangstigend uit. Voer voor een nachtmerrie.

'Dat is precíés waarom je hier niet meer mag komen. Ga weg, nu. We komen volgend jaar niet terug – niet als ik er iets over te zeggen heb. Ga, Mitzy. Je hebt alles bedorven.' En Celeste draaide zich om met een glinstering in haar blauwgroene ogen, de weerschijn van niet-vergoten tranen.

Dimity had geen idee hoelang ze nog onbeweeglijk naar de vuile verf en de nerven in het hout van de deur van Littlecombe bleef staan kijken. De tijd leek stil te staan, deed er niet meer toe; het leek wel of ze nog steeds in de greep van de koorts was en maar half leefde. Hoewel het een milde dag was, stond ze te huiveren en toen ze uiteindelijk weg wilde gaan, leek de grond onder haar voeten onbetrouwbaar. Ze moest zich vasthouden aan de deurpost, want haar voeten leken vast te zitten in onzichtbare klemmen. Ze voelde ogen op zich gericht en dacht dat Charles naar buiten was gekomen om haar te zien. Maar toen ze zich naar hem wilde omdraaien zag ze alleen Delphine bij een van de ramen van de bovenverdieping staan. Een vage gestalte met een verdrietig gezicht, die ongelukkig een hand opstak om naar haar te zwaaien. Dimity zwaaide niet terug.

Drie dagen lang zocht ze overal naar Charles. Overal, behalve bij Littlecombe. Ze zocht in het dorp, bij de pub en de kruidenier, ze zocht op het strand en het klifpad, en bij de ruïne van de kapel op de heuvel. Maar ze zag hem niet. Toen het Valentina opviel dat haar dochter geen geld meer mee terugbracht van haar uitstapjes, confronteerde ze haar ermee.

'Heeft-ie geen belangstelling meer? Kun je hem niet meer boeien?' Ze zei het met haar kin uitdagend in de lucht, en heel even was Dimity verblind door haat.

'Hij houdt van me! Dat heeft hij zelf gezegd!' zei ze.

'O ja?' Valentina grinnikte. 'Nou, dat hebben we allemaal weleens gehoord, meisje. Geloof het maar. Zeg maar namens mij dat het evengoed geld kost. Liefde of geen liefde. Hoor je me?' Dimity worstelde haar arm los. 'En jij, Mitzy – jij moet geld binnenbrengen. Je bent nu oud genoeg. Als hij niet voor je gunsten wil betalen, dan ken ik er genoeg die het wel willen. Je maagdenvlies kan genoeg opbrengen om ons de winter door te helpen.' Haar kille stem en even kille gezicht deden Dimity denken aan de mannen in Fez, met hun donkere gezicht, hun kwade ogen en hun open monden boven haar, die haar vasthielden en klaarstonden om te pakken wat ze hebben wilden. Ze wilde bij haar moeder wegvluchten, net zoals ze destijds van de mannen weg had willen vluchten. Maar net als in een nachtmerrie kon ze niet weg. Ze kon nergens heen.

Dimity fantaseerde dat Charles aan de deur van The Watch zou aankloppen met die hongerige blik in zijn ogen die ze in een andere wereld heel even in een smal steegje had gezien. Ze riep die zo precies en intens op dat het bijna een bezwering werd. Ze zag zichzelf met hem meegaan naar Londen als hij wegging, stelde zich voor dat Charles een appartement voor haar zocht, of haar in zijn studio liet wonen waar ze zijn model en zijn minnares kon zijn. Misschien hoefde ze zich niet eens verborgen te houden. Misschien zou hij wel met haar trouwen en haar aan iedereen voorstellen als zijn vrouw; haar hand kussen en haar zo verliefd aankijken dat niemand het voor iets anders dan liefde van het vurigste soort kon houden. Zijn kunstenaarsvrienden, die ze zich voorstelde als mannen met baarden, borstelige wenkbrauwen en rare gewoontes, zouden jaloers op hem zijn omdat hij zo'n mooie, jonge vrouw had en hij zou trots op haar zijn, heel trots; en omdat ze in het openbaar geen aanstoot mochten geven, zou de passie waarmee hij haar zou verrukken als ze weer achter gesloten deuren waren alleen maar aangewakkerd worden. 's Nachts hielden deze beelden haar met schrijnend verlangen uit de slaap; dreven haar handen tussen haar benen, wanhopig op zoek naar verlossing.

Maar wie ze tegenkwam was Wilf Coulson, en niet Charles. Ze zag hem bij de Spout Lantern, waar hij, nu hij zestien was, aan het eind van de werkdag altijd een biertje ging drinken met de andere mannen. Hij kwam haar een paar keer achterna, liep dan net zoals vroeger achter haar aan zodat zij zou weten dat hij er was en ze hem ergens naartoe zou kunnen brengen waar ze rustig konden praten. Naar de schuur van Barton bijvoorbeeld, om tegen elkaar aan in het stro te liggen en elkaar te strelen tussen de stank van de koeien. Maar nu draaide ze zich om met zo'n felle blik, dat hij verbijsterd bleef staan. Ze had geen behoefte aan zijn onhandige attenties, zijn cadeautjes of zijn jongensachtige kussen. Dus kwam hij haar na een tijdje opzoeken op The Watch, en de klop op de deur zette haar in vuur en vlam omdat ze dacht dat het Charles was. Toen ze Wilf zag betrok haar gezicht; het zijne betrok ook toen hij dat zag.

'Ga je mee een eindje lopen, Mitzy?' vroeg hij terwijl hij zijn kin somber tegen zijn borst liet zakken.

'Ik heb nog werk te doen,' zei ze bot. Ze schrok van de gekwetste, boze blik in zijn ogen. 'Nou, goed dan. Maar niet te lang.'

Ze leidde hem over het steile pad dat van het klif afliep naar het kiezelstrand onder The Watch. Met gebalde vuisten zocht ze, steeds een stukje voor hem uit, behendig haar weg tussen de rotsen. Een grillige wind rukte aan hen en de zee glinsterde diepgrijs. Een ander soort woestijn, die wegrolde in de verte. Dimity liep door naar de andere kant van het strand, klom daar op de stenen uitloper en bleef doorlopen tot waar die onder water stond. Ze keek naar haar versleten leren schoenen en overwoog desondanks gewoon door te lopen.

'Mitzy, stop!' zei Wilf, nog steeds achter haar. Toen Dimity omkeek zag ze dat zijn ogen rood en vochtig waren. 'Wat is er gebeurd, Mitzy? Waarom wil je me niet meer kennen? Wat heb ik gedaan?' Hij klonk zo verslagen dat Mitzy schuldgevoel op voelde komen. Ze keek hem aan.

'Je hebt niets gedaan, Wilf.'

'Wat is er dan? Zijn we geen vrienden meer?'

'Tuurlijk wel,' zei ze met tegenzin. Ze betwijfelde of ze Wilf ooit nog zou zien als ze eenmaal met Charles naar Londen was gegaan. Geen Wilf meer, geen Valentina. Of misschien zou ze haar moeder nog weleens opzoeken – naar The Watch komen in een glanzende auto, met een zijden sjaal om haar hoofd, en schoenen met hoge hakken en kousen met een perfect rechte naad over de achterkant van haar benen. Wilf verstoorde haar aangename fantasie.

'Ik heb je gemist toen je weg was. Het was niet hetzelfde zonder jou in de buurt. Ik denk dat zelfs je moeder je gemist heeft – ze moest een paar keer naar het dorp voor een boodschapje. Ze liep rond met zo'n blik in haar ogen dat niemand bij haar in de buurt durfde te komen!' Hij lachte een beetje, maar hield daarmee op toen zij bleef zwijgen. 'En hoe was het daar, waar je geweest bent?' Hij zocht wanhopig naar iets om te zeggen, om haar aan het praten te krijgen.

'Het was de mooiste plek waar ik ooit ben geweest. Charles heeft gezegd dat hij er nog een keer met me naartoe gaat. Volgend jaar, waarschijnlijk. Misschien gaan we er elk jaar wel op vakantie.' Ze glimlachte vaag.

'Charles? Je bedoelt meneer Aubrey?' Wilf kneep verbaasd zijn ogen tot spleetjes. 'Wat bedoel je, op vakantie gaan?'

'Tja, wat denk je dat het betekent?' snauwde ze.

'Je kunt toch niet bedoelen dat hij... dat jij nu met hem bent?'

'Waarom niet?'

'Maar hij is twee keer zo oud als jij, Mitzy! Meer dan twee keer. En hij heeft een vrouw!'

'Nee, dat heeft hij niet! Ze is zijn vróúw niet, ze zijn niet getrouwd!' Ze draaide zich weer om om over zee uit te kijken. 'Hij gaat met míj trouwen! Ik word zijn vrouw.'

'Maar waarom zit je dan nog bij je moeder op The Watch terwijl hij Littlecombe aan het uitruimen is om met zijn gezin naar Londen te vertrekken?'

'Wat?' Zijn woorden kwamen aan als een harde slag, en de uitloper leek net zo te stampen als het dek van een schip. Er schoot een brok in haar keel en heel even dacht ze dat ze zou gaan schreeuwen. 'Wat!' zei ze weer, maar in plaats van een schreeuw was het een fluistering, die half verloren ging in de wind. Voor haar vervaagde Wilf tot een vage vlek die half bij de zee en half bij de kust achter hem leek te horen.

'Ik hoorde hem er nog geen halfuur geleden in de pub over praten, toen hij zijn rekening betaalde. Mitzy,' zei hij, en hij deed een stap naar voren om haar bij haar bovenarmen te pakken. Toen ze opkeek realiseerde ze zich pas hoe lang hij was geworden, hoe breed zijn schouders waren in vergelijking met zijn smalle heupen, en hoeveel krachtiger zijn kaaklijn was. 'Mitzy, luister naar me. Hij houdt niet van je. Niet zoals ik. Ik hou van jou, Mitzy!'

'Nee.'

'Jawel! Niemand kan zoveel van je houden als ik. Trouw met míj, Mitzy. Ik zal goed voor je zijn, we zullen een goed leven hebben, dat beloof ik! We kunnen zelfs uit Blacknowle weggaan, als je dat zou willen. Mijn oom in Bristol heeft een baan voor me, als ik dat wil. Bij de scheepvaartmaatschappij waar hij werkt. Je zou Blacknowle of The Watch of je ma nooit meer hoeven zien, als dat is wat je wilt. Als je wilt kunnen we meteen een baby krijgen. En we kunnen op huwelijksreis gaan waar je maar heen wilt: Wales, of St.-Ives, of waar dan ook!' Hij gaf haar een zetje en Dimity stond met haar ogen te knipperen. Ze ging te zeer op in haar eigen ellende om te beseffen dat hij dit allemaal gedroomd had, net zoals zij gedroomd had van haar leven met Charles in Londen. Dat hij 's nachts wakker lag omdat hij aan haar lag te denken en dat dat zijn handen naar diep onder de lakens dreef. Ze trok haar armen los.

'Blijf van me af!'

'Mitzy? Heb je niet gehoord wat ik zei?'

'Ik heb het gehoord,' zei ze langzaam. 'Wales? St.-Ives? Is dat hoe groot de wereld voor jou is? Is dat het verste wat je kunt bedenken?' Wilf fronste.

'Nee. Maar op dit moment kan ik het niet betalen om nog verder weg te gaan. Ik ben niet dom, Mitzy. En ik weet dat ik niet zo spannend voor je ben als sommige anderen misschien lijken. Maar dit is écht, niet een of andere onmogelijke droom. Het is een echt leven dat ik je aanbied. We kunnen gaan sparen… Ik kan gaan sparen om je ook mee te nemen op buitenlandse reizen. Het is niet zo duur om het Kanaal over te steken –'

'Nee.'

'Nee?'

'Dat is mijn antwoord, Wilf. Ik trouw niet met je. Ik wil je niet.'

Wilf bleef even stil; hij stak zijn handen in zijn zakken en leek bereid om te blijven wachten, alsof ze daardoor van gedachten zou kunnen veranderen. Na een poosje haalde hij lang en diep adem.

'Hij gaat niet met je trouwen, Mitzy. Dat kan ik je honderd procent zeker voorspellen.'

'Wat weet jij daar nou van? Je bent hetzelfde als iedereen hier! Kijken en kletsen en denken dat je iets van me af weet!' zei ze terwijl de woede in haar opvlamde.

'Ik weet genoeg om zeker te weten dat hij niet met je zal trouwen. Dat kan niet. Hij –'

'Hou je mond! Je weet er niets van! Níéts!' De woorden klonken zo rauw en woest dat Wilf haar met tranen in zijn ogen aankeek.

'Ik weet genoeg. Ik hou van je, Mitzy. Ik kan je gelukkig maken –'

'Dat kun je niet.' Ze keerde hem de rug toe, sloeg haar armen over elkaar en voelde hem nog lange tijd achter zich staan wachten. Ze hoorde hem een beetje snuiven, zijn neus snuiten, zijn keel schrapen. Op een gegeven moment realiseerde ze zich dat hij weg was, maar ze had niet gemerkt dat hij vertrok. Ze keek over haar schouder, maar ze zag hem niet meer op het strand of op de weg langs Southern Farm. Er kwam een moment van paniek op, maar ze negeerde het en nam het pad landinwaarts naar het dorp.

Wilf had gezegd dat Charles in de pub was, dus daar ging ze heen. Klappertandend van opwinding liep ze regelrecht naar het raam. Ze beet per ongeluk op het puntje van haar tong en proefde bloed. Het was schemerig in de pub, maar ze kon zien dat het er bijna leeg was. Er zaten twee mannen aan de bar, maar geen van beide was Charles. Ze liep naar de dorpswinkels en keek er binnen; liep vervolgens een klein stukje het dorpscentrum in. Ze zou niet weten waar ze verder nog kon kijken, kon niet bedenken waarom Charles haar niet was komen geruststellen. Ze wist dat hij een of ander plan moest hebben; een sluw plan dat hen spoedig bij elkaar zou brengen. Maar ze hoopte met heel haar hart dat ze hem zou kunnen vinden om te horen wat dat was. Ze wilde hem zo graag zien dat ze pijn achter haar ogen kreeg, een pijn die steeds erger werd. Op het steile pad dat naar Northern Farm leidde gaf ze het op. Ze liep het pad weer af om langs de achtergevel van de pub terug in het dorp te komen. En toen zag ze hem.

Ze zag hem in een van de bovenkamers van de pub, achter een raampje dat half onder de dakpannen verborgen lag. Het zicht was beperkt: door het kleine stukje raam zag ze nog net een arm en een schouder en zijn onderkaak. *Charles!* Dimity wist niet of ze van blijdschap had geschreeuwd of dat haar keel te veel was dichtgeknepen om geluid te produceren. Ze zwaaide met haar armen boven haar hoofd, maar hield er weer mee op en liet ze langs haar lichaam vallen. Charles was niet alleen. Hij was tegen iemand aan het praten – ze kon zijn mond zien bewegen. En toen die iemand in het zicht kwam, bleek het die toeriste te zijn. *Die vrouw die elke keer aan zichzelf moet zitten als ze jou ziet.* Celestes stem klonk zo helder dat Dimity zich verward omdraaide om te kijken waar ze was. *Die melkwitte huid.* De woorden sisten mee op de wind. De vrouw scheen te huilen; ze depte haar ogen met de manchet van haar blouse. Dimity staarde naar haar en probeerde haar weg te kijken. Bij haar voeten had zich een grote, bodemloze kloof geopend en ze zag geen mogelijkheid om er niet in te vallen. Er was niets wat haar kon redden. Charles pakte de hand van de vrouw, bracht die naar zijn mond en drukte er een lange kus op. *Heb je ze weleens samen gezien?* fluisterde Celeste in haar oor, en de pijnscheuten in Dimity's hoofd werden bijna ondraaglijk. Kermend van pijn legde ze haar handen om haar hoofd en vluchtte met een schreeuw weg van de Spout Lantern.

Ze doorkruiste blindelings en in een rechte lijn weides en paden, liep door het eiken- en beukenbos de heuvel op en aan de andere kant er weer af. Haar voeten werden kletsnat in de beekjes, haar broek zat onder de rode modderspatten en ze raakte overdekt met kleverige knoppen, klissen en muggenbeten. Ze verzamelde onder het lopen en gebruikte haar sjaal als draagband; zonder erbij na te denken verzamelde ze bekende planten. Zuring voor sla, netels voor thee, niertonicums en bloedversterkende middelen, melkdistel en aardnoten om te stoven, varens om lintwormen te doden, paardenbloemen tegen reuma, cichorei tegen blaasontsteking. Het werk was haar zo vertrouwd en het ging haar zo natuurlijk af dat het de chaos in haar hoofd tot rust bracht.

Ze kwam langs de waterrijke greppel aan de rand van de bossen waar een dichtbegroeid veldje waterscheerling stond. Het werd ook wel koeienpest genoemd, omdat koeien die er per ongeluk van aten, eraan doodgingen. Ze hurkte neer tussen de lange, dodelijke planten met hun onschuldig lijkende witte bloemschermen. Ze wortelden in de zanderige grond op de bodem van de greppel; ze hadden lange, getande bladeren met de verleidelijke geur van peterselie. Rond haar voeten raasden watervlooien en boven haar hoofd vloog nieuwsgierig een gestreepte waterjuffer. Dimity legde haar hand om een van de houtachtige stengels en trok zachtjes, voorzichtig om hem niet te kneuzen, tot de knobbelige wortel uit de bodem loskwam. Als je hem at smaakte hij bijna zoet, een beetje naar pastinaak. Ze spoelde hem af en legde de plant voorzichtig in de draagband, apart van de andere. Afgezonderd, beschimpt, niet te vertrouwen. Gescheiden van alle anderen, zoals zij ook altijd was geweest. Dimity ademde langzaam in; haar geest was volkomen leeg. Ze ging weer terug om nog een stengel uit te trekken.

Uren later was Dimity, met de zware sjaal die in haar schouder sneed, nog steeds aan het lopen. Haar benen voelden aan alsof ze te lang waren en hoewel alles wat ze zag bekend was, had ze toch het gevoel dat ze het niet kende, er niet bij hoorde. Op het strand stootte ze haar tenen en schenen steeds weer aan de rotsen en ze kon maar niet begrijpen waarom. Een stuk verder langs de kust stond ze ineens stil en besefte ze dat het nacht was. Ze kon niet goed genoeg zien om te lopen, want de lucht was net zo donker als haar geest, zonder maan om haar bij te lichten. Of dit donker natuurlijk was of dat in de hele wereld het licht uitgegaan was, wist ze niet. Ze ging zitten op de plek waar ze stond en voelde de koude, natte kiezels door haar kleren prikken. Daar bleef ze zitten, in het donker. Ze kon de golven niet horen omdat haar eigen huilbui hen overstemde; ze schokte van het snikken. En de hele tijd had ze het gevoel dat ze viel, alsof ze in die peilloze kloof was gestapt en nooit meer boven zou komen. Ze sliep niet.

In het koude ochtendlicht werd ze opgeschrikt door de opkomende vloed die met ijskoude rimpeltjes rond haar voeten kabbelde. Dimity krabde aan haar gezicht, dat jeukte van het zout, en stond onvast op. Ze begon weer te lopen, zonder duidelijk idee waar ze heen zou gaan; ze volgde simpelweg haar voeten tot die haar uiteindelijk aan het begin van de oprit van Littlecombe brachten. Daar bleef ze naar het langwerpige, compacte huis staan kijken. Geen auto op de oprit, niemand in de tuin; de ramen waren allemaal dicht. Charles was hier. Hier had ze hem voor het eerst gezien; hier had hij haar voor het eerst getekend. Hier sliep hij, at hij. Hier móést hij zijn. Dimity voelde zich leeg en onwerkelijk, en ze werd bevangen door een plotselinge lichtheid in haar hoofd, de lichtheid van vreugde, maar vermengd met nog iets anders. Iets ondefinieerbaar akeligs; iets wat uit de diepte was meegekomen. Ze strompelde op haar zere voeten naar de keukendeur.

Ze klopte luid en met overtuiging aan. Charles zou opendoen en haar oprapen; hij zou zijn armen om haar heen slaan zoals hij dat in het steegje in Fez had gedaan en zij zou zijn stevige mond en zijn mannelijkheid tegen zich aan voelen, hem kussen en zich tegen hem aan vlijen, en alles zou goed komen. Er zou niemand anders meer zijn. Toen een stuurs kijkende Celeste opendeed, met een handdoek om haar handen af te drogen, stond Dimity ontzet met haar ogen te knipperen, en Celestes gezicht betrok.

'Dimity. Wat kom je doen? Waarom blijf je maar doorgaan?' vroeg ze. Dimity deed haar mond open, maar kon geen woorden vinden. De lucht stroomde fluitend haar keel in en uit. 'Zeg eens, geloof je nou echt dat hij zijn dochters in de steek zou laten voor jou? Denk je dat echt?'

Haar stem klonk vlak en boos. Dimity zei niets. Ze voelde zich slap en vaag; niet helemaal bij de werkelijkheid. 'Hij is er niet, als je daar soms op hoopte. Hij is met de meisjes naar Swanage om ezeltje te rijden op het strand en te winkelen en naar de attracties te kijken.'

'Ik wilde...' begon Dimity, maar ze wist niet meer wat ze had gewild. De vrouw vóór haar vertegenwoordigde alles wat zij nooit zou hebben. In een afgelegen hoekje van haar hoofd staarde Dimity Celeste minachtend aan. 'Ik heb dit voor jullie meegebracht. Voor jullie allemaal,' zei ze, met een hand op de planten die ze verzameld had.

'Dat hoeft niet.' Celeste tikte met haar teen tegen een mand op de stoep, die al vol bladgroenten zat. 'Delphine is vanochtend al vroeg op pad gegaan. Zonder jou. Ze heeft deze planten bij me achtergelaten zodat ik er voor mijn lunch soep van kan maken.'

'O.' Dimity moest zich erg inspannen om haar ogen te focussen en na te denken. Er klonk een hoge zoemtoon in haar oren en Celestes stem leek van heel ver te komen. Ze keek met half dichtgeknepen ogen op naar de Marokkaanse en vroeg zich af hoe ze haar ooit mooi had kunnen vinden. Celeste was schimmig en wreed, iemand om bang voor te zijn en te minachten. Een hardnekkig kwaad, een open wond die maar niet wilde genezen.

'Luister eens even. Dit doe je niet meer.' Celeste snoof kort door haar neus. 'Laat ons met rust,' zei ze en ze sloot de deur.

Dimity stond op haar benen te zwaaien. De grond was een misselijkmakend waas onder haar voeten en ze had ineens een vieze, zure smaak in haar keel. *Als hij vrij was zou hij bij mij zijn.* Ze sloot haar ogen en stelde zich voor hoe Charles haar gered had toen ze op de grond lag, klaar om verscheurd te worden door wilde mannen in Fez; ze dacht aan zijn kus in het steegje, de aanraking van zijn hand toen hij haar overeind hielp; aan de bloemen die als een huwelijksboog over hen heen hingen toen ze samen bij de Merinidische graftombes zaten. Die woestijnstad waar alles volmaakt en heerlijk als een droom was geweest. Dimity deed haar ogen open en keek in Delphines mandje. Ze zag wilde knoflook en peterselie, selderij, maggiplant en karwij. Het was goed verzameld. De blaadjes waren jong en fris, ze had niets geplukt dat houtachtig of bitter zou gaan smaken. En karwij was maar zelden te vinden, een delicatesse. Delphine was een aandachtige leerling geweest. Dimity stond lang naar de kruiden te kijken. Ze keek naar haar eigen verzameling, in de draagband aan haar gevoelloze arm. Hij woog ineens te zwaar en ze legde hem voor haar voeten neer om zich eroverheen te buigen. *Knoflook, peterselie, selderij, maggiplant, karwij.* Het bloed bonsde hardnekkig pijnlijk in Dimity's hoofd. De kruiden zwommen voor haar ogen, half verborgen achter het haar dat eroverheen viel. *Knoflook, peterselie...* Bij haar eigen hoopje lag de waterscheerling. Zorgvuldig apart gehouden en samengebonden; bladeren, stengels, zoete, dikke wortels. Dimity kon bijna geen adem krijgen door de pijn achter haar ogen. Ten slotte stond ze op en liep met krampachtige, wankele passen weg. En op de een of andere manier zat de waterscheerling niet meer in haar draagband. Die zat in Delphines mand.

10

Twee dagen na Ilirs kroeggevecht met Ed Lynch begon Zach zijn spullen in te pakken. Hij liet een catalogus uit zijn handen glippen, die openviel bij de pagina waar hij zo vaak naar had gekeken: bij een tekening van Dennis, de jongeman voor wie hij in eerste instantie naar Blacknowle gekomen was. Voor Dennis en voor Delphine, de verdwenen dochter. Hij haalde zich haar gezicht voor de geest zoals het aan de muur van zijn galerie hing; de vele uren die hij het met verlangen had staan bestuderen. Hij was er een tijdje zo zeker van geweest dat hij zou ontdekken wat er met haar was gebeurd. Dat Dimity Hatcher het zou weten en het hem zou vertellen als hij een hart voor haar had gehaald en haar mild had gestemd met portretten van haarzelf die ze nooit eerder had gezien. Nu moest hij kiezen tussen Charles Aubrey en Hannah Brock, omdat Hannah betrokken was bij fraude rond de man met wie Zach zich sterk, zij het op een onduidelijke manier, verbonden voelde. Hannah, die hem buitengesloten had, tegen hem gelogen had, en waarschijnlijk niets voor hem voelde. Binnenkort zou hij uit Blacknowle weg moeten rijden, met een bestemming in gedachten. Binnenkort, maar nu nog niet. Met een zucht van verlichting verleende hij zichzelf dit uitstel van executie.

The Watch lag er stil en levenloos bij. Achter de ramen was geen enkele beweging te zien. Zach ging onder het raampje in de noordelijke muur staan en keek naar boven. Dat was de kamer waar de geluiden steeds vandaan waren gekomen. De ruit was in een van de hoeken kapot; barsten waaierden vanuit een klein gaatje in het midden uit, alsof iemand er een steentje doorheen had gegooid. Hij zag dat er binnen verschoten gordijnen hingen, halfopen, halfgesloten. Een ervan bewoog licht in de wind en Zach sprong op om dekking te zoeken bij de muur, nog voor hij zich realiseerde wat het was. Was er iets in die kamer wat Dimity Hatcher verborgen wilde houden? Iets, of iemand? Op dat moment hoorde hij het zachte ritselen van papier op papier uit het raam komen. Een omgeslagen bladzijde, een vel papier dat van een stapel wordt gepakt. Zachs hoofdhuid tintelde en huiverend liep hij weg van het raam.

Hij klopte een paar keer aan, maar er werd niet opengedaan. Hij kon geen andere plek bedenken waar Dimity zou zijn dan hierbinnen. Hij zag weer voor zich hoe haar blik afdwaalde, hoe ze in haar gedachten leek op te gaan. Hij dacht aan haar excentrieke gedrag, haar amuletten en bezweringsformules. Hij dacht aan een keukenmes in haar hand en aan het licht dat 's nachts soms bleef branden, alsof ze nooit sliep. Hij dacht aan het bloed onder haar vingernagels dat haar mitaines zo vies maakte. Licht huiverend klopte hij nog eens, nu zachter; hij was ineens bang om haar te laten schrikken. Dit keer hoorde hij de sleutel omdraaien.

Een pikzwart ding vulde de kamer; het rees op als een geweldig hoge, dodelijke golf die elk moment kon breken. Dimity deinsde terug. Het hielp niet om haar ogen dicht te doen. Als ze haar ogen dichtdeed zag ze ratten. Kronkelende ratten, die met uitpuilende ogen stuiptrekkend doodgingen. Ratten die van Valentina's scheerlinglokaas hadden gegeten. Ze liep van de ene kamer naar de andere terwijl ze alle bezweringsformules prevelde die ze kende, maar het dreigende zwarte ding bleef haar volgen. *Wat is er met Celeste gebeurd?* hoorde ze Zach vragen. Ze draaide zich vliegensvlug om, benieuwd hoe hij was binnengekomen en hoelang hij daar al stond te luisteren. Maar nee, het was gewoon weer een nagalm van een vraag die hij eerder had gesteld. Was dat kortgeleden of al langer terug? Ze wist het niet meer. De tijd haalde rare streken uit; dag en nacht waren in elkaar overgelopen. Ze kon 's nachts niet meer slapen, deed alleen onrustige hazenslaapjes in de veiligheid van het daglicht. Te veel bezoekers, te veel stemmen. Élodie, die een handstand maakte tegen de muur van de zitkamer. Valentina, die lachend en spottend haar wijsvinger heen en weer bewoog. Delphines intens verdrietige ogen. En nu ook nog dit vreselijke, zwarte naamloze ding, dat zichzelf niet bekend wilde maken. Maar aan de kronkelende ratten in de hoeken van de kamer zag Dimity wat het was, en ze vreesde het meer dan wat ook. Het was wat ze gedaan had. Dat vreselijke.

Ze wilde naar de afgesloten kamer boven gaan, de deur opengooien en er gaan liggen om getroost te worden, maar iets hield haar tegen. Als ze toegaf aan dat verlangen zou het de laatste keer zijn. Het zou de allerlaatste keer zijn, niet voor herhaling vatbaar, en daarna zou ze echt helemaal alleen zijn. Ze wist dat intuïtief, het was eerder een ingeving dan een rationele overweging. Ze durfde het niet aan, ze zou het niet doen, nog niet. Toen ze halverwege de trap was om het zwarte ding te ontvluchten bleef ze staan en wilde niet verder. Valentina lag nu boven in haar kamer te slapen en hield zich erbuiten, zodat Dimity in haar eentje het ding tegemoet moest treden. Even daarvoor had ze, net als in de zomer van 1939, met een opgetrokken wenkbrauw meedogenloos tegen haar dochter gezegd: *Daar heb je dan mee geboft, hè?* Evenals toen wist Dimity niet wat ze terug moest zeggen. Valentina trok zich nooit iets van tranen aan, nooit, zelfs niet toen Dimity klein was. Zelfs niet toen ze als vijfjarige gestruikeld was en in een gat vol gaspeldoorn, brandnetels en bijen was gevallen, waar ze brullend weer uitkroop, overdekt met steken en schrammen. *Het leven heeft nog wel erger dingen voor je in petto, meisje, dus hou maar op met dat kabaal.* En het leven had inderdaad erger dingen in petto gehad. Daar had Valentina gelijk in gehad.

Toen er hard en indringend op de deur werd geklopt stond Dimity er geschrokken naar te kijken. Het was zo goed als donker buiten. Ze wachtte tot ze niet zeker meer wist of ze het eigenlijk wel gehoord had, maar toen werd er opnieuw aangeklopt, langer dit keer. Ze bedacht dat het een truc kon zijn; iemand, iets, wilde naar binnen. Haar hart klopte in haar keel. Ze liep naar de deur en legde aarzelend haar oor ertegenaan. Daardoor werden alle stemmen in The Watch versterkt. Ze vibreerden door de muren en het hout zoals de zee in een holle schelp fluistert. Gemompel, beschuldigingen, gelach; de ruwe stemmen van Valentina's vele, vele bezoekers.

'Dimity? Ben je daar?' De stem klonk zo luid dat ze zich met een schreeuw weghaastte van de deur.

'Wie is daar?' vroeg ze, met tranen van angst in haar ogen.

'Zach. Ik kom alleen maar even gedag zeggen.'

'Zach?' herhaalde Dimity terwijl ze hard nadacht.

'Zach Gilchrist – je kent me. Gaat alles goed met je?' Natuurlijk kende ze hem. De man met al die tekeningen die de hele tijd maar vragen stelde, waardoor zijn stem zich nu bij alle andere in The Watch had gevoegd. Haar eerste gedachte was hem niet binnen te laten. Ze wist niet meer waarom ze dat niet wilde, maar alleen dat ze het niet wilde; maar hij kon niet erger zijn dan het zwarte ding dat al bij haar binnen was, besloot ze. Misschien zou hij het wel een poosje tot rust brengen, het laten wachten. Aarzelend opende Dimity de deur.

Zach keek ontzet toe hoe Dimity in de keuken zogenaamd aan het theezetten was. Ze trilde over haar hele lichaam en haar ogen schoten door de ruimte alsof ze iets zochten. Haar aandacht fladderde heen en weer als een eendagsvlieg, zonder ergens te landen. Ze verplaatste de bekers van het ene aanrecht naar het andere, goot het water uit de ketel in de gootsteen voordat het gekookt had en vulde de ketel opnieuw. Op een gegeven moment, toen Zach haar zat te vertellen over de ruzie in de pub, draaide ze zich met een schreeuw om en sloeg haar hand voor haar mond. Hij dacht even dat de heftigheid van zijn verhaal haar geschokt had, maar toen zag hij dat ze recht langs hem heen naar het keukenraam staarde. Toen hij zich omdraaide om te kijken was er niets, buiten ook niet, afgezien van de groene heuvel die afliep naar de zee.

'Wat is er, Dimity? Wat is er aan de hand?' vroeg hij. Toen ze hem even aankeek en haar hoofd schudde zag Zach hoe vlug en oppervlakkig ze ademde. Hij stond op, pakte haar handen en trok haar naar een stoel. 'Kom alsjeblieft zitten. Je bent ergens van geschrokken.'

'Ze laten me niet met rust!' riep de oude vrouw terwijl ze zich op een van de gammele keukenstoelen liet vallen.

'Wie niet, Dimity?'

'Allemaal...' Ze haalde haar hand weer over haar ogen en haalde diep adem. 'Geesten. Gewoon geesten, meer niet. De hersenschimmen van een oude vrouw.' Ze keek op en probeerde te glimlachen, maar het zag er beverig en niet overtuigend uit.

'Je ziet ze, hè?' vroeg Zach aarzelend.

'Ik... ik weet het niet. Soms denk ik dat. Ze willen antwoorden van me, net als jij.' Ze bleef hem wanhopig aankijken en Zach voelde dat ze een enorm verdriet met zich meedroeg.

'Nou, ik zal je niet meer om antwoorden vragen. Niet als jij dat niet wilt,' zei hij. Dimity schudde haar hoofd en de tranen vielen in haar schoot.

'Ik heb ze samen gezien. Ik heb het je niet verteld, maar misschien heb je recht om het te weten.'

'Wie heb je gezien, Dimity?'

'Mijn Charles, en jouw oma. Ik heb ze zien kussen.' Ze zei het met wanhoop in haar stem en Zach kreeg het vreemde gevoel dat er iets op zijn plaats viel. Of misschien juist niet op zijn plaats.

'Dus, je denkt dat hij misschien –'

'Ik weet het niet!' riep Dimity abrupt. 'Ik weet het niet! Maar ik heb ze samen gezien en dat heb ik nooit gezegd. Ik heb het nooit gezegd tegen Charles. En nooit tegen Celeste.'

'Jezus.' Zach zakte achterover in zijn stoel om haar woorden te verwerken. Diep vanbinnen had hij eigenlijk altijd gedacht dat het gerucht niet meer was dan dat: een gerucht. Hij had Dimity best willen geloven toen ze eerder had ontkend dat ze een verhouding hadden gehad. Het tegenovergestelde wilde hij kennelijk veel minder graag geloven. 'Dus hij is je ontrouw geweest,' zei hij zachtjes. Toen Dimity in snikken uitbarstte pakte Zach haar handen. 'Dat vind ik naar voor je, Dimity. Echt waar.'

Dimity liet zich even troosten, maar toen greep ze stevig zijn handen vast.

'Waarom ben je hier? Ben je een van hen? Droom ik jou?' vroeg ze.

'Nee, Dimity.' Zach slikte moeilijk. 'Je droomt me niet. Ik ben echt.'

'Waarom ben je hier?' vroeg ze weer.

'Ik kwam om... Ja, ik denk dat ik afscheid kom nemen.' Hij besefte het pas toen hij het zei. Hij haalde diep adem en keek Dimity strak in de ogen. 'Is er nog iets, wat dan ook, wat je me kunt vertellen over die zomer? Over Dennis, of waarom Charles naar het front is gegaan? Over wat er met Delphine is gebeurd, en met Celeste?' Even hing er een ademloze stilte tussen hen in. Ze bleven elkaar strak aankijken en het moment bleef maar duren, onnatuurlijk lang. Het was zo stil dat Zach zijn horloge niet hoorde tikken en het water niet hoorde koken; hij hoorde Dimity's moeizame ademhaling niet en evenmin de achtergrondmuziek van de zee. Even dacht hij een aanzwellende wind door het bedompte keukentje te horen waaien. Een warme, droge wind die onbekende geuren aandroeg. Hij dacht ook even het geluid van klappende handen te horen, en kinderstemmen die meezongen in hetzelfde ritme. Hij dacht dat hij een potlood op papier hoorde krassen en een man laag en energiek hoorde grinniken; innemend, aanstekelijk. Toen hij met zijn ogen knipperde was het allemaal weg.

'Nee,' zei Dimity, en heel even wist Zach niet meer wat hij haar had gevraagd. 'Nee. Ik kan je verder niets vertellen.' Haar stem klonk diep ongelukkig.

'Ik wil je nog één ding vragen.'
'Wat dan?'
'Mag ik je tekenen?'
Hetzelfde model tekenen als Aubrey vroeger had gedaan – dat was weer een ander soort bedevaart. Zach wist dat zijn werk de vergelijking niet zou kunnen doorstaan, maar hij was nog steeds gefascineerd en niet meer bang om het te proberen. Hij had Hannah nog steeds niet getekend. Hij vroeg zich af of hij nu zijn kans had gemist, en of hij die wonderlijke felheid van haar ooit goed op papier had kunnen krijgen: van haar open, wolfachtige grijns tot haar koppigheid; van haar ongegeneerde wellust tot de barrières die ze tussen zichzelf en de wereld optrok. Tussen zichzelf en Zach. Hij vroeg zich af of hij in staat zou zijn om dat ergerlijke gevoel dat hij haar kende te vangen, dat gevoel dat hij soms kreeg als ze haar hoofd op een bepaalde manier draaide. Aan haar denken bracht een mengeling van lust, boosheid, tederheid en frustratie bij hem boven, en hij probeerde die vastberaden van zich af te zetten. Met een geconcentreerde frons richtte hij zijn aandacht op zijn model en begon.

Hij werkte niet snel. Ze namen pauzes om thee te drinken en deden de lampen aan toen het buiten donker werd. Maar Dimity leek absoluut niet ongeduldig. Integendeel, ze bleef onbeweeglijk stil zitten onder zijn kritische blik, alsof het wachten terwijl ze getekend werd voor haar even vanzelfsprekend was als ademhalen. Hij probeerde de zweem van schoonheid die op haar vervallen gezicht lag, te vangen; probeerde de kleur van haar irissen vast te leggen: het restje warm hazelnootbruin, precies tussen groen en bruin in, nu omgeven door geelgrijs verkleurd oogwit. Toen hij eindelijk klaar was had hij kramp in zijn hand en pijn in zijn nek. Maar toen hij naar zijn tekening keek was het Dimity Hatcher. Onmiskenbaar. Het was het beste wat hij in jaren had gemaakt.

'Mag ik het zien?' vroeg Dimity met een dromerig lachje. Zachs tevreden gevoel maakte direct plaats voor spanning. Maar hij haalde diep adem en gaf haar de tekening aan. Op haar gezicht tekende zich verbijstering af en haar hand was al halverwege haar mond toen ze hem weer trillend van opwinding in haar schoot liet vallen. 'O,' zei ze.

'Luister, hij is niet zo goed. Het spijt me – het haalt het niet bij een tekening van Aubrey, lijkt me.'

'Nee,' mompelde ze. 'Hij is wel goed. Ja, hij is goed. Maar ik dacht... Dom eigenlijk. Ik dacht dat ik mezelf zou zien zoals ik toen was. Zoals in al die andere tekeningen die je voor me meegebracht hebt. Dat ik weer mooi zou zijn.'

'Maar je bent mooi. Veel mooier dan ik je op papier heb kunnen krijgen... Geef de kunstenaar de schuld, Dimity, niet het model,' zei Zach.

'Maar ik ben het wel. Het lijkt uitstekend. Je hebt veel talent,' zei ze, en ze knikte langzaam. Zach glimlachte, aangemoedigd door dit oordeel. 'Wil je een maaltijd aannemen als betaling voor de tekening?'

'Wil je hem dan houden?' vroeg Zach.

'Ja, als dat mag. Het is per slot van rekening de laatste. Wie zal me verder nog tekenen voor het afgelopen is?' Ze glimlachte bedroefd, maar Zach was blij om te zien hoeveel rustiger ze leek dan toen hij binnenkwam. Het leek wel of het poseren haar had gekalmeerd.

'Goed dan. Wat eten we?'

Het was laat toen hij eindelijk bij Dimity wegging. Hij bedankte haar voor de maaltijd, die had bestaan uit bacon, eieren en groenten, en gaf geen antwoord op de vraag wanneer hij terug zou komen. Het was donker buiten, het grauwe donker waarin hij ook zonder zaklantaarn heel goed kon zien, zoals hij al snel merkte. In de wei achter Southern Farm liepen her en der op de heuvel Portland-ooien met hun lammetjes vlak achter zich aan. Af en toe hoorde hij ze hees en klaaglijk naar elkaar roepen. Op de een of andere manier voelde hij een soort genegenheid voor ze, bijna iets van trots. Alsof hij door het helpen bij het lammeren en het slapen met hun bazin een soort verantwoordelijkheid voor ze had. *Het zijn jouw schapen niet en zij is je vrouw niet. Dit is jouw leven niet,* zei hij streng tegen zichzelf. Het werd tijd om de aangename dagdroom, waarin Elise aan Hannahs keukentafel zat met een beker hete chocolademelk in haar handen, uit zijn hoofd te zetten. Dat zou nooit gebeuren. In de droom was de keuken van de boerderij schoon, opgeruimd en warm. Geen verwaarloosd monument voor Hannahs verlies en verdriet. Hij bande de beelden uit zo goed hij kon, maar dat deed pijn. De vochtige wind greep hem in zijn kraag en ineens werd hij overvallen door een gevoel van eenzaamheid. Een geelbruine uil vloog geruisloos kriskras over de wei voor hem uit op jacht naar voedsel. Hij was jaloers op zijn doelgerichtheid.

In een impuls liep hij verder naar de kliffen. Nog een afscheid, besefte hij. Hij bleef naar de onzichtbare zee staan luisteren. Er waaide een frisse wind en de golven sloegen onrustig, ongeduldig tegen de rotsen. Als hij zijn ogen inspande kon hij net de witte kammen zien waarmee ze schuimend aanspoelden. Ineens zag hij nog iets lichts fonkelen, als een diamant tegen een donkere achtergrond. Zach knipperde met zijn ogen en dacht dat hij het zich verbeeldde. Maar toen verscheen het weer, op het water achter het strand. Nee, niet op het water, besefte hij. Op de stenen uitloper. Het licht van een zaklantaarn, gericht op de zee. Zachs adem stokte. Hij kon de lichtbron niet zien, en ook geen hand of arm, alleen de glinsterende lichtstraal op het water. Maar hij wist, hij wíst dat het Hannah was. De lucht was zwaarbewolkt, zonder sterren om de omgeving te verlichten of een maan die er glans aan gaf. Een koude, harde duisternis, ideaal voor geheimen. Het was dinsdagavond.

Er verstreek een minuut, toen nog een. De wind blies Zachs jas open en waaide koud om hem heen. Hij stond met een akelig bonzend hart aan de grond genageld. En toen verscheen vanaf het water nog een licht. Het kwam vanuit het westen langs de kust; één enkele, brede straal van het zoeklicht van een boot. Het maakte een wijde boog ter hoogte van de baai en voer vervolgens langzaam recht op het licht van de zaklantaarn af, een stukje links van de stenen uitloper. In de smalle lichtbundel van Hannahs zaklamp zag Zach de gestalte van een lange man in waterdichte kleding, de witte zijkant van de boot en in een flits het oranje van een reddingsboei. Toen de boot bij de uitloper stil kwam te liggen gingen beide lichten uit en was er niets meer te zien. Zach bleef ingespannen staan luisteren. Toen de wind even later wat afnam hoorde hij de motor van de boot razen bij het wegvaren; daarna hoorde hij niets meer.

Zachs gedachten tuimelden over elkaar heen en hij voelde zich verlamd door het gevoel dat hij iets zou moeten doen. Maar hij had geen idee wat. Ze hadden iets binnengesmokkeld vanaf zee. Iets wat de dekking van de nacht vereiste, en zo min mogelijk licht, en waarvoor in het geheim was betaald. En James Horne en zijn boot, en Hannah die hem binnen kon loodsen. Wat ze ook gebracht hadden, het was duidelijk illegaal. Nog meer tekeningen van Dennis, dacht hij, of hadden ze nog meer in de verkoop? Handelden ze ook nog in andere, ergere dingen? Met de stille massa van The Watch achter zich en de onzichtbare afgrond naar de oceaan voor zich kreeg hij het gevoel dat heel Blacknowle hem had buitengesloten. Even had het geleken alsof hij er zou kunnen wonen, er opgenomen zou worden. Hij had gedacht dat Dimity Hatcher vriendschappelijke gevoelens voor hem had, dat Hannah zijn vriendin was. Dat hij degene zou zijn die Blacknowle op de kaart zou zetten met een totaal ander boek over Charles Aubrey. Maar nu begreep hij dat het allemaal een misvatting van zijn kant was geweest. Ze hadden het spelletje tot op zekere hoogte meegespeeld en hem daarna aan de kant gezet. Onder zijn opkomende boosheid voelde Zach de pijn van de afwijzing. Onder hem siste de zee in het donker.

Hij liep in rap tempo terug naar het dorp en was al buiten adem toen hij aan het eind van het pad kwam. Het zag eruit alsof hij ergens naartoe op weg was, maar in werkelijkheid had hij geen idee waar hij heen liep en wat hij daar zou doen. Zijn boosheid was even ongericht en doelloos als zijn ongeduldige tempo. Maar plotseling werden beide strak ingetoomd: zijn tempo vertraagde tot stilstand toen hij zag wat zich afspeelde aan het begin van het pad naar Southern Farm. Hij bleef staan om te kijken. Er stonden drie politieauto's vlak achter elkaar verdekt opgesteld bij de heg aan het begin van het pad. Eén ervan had brandende lichten en een stationair draaiende motor. Agenten in uniform zaten in hun auto's of stonden ernaast te wachten; er stonden er drie dicht bij elkaar naast de auto met draaiende motor, in hun donkere kleding uitstekend gecamoufleerd in deze duistere nacht. Ze leken zeer alert te zijn. Een van hen keek in de richting van Zach, die midden op de weg stokstijf stilstond. Zach schrok zo van die onderzoekende blik dat hij weer in beweging kwam en in hun richting liep, met een licht, misplaatst schuldgevoel. Toen hij vlak langs hen heen liep zonder al te nieuwsgierig te willen lijken, klonk er een statisch gekraak over de radio, en de agent die hem had gezien bracht zijn hoofd naar de microfoon.

'Begrepen. We staan in positie, klaar om te gaan,' zei hij. Zach bleef doorlopen tot hij zeker wist dat de duisternis hem verzwolgen had. Daarna dook hij linksaf de bosjes in, sprong over het hek de wei in en begon te rennen.

Zonder om te kijken rende hij op goed geluk de heuvel af. Hij struikelde over konijnenholen en gleed uit in plakken schapenpoep. Het was beangstigend en opwindend tegelijk om zo hard te lopen zonder te kunnen zien waar hij zijn voeten neerzette. Distels en lang gras zwiepten tegen zijn schenen en in zijn ooghoeken zag hij de vage vormen van schapen die geschrokken van hem wegvluchtten. Links van hem was de oprijlaan, waar hij elk moment de blauwe zwaailichten verwachtte, die dan eerder bij haar zouden zijn. Hij rende harder dan hij sinds zijn kindertijd had gedaan; de koude lucht deed pijn aan zijn longen. De nacht splitste zich voor hem open en sloot zich achter hem; hij liet geen spoor na. Nog twee hekken scheidden hem van het erf. Hij schatte ze niet goed in en verzwikte zijn enkel toen hij over de laatste heen sprong. Vloekend van pijn strompelde hij naar de voorkant van het woonhuis, waar in de keuken licht brandde, dat door het gordijnloze raam een helder licht in de nacht wierp. Een opzichtige vertoning, die onverantwoord gevaarlijk leek. Met een droge mond en bonzend hart hamerde hij met twee vuisten op de deur.

Hannah deed aarzelend open, met ogen groot van schrik. Toen ze hem zag gleed er opluchting over haar gezicht. Zach voelde paniek opkomen.

'Zach! Wat doe jij hier in vredesnaam?' vroeg ze. Ze hield de deur op een kier, zodat hij niet binnen kon komen of langs haar heen kon kijken.

'De politie komt eraan – ze kunnen elk moment hier zijn. Ik heb ze gezien,' hijgde hij buiten adem. 'Ik heb ze boven aan de oprit zien staan. Ik kom je waarschuwen zodat je een kans hebt om...' Zijn stem stierf weg toen hij zag hoe angstig ze werd toen het tot haar doordrong. Achter haar hoorde hij Ilir iets zeggen.

'De politie? Hier? Jezus. Hoe wisten ze dat?' vroeg ze.

'Ik weet het niet. Jullie hebben niet veel tijd, dus als er iets is waarvan jullie niet willen dat ze het vinden moeten jullie het nu verstoppen. Nu!' Na een korte aarzeling keek Hannah over haar schouder en begon snel te praten. Ilir maakte een verschrikt geluidje en daarna klonk er geschuifel.

'God,' zei Hannah triest. 'Misschien heeft Ed Lynch inderdaad iets tegen hen gezegd. James zei al dat hij het gevoel had dat hij in de gaten werd gehouden. En de laatste keer dat ik hem aan de telefoon had was er een heleboel ruis... Shit! Ik ben zo stom geweest!'

'Het spijt me, Hannah.' Nu hij haar gewaarschuwd had, wist hij niet wat hij nog meer kon doen. Op dat moment verscheen Ilir naast haar in de deuropening.

'Het spijt je? Heb jíj de politie erbij gehaald?' vroeg hij. Hij gooide de deur wijd open en kwam met een van woede vertrokken gezicht op Zach af. Zach deed ongemakkelijk een stap achteruit.

'Wat? Nee! Ik heb alleen –'

'Jij hebt ons bespioneerd vannacht?' Ilir prikte met zijn vinger in Zachs borst.

'Ja – dat wil zeggen, nee, niet bespioneerd – toen ik op de kliffen stond zag ik de boot. En daarna zag ik de politie...' Ilir pakte Zach bij zijn jas, draaide hem om en duwde hem hard tegen de muur van het huis. Zijn mond vertrok en in zijn ogen blonk woede en nog iets anders. Waarschijnlijk was het angst, en het maakte alle spieren van de man hard als staal.

'Het is jóúw schuld dat ze hier zijn!' snauwde hij.

'Nee, ik wilde jullie alleen waarschuwen!' zei Zach.

'Hier krijg je spijt van.' Ilir haalde uit met zijn rechterarm en gaf Zach een vuistslag op zijn kaak. Zach zag sterretjes voor zijn ogen toen hij pijnlijk hard met zijn hoofd tegen de muur sloeg.

'Ilir! Nee! Ophouden!' Hannah stond achter Ilir en hing aan zijn arm om te voorkomen dat zijn tweede uithaal ook doel zou treffen. De wind waaide haar haar in haar ogen. 'Ilir! We hebben geen tijd! Hou op! Het was niet Zachs schuld! Ga naar binnen – ga naar binnen om alles klaar te maken!' Ilir liet Zach abrupt los. Hij leek ineens geen interesse meer voor hem te hebben. En nu zag Zach pas echt goed hoe bang hij was. De woede ebde weg en alles wat overbleef was die angst. Ilir legde zijn handen tegen zijn hoofd en zijn ogen vulden zich met tranen. 'Wat moeten we doen, Hannah,' zei hij radeloos. 'Wat kan ik doen?'

'Ik bedenk wel iets! Naar binnen, nu,' zei ze. Zo gauw hij naar de deur gestommeld was, wendde ze zich tot Zach, die over zijn kaak stond te wrijven in afwachting van het moment dat zijn hoofd weer helder werd. 'Je kwam ons toch waarschuwen?' zei ze. Zach knikte voorzichtig. 'Dan sta je dus aan onze kant? Klopt dat?'

'Ik... Ja. Ik sta aan jullie kant.'

'Help ons dan.' Ze stond voor hem met haar armen langs haar lichaam. De wind trok aan haar; haar donkere ogen leken harder dan graniet en ze was uitgesproken kalm en resoluut. Zach wist ineens dat hij alles voor haar zou doen.

'Wat wil je dat ik doe?' zei hij.

'Je hebt me de boot binnen zien loodsen. Je hebt gezien dat we iets aan land hebben gebracht. Nu wil ik dat je dat ergens heen brengt voor me. Als de politie dan komt, kunnen ze er niet achter komen wat er op die boot heeft gezeten. Hoor je me?' Zach slikte. Hij begreep dat ze hem erbij betrok. Hem medeplichtig maakte, ongetwijfeld om zijn hulp te krijgen, maar ook om zich vanaf nu van zijn zwijgen te verzekeren. Hij knikte, niet op zijn gemak.

'Oké. Maar luister, als het om drugs gaat...' Hij schudde zijn hoofd. Hannahs gezicht vertrok van walging.

'Drúgs? Denk jij echt dat het om drugs gaat?'

'Ik heb eerlijk gezegd geen idee.'

'Dacht jij dat ik alles op het spel zou zetten door drugs te dealen? Allemachtig, Zach! Wil je weten waar ik alles wél voor op het spel zet? Ja? Kom dan maar kijken.' Ze trok hem aan zijn mouw mee naar de deur van het woonhuis, de stoep op en de keuken in. Ze gaf hem even tijd om het tafereel op zich te laten inwerken. Het plotseling scherpe licht deed pijn aan zijn ogen. 'Snap je het nu?' zei ze. Zach stond stomverbaasd te kijken.

'Jezus,' zei hij zachtjes.

Nadat Celeste haar opnieuw de deur had gewezen, lag Dimity de rest van de dag te slapen, dieper dan ooit. Een droomloze slaap, een soort vergetelheid. Ze werd net voor zonsondergang wakker met een onduidelijk, akelig zwaar gevoel. Ze kon niet stilzitten of zich op huishoudelijke karweitjes concentreren, zodat het vuur in het fornuis weer uitging nadat ze het had aangestoken, het water in de ketel koud bleef en de kippen hun eieren wat langer onder hun warme vettige veren konden houden. Ze keek stiekem even om de deur van haar moeders slaapkamer. Valentina lag breed uitgestrekt op haar bed, met haar gezicht in het kussen gedrukt en haar taaie gele haar in de war. Ze was helemaal van de wereld en snurkte zacht. Nu ze eraan terugdacht had Dimity, kort na haar terugkeer, de deur horen dichtslaan. Een vertrekkende bezoeker; iemand die onderdook in de anonimiteit. Er hing een vage geur van vis in de bedompte kamer. Ze deed de deur weer zachtjes dicht en was verbaasd over haar plotselinge neiging om naast haar moeder in bed te kruipen om de warmte van haar muffe, slapende lichaam te voelen. Een verlangen naar veiligheid en bescherming waarvoor ze, zoals ze lang geleden al had geleerd, niet bij Valentina hoefde aan te kloppen.

Toen kwamen twee minuten lang al haar dromen uit. De zon was achter de horizon verdwenen; in de fluwelige schemering leek de zee te gloeien. Ze stond uit haar slaapkamerraam te kijken toen de blauwe auto in volle vaart het pad naar The Watch op kwam rijden. Stofwolken en steentjes spoten onder de wielen uit. Hij kwam slippend vlak voor het huis tot stilstand en Charles stapte uit. Alleen Charles, die met zijn handen door zijn haar streek om het te fatsoeneren, dacht ze. Hij liep naar de deur en begon er dringend en in het wilde weg op te bonken. Hij kwam haar halen, dacht ze toen ze met een dromerig glimlachje op haar gezicht naar beneden liep. Sinds ze wakker was had ze voortdurend angst gevoeld, maar ze wist niet waarom; ze wist alleen dat ze nooit meer naar Littlecombe wilde. Maar nu hij haar eindelijk kwam halen smolt de angst weg. Op weg naar de deur keek ze om zich heen in het huis en dacht dat ze het misschien nooit meer zou zien. Dat dit de laatste keer was dat ze deze trap af zou komen, over de gehavende tegels zou lopen en de zware eiken deur opentrok. Haar glimlach werd nog breder toen ze hem zag en haar hele gezicht straalde van liefde; geen verstoppertje meer, niet meer wachten.

'Mitzy, je moet meteen meekomen. Nu direct! Alsjeblieft,' zei hij. Ze zag niet dat er zweet op zijn voorhoofd en bovenlip stond, dat zijn gezicht asgrauw was en zijn handen beefden toen hij ze weer door zijn haar haalde.

'Natuurlijk, Charles. Ik heb op je gewacht. Ik heb mijn tas nog niet gepakt – heb ik daar nog tijd voor? Alleen wat kleren en een paar spulletjes?'

'Wat? Nee, geen tijd! Kom alsjeblieft meteen mee!' Hij greep haar pols en wilde haar meetrekken naar de auto. 'Wacht even – is Valentina thuis? Roep haar dan ook – en pak je medicijnen, alle medicijnen die je hebt. Neem alles mee!'

'Valentina? Waarom wil je mijn moeder meenemen? We hoeven niet –'

'Is ze er?'

'Ze ligt te slapen.'

'Maak haar dan wakker, verdomme! Nu meteen!' Hij schreeuwde

ineens zo hard dat ze terugdeinsde; zo onbeheerst dat zijn speeksel op haar wang terechtkwam.

'Maar waarom dan?' riep Dimity uit, terwijl Charles, half buiten zichzelf van ongeduld, haar aankeek. 'Ze wil niet gewekt worden; ze heeft het druk gehad vanmiddag.'

'Dan moet jij alleen meekomen. Celeste en Élodie zijn heel erg ziek. Je moet hen helpen.'

'Maar ik –' Haar protest werd onderbroken doordat Charles haar naar de auto trok. Ze stapte gedwee in, maar er vormde zich ineens een knoop van angst en schrik in haar borst, die haar naar lucht deed happen.

En natuurlijk reed Charles haar naar Littlecombe, de laatste plaats waar ze naartoe wilde. Hij reed roekeloos hard en raakte bijna het busje van de bakker toen ze vanaf het pad de dorpsstraat in raasden. Dimity deed haar ogen dicht en bleef onbeweeglijk zitten toen de auto voor het huis stilstond. Charles moest haar uit de auto trekken; hij klauwde met zijn vingers in haar arm, knarsetandend.

'Ik heb twee artsen gebeld, maar die zitten allebei kilometers verderop bij andere patiënten. Ze zeiden dat het minstens een uur duurt voor ze hier kunnen zijn. Ze zeiden dat ik ze water moet laten drinken, maar ze kunnen het niet binnenhouden. Ze kunnen het nauwelijks naar binnen krijgen! Je moet ze helpen, Dimity. Je hebt vast iets wat je ze kunt geven. Een of ander kruid,' zei hij. Ze moest rennen om hem bij te benen toen hij haar meetrok naar de voordeur. Op de drempel zette ze zich met haar hand schrap tegen de deurpost en rukte haar arm los, zodat hij stil moest blijven staan. 'Wat doe je nu? Kom mee!' riep hij.

'Ik ben bang!' zei ze. Dat was waar, maar ze kon niet tot uitdrukking brengen hoe groot en dreigend en verwarrend die angst was. De deuropening van het huis was ineens de poort naar de hel of naar het hol van een gevaarlijk wild beest. Charles keek haar met betraande ogen aan.

'Alsjeblieft, Dimity,' zei hij met wanhoop in zijn stem. 'Help ze alsjeblieft.' Ze had geen andere keus dan het te proberen.

Ze lagen alle twee in de grote slaapkamer op bed. Celeste zat half overeind in de kussens, met haar hele blouse vol braaksel en nog wat meer in een kom. Er hing een lange, dikke sliert speeksel aan haar kin, die niet afbrak, maar zich steeds vernieuwde. Om de paar seconden kreeg ze een stuiptrekking, alsof er een elektrische schok door haar heen ging. Het stonk verschrikkelijk in de kamer. Delphine zat met haar moeders hand in de hare naast het bed geknield; de pure angst stond op haar gezicht te lezen. Aan de andere kant van het bed lag Élodie, haar lichaam gekromd en bewegingloos.

'Élodie is er het ergst aan toe. Ga maar eerst naar haar,' zei Charles. Hij duwde Dimity naar haar toe en liep zelf vlug naar Celeste en Delphine.

'O! Doe alsjeblieft iets, Mitzy! Je weet vast wel wat je hun kunt geven. Je kent vast wel een middeltje! Alsjeblieft!' smeekte Delphine. Ze was bijna onverstaanbaar van het huilen.

'Ik... ik weet het niet. Wat is er met hen gebeurd?' stamelde Dimity.

'Ik weet het niet! Iets in hun eten – dat moet wel! Iets wat ik heb geplukt... Ik ben in mijn eentje planten gaan verzamelen en heb een paar dingen bij mama achtergelaten voor haar lunch, om soep van te koken. Élodie heeft er ook van gegeten toen we thuiskwamen, maar ik niet en papa ook niet. Ik moet iets verkeerds hebben geplukt, Mitzy! Ik wist zeker dat ik het goed had gedaan. Ik wist zeker dat ik alleen bekende dingen had geplukt, maar ik moet me vergist hebben, hè? Dat moet wel!' Ze snikte even achter haar hand, en liet haar moeders hand los omdat Celeste weer een mondvol gelige vloeistof uitbraakte die over haar kin liep; daarna kreeg ze een stuiptrekking waardoor ze met haar hoofd tegen de muur sloeg, met haar armen stijf tegen de matras gestrekt. Vanaf de andere kant van het bed kon Dimity haar ogen even zien. Zo zwart als de nacht; zo duister als een leugen; zo zwart als moord. De pupillen waren zo sterk vergroot dat de blauwe irissen bijna niet meer te zien waren. Haar ogen leken wel open deuren die zo ver openstonden, dat haar geest eruit zou kunnen ontsnappen. Ineens deed ze haar mond open en begon ze te praten in rap Frans, een onverstaanbare stroom geluiden die eerder bij een dier pasten dan bij een mens. Delphine probeerde jammerend haar moeders handen te pakken, maar Celeste rukte ze los en keek met haar grote zwarte ogen om zich heen alsof ze onvoorstelbare monsters zag.

Dimity knielde neer bij Élodie en pakte haar pols om haar hartslag te voelen. Die was er, zwak en onregelmatig. Het lichaam van het kind lag stijf achterovergekromd; elke spier was zo gespannen als een snaar. Haar gezicht was onbeweeglijk, met starende ogen; net zo vergroot en zwart als die van haar moeder. Een gestaag sliertje kwijl droop onder haar op de matras. Ze zag eruit als iemand die door een boze geest is bezeten. Dimity had kippenvel toen ze haar oor dicht bij de open mond van het meisje bracht en een zwakke luchtstroom voelde, die in piepkleine ademteugen in- en uitging. Dimity's hoofd was net zo leeg als hun ogen. Ze zou het liefst de kamer uit willen vluchten; weg van dit doodsbed, want dat was het. Ze hadden van de wortels gegeten, dat was duidelijk. Verraderlijk zoet, vol smaak. Als ze al gered konden worden, dan niet door iets wat Dimity hun kon geven. De dokter was hun enige kans, maar zelfs dan hing alles af van de tijd dat ze op hem moesten wachten.

'Wanneer is het begonnen?' vroeg ze vlak. Ze voelde zich ineens slaperig. Ze wilde gaan liggen, haar ogen dichtdoen en dromen.

'Ongeveer twee uur geleden. Toen wij uit de stad terugkwamen had Celeste al maagpijn en toen ze begon over te geven had Élodie inmiddels ook van de soep gegeten en werd ze misselijk. Wat kun je ze geven? Wat kunnen we doen?' Charles stond haar aan te kijken met zijn armen langs zijn lijf; hij beet op zijn lip en zijn blik was zo scherp als die van een havik. Ze zag dat hij verwachtte dat ze hen zou genezen, zou redden, en ze moest de idiote opwelling om in de lach te schieten bedwingen. Toen ze in plaats daarvan haar hoofd schudde zag ze zijn gezicht betrekken. Het was te laat. Na twee uur zou het gif al diep in hun lichaam opgenomen zijn, te diep om het er nog uit te halen.

'Ik kan hen niets geven. Het gif is te sterk. Ik heb het eerder gezien.' Ratten, ratten die in de hoeken van de kamer kronkelend rondtolden in een dodendans. Ze kwam overeind en bekeek hen met afschuw.

'Dus je weet wat het is? Je weet wat ze hebben gegeten,' zei hij. Dimity kon de lucht bijna niet lang genoeg in haar longen houden om antwoord te geven. Ze knikte en voelde Celestes lege, inktzwarte ogen op zich gericht. Er liep een rilling van afschuw over haar rug en ze stond op haar benen te zwaaien.

'Waterscheerling,' zei ze ten slotte.

Scheerling. Ze kenden de naam. Charles werd nog bleker. Delphine staarde haar met wijd open mond aan.

Er ontstond een lange stilte, met alleen het geluid van Celestes moeizame ademhaling en het vreemde gorgelende geluid in haar keel als ze weer een stuiptrekking kreeg. Élodie maakte geen enkel geluid.

'Je bedoelt...' Charles schraapte zijn keel en haalde zijn handen over zijn gezicht. 'Je bedoelt dat ze er dóód aan kunnen gaan?' Het klonk alsof hij het absoluut niet geloofde en toen Delphine weer begon te snikken, negeerde hij haar. Dimity keek Charles in de ogen zonder een spier te vertrekken. De kamer was vol schaduwen en duivels; vol kronkelende ratten en zwarte, zwarte ogen, overspoeld door een weerzinwekkende zee van speeksel en gal. Dimity had het gevoel dat haar verstand het begaf.

'Ja,' zei ze. Charles stond haar versteend aan te staren. 'Breng ze naar het ziekenhuis. Nu meteen. Ze kunnen niet wachten op een dokter of een ambulance – breng ze nu weg. Dorchester. Zeg tegen de dokter wat ze hebben gegeten –'

'Maar jij gaat met ons mee – je moet meegaan om te helpen. Neem jij Élodie. Delphine! Hou de deuren voor ons open!' Charles worstelde om Celestes schokkende lichaam in zijn armen te krijgen en droeg haar naar de deur. Delphine rende vooruit om de weg vrij te maken en Dimity bleef achter om Élodie op te tillen. Ze deed het langzaam, bijna teder. Het dunne lichaampje voelde aan als een bijzondere houtsoort, hard en stug, maar tegelijkertijd warm. Er bewoog helemaal niets in haar gezicht en haar uitdrukking veranderde niet toen Dimity haar optilde. En op weg naar de blauwe auto had Dimity niet meer het idee dat ze nog lucht uit de open mond voelde komen. Achter de zwarte schijven van haar ogen was het leeg. Dimity rilde toen ze met Élodie in de auto stapte en dat bleef ze doen, zolang ze onder haar vastzat zonder een kans om te ontsnappen.

Zach stond verbaasd naar Hannahs keukentafel te staren; of liever gezegd, naar de mensen die eraan zaten. Ilir stond vierkant bij de deur, als een soort bewaker, nog altijd met een van woede en schrik vertrokken gezicht. Hij hield de hand vast van een lange, magere vrouw, die op haar beurt haar arm stevig om een jongetje van een jaar of zeven, acht geslagen had. Zach staarde naar hen en zij staarden terug. Ze zagen bleek van vermoeidheid. De vrouw had lang, steil, donkerbruin haar met een scheiding in het midden en een staart achter in haar nek. Ze had zorgelijke rimpels in haar voorhoofd.

'Zach, mag ik je voorstellen aan Rozafa Sabri, Ilirs vrouw, en hun zoon Bekim,' zei Hannah, die naast hem stond, nog steeds gespannen van emotie.

'Hallo,' zei Zach stijfjes. Ilir zei ongeduldig iets in een taal die Zach niet kon verstaan, waarop Rozafa hem ongerust aankeek.

'In het Engels, Ilir,' zei Hannah.

'Ze kunnen hier niet blijven. Ook niet voor één nacht.'

'Ik weet het. Het spijt me, Rozafa, er is een kink in de kabel.' Zach voelde dat alle ogen op hem werden gericht, alsof het zijn schuld was. Hij zweette onder zijn trui en jas, een onaangename prikkeling die hem rusteloos maakte. 'Zach neemt jullie ergens mee naartoe waar het veilig is. Het lijkt erop dat... dat de politie elk moment hier kan zijn.'

'Policija?' vroeg Rozafa. Haar ogen werden groot. Het kind onder haar arm reageerde niet. Hij staarde afwezig naar Zach, alsof hij maar half wakker was. Toen zijn moeder opstond en hem mee omhoogtrok, waren zijn bewegingen traag en stuntelig. Rozafa bukte

zich, nam hem in haar armen en keek van Hannah naar haar man. Klaar voor de vlucht, zag Zach. Hoe moe ze ook mocht zijn, ze was bereid om met haar kind te vluchten. Ze waren duidelijk uitgeput en dringend aan rust toe. In een vlaag van schaamte bedacht hij dat hij ervan overtuigd was geweest dat Hannah kunst smokkelde, of drugs, terwijl het iets veel waardevollers was geweest, en veel kwetsbaarders.

'Snap je het nu? Waarom ik het je niet kon vertellen? Waarom dit geheim moest blijven?' vroeg Hannah gespannen.

'Je had me kunnen vertrouwen. Ik zou het begrepen hebben.'

'Dat kon ik niet weten. Niet met zekerheid. Maar ik vertrouw je nu wel. Breng ze ergens anders heen. Nu meteen, voor de politie opduikt. Oké?'

'Waar moet ik hen naartoe brengen? Moet ik de jeep nemen?'

'Nee, dan zien ze je de oprit af rijden, en je kunt niet zonder koplampen het land in rijden, dat wordt je dood. Ga lopen – naar een veilige plek. Waar dan ook.'

'The Watch. Ik breng ze naar The Watch,' zei hij. Hannah aarzelde even, fronste, maar knikte vervolgens.

'Goed. Laat je niet zien. We moeten er maar op hopen dat ze er niet aan denken om daar te zoeken.'

'Waarom zouden ze?'

'Omdat... nee, maakt niet uit. Ik weet zeker dat het goed komt. Ga maar – schiet op!'

Met een blik op de oprijlaan, die er donker bij lag, rende Zach het erf over met Ilir en Rozafa op zijn hielen. Dit gebeurt niet echt, dacht hij in een apart hoekje van zijn achterhoofd dat op afstand registreerde wat er gebeurde. Bij het hek dat toegang gaf tot de weides tussen de boerderij en The Watch bleef Ilir stilstaan. Hij zei vlug iets tegen zijn vrouw in een taal die Servisch, Albanees of Roma zou kunnen zijn en toen hij zich omdraaide om weg te gaan, antwoordde Rozafa met een stem die schril was van paniek. Ze stak haar hand uit en greep hem bij zijn mouw.

'Gaat hij niet met ons mee? Ga je niet met ons mee, Ilir?' zei Zach.

'Misschien heeft Hannah me nodig, als ze komen. Ik blijf bij haar.'

'Maar ze vragen misschien wel naar je paspoort...'

'Als ik wegga, vragen ze zich af waar ik ben. En dan komen ze me misschien zoeken,' zei Ilir resoluut. 'Ga nu maar – breng ze naar een veilige plek. Alsjeblieft.' Toen hij Zach nog even aankeek, kon Zach de angst dat ze ontdekt zouden worden in zijn ogen lezen. Hij knikte.

'Zorg dat je mobiel aan staat,' riep Hannah nog toen ze snel wegliepen.

Zo snel als ze konden renden ze de donkere heuvel op, die aan hun kant van de vallei het steilst was. Ze struikelden over graspollen en het was nog het handigst om op handen en voeten omhoog te kruipen. Na zo'n tweehonderd meter kwamen ze bij een omheining, waar ze even uitrustten. Zach keek over zijn schouder. Onder hen waren de drie politieauto's aangekomen bij het erf; er klonken geen sirenes, maar de blauwe lichten leken onmogelijk fel in het donker.

'Liggen! Ga liggen,' zei hij. Rozafa staarde hem niet-begrijpend aan en hij begreep dat haar Engels niet zo goed was als dat van haar echtgenoot. Hij ging zelf op de koude, natte helling liggen en trok haar naar beneden; zij volgde zijn voorbeeld en liet zich neervallen over het jongetje heen. Hij hoorde haar zachtjes tegen hem fluisteren in een woordenstroom die ook een liedje of een kinderrijmpje had kunnen zijn. Zach rook de geur van angst die hun ongewassen lichamen uitwasemden, en slikte, omdat hij een enorme verantwoordelijkheid op zich voelde drukken. Rozafa kon niet anders dan hem vertrouwen en niet alleen haar eigen lot, maar ook dat van haar kind in zijn handen leggen. Hij draaide zich om en keek langs de heuvel omhoog, maar zag niets dan duisternis. Slierten schapenwol hingen als dansende slingers aan de draadafrastering om hen heen. Ze gaven een vettige geur af. Onder hen stapten zes politieagenten uit de auto's en renden op het huis af; een van hen leidde een springerige Duitse herdershond. Drie agenten renden meteen naar de achterkant van het huis om de vluchtwegen af te sluiten. Hannah had niets te verbergen in huis, maar Zach raakte toch van slag bij het idee dat ze daarbinnen vastzat en aangevallen werd.

'God, ik hoop dat die hond alleen naar drugs snuffelt, niet naar mensen,' mompelde hij. Rozafa richtte meteen haar hoofd op toen hij dat zei. Haar ogen glansden van de adrenaline. 'Kom mee,' zei hij.

Ze haastten zich de heuvel op en na een kort stukje nam Zach het jongetje over van zijn moeder, hees hem op zijn schouders en liep haastig door. Het kind woog bijna niets. Een stukje drijfhout dat net was aangespoeld. Zach realiseerde zich ineens hoe gevaarlijk het moest zijn om 's nachts in een vissersbootje het Kanaal over te steken; hoe lang en oncomfortabel die reis in het donker moest zijn geweest. Menselijke wrakstukken, uitgeput en op het randje; op het punt van ondergang. Hij kon zich niet voorstellen dat hij moest riskeren wat zij hadden geriskeerd, en ook niet hoe bang ze moesten zijn. Hij verstevigde zijn greep op Bekim.

Na tien minuten die voelden als een eeuwigheid zag Zach de witte contouren van The Watch vaag oplichten in het donker. Buiten adem ging hij hun voor naar de voordeur van het huis, waar hij, toen hij aanklopte, de jongen weer aan Rozafa gaf. Hij draaide zich om en keek de heuvel af, brandend van verlangen om te weten wat er op Southern Farm gebeurde. Er was niets te zien. De politieauto's stonden nog steeds op het erf, één met blauw zwaailicht. Zach klopte opnieuw aan en bedacht hoe verward en angstig Dimity had geleken toen hij eerder die dag voor haar neus had gestaan.

'Dimity, ik ben het maar, Zach. Ik ben er weer. Mogen we alsjeblieft binnenkomen? Het is erg belangrijk… Dimity?'

'Zach?' Haar stem klonk zacht en hees door de deur heen.

'Ja, ik ben het. Laat ons alsjeblieft binnen, Dimity. We hebben een plek nodig om ons te verbergen.' Toen de deur krakend openging bleek het binnen nog donkerder dan buiten. De zwaailichten van de politie vlamden over het bleke gezicht en de wijd open ogen van de oude vrouw.

'Politie,' zei ze, ontzet.

'Ze zijn op zoek naar deze twee mensen. Dit zijn Ilirs vrouw en zijn zoon. Je kent Ilir toch – Hannahs hulp op de boerderij? Mogen we binnenkomen?' Zach keek om naar Bekim in Rozafa's armen en zag dat het kind diep in slaap was. Zijn gezicht was vertrokken en zijn mond was opengevallen; zijn tandvlees leek bijna grijs. Zach kreeg ineens de indruk dat de jongen niet helemaal gezond was. 'We moeten ons hier verstoppen. Voor even maar. Ze zijn erg moe. Ze hebben een lange reis achter de rug.'

'Een lange reis,' zei Dimity afwezig. Ze keek vol onbegrip naar Rozafa. Rozafa onderging haar kritische blik zonder een spier te vertrekken. Zach haalde diep adem om zijn opkomende paniek te onderdrukken.

'Ja, een lange reis. Ze zijn net aangekomen uit –'

'Ilirs volk? De zigeuners?' onderbrak Dimity hem onverwacht. De oude vrouw knipperde met haar ogen en maakte ineens een geconcentreerde indruk, alsof iets in haar wezen was teruggekeerd van elders. De blik die ze op Zach richtte werd scherper.

'Ja, dat klopt.'

'Kom binnen, kom, kom!' zei ze bruusk, en ze deed de deur verder open en gebaarde dat ze binnen mochten komen. 'Zijn volk is mijn volk, tenslotte. Mijn moeder was een zigeunerin, heb ik dat weleens verteld? Kom binnen, kom binnen, en doe de deur dicht. Dit is een prima plek om onder te duiken.'

Zach was als laatste binnen. Toen hij de deur dichtdeed zag hij koplampen op de weg naar het dorp. Ze priemden in de richting van het huis en zijn adem stokte. Hij kon geen enkele reden bedenken waarom ze naar The Watch zouden komen, maar Hannah had wel geaarzeld toen hij het voorstelde, alsof ze er niet helemaal zeker van was dat het veilig was. Misschien waren ze toch gezien op hun vlucht door de weilanden. Hij nam Dimity voorzichtig bij de arm om haar aandacht te trekken.

'Ik geloof… Ik geloof dat er iemand naar het huis toe komt… hierheen komt,' fluisterde hij ongerust. 'We moeten hen verbergen. Waar kunnen we naartoe? Nee – niet doen!' zei hij toen

Dimity haar hand uitstak naar een lichtschakelaar. 'Het is al laat, je kunt beter doen alsof je in bed ligt.' De oude vrouw klemde haar handen stevig tegen elkaar voor haar lichaam, alsof ze in gebed was. Hun ogen waren niet meer dan zwak glanzende stipjes in het donker. Dimity leek in de greep van een onoplosbaar dilemma. De politielampen waren nog altijd zichtbaar, ze wierpen griezelige grijze schaduwen over de muren. 'Dimity?' drong Zach aan. 'Ze mogen niet gevonden worden. Alsjeblieft, als ze gevonden worden, worden ze meegenomen.'

'Meegenomen? Nee, nee. De enige geschikte plek is boven. Als ze hier komen zal ik ze terugsturen. Ga naar boven, naar de kamer links. De kamer línks, hoor je? De deur is open. Aan je linkerhand.' Precies op dat moment klonken er motorgeluiden voor het huis en schenen er koplampen door het kale raam naar binnen.

'Laat ze hun legitimatiebewijs door de brievenbus gooien voor je opendoet, Dimity! Ga, ga!' siste Zach terwijl hij Rozafa naar de trap duwde. De Romavrouw haastte zich vlug naar boven, en Zach kwam vlak achter haar aan. Ze sloten zich op in een slaapkamer en gingen gehurkt tegen de deur zitten, zo zacht mogelijk ademend en hun oren gespitst op elk geluid.

Er werd op de deur geklopt en het duurde lang voor Dimity opendeed. Door de vloer heen waren gedempte stemmen hoorbaar, maar Zach kon niet verstaan wat er werd gezegd. Naast hem werd Rozafa's ademhaling rustiger en dieper, en hij vroeg zich af of ze soms in slaap was gevallen – zich had overgegeven aan de situatie en had toegegeven aan haar uitputting. Niet veel later klonk er weer motorgeronk buiten en daarna werd alles stil.

De lucht in de kamer was zwaar van goed herkenbare geuren: van groene planten en schimmel, van papier en ongewassen kleren, van verschaald eten, van water, zout, roet en ammonia, en nog een sterke, chemische geur die Zach direct herkende. Hij begreep alleen niet hoe die geur in Dimity's huis terecht was gekomen. Ondanks zijn ongeduld wist hij dat ze voor alle zekerheid niet tevoorschijn moesten komen voor Dimity hen kwam halen. Hij pakte zijn telefoon op en zag dat hij, nu hij boven was, één streepje bereik had. Er was geen gemiste oproep of sms'je van Hannah en hij weerstond de verleiding om haar te bellen voor hij wist of de kust veilig was. Het bleef stil. Terwijl Zach zat te wachten voelde hij de koude nachtlucht langs zijn wang strijken. Verwonderd keek hij om zich heen waar de tocht vandaan kwam. Achter het raampje was de lucht iets minder donker, zodat hij de kapotte ruit waardoor de wind binnenkwam kon zien. Het was het raam waar hij onder had gestaan en de gordijnen voor had zien bewegen. De kamer links, had Dimity gezegd. Maar Rozafa had voorop gelopen en zij had die aanwijzing natuurlijk niet verstaan. Zach huiverde. Ze waren in de kamer rechts. De kamer waaruit tijdens zijn bezoeken aan Dimity vaak zachte, ondefinieerbare geluiden waren gekomen.

Zonder zich te bewegen tuurde Zach ingespannen in alle hoeken van de kamer. Die waren bijna niet te zien. Hij zag niet veel meer dan donkere, dicht op elkaar gepakte vormen tegen de onverlichte muren. Hij zag er geen meubilair in, hij kon er niets van maken. Hij probeerde rustig te blijven ademen, alsof het geluid iets in de kamer wakker zou kunnen maken. Hij voelde zich bekeken; hij had het gevoel dat er naast de ineengedoken Rozafa en haar zoon nog een ander bewustzijn in de kamer was. Hij dacht dat hij hoorde ademen; een langzame, vochtige uitademing. Tegen zijn gezonde verstand in voelde hij paniek opkomen en een behoefte aan licht, aan helderheid; de drang om weg te vluchten uit die kamer met zijn geheimen en zijn koude luchtstroom. Hij schrok toen zijn telefoon piepte. Een sms'je van Hannah, dat zijn ogen verblindde en het beetje gezichtsvermogen dat hij had gehad in het donker verpestte. *Ze zijn weg. We komen naar jullie toe.* Rozafa zei iets wat hij niet begreep. Haar stem klonk schril en gespannen.

'Alles is oké,' fluisterde hij. 'Ze komen hierheen om je op te halen.' Omdat de vrouw niets terugzei, begreep hij dat ze hem niet kon verstaan. In het vage licht van zijn telefoon glansden haar ogen boven haar grove jukbeenderen. Ze keek hem even gefrustreerd aan en barstte toen uit in het Frans. *'Vous parlez Français?'* Ze sprak met een vreemd accent, maar tot zijn verbazing kon

Zach haar verstaan en hij zocht in zijn schooljongensfrans van lang geleden naar woorden om antwoord te kunnen geven.

'Hannah et Ilir sont ici bientôt. Tout est bien.' Alles is goed. De woorden hadden zichtbaar effect op Rozafa. Ze liet zich weer tegen de muur zakken, klemde een hand rond zijn onderarm en sloot haar ogen.

'Merci,' zei ze, zo zacht dat hij haar bijna niet kon verstaan. Zach knikte en wilde dat hij de taal voldoende beheerste om te vragen of alles goed was met Bekim en of hij iets kon doen voor het verzwakte grauwe jongetje.

Hij kwam stijf overeind, blij dat Rozafa niet kon zien hoe slecht hij zich op zijn gemak voelde. Met zijn tanden op elkaar tastte hij de muur af op zoek naar een lichtschakelaar. Het pleisterwerk voelde zacht en een beetje klam aan. Het gaf een fijn poeder af op zijn vingers. Hij kon de schakelaar niet vinden en schaamde zich omdat hij geen stap van Rozafa vandaan durfde om de kamer verder te doorzoeken. Toen streek er iets langs zijn nek en hij gaf een harde gil. Rozafa stond onmiddellijk overeind en antwoordde met eenzelfde kreet van paniek, terwijl Zach probeerde uit te puzzelen wat hem geraakt had. Het was de lichtschakelaar – een houten klosje aan het eind van een koord. Toen hij er woest aan trok ging boven zijn hoofd het licht aan, een enkel peertje dat zo fel brandde dat ze even verblind waren. Met waterige ogen keek Zach het kamertje rond. Geleidelijk aan kon hij scherper zien en begreep hij wat al die donkere vormen waren. Zijn mond viel open van de schok, van puur ongeloof; hij was zo verbluft dat zijn denkvermogen hem in de steek liet.

Met Élodie nog altijd in een paar slappe armen die niet aanvoelden als de hare, stapte Dimity moeizaam uit de auto toen die stopte bij het ziekenhuis in Dorchester. Het was een hoog oprijzend gebouw met kantelen, rode muren en bakstenen torens dat in de vorige eeuw was gebouwd en nog hoger was dan de torenspits van Blacknowle. Dimity voelde het ver boven zich uittorenen terwijl ze achter Charles aan holde. Ze voelde dat de talloze ramen die op haar neerkeken wisten wat het ding in haar armen was. Het ding dat zij veroorzaakt had. Dimity struikelde. Haar knieën begaven het en ze dacht even dat ze zou vallen. Haar kracht had haar verlaten; haar botten waren in zand veranderd en weggespoeld. *Het ding dat zij veroorzaakt had.* Delphine, naast haar, hielp haar overeind.

'Opschieten, Mitzy! Kom!' In Delphines paniekerige stem hoorde Dimity nog een spoortje valse hoop. Maar er was geen hoop meer en ze wilde schreeuwen. Ze wilde het zo hard uitschreeuwen dat ze het ding dat ze droeg kon neerleggen. Het kleine dode ding. Hun voetstappen galmden door de gang van het ziekenhuis en ze werden verblind door de vele gloeilampen. Charles' stem, die om hulp riep, echode om hen heen. Toen namen sterke armen in witte mouwen Élodie van Dimity over, waarna ze zich opgelucht op haar knieën liet zakken.

Ze bleef alleen achter en wachtte. Eerst bleef ze op haar knieën in de gang zitten, in de plotselinge stilte nadat de Aubreys, zowel de zieken als de gezonden, door een groepje ernstig kijkende mensen waren meegenomen. Ze had achter hen aan kunnen lopen, maar voelde zich te zwak om in beweging te komen. Langzaam stond ze op. Ze bleef wachten en probeerde niet te denken. Er weerklonk iets in haar hoofd, als het gebrom dat je hoort na het luiden van een klok; letterlijk oorverdovend. Het gewicht van iets drukte haar meedogenloos neer. Het gewicht van iets onmiskenbaars, iets wat gebeurd was en nooit meer ongedaan gemaakt kon worden. Op een gegeven moment liet ze zich naar een lange, lege gang brengen waar houten banken tegen de muur stonden. Degene die haar bracht had geen naam en geen gezicht; wat haar betrof was het iemand van een andere soort, die een volledig onbegrijpelijke taal sprak. Er werd een kop thee naast haar neergezet, maar Dimity had geen idee wat ze ermee moest doen. Ze zat alleen maar naar de muur tegenover zich te staren. Er verstreken dagen, weken, maanden, of alleen de tijd tussen de ene moeizame hartslag en de volgende – ze wist het verschil niet meer. Het was donker buiten en het licht in de gang was zwak. Af en toe hoorde

Dimity iets weerklinken. Voetstappen, zacht gesnurk, ongearticuleerde kreten in de verte. De geluiden van onzichtbare mensen die als geesten door de gang zweefden. Haar schoenen zaten onder de modder, opgedroogd en afbrokkelend. Modder uit de sloot waar de waterscheerling groeide. Dimity wenste dat ze niet bestond; ze wenste dat ze gewoon de zoveelste geest was die, verloren en helemaal alleen, door de gang kon dolen.

Het was al licht buiten toen Charles met afhangende schouders en gebogen hoofd bij een deur verscheen en de gang in kwam lopen. Hij bewoog zich als een slaapwandelaar, suf en afwezig; toen hij Dimity zag kwam hij voor haar staan zonder iets te zeggen.

'Charles,' zei ze. Hij knipperde met zijn ogen, keek haar aan en kwam toen naast haar zitten. Zijn gezicht was grauw en hij had paarse kringen onder zijn ogen. Hij wilde iets zeggen, maar zijn keel zat dicht; hij moest hoesten voor hij het opnieuw kon proberen.

'Celeste,' zei hij. Het klonk als een beschuldiging, als een smeekbede. 'Celeste zal het wel halen, denken ze. Ze hebben haar iets gegeven, luminol, om de stuiptrekkingen te stoppen. Ze geven haar medicijnen door een slangetje in haar aderen. Ik heb nog nooit zoiets gezien. Maar Élodie, mijn kleine Élodie.' De naam eindigde in een snik. 'Ze hebben haar weggebracht. Ze was niet sterk genoeg. Ze konden niets meer voor haar doen.' Dit waren niet zijn eigen woorden, begreep Dimity. Dit was wat ze tegen hem hadden gezegd en wat hij nu herhaalde omdat hij er zelf geen woorden voor had.

'Ik wist dat ze dood was,' zei Dimity toonloos. Ze voelde een pijnlijke druk op haar borst, die steeds erger werd. 'Ik wist dat ze dood was toen ik haar droeg. Ik wist het. Ik wist het!' snikte ze. Charles draaide zijn hoofd naar haar toe, maar in zijn ogen stond onbegrip. Ze besefte dat hij haar niet eens zag. *Ik ben een geest, een echo. Het is niet anders.* Ze zou hem willen aanraken, maar om dat te doen zou ze weer mens moeten worden. Alles zou weer werkelijkheid moeten worden. Ze bleven een tijdje zwijgend zitten;

toen stond Charles op om de deur weer door te gaan en Dimity, meegetrokken door de ketenen om haar hart, volgde hem.

Ze kwamen in een andere, kortere gang waar hoge witte deuren op uitkwamen. Overal hing de stank van desinfecterende middelen, scherper dan kattenpis, maar niet scherp genoeg om de geur van ziekte en dood te verhullen. Van Élodie was niets te bekennen. Ze was al weg; weg, alsof ze er nooit was geweest. Dimity schudde haar hoofd omdat het zo onwezenlijk was. Celeste lag op haar rug tegen één kussen. Haar kaak hing slap en haar teerkleurige haar zag er plakkerig en glad uit. Er hing een veelarmig apparaat boven haar dat via een slang en een naald met haar arm was verbonden; op haar onderarm zat een blauwe plek. Haar lippen waren bloedeloos, haar ogen dicht. Ze leek dood te zijn, en Dimity vroeg zich af of dat wel was opgemerkt, tot ze haar borstkas licht op en neer zag gaan. Ze bleef naar de vrouw staan staren. Lang genoeg om een ader te zien kloppen onder de dunne huid van haar hals.

'Dit blijft niet zonder gevolgen,' zei Charles, en de woorden gingen als een schok door Dimity heen. Haar ogen flitsten zijn richting uit, maar hij staarde naar Celeste. Zijn stem was gebroken. 'De dokter zegt dat ze misschien nooit meer de oude wordt. Scheerling heeft neveneffecten. Ze zal herinneringen kwijt zijn, vooral aan de dagen voordat dit gebeurde. Ze kan verward zijn. De krampen kunnen blijven voorkomen. Het zal wel even duren voor de gevolgen afnemen, maar ze wordt misschien nooit meer...' Hij zweeg en slikte. 'Het kan zijn dat ze nooit meer zichzelf wordt. Nooit meer zoals ze was. Mijn Celeste.'

Aan de andere kant van het bed zat een meelijwekkende gestalte. In elkaar gedoken, alsof ze probeerde er niet te zijn. Ze deed het zo overtuigend dat Dimity haar pas na een tijdje in de gaten kreeg. Delphine. Ze huilde aan één stuk door, al had ze bijna geen stem meer en waren haar ogen droog en dof, alsof ze geen tranen meer had. Maar ze schokte en beefde bijna net zo erg als haar moeder voor ze in het ziekenhuis waren gekomen en ze maakte vreselijke geluiden, als het jammeren van een konijn in een strop, maar dan zachter – zo zacht. Een poging om niet te bestaan. Toen Dimity haar bleef aanstaren keek Delphine na een tijdje op. Haar ogen waren helemaal bloeddoorlopen en zo gezwollen dat ze bijna dichtzaten. Maar naast verdriet lag er iets in die ogen waar Dimity's adem van stokte. Het was ondraaglijk om te zien en ze keerde zich ervan af door een paar stappen opzij te doen en tegen de muur te leunen. Ze liet zich langzaam op de vloer zakken. Niemand scheen het te merken of het haar kwalijk te nemen. Ze stopte haar vingertoppen in haar mond en beet erop tot ze gingen bloeden, zonder dat ze iets voelde. Delphines ogen stonden vol schuldgevoel. Puur, alles verterend, niet te verdragen schuldgevoel.

Wat later was Dimity weer terug op de bank in de gang. Ze had geen idee hoe ze daar was gekomen. Ze schrok op van stemmen – mannenstemmen, die op gedempte toon voor de deur naar de kamers stonden te discussiëren. Ze wreef haar ogen uit om ze beter te kunnen zien. Het waren Charles Aubrey en een andere man, lang en mager, met staalgrijs haar. Ze herkende hem als dokter Marsh, een van de artsen die regelmatig visites aflegden in Blacknowle om de mensen te behandelen die te ziek waren voor Valentina's drankjes.

'Het moet geregistreerd worden, meneer Aubrey. Daar komen we niet onderuit,' zei de dokter.

'U kunt een gedeelte van de waarheid vastleggen, zonder op te schrijven hoe het precies is gebeurd. En dat moet u doen. Mijn dochter… mijn dochter huilt haar hart uit haar lijf. Als u dit overlijden registreert als vergiftiging komt er een onderzoek, klopt dat?'

'Ja.'

'Registreer het dan in godsnaam niet als zodanig! Ze zal dit voor de rest van haar leven meedragen. Als het bekend wordt… Als de hele wereld weet wat ze heeft gedaan, al was het dan per ongeluk, zal dat haar kapotmaken. Begrijpt u? Het zal haar ondergang betekenen!'

'Meneer Aubrey, ik begrijp uw bezorgdheid, maar –'

'Nee! Geen tegenwerpingen! Dokter, ik verzoek u dringend – het kost u niets om de doodsoorzaak vast te leggen als buikgriep. Maar Delphine zal het duur moeten betalen als u dat niet doet. Alstublieft!' Charles pakte de dokter bij zijn arm en keek hem aan. De wanhoop stond op zijn gezicht te lezen. De dokter aarzelde. 'Alstublieft. We hebben al genoeg geleden. En er komt hoe dan ook nog meer ellende.'

'Goed dan.' De dokter schudde zuchtend zijn hoofd.

'Dank u. Dank u wel, dokter Marsh.' Charles liet de arm van de man los en legde zijn hand over zijn ogen.

'Maar u moet wel weten... Ik ben gisteravond in Blacknowle geweest, bij mevrouw Crawford, voor haar maagzweer. Toen ik daarna iets dronk in de pub waren er mensen die naar jullie informeerden.'

'Wat hebt u tegen hen gezegd?' vroeg Charles ongerust.

'Ik heb gezegd dat het op een vergiftiging leek. Mogelijk door het eten van een verkeerde plant. Neem me niet kwalijk. Ik was zo geschokt van het gebeurde dat ik te veel heb gezegd. Ik zal doen wat u vraagt, maar u moet rekening houden met geruchten in het dorp.'

'Geruchten kunnen we negeren. En als Celeste weer fit genoeg is om te reizen, gaan we weg uit Blacknowle. Dan kunnen zij hun geruchten houden en hebben wij er geen last meer van.'

'Misschien is het wel het beste zo.' De dokter knikte. 'Gecondoleerd met uw verlies,' zei hij, en hij drukte Charles de hand en liep weg. Het leek wel alsof deze woorden alles weer naar boven brachten, want Charles begon op zijn benen te zwaaien en leek te gaan vallen. Dimity's instinct nam de controle over haar lichaam over en ze ging snel naar hem toe. Op het moment dat ze bij hem was begaven Charles' knieën het en viel hij om, zwaaiend met zijn armen alsof hij van een grote hoogte viel. Dimity liet zich dankbaar met hem meesleuren. Ze ging op haar knieën zitten, legde haar armen om hem heen en zong zachtjes voor hem terwijl hij aan een stuk door snikte. Ze streelde zijn haar en werd nat van zijn tranen. Haar liefde brak door als het ochtendgloren en ze hoopte dat die sterk genoeg zou zijn om haar te redden.

Als iemand ernaar vroeg, en dat zou zeker gebeuren, moest ze zeggen dat het 'buikgriep' was geweest. Charles herinnerde haar daar twee dagen later aan, toen zijn tranen hadden plaatsgemaakt voor een beangstigende, ijskoude kalmte die meer weg had van een staat van waakzame catatonie, alsof hij gehypnotiseerd was. Hij gedroeg zich alsof hij half verdoofd was en Dimity voelde zich niet veilig toen hij haar met de auto naar het begin van het pad naar The Watch bracht, en haar daar afzette. Dimity knikte dat ze zou doen wat haar gevraagd werd, maar de enige die ernaar vroeg was Valentina, die haar dochter vervolgens bestudeerde, diep in de ogen keek en wist dat er een leugen werd verteld. Ze ontfutselde haar de echte doodsoorzaak, met niets dan haar sterke wil en de onderworpenheid die ze er bij haar dochter met de paplepel had ingegoten. Vervolgens hield ze nadenkend haar hoofd scheef.

'Binnen een straal van vijf kilometer rond het dorp groeit geen waterscheerling, bij mijn weten – niet in zo'n droge zomer, en de boeren trekken het zo veel mogelijk uit en verbranden het. Ik vraag me af hoe het meisje eraan gekomen is? Hè? Ik vraag me af of jij daar misschien iets van weet?' Ze stootte een akelig lachje uit, waarop Dimity ontkennend haar hoofd schudde en zich terugtrok zonder nog iets te zeggen. Maar dat was ook niet nodig. Haar moeder kon soms haar gedachten lezen, en haar medelijdende lachje en rancuneuze aandacht waren voor Dimity zo bitter als gal.

Op de derde dag zag Dimity de blauwe auto behoedzaam over de oprijlaan naar Littlecombe kruipen, alsof hij iets kostbaars en buitengewoon kwetsbaars vervoerde. Ze sloot zich bij de korte, ongelukkige stoet aan. Celeste werd naar binnen geleid door Charles, die één hand rond haar middel hield en de andere voor zich uit, alsof hij alle eventuele obstakels wilde afweren.

In het septemberzonnetje bleek Celestes gezicht erg veranderd. Haar huid was grauw en haar wangen waren ingevallen. Ze had een afwezige, gekwelde uitdrukking in haar ogen en haar handen beefden continu – soms was het maar een kleine beweging, als een rilling, maar soms ook een schokkerige spiertrekking, zoals bij Wilf Coulsons oma, die sint-vitusdans had. Dimity hield zich op de achtergrond toen ze haar op weg naar het huis voorbijliepen. Delphine liep zonder op te kijken achter hen aan. Ze was bleek en zag er op de een of andere manier ouder uit, en ook alsof ze nooit meer zou lachen. Dimity zag het, en ze kon niet bevatten dat het van nu af aan zo zou zijn. Er kon niets meer aan hersteld worden, of veranderd. Het kon nooit meer worden zoals het vroeger was. Ze kreeg er buikpijn van, en even dacht ze dat ze zichzelf zou bevuilen. Er zat iets in haar wat eruit wilde, maar ze had het gevoel dat het slecht met haar zou aflopen als ze eraan toegaf. Dus vocht ze ertegen terwijl ze achter hen aan het huis in liep en daar stond te wachten en te kijken.

Niemand zei iets tegen haar. Er werd helemaal niets gezegd. Niemand scheen haar op te merken tot ze een kop thee bij Celeste neerzette en daarmee de aandacht trok van de matte, levenloze starende blik.

'Ik ken jou,' zei ze met een lichte frons. 'Jij bent een koekoek... een koekoekskind...' Ze streek over Dimity's wang, maar hoewel Dimity's bloed koud werd bij haar woorden, glimlachte Celeste een beetje, heel even. Toen gleden haar ogen weg. Ze dwaalden door de kamer alsof ze niet wist waar ze was, of waarom ze er was. Haar armen schokten, haar schouders kromden zich. Dimity slikte en toen ze om zich heen keek, zag ze dat Charles achter haar stond. Hij trok haar opzij.

'Ik heb haar over Élodie verteld, maar ik weet niet...' Hij viel stil, met een van verdriet vertrokken gezicht. 'Ik weet niet of het tot haar doorgedrongen is. Ik denk dat ik het nog een keer moet zeggen.' Het was te horen dat hij er erg tegen opzag. Achter hem waren Delphines ogen het enige heldere in de kamer; ze blonken als gepolijste edelstenen.

Charles hurkte neer bij Celeste en nam een van haar slappe handen tussen de zijne. Het was een gebaar dat zijn eigen behoefte aan troost verried. Zo gauw Dimity het zag wilde ze hem vasthouden. In de stilte voordat hij begon te praten stonden Dimity en Delphine zo onbeweeglijk als standbeelden.

'Celeste, lieverd.' Hij tilde haar hand op en drukte die tegen zijn mond, alsof hij de woorden wilde tegenhouden. 'Weet je nog wat ik je gisteravond heb verteld?'

'Gisteravond?' mompelde Celeste. Met een heel vaag glimlachje verontschuldigde ze zich en ze schudde haar hoofd. 'Je hebt me verteld dat ik gauw beter zal zijn.'

'Ja. En ik heb tegen je gezegd… Ik heb iets gezegd over Élodie. Weet je nog?' Zijn stem trilde en Celestes glimlach verdween. Haar ogen schoten de kamer door.

'Élodie? Nee, ik… Waar is ze? Waar is Élodie?' vroeg ze.

'We hebben haar verloren, lieverd.' Toen hij dat gezegd had keek Celeste hem met angstige ogen aan.

'Waar heb je het over? *Où est ma petite fille?* Élodie!' riep ze ineens over het hoofd van Charles heen. Hij greep Celestes hand nog steviger vast; zijn knokkels waren wit. Dimity was bang dat hij haar botjes zou breken.

'We hebben haar moeten afstaan, Celeste. Jij en Élodie… Jullie hebben iets gegeten dat jullie vergiftigd heeft. Jullie allebei. We zijn Élodie kwijt, lieverd. Ze is dood,' zei Charles terwijl de tranen over zijn gezicht rolden. Toen ze dat zag, werd Celeste stil. Ze zocht niet meer naar Élodie, maar schudde ontkennend haar hoofd. Toen ze Charles zag huilen was aan haar gezicht te zien dat de werkelijkheid tot haar doordrong; het werd getekend door een enorm groot verdriet dat niet te bevatten was.

'Nee,' fluisterde ze. Delphine, naast Dimity, slaakte een zachte kreet. Ze keek zo open en met zo veel gevoel naar haar moeder, dat het leek of iedereen recht in haar hart kon kijken.

'We zijn haar kwijt,' zei Charles nog een keer. Hij boog zijn hoofd in een soort overgave, alsof hij elke straf aanvaardde die ze hem zou willen geven.

'Nee, nee, *nee!*' riep Celeste, steeds harder, tot de atmosfeer in de kamer ijskoud was. Met een snik rende Delphine naar haar toe en wierp zich naast haar moeder neer, met haar armen om haar heen. Maar Celeste stribbelde tegen, maakte haar armen los en probeerde haar van zich af te duwen. 'Ga van me af! Laat me los!' zei ze tegen haar.

'Mama,' kreunde Delphine smekend. 'Ik heb het niet met opzet gedaan.' Maar met een laatste krachtsinspanning duwde Celeste haar zo hard terug, dat Delphine van de bank viel en op de vloer terechtkwam. Celeste ging overeind zitten en leek te willen opstaan, maar ze had er de kracht niet voor.

'Élodie! *Élodie!*' Ze bleef haar naam roepen. Het was een smeekbede, een opdracht, een wens. En op de vloer naast haar kon Delphine niets anders doen dan als een hoopje ellende in elkaar krimpen, met haar armen om haar knieën geslagen om zichzelf te troosten. Charles bewoog zich niet en zei ook niets; hij had niets meer in huis. Inwendig stortte Dimity in. Ze viel harder dan ze denken kon, harder dan ze zeggen kon en bij haar voeten klaterde urine over de vloer.

Delphine werd naar school teruggestuurd aan het eind van die week, de dag na de begrafenis van haar zusje. Ze ging zwijgend, rustig, alsof ze haar aanspraak op een mening, op een vrije wil, had opgegeven. Dimity stond naast de auto toen Charles haar koffer achter in de auto tilde. Celeste kwam Littlecombe uit lopen met de voorzichtige kleine stapjes die ze zich had aangewend sinds de vergiftiging; het leek wel of ze haar voeten niet meer vertrouwde. Ze was gehuld in een wijd gewaad, een van haar lichte kaftans, maar die hing nu los om haar heen. Ze was magerder, haar sensuele rondingen waren verdwenen. Ze nam niet de moeite om een sjerp om haar middel te binden, haar haar in model te brengen of sieraden om te doen. Haar huid glansde nog steeds niet; haar ogen waren altijd roodomrand. Dit wezen leek de geest van Celeste, alsof ze samen met Élodie overleden was. Ze stond er roerloos bij toen Delphine haar wang kuste en voorzichtig haar armen om haar heen sloeg, en ze reageerde niet op dat blijk van genegenheid. Charles stond het akelige afscheid bezorgd te bekijken.

'Tot ziens, Mitzy,' zei Delphine tegen Mitzy, en ze legde haar witte, koude wang even tegen die van Dimity. 'Ik ben blij... ik ben blij dat jij hier bent. Om voor ze te zorgen. Ik hoop...' Maar ze zei niet wat ze hoopte. Ze slikte en toen lichtten haar ogen verlangend op. 'Kom je een keer bij me op bezoek? Op school? Ik denk dat ik er niet tegen kan als er niemand komt.' Haar stem klonk hoog, gejaagd van verlangen. 'Doe je het? Ik stuur je wel geld voor het treinkaartje.' Haar vingers klauwden in Dimity's arm.

'Ik zal het proberen,' zei Dimity. Ze vond het moeilijk om met Delphine te praten en moeilijk om naar haar te kijken. Ze kon geest en lichaam haast niet bij elkaar houden als ze naar haar keek.

'O, dank je! Dank je wel,' fluisterde Delphine terwijl ze haar stevig omhelsde. Daarna stapte ze in, met neergeslagen ogen en afhangende schouders. 'Celeste kan Delphine niet vergeven wat er gebeurd is,' zei Charles later, toen Celeste sliep, tegen Dimity. 'Al weet ze dat het geen opzet was, ze kan het haar niet vergeven. Élodie was de jongste, begrijp je, in een bepaald opzicht nog steeds haar kleintje. En ze leek zo veel op haar. Zo veel. Mijn kleine Élodie.' Dimity maakte een pastei voor zijn avondeten. Het leek hem niet op te vallen dat zij er altijd was, terwijl ze er niet thuishoorde.

'S Nachts had Dimity duistere dromen, en elke ochtend zat ze onbeweeglijk in bed te wachten tot ze vervaagden. Maar wat dan overbleef, de werkelijkheid, was erger dan haar nachtmerries en ze kon er niet uit ontsnappen. Ze zorgde dat ze al haar gedachten uit haar hoofd bande voor ze opstond, want als haar hoofd niet leeg was kon ze niet ademhalen en zeker niet lopen of praten, koken of voor Charles zorgen. Ze droomde over enorme zwarte ogen en de stank van braaksel. Ze droomde over uitgerukte harten die op de vloer waren blijven liggen en met het bloed dat eruit sijpelde de vloerplanken bevlekten. Ze droomde over Élodie, die terugkwam, The Watch bezocht en met een uitgestoken vinger schreeuwde: 'Jij, jij, jij!' Ze droomde over hun gebroken gezichten en Delphines zwijgende instorting; en over het feit dat ze allemaal een stukje van zichzelf kwijt waren. En ook van Charles. Het was verkeerd gegaan. Dat had ze de vorige dag bijna hardop uitgeroepen nadat ze een halfuur had zitten toekijken hoe hij met een treurig gezicht door schetsen van zijn dochters bladerde. *Het was helemaal verkeerd gegaan.* Ze had de bedoeling gehad hem te bevrijden – vrij te maken, zodat hij van haar kon houden, bij haar kon zijn en haar meenemen, maar in plaats daarvan zat Charles erger gevangen dan ooit. Alleen door haar hoofd angstvallig leeg te houden kon Dimity voorkomen dat ze dit soort dingen hardop uitschreeuwde. Dit soort waarheden. Alleen door haar hoofd leeg te houden kwam ze niet terecht op de bodem van de afgrond, waar ze als glas uit elkaar zou spatten.

De herfst verliep aangenaam warm. Een droge wind verspreidde de zwarte zaadjes van de papaverbollen over de goudkleurige gewassen en verdorde grasvelden. Bij de winkel en de pub werd over oorlog gepraat, over donkere wolken die vanuit het oosten opdoemden, over Polen en over narigheid die ophanden was, maar Dimity besteedde er geen aandacht aan. Dat soort dingen deed er niet toe, niet in Blacknowle. Hier drong niets door uit de rest van de wereld; die wijde, verre wereld die Charles haar beloofd had te laten zien. Ze hoefde alleen maar af te wachten, zei ze tegen zichzelf. Ze hoefde alleen nog iets langer te wachten en dan zou het echte leven beginnen – aan deze onzekere toestand zou een einde komen.

Op een dag trof ze Celeste aan in een ligstoel, met haar benen onelegant gespreid alsof ze daar zomaar was neergelegd en ze niet de moeite had genomen om een betere houding aan te nemen. De zon had niet voldoende kracht meer om haar te verwarmen of op te fleuren. Haar haar was gewassen en gekamd, maar ze leek nog steeds halfdood. Onder haar huid waren de pezen in haar hals zichtbaar. Ze zag er kwetsbaar, onbeschermd uit. Het leek alsof ze niets in de gaten had, alsof er geen rekening met haar gehouden hoefde te worden. Dimity liep vlug het huis door, maar trof Charles niet aan. Ze stond op het punt om weer weg te gaan toen Celeste haar met verrassend veel kracht bij haar hand greep.

'Jij. Mitzy Hatcher. Jij denkt dat ik mijn geheugen heb verloren, en dat is zo, sommige dingen ben ik kwijt. Maar niet alles. Als ik jou zie waarschuwt mijn intuïtie me. Alsof ik van grote hoogte naar beneden kijk en mezelf voel wegglijden. Gevaar, dat voel ik als ik jou zie. Dan heb ik het gevoel dat ik in gevaar ben.' Ze bleef Dimity's hand vasthouden en keek haar strak aan. Dimity probeerde haar arm los te trekken, maar het lukte niet. Celeste had haar in een stalen greep, koud en hard. 'Jij was het, hè?' vroeg ze. Dimity werd door en door koud; de schrik sloeg haar om het hart.

'Wat? Nee, ik –'

'Ja! Het is jouw schuld! Ik heb je zien toekijken hoe Delphine het allemaal op zich nam, terwijl jij je erbuiten hield. Ik heb gezien hoe jij haar alle schuld liet dragen. Maar als jij er niet was geweest, zou ze nooit wilde planten zijn gaan plukken. Als jij er niet was geweest, zou het niet eens in haar hoofd zijn opgekomen. En als jij mijn meisjes niet had misleid en niet achter hun vader had aan gezeten, zou ze er nooit alleen op uitgetrokken zijn en iets verkeerds hebben geplukt. Zij heeft deze vergissing begaan, maar jij was er de oorzaak van. Denk maar niet dat jij met je leven kunt doorgaan zonder die last met haar te delen. Je móét de last met haar delen!' Ze stootte Dimity's hand van zich af en Dimity voelde de tranen over haar gezicht glijden. Het waren tranen van opluchting, maar Celeste interpreteerde ze verkeerd en zag er vreemd voldaan uit. 'Zo. Dat is beter. Ik heb je niet zien huilen voor Élodie, maar nu zie ik je tenminste huilen, ook al is het dan voor jezelf.'

'Het is nooit mijn bedoeling geweest Élodie kwaad te doen,' zei Dimity. 'Het was niet mijn bedoeling dat dit zou gebeuren!'

'Maar het is wel gebeurd. Mijn kleine meisje is dood. Mijn kleine Élodie komt nooit meer terug…' Haar stem begaf het en een tijdje was er niets anders te horen dan haar hortende ademhaling en het ruisen van de zee in de verte. 'Wat zou ik graag willen…' zei ze een paar minuten later zachtjes. 'Wat zou ik graag willen dat we nooit hiernaartoe waren gekomen. Wat zou ik dat graag willen. Help me overeind.'

Dimity deed wat gevraagd was en pakte Celestes arm om haar uit de ligstoel te helpen; ze liep met haar de tuin uit en over de grasvelden in de richting van de zee. 'Breng me helemaal tot de rand. Ik wil naar de oceaan kijken,' zei Celeste. Dimity gehoorzaamde. Celeste liep nu in een regelmatig tempo en de trillingen in haar lichaam kwamen steeds minder voor, en waren veel milder. Dimity merkte algauw dat Celeste geen hulp nodig had bij het lopen, maar niettemin hield ze Dimity's arm stevig vast, klemde haar vingers eromheen en keek resoluut recht voor zich uit. Plotseling voelde Dimity zich ongemakkelijk, hoewel ze niet precies kon zeggen waarom. Gevaar, precies zoals Celeste had gezegd. De haartjes in haar nek gingen instinctief rechtop staan. Ze liepen naar de rand van het klif, naar een punt op het pad waar het strand zo'n achttien meter onder hen lag. Dimity bleef op het pad staan, maar Celeste snauwde haar toe. 'Nee! Verder. Ik wil naar beneden kunnen kijken.' Ze liepen verder tot ze met hun tenen maar een paar centimeter van de winderige rand af stonden. Dimity's keel was zo dik dat ze bijna niet kon slikken.

Naast elkaar stonden ze naar het strand beneden te kijken, waar een handjevol vakantiegangers met spelende kinderen aan het zwemmen en luieren waren. Celeste wees naar een donkerharig meisje dat dicht bij de waterrand een kuil aan het graven was. 'Kijk eens! Daar! O, kon ze dat niet zijn? Kon dat niet mijn Élodie zijn, die gezond en wel in het zand aan het spelen is?' Ze ademde lang en huiverend in en kreunde toen zachtjes. 'Was het maar zo. Kon het maar. O, zou het niet makkelijker zijn om er maar gewoon af te stappen, Mitzy,' zei ze. 'Zou het niet makkelijker zijn om niet meer te leven?' Dimity wilde achteruit stappen, maar Celeste was niet in beweging te krijgen.

'Nee, Celeste.'

'Denk je niet? Voel je dan geen schuld voor wat er is gebeurd? Kun jij gelukkig verder leven, nu zij weg is? Ik denk dat het makkelijker is om eraf te stappen, naar beneden te vallen en met haar mee te gaan. Veel makkelijker.' Ze staarde akelig strak naar het kleine meisje, met haar mond open. Er lag een ongezonde glans over haar huid.

'Kom mee, Celeste! Je hebt nog een dochter! Hoe moet het dan met Delphine?'

'Delphine?' Celeste knipperde met haar ogen en keek Dimity van opzij aan. 'Ze is nog steeds mijn dochter, maar hoe kan ik net zoveel van haar houden als vroeger? Hoe moet ik dat doen? Ze had geen kwaad in de zin, maar ze heeft wel kwaad aangericht.

Veel kwaad. En ze heeft me nooit zo nodig gehad als Élodie. Ze heeft altijd meer van Charles gehouden.'

'Ze houdt wel van jou,' zei Dimity, en toen stokte haar adem omdat er iets doordrong in haar lege hoofd, zoals altijd als ze aan Delphine dacht. Iets wat zo pijnlijk was, dat ze wankelde en gevaarlijk overhelde naar de open lucht voor hen. Celeste zag dat er iets in haar veranderde en heel even leek ze te gaan lachen.

'Je begrijpt het, hè? Hoeveel makkelijker het zou zijn.' En heel even begreep Dimity het inderdaad. De lange jaren van haar leven strekten zich voor haar uit, met de leegte als onafscheidelijke metgezel, want de pijn zou nooit meer weggaan. Het kon niet ongedaan worden gemaakt. Haar dromen zouden altijd duister zijn; de wijde wereld zou altijd een verre fantasie blijven. Valentina's minachting zou haar enige gezelschap zijn, en verder had ze niemand. Charles was niet vrij en zou dat misschien nooit zijn. Maar de gedachte aan hem was haar redding. Die joeg door haar bloed als een verdovend middel, als magie.

'Nee! Laat me gaan!' Ze zette haar hele gewicht in om zich van Celeste los te trekken, strompelde toen een stukje achteruit en plofte neer op het gras. Daar bleef ze zitten kijken. Celeste stond nog steeds vlak bij de rand. Het geweld waarmee Dimity zich had losgetrokken had haar aan het wankelen gebracht en ze vocht voor haar evenwicht. Haar uitgestoken armen leken op kwetsbare, ongeoefende vleugels. Vleugels die haar niet konden redden als ze viel. Wankelend stond ze met haar tenen over de rand, die een beetje afbrokkelde, en keek om naar Dimity. De wind blies haar haar in haar gezicht; een donkere sluier, een rouwsluier. Ga dan, als je wilt, dacht Dimity. Ze bleef stil zitten kijken; ze voelde de geruststellende stevigheid van de grond onder zich, haakte haar vingers in het gras en hield zich eraan vast. De wind cirkelde om Celeste heen en lokte haar met de belofte van vliegen. Maar toen haar wijd open ogen zich op Dimity richtten, verhardden ze zich en stapte ze achteruit. Dimity realiseerde zich dat ze haar adem had ingehouden, en dit keer glimlachte Celeste wel: een dun, vreugdeloos lachje.

'Je hebt gelijk, Mitzy. Ik heb nog een dochter. En ik heb Charles. Mijn leven is niet voorbij, al zou een deel van me dat wel willen. Dus blijf ik. Ik zal blijven.' Haar woorden klonken als een deur die dichtslaat en Dimity's overvolle hoofd en haar verwarde gevoel maakten haar suf en traag. 'Misschien zou jij me liever dood willen. Dat is de waarschuwing die ik voel als ik naar je kijk. Maar binnenkort zal het allemaal als vanouds zijn. Ik blijf hier niet. Het is hier net een open graf.' Ze stond recht voor Dimity, maar leek haar niet te zien. Ze vormde haar handen tot een kommetje, bracht ze naar haar gezicht en ademde in; een vreemd, onwerkelijk gebaar. *'Je veux l'air de désert, où le soleil peut allumer n'importe quelle ombre,'* zei ze, zo zacht dat de woorden bijna verloren gingen in de wind en er maar één goed verstaanbaar was. *Désert.* Woestijn. Dimity bleef nog een hele tijd zitten en toen ze opstond was Celeste al halverwege de weg naar huis. Een magere, rechte, eenzame gestalte, die kon lopen zonder haar hulp.

Celeste hield woord. Toen Dimity twee dagen later door het dorp liep, kwam Charles de winkel uit stormen en botste tegen haar op. Hij pakte haar bovenarmen vast en schudde haar door elkaar voordat hij iets zei.

'Heb jij haar gezien?'

'Wat? Wie?'

'Celeste natuurlijk, domme meid!' Hij schudde haar nog een keer door elkaar, maar ze begreep zijn gezichtsuitdrukking en de toon waarop hij haar toesprak, niet. Boosheid, angst, frustratie, minachting. Hij klonk verward en overbelast.

'Nee, niet sinds maandag! Echt niet!' riep ze. Hij liet haar abrupt los en haalde zijn handen door zijn haar. Het was een gebaar dat hij tegenwoordig vaak maakte, terwijl ze het vóór deze zomer nooit had gezien. 'Is ze weggegaan?' vroeg ze.

'Ik weet het niet... Ik weet niet waar ze naartoe is. Ze deed maandag zo raar. Toen ik terugkwam uit de stad deed ze zo vreemd. Ze zei dat ze direct weg moest. Ik zei dat we nog een paar dagen moesten wachten, totdat ze wat meer aangesterkt was. Ze zei dat ze niet kon wachten. Ik zei... ik zei dat ze dat wel moest.

En nu is ze weg en ik weet niet waarheen en ik kan haar nergens vinden! Heeft ze iets tegen jou gezegd? Iets over waar ze naartoe wilde?' Dimity dacht aan Celeste op de rand van het klif, met haar armen uitgestrekt en het haar dat om haar heen wervelde; klaar om te vliegen, bereid om te vallen. Ze schudde haar hoofd, ze durfde niets te zeggen. *Het is hier net een open graf.* 'Mitzy! Hoor je me?'

'Het is hier net een open graf.' Het was waar. Blacknowle was een plaats om dood te gaan. Haar thuis was een plaats om te sterven.

'Wat?'

'Dat zei ze. Ze zei: "Het is hier net een open graf."' Charles viel stil.

'Maar ze kan niet in haar eentje naar Londen terug! Waar moet ze slapen? Hoe moet ze op het station komen? Ze is te zwak. Er kan van alles met haar gebeuren. Ze is nog niet voldoende hersteld.' Zijn lippen waren droog en gebarsten; er hingen velletjes aan, die Dimity met haar vingers zou willen wegvegen; ze zou zijn vragen langzaam weg willen kussen. Ze haalde zich Celeste voor de geest, zoals ze langzaam maar resoluut zonder haar van het klif wegliep. Ze was sterk genoeg om alleen te reizen. Celeste was overal sterk genoeg voor. 'Weet je zeker dat ze niet meer heeft gezegd? Niets over waar ze naartoe wilde – heeft ze namen genoemd, van vrienden in Londen, wie dan ook?' Dimity schudde opnieuw haar hoofd. Ze had maar één woord begrepen. Charles zou er zelf uiteindelijk ook wel opkomen. Maar ze zou het hem niet voorzeggen. Ze zou Celeste een voorsprong geven, een kans om te verdwijnen. *Woestijn.* Een rustig woord, vol verlangen. *Woestijn. Laat haar los.* Ze stuurde de boodschap zonder woorden naar Charles. *Laat haar los.*

Charles bleef lang stil terwijl ze langzaam naar Littlecombe terugliepen. 'Ze heeft gelijk, hè,' zei hij na een tijdje. 'Het is hier vol van de dood. Ik kan niet... Ik kan niet...' Zijn stem stierf weg omdat er een snik in zijn keel omhoogkwam. 'Het is hier zo anders nu,' mompelde hij, min of meer tegen zichzelf. 'Voel jij het niet? Het lijkt alsof alles wat goed en waardevol was met haar is meegegaan en alleen het slechte en immorele is overgebleven. Dat is zo'n zwaar, eenzaam gevoel. Voel jij dat ook?'

'Elke keer als jij weggaat,' zei ze, maar Charles leek het niet te horen.

'Ik denk dat ik hier na vandaag nooit meer terugkom. Ik denk dat er hier te veel verschrikkelijke herinneringen zijn.'

'Dan gaan we toch weg! Naar waar je maar wilt. Ik ga overal met je mee, zodat we ons nieuwe leven kunnen beginnen. Een nieuw leven, zonder geesten en zonder dood...' Dimity kwam dichter bij hem lopen, pakte zijn hand en legde die op haar hart; ze keek gespannen naar hem op, maar Charles rukte zijn hand los. Zijn ogen werden groot en opvliegend.

'Waar heb je het over?' Hij begon ineens te lachen, een lelijk, blaffend geluid. 'Doe niet zo belachelijk. Begrijp je het dan niet? Alles is kapot! Ik ben kapot. Ik kan niet tekenen, ik kan niet slapen of denken sinds... sinds Élodie is overleden. Ik heb alleen maar sombere, gruwelijke gedachten.' Hij schudde kort zijn hoofd en zijn gezicht betrok. 'Ik mis haar. Ik mis haar zo erg. En nu ben ik Celeste ook nog kwijt. Mijn Celeste.'

'Maar je houdt toch van mij! In Fez heb je... heb je me gered. Je hebt me gekust. Ik weet dat je net zoveel van mij houdt als ik van jou! Ik wéét het!' riep Dimity.

'Genoeg! Ik hou niet van je, Mitzy! Misschien als vriendin, of bijna als een dochter, vroeger... Maar dat was toen, en dit is nu. En ik had je nooit mogen kussen. Dat spijt me, maar je moet het nu vergeten. Hoor je me?'

Dimity antwoordde bijna fluisterend omdat de angel in zijn woorden, de wreedheid, haar de adem benam.

'Wat zeg je?' Ze schudde haar hoofd. 'Ik begrijp het niet.'

'In godsnaam, kind, heb je je verstand verloren? Hou op met die onzin! Kun je aan niemand anders denken dan aan jezelf, Mitzy?'

'Ik denk alleen aan jou,' zei ze, verdoofd. Ze besefte dat hij haar hele wereld was. Hij was het enige houvast, en overal om hem heen verdween de wereld in het duister. 'Alleen aan jou.' Ze greep de voorkant van zijn overhemd beet. Ze moest hem vasthouden, voor het geval zij ook in het duister verdween.

'Ik blijf hier geen minuut langer. Ik moet Celeste gaan zoeken. De wereld is waardeloos, Mitzy. Waardeloos en oneerlijk. Ik kan er niet meer tegen! Als je Celeste ziet... Als ze hier komt als ik weg ben, wees dan aardig voor haar, alsjeblieft. Zeg tegen haar dat ik van haar hou en dat ze hier moet blijven tot ik haar kom halen. Ze kan me altijd bellen of een brief sturen. Alsjeblieft. Wil je dat voor me doen, Mitzy? Me beloven dat je op haar let, als ze hierheen komt?'

'Ga niet weg, alsjeblieft. Laat me niet alleen,' smeekte Dimity.

'Je niet alleen laten? Waar heb je het over? Dit heeft helemaal niets met jou te maken.'

'Maar ik hou van je.'

Charles keek haar op een vreemde manier aan. Er lag een uitdrukking op zijn gezicht die ze nog nooit had gezien. Het zag eruit als woede en walging. Maar dat kon niet, dus herkende ze die niet. Hij liep van haar weg naar de auto. Ze liep vlak achter hem aan. Hield de hendel van het portier aan de passagierskant nog steeds vast toen de auto met een ruk optrok, waardoor haar vingers een klap kregen en al haar nagels braken. Het bloed sijpelde eronder vandaan. Toen de auto uit het zicht verdween controleerde ze haar lichaam en keek of ze nog ergens bloedde, want ze had het gevoel dat het leven uit haar wegvloeide op de keiharde grond.

Een week nadat Charles naar Londen vertrok om Celeste te zoeken, brak de oorlog uit en werd het reizen beperkt. Het nieuws verspreidde zich over het land zoals de eerste koude winterwind, zelfs tot in Blacknowle. Maar de wind ging weer liggen; er leek niet veel bijzonders te gebeuren. Als er al iets gebeurde, zeiden de mensen, dan gebeurde het heel ver weg. Langs de kust verschenen koepelvormige, betonnen uitkijkposten; vreemde schepen met hoge masten voeren het Kanaal op en neer. Een paar boerenjongens gaven gehoor aan de roep van de plicht; zij gingen naar Dorchester om te tekenen voor het einde van hun leven. Het drong allemaal nauwelijks tot Dimity door. In haar hoofd was alleen ruimte voor gedachten aan Charles en aan hoe ze, als hij terugkwam, al zijn zorgen zou verlichten met haar liefde voor hem; hoe ze hem ermee zou overstelpen, zodat hij zou begrijpen dat het beter was dat Celeste weg was. Die herinnerde hem alleen maar aan afschuwelijke dingen. Hij zou ook van haar houden, de nachtmerrie zou eindelijk, eindelijk voorbij zijn en dan zouden ze samen zijn. Samen zijn als man en vrouw, zonder geruchten over haar of over hem. Geen roddels of achterklap meer; niets zou hen nog beletten om te trouwen. Élodie, Delphine, Celeste; ze waren allemaal weg. Het was een koude herfst, maar de gedachte hield haar warm. Hij zou terugkomen en bij haar zijn. Hij zou terugkomen.

11

Zach stond nog in het kamertje boven in The Watch om zich heen te kijken toen Hannah naast hem kwam staan. Met haar ogen half dichtgeknepen tegen het licht legde ze haar hand op zijn arm; hij voelde dat ze hem stevig vastgreep. Ze ademde in alsof ze iets wilde zeggen, maar het bleef stil.

'Is dit wat ik denk dat het is?' vroeg hij na een tijdje. Achter hen was Dimity de trap op gekomen, maar toen ze zag dat de deur open was bleef ze stokstijf staan. Er kwam een laag gekerm uit haar keel, een schrikbarende uiting van puur verdriet. Toen de oude vrouw zich op de trap liet neerzakken liep Rozafa snel naar haar toe en vroeg haar iets in haar eigen taal, terwijl ze Zach verschrikt aankeek. Dimity staarde huilend naar de open deur, en Ilir kwam erbij om samen met Rozafa in hun lyrische, onbegrijpelijke taal de oude vrouw te troosten. Hannah ademde lang en diep uit.

'Werk van Aubrey. Ja.'

'Het moeten er duizenden zijn.'

'Nou, waarschijnlijk geen duizenden, maar wel heel veel.' Zach scheurde zijn blik los van de inhoud van de kamer en keek Hannah stomverbaasd aan.

'En jij wist hiervan?' vroeg hij. Hannah tuitte haar lippen en knikte. Ze keek ongemakkelijk de andere kant op, maar er lag geen spoor van schuldgevoel op haar gezicht.

'Hoe ben je hier binnengekomen?' vroeg ze.

'Het was een vergissing. Dimity zei dat we naar de kamer links moesten gaan, maar dat begreep Rozafa niet.' Zach keek de kamer rond en liet zijn blik langzaam over alles heen dwalen. Hij kon zijn ogen niet geloven. Hannah volgde zijn blik en hij voelde een huivering door haar lichaam gaan. Ze sloeg haar armen stevig om zichzelf heen, maar Zach werd te veel in beslag genomen door wat hij zag om te kunnen vragen wat haar dwarszat.

Aan de andere kant van de kamer, tegenover de deur, zat het raampje met de kapotte ruit en de verschoten, bewegende gordijnen. Rechts ervan stond een smal bed tegen de muur, met grauwe, verkreukelde lakens en dekens erop. Het kussen was ingedeukt alsof er kortgeleden nog iemand van was opgestaan. Links van het raam stond een lange houten tafel met een eenvoudige houten stoel erbij aangeschoven. De tafel lag vol met papieren en boeken, potten met potloden en penselen. De plankenvloer was stoffig en kaal op een klein, verschoten lappenkleedje bij het bed na. Her en der lagen ook losse vellen papier op de vloer, waarvan er een plotseling bewoog in de luchtstroom uit het raam. Het vel waaide een stukje naar Zach toe en hij sprong nerveus overeind. En tegen alle muren, overal waar er maar plek voor was, hingen, stonden of lagen kunstwerken. Voornamelijk tekeningen, maar ook een paar schilderijen. Schitterend werk, onmiskenbaar van de hand van Charles Aubrey.

'Dit kan niet,' zei Zach tegen niemand in het bijzonder.

'O, dat is fijn. Dan hoeven we ons dus nergens zorgen over te maken,' zei Hannah met een uitgestreken gezicht.

'Heb je enig idee...' zei hij, maar hij viel stil. Ontzag benam hem de woorden die hij nodig had om zijn zin af te maken. Hij liep langzaam naar de zuidelijke muur van de kamer, waar de meeste grotere stukken tegenaan stonden, tilde het voorste op en keek naar de werken die erachter stonden. Er waren massa's tekeningen van Dennis. Zowel van de Dennis die hij kende, de raadselachtig meerduidige jongeman wiens portret in de afgelopen tijd een paar keer verkocht was, als van andere Dennissen. Dennissen die totaal anders waren: ander gezicht, andere kleding, ander postuur. Een grote verscheidenheid aan jongemannen, met allemaal dezelfde naam. Zach fronste en probeerde te bedenken wat dat kon betekenen. Plotseling hoorde hij Dimity achter zich schreeuwen.

'Is hij daar? Is hij daarbinnen?' Er klonk een soort dwaze hoop door in de vraag. Zach keek over zijn schouder en zag haar in de deuropening verschijnen met Hannah, die haar vasthield om haar in bedwang te houden.

'Er is hier niemand, Dimity,' zei hij. Het gezicht van de oude vrouw betrok. Haar ogen gingen snel de kamer door, alsof ze hem niet wilde geloven. En toen zakte ze door haar knieën op de vloer en sloeg haar armen stijf om zich heen.

'Weg dus,' zei ze zacht. 'Echt weg, en voorgoed.' Er klonk zo veel verdriet in door dat Zach zijn opwinding voelde tanen; hij werd er ook verdrietig van.

'Wie is weg, Dimity?' vroeg Zach. Hij hurkte naast haar neer en legde een hand op haar arm. Haar gezicht was nat van tranen en haar ogen schuimden nog steeds de kamer af alsof ze iemand zocht.

'Charles natuurlijk! Mijn Charles.'

'Dus hij is in deze kamer geweest? Is Charles Aubrey hier geweest? Wanneer was dat, Dimity?'

'Wanneer? Wanneer?' De vraag leek haar in verwarring te brengen. 'Altijd. Hij is altijd hier bij me geweest.' Zach keek vragend naar Hannah en zag aan de manier waarop ze haar mond stijf dichtkneep dat ze er duidelijk meer over kon vertellen. Hij richtte zich weer op de oude vrouw.

'Charles is vertrokken om in de Tweede Wereldoorlog te gaan vechten, Dimity. Hij is gaan vechten en is gesneuveld bij Duinkerken. Dat klopt toch? Weet je het weer?' Dimity keek hem een beetje schamper aan en begon vervolgens te praten met een ondertoon van trots en zelfs een beetje minachting.

'Hij is de oorlog in gegaan, maar hij is niet gesneuveld. Hij is naar me teruggekomen en de rest van zijn leven bij me gebleven.'

'Dat kan helemaal niet,' hoorde Zach zichzelf zeggen, maar zijn ogen gingen tegelijkertijd naar Hannah, die knikte.

'Het is waar,' zei ze zacht. 'Hij is zes jaar geleden overleden. Hier. Hij is hier overleden.'

'Je bedoelt...' Zachs hoofd tolde. Hij probeerde zijn hoofd erbij te houden en de implicaties van wat hem verteld werd te begrijpen. 'Je bedoelt... je hebt hem gezien? Je hebt Charles Aubrey ontmóét?' Hij schoot bijna in de lach; het klonk hem zo bizar in de oren. Maar Hannah lachte niet.

'Ik heb hem gezien, ja. Maar we hebben elkaar niet ontmoet. Hij was... De enige keer dat ik hem heb gezien, was hij al overleden.'

'Dood,' fluisterde Dimity. Haar gezicht betrok weer en ze zakte als een plumpudding in elkaar. Zach keek van haar naar Hannah en daarna naar het kleine, smalle bed met de smoezelige lakens en de hoofdafdruk in het kussen.

'Ik denk... ik denk dat ik iemand nodig heb die me alles langzaam en duidelijk uitlegt,' zei hij. Hij schudde verbijsterd zijn hoofd.

Dimity zong eindeloos 'Bobby Shaftoe'. *Hij komt terug en trouwt met mij, stoere Bobby Shaftoe.* Het liedje werd een dreun, een eentonige, zich herhalende mantra op het ritme van haar zoekende voeten terwijl ze liep en keek en wachtte. Toen Valentina haar hoorde zingen, probeerde ze de gedachte uit haar te slaan. 'Hij is weg, heb je dat niet door? Hij komt niet terug.' Maar Dimity bleef volhouden dat hij terug zou komen. Dat Charles haar niet in Blacknowle zou achterlaten. Vergeten, afgedankt. En stukje bij beetje nestelden de woorden van het liedje zich vaster in haar hoofd en werden ze werkelijkheid. *Hij komt terug en trouwt met mij...* Het werd werkelijkheid; het werd haar toekomstbeeld, want het alternatief was onverdraaglijk. Het alternatief was die verpletterende tijd van eenzaamheid die ze ineens voor zich had gezien toen ze met Celeste op de top van het klif had gestaan. Ze wist dat ze zo niet zou kunnen leven, dus bleef ze zingen en geloven.

Maar de eerste die haar kwam opzoeken, rond de tijd dat de vrieskou in de lucht kwam en de laatste appels in kisten waren gestopt, was niet Charles Aubrey. Het was een lange, elegante vrouw met keurig opgestoken kastanjebruin haar. Ze droeg een groene keper mantel en witte glacé handschoenen; haar mond was een glanzende veeg rode lippenstift. Achter haar stond een taxi met draaiende motor te wachten en zijzelf stond met een strak, ongelukkig gezicht op de stoep van The Watch. Toen Dimity de deur opendeed, voelde ze dat een paar grijze ogen haar van top tot teen kritisch opnamen.

'Ben jij Mitzy Hatcher?'

'Ja. Wie bent u?' Ze bestudeerde de vrouw en probeerde het te raden. Ze was rond de veertig en niet echt mooi, maar wel goedgebouwd. Ze had de regelmatige gelaatstrekken van een standbeeld.

'Celia Lucas. In het dorp werd gezegd dat ik met jou moest gaan praten… Delphine Aubrey is weer van school weggelopen. Ze is nu al een week weg en ze maken zich zorgen. Als iemand haar gezien heeft, zeiden ze, ben jij dat waarschijnlijk. Dat wil zeggen, als ze hierheen is gekomen.' De vrouw keek om zich heen, van de kliffen naar het bos en het huis, met een blik alsof ze niet kon begrijpen waarom iemand hier zou willen zijn. Haar woorden klonken bekakt.

'Ik heb haar niet gezien,' zei Dimity. Ze probeerde diep adem te halen, maar haar longen leken wel geslonken. Toen ze het weer probeerde werd ze draaierig. 'Waar is Charles? Waarom komt hij haar zelf niet zoeken?' Celia's blik werd onmiddellijk scherper en ze keek Dimity even onderzoekend aan.

'Je gaat me toch niet vertellen dat jij er ook een van hem bent?' Haar mond trok verbitterd samen. Dimity knikte uitdagend. 'Nou, nou. Ze worden steeds jonger.' Ze zei het luchtig, maar toen ze haar handen in elkaar sloeg zag Dimity dat ze beefden. 'En om je vraag te beantwoorden, Charles is haar niet komen zoeken omdat die idioot in het leger is gegaan om in Frankrijk te gaan vechten. Wat dacht je daarvan?' Toen ze haar wenkbrauwen optrok was onder haar koele zelfbeheersing de paniek van een gekooid dier zichtbaar. Dimity herkende het, ze voelde die zelf ook.

'Om te vechten?' herhaalde ze ademloos.

'Ja, dat was precies wat ik ook zei. Zijn hele leven pacifist geweest, altijd de mond vol over het kwaad van de oorlog, maar bij de eerste tekenen van een pijnlijke situatie draaft hij ervandoor.'

'Naar het front?' vroeg Dimity. Celia fronste en leek zich af te vragen hoeveel ze nog kon zeggen.

'Ja, meisje, naar het front. Dus wat je ook dacht dat hij met je van plan was, je staat er alleen voor, ben ik bang.' Ze zei het poeslief. 'En het lijkt erop dat ik het land af kan zoeken naar een van zijn bastaardkinderen. Het arme kind, jazeker, maar als de moeder de moeite niet neemt om voor haar te zorgen, vind ik het een tikkeltje wreed dat dat wel van mij wordt verwacht.' Ze trok de revers van haar mantel dichter naar elkaar toe. Haar adem vormde wolkjes in de koude lucht.

'Bent u een lerares van Delphine?' vroeg Dimity na een korte stilte. Ze probeerde te begrijpen wat haar net was verteld. Het gezicht van de vrouw drukte irritatie en ongeduld uit.

'Nee, kind, ik ben Charles' vrouw! Dus help me.' Ze keek met toegeknepen ogen naar de zee en de horizon. 'Maar wie weet hoelang ik nog zijn vrouw zal blijven?' Dimity staarde haar aan. Ze praatte onzin. Het werd zo rustig in haar hoofd dat niets haar nog in de war kon brengen. De bekakte uitspraak gleed van haar af als smeltende sneeuw. 'Luister, als je Delphine ziet, bel me dan even, ja? Hier is mijn kaartje. Ik schrijf Charles' regiment en compagnie wel op de achterkant, dan kun je informatie over hem opvragen. Of hem schrijven, als je daar zin in hebt. Wat raar dat hij het je niet heeft laten weten. Maar ja, Charles doet de laatste tijd erg vreemd. De laatste keer dat ik hem sprak kon hij haast geen fatsoenlijke zin formuleren.' Met opeengeklemde lippen haalde ze een pen uit haar tas en schreef iets op een langwerpig kaartje dat ze daarna in Dimity's krachteloze hand drukte. 'Het beste. En probeer hem te vergeten. Moeilijk, ik weet het, maar het is beter.' Zc draaide zich om en liep terug naar de wachtende taxi.

Later schoot Dimity een liedje uit haar kindertijd te binnen dat maar door haar hoofd bleef spelen, als een opgesloten dier dat rondjes door de lege ruimte loopt. *Ik hoorde een meisje luid klagen, haar zang: mijn Jimmy valt straks in de oorlog, ben'k bang... Mijn Jimmy valt straks in de oorlog, ben'k bang.* Het zinnetje kwam steeds terug, als golfjes die breken op het strand. Charles was de oorlog in gegaan. Hij was nu een held, een dappere soldaat, en zij was de arme vrouw die thuiszat en zich zorgen maakte. Dimity paste zichzelf moeiteloos in dit verhaal in. Ze was zo moe dat ze 's middags om vier uur naar bed ging, maar ze kon niet slapen of haar bed uit komen. Ze lag aan één stuk door de woorden van dat oude liedje te reciteren en toen Valentina naar boven kwam om te vragen waarom er geen eten was, zag ze het mooie, gedrukte kaartje op het nachtkastje liggen. *Celia Lucas Aubrey.*

'Wie is dat? Waar komt dat vandaan?' vroeg ze, en ze ging op de rand van het bed zitten. Dimity deed alsof ze haar niet hoorde en bestudeerde haar vingers, die glansden in het licht van de lamp boven haar hoofd. Valentina gaf haar een por. 'Wat is er met je? Was zij daarnet aan de deur? Familie van hem?' Ze keek fronsend naar het kaartje. Zijn naam stond erop, gedeeltelijk in ieder geval. 'Toch niet zijn vrouw?' gokte ze. Dimity stopte met zingen en keek haar kwaad aan. Er kriebelde iets achter haar ogen en in haar achterhoofd. Iets met scherpe klauwtjes, dat pijnlijke schrammen achterliet. Een rat? Ze ging abrupt rechtop zitten en controleerde de hoeken van de kamer. Op de vloer krioelden kronkelende ratten, achterovergekromd van de pijn. Met een luide gil sloeg Dimity haar handen voor haar ogen.

'Nee!' schreeuwde ze, waarop Valentina lachend haar hoofd in haar nek gooide.

'Dat wijf van hem kwam hem zoeken, hè?'

'Nee!'

'Zet je het eindelijk uit je hoofd? Hij komt niet terug, en zelfs al zou hij dat doen, hij is getrouwd. Hij gaat niet met jou trouwen.' Even gleed er iets dat op vriendelijkheid leek over Valentina's gezicht toen ze naar haar dochter keek. 'Laat los, Mitz. Er komen nog anderen. Het heeft geen zin om je er zo druk over te maken.'

'Hij komt bij me terug. Hij komt me halen!' bleef Dimity volhouden.

'Dan moet je het zelf maar weten.' Valentina stond abrupt op. 'Je bent niet goed wijs.'

Dimity wachtte de hele winter, ze wachtte het hele voorjaar. Ze ontvluchtte het huis toen Valentina haar wilde voorstellen aan een magere, gluiperige man met grijs haar, die met zo veel onomwonden gretigheid naar haar keek dat zijn blik alleen haar al pijn deed. Die keer bleef ze twee dagen en twee nachten weg, waarin ze nauwelijks at of sliep. Ze zong haar liedjes, maakte haar hoofd leeg. Ze zei eindeloos tegen zichzelf dat Charles terug zou komen. En uiteindelijk deed hij dat.

Het was al bijna zomer toen het zover was. Bij het invallen van de schemering stond Dimity op de heuvel boven Littlecombe. Ze stond er al zo lang dat haar benen prikten en tintelden en haar voeten pijn deden. Ze stond al zo lang te kijken dat ze vergat waarom ze dat deed. In die tijd duurde het lang voor er iets tot haar doordrong – de dingen die haar moeder zei, de mensen die ze in het dorp zag. Wilf Coulson, die een hoop onzin tegen haar liep te ratelen, wat haar zo irriteerde dat ze met een boog om hem heen liep als ze hem zag. Dus stond ze al een halfuur op die plek vastgenageld toen ze zich realiseerde waar ze naar keek. Er straalde licht uit een van de bovenramen van Littlecombe. Licht dat haar vertelde dat al haar wensen waren vervuld en al haar gebeden verhoord. Dimity liep rustig op het huis af. Ze had geen haast. Dit keer zou hij blijven. Dit keer zou hij haar niet achterlaten en hadden ze alle tijd van de wereld. Ze liep naar binnen, ging de trap op en duwde de slaapkamerdeur open. En daar zat Charles Aubrey op haar te wachten, precies zoals ze altijd had geweten.

Zijn geur hing overal. Toen ze de kamer binnen kwam, werd ze begroet door zijn geur, maar niet door Charles zelf. Hij zat op een stoeltje naast het bed, met zijn kin op zijn borst, zijn handen gevouwen in zijn schoot en met zijn voeten als een schooljongetje netjes naast elkaar. Zijn kleren hingen kapot en vies om hem heen. Hij droeg een duffelse jas die veel te groot was, een ribbroek met scheuren op de knieën, gebarsten laarzen zonder veters. Daaronder was hij magerder, hoekiger. De botten van zijn schouders, ellebogen, knieën en kaak staken scherp uit. Zijn haar zat vol aangekoekt vuil en zijn wangen gingen schuil onder een onverzorgde baard. Er liep een snee over zijn rechterjukbeen, en op de huid eronder zat nog zwart, aangekoekt bloed. Het leek een diepe, lelijke wond – Dimity had de indruk dat ze het akelig grijze bot erachter kon zien. Smeerwortel, dacht ze meteen. Schoonmaken met zout water en na het hechten smeerwortel om de pijn te verzachten. Ze liep naar hem toe, knielde bij hem neer en legde haar hoofd in zijn schoot. Het rook er naar ontlasting en urine, naar zweet en infectie, naar angst en dood. Het maakte Dimity niets uit. Ze voelde de druk van zijn dijbeen door zijn broek heen en alles was perfect.

'Ik ben ontsnapt,' zei hij na deze lange stilte. Dimity keek naar hem op en legde haar vingertoppen op zijn gehavende gezicht. Haar hele hart ging naar hem uit en klopte alleen voor hem. Ze wilde hem vastpakken en nooit meer laten gaan. Er lag een vreemde, doffe glans in zijn ogen, een glans die ze nooit eerder had gezien. Hij keek alsof hij dingen had gezien die hij nooit meer kwijt zou kunnen raken. Hij zei haar naam niet en leek ook niet verbaasd om haar te zien. 'Ik ben ontsnapt,' zei hij weer. Dimity knikte en slikte de snel opkomende snikken van geluk weer in. Hij was dus eindelijk vrij.

'Ja, mijn lief. En nu ga ik voor je zorgen. Ik moet eerst terug naar The Watch om een paar dingen te halen voor die wond op je gezicht. Naald en draad, en zout water om het schoon te maken...' Toen ze wilde opstaan greep hij haar bij de pols. Zo vlug als een slang.

'Niemand mag het weten! Ik kan niet terug... Ik kan niet terug, hoor je me?' Zijn stem was rauw van angst.

'Ze kunnen je toch niet dwingen?'

'Dat kunnen ze wel... Ze kunnen me terugsturen. En dat gaan ze ook doen! Ik kan het niet!' Zijn vingers klauwden in haar arm; het voelde als het harde, instinctieve bijten van een dier. Ze deed geen poging om hem terug te trekken, maar suste hem door over zijn haar te strelen en zachtjes tegen hem te praten tot hij weer gekalmeerd was.

'Ik zal je verbergen, mijn lief. Niemand komt te weten dat je hier bent, bij mij. Ik beloof je dat je veilig bij me bent.' Zijn greep werd langzamerhand losser, tot hij helemaal losliet en weer naar de vloer ging zitten kijken, zo uitdrukkingsloos als een leeg schildersdoek.

'Je komt toch wel terug?' vroeg hij toen ze eindelijk naar de deur liep. Dimity voelde zich sterker dan ooit; zekerder, completer. Zo zacht en moeiteloos als sneeuw viel alles om haar heen nu op de juiste plek. Ze glimlachte.

'Natuurlijk, Charles. Ik ga alleen een jas voor je halen, om je warm te houden en te bedekken als we naar The Watch gaan.'

'Hij kan hier natuurlijk niet blijven,' zei Valentina, met haar neus dichtgeknepen en haar ogen tot spleetjes vernauwd vanwege de stank. Dimity gebaarde dat haar moeder weg moest uit de kamer waar Charles op het smalle bed lag en deed de deur zachtjes achter haar dicht.

'Hij blijft hier. Hij is mijn man en ik ga voor hem zorgen.' Ze staarde haar moeder aan en Valentina staarde terug. Dimity ademde kort in en liet haar armen losjes langs haar lichaam hangen, met haar mouwen opgestroopt, klaar voor de strijd. Haar hart bonsde, traag en ver weg.

'Hij blijft hier niet. Gesnapt? Een deserteur herbergen? De mensen grijpen elke kans aan om ons problemen te bezorgen. Snap je dat niet? Hoelang dacht je dat je hem verborgen kon houden? De mensen weten hier alles van elkaar. Iemand zal hem zien –'

'De enige bezoekers die we hebben zijn de jouwe,' mompelde Dimity.

'Dat weet ik verdomme zelf ook wel, meisje! En laten we niet vergeten dat we dankzij diezelfde bezoekers een dak boven ons hoofd hebben, en brood op de plank, al is dat dan amper genoeg voor twee, laat staan ook nog voor een man die verder niks opbrengt!'

'Zij zorgen misschien voor cider in je bloed, maar het eten is aan mij te danken!' Dimity had de klap al zien aankomen. Ze pakte haar moeders hand vast voordat die doel trof en hield die vast in de lucht, en hun armen trilden van de inspanning. Valentina trok haar bovenlip op.

'Nu heb ik eindelijk iets ontdekt waarvoor je vecht. Dat wrak daarbinnen? Dat meen je toch niet? Die man die stinkt naar zijn eigen stront en opschrikt zodra hij een voetstap hoort? Ga je daarvoor na al die jaren eindelijk het gevecht met me aan?'

'Ja!' Dimity aarzelde niet.

'Je houdt van hem, of je denkt dat je van hem houdt. Dat zie ik. Een idioot ben je – je bent niet eens met die man naar bed geweest – en wat dat betreft valt er heus niet veel bijzonders te beleven, neem dat maar van mij aan. Maar ik zal je dit zeggen, en je kunt maar beter luisteren: dit is mijn huis, niet het jouwe, en daarin is geen plaats voor een man. Zeker niet voor een man die zijn brood niet kan verdienen en ons allemaal de bak in laat draaien. Hoor je me? Hij blijft níét hier.'

'Hij blijft wel.'

'Hij blijft niet, en knoop dat maar in je eigenwijze oren! Ga maar met hem mee naar Littlecombe als je daar zin in hebt. Ik kan je hier missen als kiespijn.'

'We kunnen daar niet wonen. Dat zouden de mensen zeker merken. De huur moet betaald worden, de mensen in het dorp zouden zien dat er licht brandt.'

'Nou, dat zijn mijn problemen niet. God weet dat ik er genoeg heb, maar die man hoort daar niet bij. Doe met hem wat je wilt, maar hij moet weg.'

'Ma, alsjeblíéft!' Dimity stikte bijna in haar woorden. Ze wist dat smeken zinloos was, maar in haar wanhoop deed ze het toch. Alles in haar kwam in opstand. Ze haatte het. Ze wilde haar moeders hand grijpen, wilde dat ze het begreep. 'Alsjeblíéft!' Maar Valentina rukte haar handen los en stak waarschuwend haar wijsvinger op. De vuile nagel leek een vloek uit te spreken.

'Morgenochtend is hij weg – hij alleen of jullie allebei, dat maakt me niet uit. Anders geeft ik hem zelf aan. Begrepen?'

De nacht was lang, en inktzwart. Dimity sliep niet. Ze waste Charles van top tot teen, met de ene bak warm water na de andere en alle waslapjes en doeken die er in huis waren. Ze waste de modder en het vuil uit zijn haar, en haalde er met de luizenkam zo veel mogelijk luizen en neten uit. Ze verwijderde het bloed van de wond op zijn wang en hechtte hem zo netjes mogelijk. Charles vertrok geen spier toen de dikke naald door zijn huid ging. Ze waste al het stinkende vuil van hem af en voelde het bloed naar haar wangen stijgen toen ze zijn broek uittrok en voor de eerste keer zijn blote lijf zag. Charles leek het allemaal doodnormaal te vinden en onderging haar zorgen rustig en gedwee. Ze knipte zijn teennagels en schrobde met een borsteltje het vuil onder zijn vingernagels vandaan. Er liep een constante rilling door zijn armen en handen. Het riep een herinnering op aan Celeste, die Dimity angstvallig negeerde. Haar eigen handen waren vast, volkomen zeker van wat ze deden. Zijn kleren zouden verbrand moeten worden en ze zou nieuwe voor hem moeten zoeken. Ze wist meteen van welke waslijnen ze die weg kon halen, makkelijk en ongemerkt. Uiteindelijk lag Charles te slapen, zo naakt als op de dag van zijn geboorte, met de deken strak om hem heen gewikkeld. Dimity bleef lang naar hem zitten kijken en volgde met haar vingers de contouren van zijn gezicht. Het viel haar niet op dat hij te stil was, dat er een leegte in zijn ogen was die er eerder niet was geweest. Ze zag niet dat het vuur dat vroeger in hem had gebrand, de snelheid en trefzekerheid in zijn houding en zijn woorden, gedoofd was. Ze wist alleen dat hij er was, bij haar.

Na een tijdje liet ze hem slapend alleen. Haar bed was niet breed genoeg voor twee, maar ze was toch niet van plan om te gaan liggen. Ze kon zich niet herinneren wanneer ze voor het laatst zo wakker was geweest. Ze ruimde de restanten van Charles' uitgebreide wasbeurt op, nam zijn kleren mee naar de achtertuin en gooide ze op de afvalhoop om ze te verbranden. De zon kwam al bijna op. Er verspreidde zich een vage grijze gloed over de zwarte hemel. Het was bijna midzomer en de nachten waren kort en zwoel. Het jaar had bijna zijn hoogtepunt bereikt. Een veelbelovende tijd, een tijd van verandering. Dimity voelde het in haar bloed, en in haar botten. The Watch lag er stil bij, waakzaam, voor haar gevoel. Riet en pleisterwerk, hout en steen. En Valentina, het kille hart van het geheel. Als een blaffende hond hield die haar de hele tijd scherp in de gaten. Ze schonk zichzelf een glas melk in, dronk het langzaam op, spoelde het glas om en liep naar haar moeders kamer.

Valentina lag diep in slaap met haar armen boven haar hoofd uitgestrekt en haar haar over het kussen uitgespreid. Ze had genoeg kussens voor twee mensen, zodat het bed altijd halfleeg leek, alsof het op nog een slaper wachtte. Het vage licht van de dageraad legde een zilverachtige glans op haar moeders gezicht, en kleurde haar haar in schakeringen van grijs en wit. Ze was bijna mooi, zag Dimity. Haar jukbeenderen kwamen mooi uit onder haar ogen, ze had een kleine, vrouwelijke neus en nog steeds volle lippen. Maar zelfs nu ze sliep en haar gezicht slap en ontspannen was, stonden de lijnen van haar gebruikelijke gezichtsuitdrukkingen duidelijk zichtbaar in haar huid geëtst. De afkeurende rimpel tussen haar ogen, de sarcastische groeven op haar voorhoofd, de verbitterde accolades aan weerskanten van haar mond, de dunne lijntjes op haar bovenlip waar haar mond zich om wrede woorden heen plooide. Haar borst rees en daalde in een volkomen regelmatig ritme. Dimity keek op haar neer en bedacht hoe klein ze leek, hoe kwetsbaar. Dat had ze nog nooit over Valentina gedacht, maar ze zag het ineens helder. Kwetsbaar. Valentina was er altijd geweest: de bittere kern van het leven. Je bent er altijd geweest, om de dingen erger te maken, zei Dimity in stilte tegen haar. Haar moeders borst rees en daalde en haar adem bewoog zich in en uit, in en uit. Terwijl Dimity stond te kijken paste haar eigen adem zich aan dat ritme aan. In dat korte moment leefden ze in perfecte harmonie. Maar toen ze even later met ongewoon pijnlijke vingers de kamer uit ging, was Dimity's adem de enige die nog zong.

Toen de politie kwam, verstopte Dimity Charles. Ze leidde hem haar slaapkamer uit en nam hem mee naar het achtererf, waar ze hem op de houten zitting van het privaat plantte. Eerst begreep hij niet wie er zou komen en waarom hij zich precies moest verstoppen. Toen ze het uitlegde, dacht hij dat de politie voor hem kwam, om hem weer naar het front te brengen. Hij beefde over zijn hele lichaam toen ze wegging nadat ze een lange, geruststellende kus op zijn lippen had gedrukt.

'Ze zullen je niet vinden. Ze zoeken niet naar jou, echt niet,' zei ze tegen hem. De zweetdruppels stonden op zijn voorhoofd en gleden langs zijn slapen naar beneden. Met pijn in haar hart sloot en vergrendelde Dimity de deur en ging weer naar binnen om op de komst van politieagent Dibden te wachten. Agent Dibden was een jongeman en zijn moeder kende Valentina goed, zij het waarschijnlijk niet zo goed als zijn vader haar had gekend voor hij drie jaar geleden overleed aan een hartaanval, luttele uren na een bijzonder inspannende avond. De jongeman had een gênante belangstelling voor haar dode lichaam en wierp er steeds steelse blikken op terwijl hij Dimity's verklaring opnam en wachtte tot zijn superieuren kwamen.

Valentina lag in dezelfde positie als toen ze sliep – op haar rug, met haar armen boven haar hoofd – en Dimity keek ook af en toe naar haar terwijl ze de politieman vertelde dat Valentina de avond ervoor een bezoeker had gehad, maar dat ze zijn gezicht niet had gezien, alleen zijn achterhoofd toen hij de slaapkamer in was gegaan. Ze keek naar haar moeder om er zeker van te zijn dat haar borst niet meer bewoog, dat ze niet weer was gaan ademen. Dat haar ogen dicht bleven. Ze kon er niet op rekenen dat Valentina het haar makkelijk zou maken. Ze gaf een beschrijving van de man die ze zogenaamd gezien had. Gemiddelde lengte en lichaamsbouw, kort bruin haar, een donker jack van het soort dat elke man binnen een straal van vijfenzeventig kilometer bezat. Agent

Dibden schreef alles plichtsgetrouw op, terwijl op zijn gezicht te lezen stond hoe weinig nut deze informatie bij het zoeken naar de moordenaar had. Op Valentina's hals zaten geen vingerafdrukken of sporen van geweld. Het zou best kunnen, zei de politieagent, dat Valentina een natuurlijke dood was gestorven en dat haar bezoeker in paniek de benen had genomen. Dimity erkende dat dat heel goed mogelijk was. Ze beet tot bloedens toe op haar duimnagel, maar zelfs daarvan kreeg ze geen tranen in haar ogen. Shock, zei agent Dibden tegen de begrafenisondernemer toen ze Valentina later die ochtend kwamen halen en de politie de slaapkamer en de trapleuning op vingerafdrukken onderzocht. Er zouden er honderden zijn, wist Dimity. Honderden en nog eens honderden.

De begrafenis was kort en sober. Agent Dibden kwam en bleef op eerbiedige afstand van Dimity. Wil Coulson was er en, tot verrassing van Dimity, ook zijn vader. Geen van Valentina's andere bezoekers durfde zijn gezicht te laten zien. De Brocks van Southern Farm bleven met eerbiedig gevouwen handen dicht bij elkaar staan. Dimity huilde nog steeds niet. Nadat de dominee een korte preek had gehouden, gooide ze de eerste handvol aarde op de kist, terwijl ze bad dat Valentina daarbeneden zou blijven. Ze voelde ineens een golf van angst en wankelde, ze bukte zich voor een tweede handvol aarde en gooide die achter de eerste aan. Als er niemand bij was geweest, was ze misschien wel op haar knieën gevallen om de hele berg aarde er met haar blote handen weer in te klauwen. *Begraven, begraven. Weg.* Ze balde haar vuisten om haar kalmte te bewaren en keek niemand aan toen ze terugliep naar The Watch. Geen gesprekken, geen wake. Geen blijken van medeleven. Agent Dibden trippelde achter haar aan om haar bij te praten over het onderzoek, maar in werkelijkheid viel er weinig bij te praten. Hij verzekerde haar dat ze alles deden wat in hun macht lag om te achterhalen wie die avond bij haar moeder was geweest, maar de verontschuldigende blik in zijn ogen vertelde haar iets anders. Ze hadden weinig hoop om hem te vinden, omdat ze in werkelijkheid niet al te hard zochten. Er waren andere, belangrijker zaken die opgelost moesten worden. Ze waren er zelfs niet zeker van dat er een moord was gepleegd. Valentina kon ook per ongeluk gestikt zijn in welke activiteit ze dan ook verwikkeld was. En uiteindelijk kon het de politie ook niet zo veel schelen. Valentina was geen groot verlies voor de gemeenschap, behalve voor haar bezoekers, en die waren allang tevreden als ze anoniem konden blijven. *Ze heeft gekregen wat ze verdiende,* dacht Dimity en ze wist dat ze niet de enige was die dat dacht.

Toen ze, terug bij The Watch, de hoek van het huis om liep zodat niemand haar meer kon zien, trok ze haar schouders en rug recht en verscheen er een blijde lach op haar gezicht. Charles huilde van opluchting toen ze hem uit het privaat haalde en zei dat het allemaal voorbij was, dat er niemand meer zou komen. Hij klemde zich aan haar vast en snikte als een kind.

'Je moet me verbergen, Mitzy! Ik kan niet terug,' mompelde hij. Dimity hield hem vast en zong voor hem tot zijn huilbui over was. Daarna liepen ze samen het huis in, langzaam, alsof het lopen ze verwondde, en zij sloot de deur achter hen.

'Maar ik heb hier iemand rond horen lopen. Ik heb het zelf gehoord! Ik weet het zeker... Jij hebt dat toch ook gehoord, Dimity?' vroeg Zach. Hij wachtte op een antwoord van de oude dame, maar ze leek in gedachten verzonken. Toen hij haar hand pakte keek ze wel naar hem, maar haar blik was verward en afwezig. Hannah schudde haar hoofd.

'Je weet hoe er altijd van alles beweegt en kraakt in oude huizen. En er zit al tijden een gat in dat raam. Ik heb haar aangeboden om het te laten repareren, maar dat wilde ze niet. Omdat de kamer dan open zou moeten, denk ik. Maar de wind waait er al maanden doorheen, waardoor de papieren wegwaaien en de vloerplanken vochtig worden –'

'Nee, ik heb een mens gehoord. Ik weet het zeker!' hield Zach vol. Hannah stak haar handen in de lucht en liet ze weer vallen.

'Dat kan niet, Zach. Tenzij je ineens in geesten gelooft.' Het was bedoeld als een terloopse opmerking, maar Zach zag dat Dimity's ogen even oplichtten en dat ze Hannah, die rusteloos door de kamer ijsbeerde, volgde met haar blik. Zach haalde diep adem en vroeg zich af in wat voor surrealistische wereld hij die nacht was terechtgekomen. Een eigenaardige, andere wereld waarin hij in de donkere nacht van de ene plaats naar de andere moest vluchten om mensen te smokkelen en de wet te ontduiken; waarin grote kunstcollecties als begraven schatten verborgen lagen, achtergelaten door een man die na zijn dood nog heel lang had geleefd. Het leek allemaal zo onwerkelijk.

Het was al laat, en Zach en Hannah zaten aan de keukentafel achter hun koud wordende kopjes thee. In de zitkamer waakte Ilir over zijn vrouw en zoon. Bekim lag diep in slaap op de bank met een door de motten aangevreten deken over zich heen. Rozafa zat bij zijn hoofd met een hand op zijn schouder en haar hoofd achterovergezakt, en sliep ook. Ilir boog zich beschermend over hen heen, alsof hij niemand meer bij hen in de buurt zou laten nu hij hen eindelijk terug had, en hij ze zo dicht mogelijk bij zich wilde houden. Zach was benieuwd hoelang Ilir al in Dorset was; hoelang de twee echtgenoten elkaar al niet gezien hadden. Dimity was nog steeds boven in het kamertje met de kunstwerken. Zach had haar thee gebracht, maar de oude vrouw was stil en afwezig en wilde niet naar beneden komen. Bezorgd had hij gezien hoe snel en oppervlakkig haar borst rees en daalde. Ze nipte van de lucht alsof ze er niet helemaal bij kon.

'Vertel eens hoe je hem gezien hebt. Hoe hij was. En wat er die nacht is gebeurd,' zei Zach. Hannah zuchtte en stond op.

'We hebben iets sterkers nodig dan thee,' mompelde ze. Ze trok de keukenkasten open tot ze een stokoude, plakkerige fles cognac vond. Ze schonk een royale hoeveelheid in twee bekers, nam die mee naar de tafel en schoof Zach er een toe. 'Proost.' Ze sloeg de hare in één teug achterover, trok in protest haar lippen over haar tanden en huiverde licht. 'Mitzy kwam 's avonds laat naar de boerderij. Het was zomer en nog maar net donker, dus het moet tien uur of halfelf zijn geweest. Ze was in paniek en verward. Ze vroeg eerst naar mijn oma en wist pas wie ik was toen ik het haar uitlegde. Ik wist meteen dat er iets aan de hand was. Ze was niet meer bij ons geweest sinds... nou ja, in ieder geval niet meer zolang ik me kon herinneren. Ze vroeg of ik met haar mee wilde gaan, maar wilde niet zeggen waarom. Ze trok me zo ongeveer het huis uit. "Ik kan het niet alleen," was alles wat ik uit haar kreeg. En dus ging ik met haar mee. Ze bracht me hier naar die kamer boven en daar lag hij.' Ze ademde zwaar uit.

'Dood?'

'Ja. Hij was dood,' zei ze. 'Mitzy zei dat we moesten zorgen dat we van hem af kwamen. Het lichaam verbergen. Ik vroeg haar waarom we niet gewoon een begrafenisondernemer konden bellen. Maar ze was ervan overtuigd dat de politie zou komen als iemand het ontdekte, en daar had ze waarschijnlijk gelijk in. Plotseling sterfgeval, en zo. En eigenlijk zou hij hier niet eens moeten zijn. Hij was zogenaamd niet meer in leven. Daar kwam ik langzamerhand achter, toen ze me vertelde wie hij was.'

'Maar hij moet wel stokoud zijn geweest!' zei Zach.

'Bijna honderd. Maar ja, hij heeft een erg beschut leven geleid. Het laatste deel, in ieder geval.'

'En daarvoor had je geen idee dat er iemand bij haar in huis woonde? Heb je in al die jaren niets vermoed?'

'In al die jaren niet. Maar dat is niet zo verwonderlijk als je bedenkt hoe afgelegen haar huis ligt. De boerderij is het enige huis dat erop uitkijkt en we hielden elkaar nooit zo in de gaten. En bovendien kwam hij deze kamer nooit uit. Ik kan de keren dat ik vóór die avond in The Watch binnen ben geweest op de vingers van één hand tellen, en ik ben nooit boven geweest, niet één keer. Hoe kun je dat dan weten?'

'Wist je... Wist je wie hij was?'

'Eerst niet, nee. Maar toen Dimity het vertelde... Ik had natuurlijk van hem gehoord. Mijn oma praatte de hele tijd over hem. En toen ik al dat werk zag, wist ik dat het waar moest zijn. Hij moest het zijn.'

'Maar hoe is hij hier in hemelsnaam terechtgekomen? Zijn lichaam is begraven in Frankrijk – hij is gevonden, geïdentificeerd, zijn dood is geregistreerd, en hij is begraven –'

'Er is *een* lichaam gevonden. *Een* lichaam geïdentificeerd. *Een* lichaam begraven. Ik weet niet hoeveel je weet van de terugtocht naar Duinkerken?'

'Ik heb er films over gezien. Documentaires.'

'Het was een chaos. Duizenden mannen op het strand die wachtten tot ze geëvacueerd konden worden, honderden kleine boten die vanuit Engeland te hulp kwamen. Vissersbootjes, zeiljachten en plezierboten, vrachtschepen. Charles is op een van die kleine boten terechtgekomen. Zo kwam hij weer in Engeland en daarna kneep hij ertussenuit. Wist op de een of andere manier weer in Blacknowle te komen.'

'Bedoel je dat hij gedeserteerd is?

'Ja. Afwezig zonder verlof. Dimity vertelde dat hij het liefst hier wilde blijven. Het allerliefst. Dat hij maar bleef zeggen dat hij niet terug kon. Dat hij niet terug wilde. Ruim zestig jaar onderduiken lijkt misschien extreem, maar ik denk dat hij een soort zenuwinstorting heeft gehad. Posttraumatische stress of iets dergelijks. En als je een bepaalde tijd ondergedoken bent, voelt het misschien niet meer als onderduiken, maar als je manier van leven.'

Hannah stond op om de cognacfles te halen en vulde beide bekers bij, hoewel alleen de hare leeg was. Zach proefde en trok een grimas.

'Ik kan het niet geloven,' zei hij hoofdschuddend. 'Hoe is hij hier teruggekomen? Wie ligt er in Frankrijk begraven als dat Charles niet was?'

'Wie daar begraven is? Kun je dat niet raden?' vroeg Hannah. Zach dacht diep na, maar hij wist het niet.

'Nee. Wie was het? Wie hebben ze in 1940 begraven terwijl ze dachten dat het Charles was?' Hannah bestudeerde hem even en liet haar ogen snel over zijn gezicht dwalen.

'Dennis,' zei ze ten slotte. 'Ze hebben Dennis begraven.'

Charles vertelde het aan Dimity tijdens een van zijn ontboezemingen – zijn zeldzame ontboezemingen. Meestal sprak hij alleen over zijn tekeningen, vroeg hij om tekenmateriaal of vertelde hij wat hij nu weer graag zou willen eten. De ene dag kersen, de volgende dag Franse uiensoep. Op een keer wilde hij gerookte zalm en sloofde Dimity zich dagenlang uit om een rookton in de achtertuin te maken, want het was in de winkel niet te krijgen en ze had het trouwens toch niet kunnen betalen. Het resultaat was een taaie, veel te gare forel, waarvan het vlees op leer leek, maar Charles at het met een waarderende glimlach zonder verder commentaar op. Dimity vroeg zich toen af waarom ze al die moeite had gedaan – als ze hem nieuwe haring had gegeven met de mededeling dat het gerookte zalm was, had hij die met evenveel smaak opgegeten. Maar ze zou hem nooit zo willen misleiden. Ze spande zich altijd in om hem te geven wat hij vroeg. Het enige wat ze voor hem kon doen, was hem gelukkig maken, en dat was ook het enige wat ze voor zichzelf kon doen. Als ze hem beschermde dempte dat het gevoel waarmee ze nog elke dag wakker werd, het gevoel alsof ze viel.

Maar soms had hij nachtmerries en werd ze wakker van zijn geschreeuw. Dan rende ze naar hem toe om hem te troosten, niet alleen voor hem, maar ook voor het geval dat iemand buiten hem zou horen. Hij lag dan niet meer in bed, maar ijsbeerde door de kamer terwijl hij aan zijn haar rukte of met zijn handen over zijn lichaam veegde alsof er iets walgelijks op zat. Zij liep dan achter hem aan en hield hem vast, zelfs als hij haar van zich afduwde, tot hij kalmeerde en ging zitten. Ze was te sterk om zich tegen te verzetten. Ze bracht hem terug op aarde, naar de kust van Dorset, naar de plek waar hij was. Ze hield hem vast tot hij de zee weer door het skelet van het huis voelde dreunen en zijn lichaam slap werd. Dan vertelde hij haar wat hij had gezien en wie hem in de duisternis van de slaap was komen opzoeken. Een stortvloed van woorden die louterend werkte. Even noodzakelijk voor zijn herstel als gif uit een wond zuigen.

En vaak was het Dennis die hij had gezien. Het naakte, verkoolde stoffelijk overschot van een jonge Britse soldaat. De ontploffing die hem had gedood, had de kleren van zijn lichaam gebrand en alleen zijn laarzen achtergelaten, die nog steeds smeulden. Hij lag op een afstand van ongeveer tien meter van de bomkrater in het hoge gras en Charles struikelde over hem toen hij halsstarrig en wanhopig op weg was naar het noorden, naar de kust. Geen spoor van zijn uniform en ook bijna geen spoor van zijn huid. Hij was zo verschrikkelijk verbrand dat hij geen oogleden en lippen meer had. Zijn tanden omgrensden een mond die een beetje openstond, zodat het leek alsof hij verbaasd was over zijn eigen dood. Eén oogbal was zwart verkoold en onherkenbaar beschadigd, maar de linkerkant van zijn gezicht, die van de ontploffing afgewend moest zijn geweest, was nog enigszins intact. De iris was zichtbaar en leek waakzaam. Een diepbruine cirkel in het oogwit dat geel was uitgeslagen van de rook. Toen Charles erin keek, moest hij, ongepast genoeg, aan Crème Caramel denken. Het vlees van de man was paars, oranje en zwart; gebarsten, vochtig, kleverig en rauw. Er zaten al vliegen op. Charles bleef meer dan een halfuur bij hem zitten omdat hij zich niet los kon maken van dat ene geschrokken, deerniswekkende oog. De rest van Charles' compagnie was al doorgelopen. Hij verschool zich en voelde angst en paniek omdat hij alleen was, vermengd met de gruwelijke angst om verder te gaan.

Geleidelijk aan werd alles stiller en viel Charles' oog op iets kleurigs. De zon brak door de wolken en de rook heen en viel op de groene en rode identificatieplaatjes van de dode man. Ze waren terechtgekomen op zijn minst verbrande kant en lagen boven op zijn schouder, nog bevestigd aan een verschroeide leren veter. Er was verder niets wat hem kon identificeren. Geen insignes, geen papieren. Charles mat met zijn ogen de lengte van de man en schatte in dat ze ongeveer even lang waren. Hij wilde de plaatjes pakken om de naam van de man te lezen, maar ze zaten vast in zijn verbrande vlees. Ze hadden zich erin genesteld. Hij moest zijn nagels in de schouder zetten en voelde de afschuw en pijnscheuten als een elektrische schok door zijn eigen lichaam trekken, omdat hij zich kon voorstellen hoe pijnlijk het moest zijn.

Toen hij de plaatjes eindelijk los had, huilde hij. Met zijn duim veegde hij de viezigheid eraf om de naam te kunnen lezen. *F.R. Dennis.* Onder de gaten waar de plaatjes hadden gezeten schemerde een wittig bot door het rood en zwart heen. Charles tilde de kale, leerachtige schedel op om de veter eroverheen te trekken, deed zijn eigen plaatjes af en hing die om Dennis' nek. Hij drukte ze in de gaten in zijn schouder zodat het blootliggende bot bedekt was. Toen hing hij Dennis' identificatieplaatjes om zijn hals en liep weg. Hij voelde iets aan zijn handen en onder zijn nagels kleven. Het waren stukjes verbrande huid en vlees van Dennis. Hij probeerde ze verwoed aan het hoge gras af te vegen, zachtjes huilend, en daarna stond hij over te geven tot hij flauwviel. Toen hij de stranden bereikte, de chaos, het vuur en de elkaar verdringende mannen, werd hij door een officier die hij niet kende op een klein schip gezet. 'Let op hem,' zei de officier tegen iemand aan boord, 'ik weet niet wat er met hem is gebeurd, maar ik denk dat hij gek is geworden.'

'F.R. Dennis? Dus al die jaren was het lichaam in het graf van Charles Aubrey in feite deze F.R. Dennis,' zei Zach. Hannah knikte. 'Maar ik ben naar dat graf geweest. Ik heb mijn respect betuigd – ik heb bloemen meegenomen. Ik heb er verdomme bijna staan bidden!'

'Dat kon meneer Dennis vast wel waarderen,' zei Hannah zachtjes. Zach trommelde geagiteerd met zijn vingers op het tafelblad en dacht snel na.

'Dit is... dit is ongelofelijk. Dat zo'n belangrijke man nog zo lang heeft geleefd terwijl de hele wereld dacht dat hij dood was...' Hij schudde zijn hoofd. Het was zo'n groots geheim dat het zijn bloeddruk omhoogjoeg. 'Het is niet te geloven. En de tekeningen en schilderijen?'

'Al zijn werk van de laatste zestig jaar van zijn leven. Dat wil zeggen, op drie of vier tekeningen na.'

'De tekeningen die verkocht zijn?' vroeg Zach. Hannah knikte. 'Heb jij ze voor haar verkocht?'

'Voor haar en voor mij. Toen we geld nodig hadden.'

'Voor jou?' Zach keek naar Hannah terwijl hij daarover nadacht. 'Je bedoelt... Ze gaf jou de tekeningen en jij verkocht ze?'

'Niet helemaal.'

'Heb je de tekeningen gewoon weggenomen?' Hannah zei niets. 'Als Dimity alles geheim wilde houden had jij natuurlijk voldoende chantagemiddelen om te kunnen pakken wat je hebben wilde, hè? Hoe kon je dat doen?'

'Zo zat het helemaal niet! Ik had er alle recht toe. Bovendien had zij het geld ook nodig en ze had de tekeningen niet kunnen verkopen zonder mij.'

'Dat jij de dingen met het veilinghuis voor haar hebt geregeld, geeft jou toch zeker niet het recht om –'

'Daar heb ik het niet over. Ik heb het over het verkoopbaar maken van de tekeningen. Ze levensvatbaar maken.' Toen Zach niet-begrijpend zijn hoofd schudde, werd Hannah een beetje onrustig. Het was voor het eerst dat hij iets van schuldgevoel bij haar zag. Ze zuchtte ineens. 'Een groot deel van het werk konden we aan niemand laten zien omdat Dimity erop stond afgebeeld, maar duidelijk in een latere periode in haar leven, waarin hij haar niet had kunnen kennen omdat hij zogenaamd dood was. En er zijn veel oorlogstaferelen, die overduidelijk ook niet gezien mochten worden. Wat overbleef waren een paar van Dennis en een paar van Dimity toen ze nog jong was, maar hij had die geen van alle gedateerd. Geen enkel werk van na de oorlog was gedateerd.'

'Waarom niet?'

'Ik denk omdat hij geen idee had wat de datum was.'

'Jezus. En jij –'

'Ik heb de data erop geschreven,' zei ze. Zach haalde diep adem om kalm te blijven.

'Ik wist het! Ik wíst dat de data niet klopten.'

'Je had gelijk,' zei ze plechtig. Zachs kortstondige opwinding nam af en ze bleven even zwijgend zitten.

'Je kunt zijn handschrift goed nabootsen,' zei Zach, onzeker wat hij daarvan moest vinden. 'Je hebt er talent voor.'

'Ja. Weet ik.'

Weer bleven ze, allebei in gedachten verzonken, nog een tijdje zitten zonder iets te zeggen. Buiten was de wind opgestoken en het begon te regenen. Het klonk troosteloos, en Zach voelde ineens de behoefte om Hannah dicht tegen zich aan te trekken en warm te houden. Maar de schaduwen in de hoeken waren te groot en te verwarrend. Jaren van leugens en verborgen dingen die zo lang waren blijven liggen dat ze waren verhard, versteend. Naast hem maakte Hannah haar paardenstaart los en de bekende geur van haar haar deed hem bijna pijn.

'En toch had je het recht niet,' zei hij zacht. Hannah keek hem aan en haar blik verhardde zich.

'Volgens mij wel.'

'Die tekeningen zijn niet van jou. Ze zijn niet eens van Dimity! Ze is nooit met hem getrouwd. Ze heeft nooit zijn kind gebaard. Iemand zestig jaar gevangenhouden betekent niet dat je iemands wettige vrouw bent, als je dat soms gedacht had.'

'Gevangen? Hij is nooit een gevangene geweest! Als hij weg had gewild, had hij zo kunnen gaan.'

'Dus het was oké dat zij de wereld liet denken dat hij dood was?' Hannah kneep haar lippen op elkaar en antwoordde kortaf.

'Als hij dat zelf wilde. Ja,' zei ze. Zach schudde zijn hoofd en Hannah leek af te wachten. Te wachten op zijn volgende aanval, zijn volgende argument.

'Die kunstwerken zijn van de naaste verwanten van Charles Aubrey,' zei hij, en tot zijn verrassing glimlachte Hannah.

'Ja, dat weet ik. En daar zit je naar te kijken.'

'Wát?'

Dimity kon hen beneden horen praten, maar wat ze zeiden kon ze niet verstaan. Dus probeerde ze het ook niet meer en liet ze de woorden over zich heen komen als het geraas van de wind en de regen buiten. Het deed er allemaal niet meer toe. De kamer was leeg. Charles was weg. Ze kon onmogelijk aan hen uitleggen dat haar hart was blijven kloppen doordat ze de deur gesloten had gehouden. Dat ze kon dromen dat hij er nog was, zolang ze niet kon zien dat hij weg was. De geluiden van het huis, die klonken als zijn voetstappen, de wind die zijn papieren verplaatste, wat klonk alsof hij aan het werk was. Ze was het gaan geloven, in de afgelopen paar jaar, had het gevoel gekregen dat hij niet weg was en dat de lange, gelukkige jaren waarin ze voor hem had kunnen zorgen gewoon doorgingen. De plotselinge leegte in huis was kil en duister als de dood. Ze had bijna geen lucht meer om door te leven. De kilte van zijn afwezigheid sloot zich steeds strakker om haar heen en onttrok de warmte aan haar bloed en botten. Haar armen en benen voelden zwaar aan, elke ademhaling kostte haar moeite. Haar hart was groot en hongerig als de zee, leeg als een spelonk. Het leven was niet meer dan een last, nu de kamer boven leeg was. De lange discussie van de jongeman en de vrouw beneden bracht de andere stemmen van The Watch eindelijk tot zwijgen. De levenden maakten meer geluid dan de doden. Maar tussen de schimmen was een nieuw gezicht opgedoken; uiteindelijk toch gekomen, gekomen om haar te kwellen. Een stil verwijt uit grote ogen, vol leed. *Delphine.*

Op een dag kwam ze naar The Watch. Ze verscheen uit het niets, op een rustige, gouden ochtend in de herfst, met een scherpe geur van dauw en dode bladeren. De oorlog was nog niet voorbij, maar ze merkten er niets van. Charles was al meer dan een jaar bij haar en ze waren gewend geraakt aan hun ongewone nieuwe leven samen. Ze hadden hun ritme gevonden, een comfortabele regelmaat. En Dimity genoot ervan om alles te hebben wat ze ooit had gewild. Iemand om van te houden, iemand die zelf ook van haar hield; iemand die haar nodig had.

'Hallo Mitzy,' zei Delphine met een aarzelende glimlach, en voor Dimity's voeten gaapte direct weer een diep gat, even duizelingwekkend als de rand van het klif, klaar voor het moment dat ze zou wankelen en vallen. Delphine zag er ouder uit. Haar gezicht was nu langer en smaller. Ze had een elegant gevormde kaaklijn en achterovergekamd, licht golvend, glanzend haar met een zijscheiding erin. Haar bruine ogen waren donkerder dan vroeger. Zo donker als de aarde; ze leken veel ouder dan de rest van haar verschijning. 'Hoe gaat het met je?' vroeg ze, maar Dimity kon geen woord uitbrengen. Haar hart klopte te snel, haar gedachten sloegen op hol en er wilden geen woorden komen. Met een onzeker glimlachje friemelde Delphine aan de sluiting van haar handtas. 'Ik wilde zo graag een bekend gezicht zien. Een vertrouwd gezicht, bedoel ik. En ik wilde weten of je wist dat vader is overleden. Vorig jaar. Ze hebben een telegram naar mijn school gestuurd. Wist je het?' vroeg ze, snel. Toen Dimity knikte, liepen Delphines ogen vol tranen. 'Nou ja, ik vond dat ik het moest controleren. Ik vond dat je het moest weten. Omdat, nou ja, jij hield ook van hem, toch? Ik vond het niet prettig destijds, toen mama het me vertelde. Maar waarom zou jij niet van hem mogen houden omdat wij dat al deden?'

'Ik was dol op hem,' zei Dimity met een kort knikje.

Ze stonden elkaar even aan te kijken over de drempel heen. Delphine leek niet goed te weten hoe ze nu verder moest.

'Luister, mag ik even binnenkomen? Ik zou graag met je praten over –'

'Nee!' Dimity schudde snel haar hoofd, evenzeer om te weigeren als om tegen te spreken – als antwoord op het stemmetje in haar achterhoofd dat haar vertelde dat Delphine de deur wijzen een van de ergste dingen zou zijn van alle slechte dingen die ze al had gedaan. Ze zette het stemmetje van zich af en hield voet bij stuk.

'O,' zei Delphine onthutst. 'O, oké. Natuurlijk. Wil je dan een stukje met me wandelen? Naar het strand? Ik wil nog niet weg. Ik weet nog niet waar ik hierna naartoe ga.' Dimity keek haar even aan en voelde dat de zorgvuldig bewaakte leegte in haar hoofd haar in de steek liet, ze voelde dat ze begon te vallen. Maar Delphines ogen stonden zo bescheiden en smekend dat ze haar toch niet kon weigeren.

'Oké. Naar het strand dan,' zei ze.

'Net als vroeger,' zei Delphine. Maar het was niet net als vroeger, en ze glimlachten geen van beiden.

Ze liepen het dal door en vervolgens via het grasland van Southern Farm naar de kust. In de late najaarszon liepen ze zigzaggend tussen de rotsen in westelijke richting naar het kiezelstrandje aan de waterlijn. De zee was glad die dag, mooi met een zilveren gloed, alsof de wereld een rustige, veilige plek was. De twee jonge vrouwen die er liepen wisten wel beter.

'Hoe gaat het met je moeder?' vroeg Delphine. 'Ik denk veel aan vroeger, weet je. Aan de tijd dat we hier allemaal waren. Als ik nu terugkijk kan ik begrijpen hoe moeilijk het voor jou moet zijn geweest dat wij alsmaar kwamen en gingen. En ik kan nu ook wel inschatten hoe zwaar je het moet hebben gehad bij je moeder. Al die builen en blauwe plekken waar je altijd mee rondliep... Ik zag zo weinig in die tijd. Het spijt me, Mitzy,' zei ze.

'Ze is dood nu,' zei Mitzy snel. Ze kon Delphines verontschuldiging niet aanhoren.

'O, wat vind ik dat erg voor je.'

'Dat hoeft niet. Ik mis haar niet. Misschien hoor ik dat niet te zeggen, maar zo is het wel.'

Delphine knikte even en vroeg niet verder over Valentina. 'Maar ben je nu niet een beetje eenzaam, daar helemaal alleen?'

'Ik ben niet...' Dimity schrok van zichzelf. Ze had bijna gezegd dat ze niet alleen was. Ze had zichzelf bijna verraden. Ze moest leren om sneller te denken en minder te zeggen. 'Ik ben niet eenzaam,' wist ze ervan te maken. Haar stem beefde omdat het bloed in haar oren zoemde als insectenvleugels. Delphine keek haar fronsend aan, ze geloofde haar niet.

'Als de oorlog voorbij is zal alles anders zijn,' zei ze. 'Als de oorlog voorbij is, kun je overal heen waar je wilt en alles doen waar je zin in hebt.' Ze zei het met overtuiging, maar Dimity zei niets terug. Ze vroeg zich af hoe een intelligent meisje nog steeds zo kon denken.

Ze waren bij een breed stuk strand gekomen dat er onberispelijk vlak en regelmatig bij lag, gladgestreken door het getij. Delphine bleef staan en keek er met een angstaanjagende concentratie naar.

'Daar – kun je haar zien?' fluisterde ze.

'Wat? Wie?'

'Élodie. Zou ze deze plek niet geweldig hebben gevonden? Ze zou haar naam in het zand hebben geschreven, of een tekening hebben gemaakt.'

'Ze zou radslagen hebben gedaan,' stemde Dimity in, waarop Delphine glimlachte.

'Ja, vast. Ze zou geklaagd hebben dat we te langzaam liepen en dat ze honger had.'

'Ze zou gezegd hebben dat ik een achterlijke sufferd was.'

'Maar toch zou ze naar je geluisterd hebben. Naar je verhalen en je volkswijsheid. Ze luisterde namelijk altijd naar je. Ze was gewoon jaloers op je... op je volwassenheid en je vrijheid. En omdat mama en papa zo gesteld op je waren.'

'Ik ben nooit vrij geweest. En Élodie heeft me nooit aardig gevonden,' bleef Dimity volhouden.

'Maar ze was te jong om te weten hoe dat kwam. Jij kon er niets aan doen, en zij ook niet.' Delphine staarde naar het bruingele zand en de zilveren waterlijn. 'O, Élodie!' fluisterde ze. De tranen blonken in haar ogen. 'Als ik denk aan al die dingen die ze nooit zal doen en nooit zal zien... Dat kan ik bijna niet verdragen. Ik krijg het er benauwd van.' Ze drukte haar vuisten tegen haar ribben. 'Heb jij zo'n gevoel weleens gehad? Dat het lijkt of je gewoon stopt met ademen en doodgaat?'

'Ja.'

'Ik droom weleens van haar. Dan droom ik dat het Kerstmis is, en dat zij volwassen is. Ik droom hoe mooi ze geweest zou zijn, hoe slim en bijdehand. Ze zou een hartenbreker geworden zijn, Élodie. Maar ik droom dat ze met Kerstmis naar me toe komt en dat we dan onder zo'n hele hoge kerstboom vol lichtjes staan te praten. Haar ogen en haar haar schitteren in een sprookjesachtig licht. Ze draagt een zilverkleurige japon en haar haar is zwarter dan gitten kralen. We nemen een glas champagne en wisselen lachend geheimen uit en roddelen over haar nieuwste liefde. En ik...' Delphine viel stil, in de greep van een stille snik die haar haar stem ontnam. 'En ik word zo gelukkig wakker uit die dromen, Mitzy. Zo gelukkig.' Delphine sloeg haar handen voor haar gezicht en huilde. En Dimity stond naast haar en kon bijna geen adem krijgen, ze had het gevoel dat ze dood zou gaan.

Een tijdlang zeiden ze niets. Ze stonden daar gewoon maar, terwijl de zee rustig en onverstoorbaar tegen de kust sloeg. Delphine stopte met huilen en hief haar natte gezicht op naar de horizon. Ze leek even kalm als het water, even gevoelloos en ongrijpbaar.

'Heb je nog iets van Celeste gehoord?' vroeg Dimity, hoewel ze niet zeker wist of ze het antwoord wel wilde horen. Delphine knipperde met haar ogen en knikte.

'Ze heeft me geschreven nadat ik een telegram naar *grandmère* had gestuurd. Ze heeft me een afschuwelijke brief geschreven. Ik heb hem altijd bij me en lees hem steeds opnieuw in de hoop dat er ineens iets anders staat. Dat is nooit zo, natuurlijk.'

'Wat staat erin?'

'Ze zegt dat ze van me houdt, maar dat ze Élodie te veel mist om mij te kunnen zien. Maar wat er tussen de regels staat is dat ze het me kwalijk neemt. Ze wil me niet zien omdat ze mij de schuld geeft. En daar heeft ze natuurlijk gelijk in. Het is mijn schuld – ik heb mijn zusje vermoord, en mijn moeder ook nog bijna.' Ze schudde heftig haar hoofd. 'Ik wist het zo zeker! Ik wist zó zeker dat ik de goede dingen plukte. Hoe kan ik me zo hebben vergist? Hoe kan dat?' Ze keek Dimity aan, wanhopig, verbijsterd. Dimity staarde terug met haar mond open. Daar, op het puntje van haar tong, lag de waarheid aarzelend te wachten. Om uitgesproken te worden. *Ik was vanbinnen helemaal zwart geworden,* wilde ze zeggen. *Mijn hart stond stil. Ik was mezelf niet.* Maar ze zei niets. 'Ik dacht dat ik wist wat ik deed. Ik dacht dat ik net zo veel wist als jij. Ik dacht dat ik zo slim was.' Delphines stem klonk zwaar van het zelfverwijt.

'Waarom ben je teruggekomen?' vroeg Dimity. Het was een aanklacht, een verzoek om weer te vertrekken. Delphine reet alle wonden weer wijd open, wijder dan ooit.

'Ik wilde op de plek zijn waar zij waren geweest. Mama en papa en Élodie. Ik ben nu van school af, weet je. Ik wist niet waar ik naartoe moest, of... Ik wist eigenlijk niks. Ik ben naar Londen gegaan, maar ons huis was verwoest door een bom. Kapot. Zoals alles. Dit was de laatste plek waar ik ze heb gezien. Ik hoopte dat ze hier nog steeds zouden zijn. Op een bepaalde manier.' De tranen drupten weer op haar wangen en het verbaasde Dimity dat ze nog tranen overhad. 'Ik wou dat ik nog wist hoe het voelde, toen. Hoe het leven voelde, toen we hier kwamen om te spelen en rond te hangen, toen vader tekende en Élodie ruziemaakte met mama, en jij en ik rondzwierven om kruiden te plukken en krabben te vangen. Wij zijn de enigen die nog weten hoe goed alles toen was. Jij en ik. Hoe voelde het? Weet jij het nog?' Ze keek Dimity gretig aan, maar wachtte niet op antwoord. 'Wat hebben we fout gedaan, dat ons leven zo geruïneerd is? Geruïneerd of zo vroeg afgelopen? Waarom worden we zo gestraft?' zei ze toonloos. Dimity schudde haar hoofd.

'Waarom ga je niet naar je moeder?'

'Ik... dat kan niet. Niet als ze me niet wil.' Delphine zweeg even en veegde toen met de rug van haar hand over haar ogen. 'Ik kan niet geloven dat ze me in de steek heeft gelaten, Mitzy. Ik kan het gewoon niet geloven. Ik heb Élodie nooit kwaad willen doen. Ze moet toch weten dat het geen opzet was.'

'Als Celeste je zou zien, zou ze weer van je gaan houden. Je moet naar haar toe gaan,' drong Dimity aan. Maar Delphine schudde haar hoofd.

'Dat kan niet, zelfs al zou ze het willen. Niet zolang het oorlog is. Ik weet niet wat ik nu moet doen, Mitzy.' Ze keek op, met een smeekbede op haar gezicht, maar Dimity wist alleen dat ze niet in Blacknowle kon blijven. Dat kon niet, want het zou onmogelijk zijn om rustig en gelukkig te blijven en de zwarte stroom en de ratten op afstand te houden als Delphine in de buurt was. 'Misschien... Denk je dat ik een poosje bij jou kan logeren, Mitzy? Nu je moeder er niet meer is. Een poosje maar, om te bedenken waar ik naartoe zal gaan en wat ik moet gaan doen?'

'Nee! Je kunt hier niet blijven. Blijf hier niet. Te veel herinneringen.' Dimity's stem klonk kortaf en vreemd. Delphine keek haar ongelukkig aan en de pijn op haar gezicht brandde als de as van een sigaret op Dimity's huid. 'Het kan niet,' zei ze buiten adem. 'Ik kan het niet verdragen als je hier bent!'

'Natuurlijk. Sorry.' Delphine knipperde met haar ogen en keek naar de zee. 'Het spijt me. Ik had het niet moeten vragen. Ik denk dat ik nu nog even ga wandelen. Voor ik wegga. Ik wil graag nog wat andere plekjes zien waar we toen zijn geweest. Hoe het leven was toen alles nog zo veilig leek en we allemaal zo gelukkig waren dat we niet eens beseften hoe gelukkig we waren.' Ze snoof en haalde een zakdoek uit haar zak om haar neus te snuiten.

'Dan moet je hier weggaan. Anders houdt deze plek je vast. Het is een val die je hier zal houden, als het even kan. Dus ga snel, voordat hij je in zijn greep krijgt,' zei Dimity. Ze wilde Delphine het liefst in haar kraag grijpen en haar ver bij Blacknowle vandaan willen sturen. Met haar vriendin in de buurt kon ze geen rustig leven leiden, zoveel was zeker.

'Ik begrijp het,' zei Delphine, al wist Dimity niet hoe dat zou kunnen. In een nieuwe vlaag van verpletterende helderheid begreep ze dat Delphine was gaan verwachten dat ze afgewezen werd, dat ze ongewenst zou zijn.

'Blijf niet hier, Delphine. Begin opnieuw, ergens anders.'

'Ja, misschien heb je gelijk. Het heeft geen zin om in het verleden te leven. Maar ik ga misschien wel even wandelen. Om alles nog één keer te zien.' Ze gaf Dimity een hand, drukte die stevig en trok haar toen naar zich toe om haar te omhelzen. 'Ik wens je geluk, Mitzy Hatcher. Dat verdien je.' Delphine liep al weg voordat Dimity kon reageren en daar was Dimity dankbaar voor.

Ze liep met stevige pas terug naar The Watch, voorzichtig om niet te vallen of te struikelen, voorzichtig om nergens van te schrikken en als een zwerm mussen uit elkaar te vallen. Ze ging naar boven naar Charles' kamer, waar hij het gezicht van een jongeman zat te schetsen, sloot de gordijnen en deed het licht voor hem aan. Hij leek het niet te merken. Hij wist niet dat zijn dochter aan de deur was geweest; dat de warmte van haar omhelzing nog in Dimity's kleren hing. Weer stond Dimity daar met een waarheid die zo zwaar was dat ze dacht dat die vanzelf uit haar mond zou vallen. Zijn dochter. Zijn dochter. Een jonge vrouw die haar vader meer dan wat ook nodig had. Maar haar vader is dood, stelde Dimity zichzelf gerust.

'Niemand mag weten dat je hier bent,' zei ze, en Charles' hoofd schoot verschrikt omhoog van zijn tekening.

'Niemand. Níémand mag weten dat ik hier ben,' fluisterde hij, met ogen zo groot als die van een kind dat een nachtmerrie heeft.

'Niemand zal het te weten komen, Charles. Ik hou je verborgen, mijn lief.' Toen ze dat zei glimlachte hij zo dankbaar, zo opgelucht. Dimity stapte een stukje bij de afgrond vandaan en voelde dat zijn glimlach haar geruststelde en verwarmde. Ze ademde wat gemakkelijker en ging naar beneden.

De hele verdere dag keek ze uit het raam of ze Delphine zag. Ze speurde de kliffen en het zichtbare deel van het strand af, en net toen ze begon te ontspannen en dacht dat ze weg was, zag ze haar laat in de middag het omheinde weitje naar het erf van Southern Farm oversteken; ze klopte op de deur van het woonhuis. Van een afstand leek ze helemaal geen meisje meer – ze zag eruit als een vrouw, soepel, lang en zo slank als een den. Ze zag mevrouw Brock naar buiten komen en Delphine omhelzen. Ze knuffelde haar een hele tijd en trok haar vervolgens het huis in. En toen Dimity zich herinnerde hoe Christopher Brock altijd naar Delphine had gekeken, hoe hij glimlachend en verlegen zijn ogen had neergeslagen, wist ze pertinent zeker dat Delphine nooit meer weg zou gaan. De val was dichtgeslagen en ze zou altijd hier blijven, als een wond die maar niet wilde genezen, om Dimity eraan te herinneren wat ze had gedaan en wat ze had moeten doen. Om het risico dat Charles ontdekt werd groter en waarschijnlijker te maken. Als Delphine hem vond, zou ze hem opeisen. Maar ze zou hem nooit vinden, besloot Dimity ter plekke. Delphine zou nooit een voet in The Watch zetten en Charles nooit een voet erbuiten. Ze bleef lang naar de boerderij staan kijken, en ze wist dat ze Delphine niet zou zien vertrekken. Het was al helemaal donker toen ze zich losmaakte uit haar mijmeringen en besefte dat ze allang niets meer door het raam kon zien. Ze schudde zich wakker en haalde diep adem; probeerde zich te herinneren waarom ze eerder die dag zo somber was geweest, waar ze zo bang van was geworden. Ze zette het van zich af, want het kon niet belangrijk zijn geweest. Niets was belangrijk, afgezien van Charles. Onder het neuriën van een oud liedje begon ze zijn eten klaar te maken.

Zach staarde Hannah compleet verwonderd aan. Ze wachtte geduldig tot hij iets zou zeggen.

'Ik heb altijd gezegd... altijd het gevoel gehad dat ik je kende. Vanaf het eerste moment dat ik je zag.'

'Ja, dat weet ik. Ik dacht dat het een openingszin was.'

'Nee, dat was het niet. Ik heb je echt herkend – je lijkt op Delphine. Maar ik zag het alleen vanuit een bepaalde hoek, omdat ik Delphine ook alleen vanuit een bepaalde hoek ken. Van die tekening van haar die ik heb en die ik zo geweldig vind. Die heb ik zo lang bekeken en bestudeerd.' Hij schudde vol ongeloof zijn hoofd. 'Delphine was dus je oma?'

'Ja. Ze kwam tijdens de oorlog terug naar Blacknowle, toen ze van school kwam. Ze trouwde met de zoon van de boer, Chris Brock, en die twee zijn er nooit weggegaan.'

'Er is nooit iets over haar geschreven. Niemand heeft ooit laten weten wat er met haar is gebeurd.'

'Tja, ik denk dat het niemand interesseerde. Zij was per slot van rekening geen beroemd kunstenaar – en Aubrey was overleden. Delphine was nog maar een tiener toen de oorlog uitbrak. Ik denk dat niemand nieuwsgierig genoeg was om haar op te sporen of met haar te willen praten.'

'Is ze nog in leven?'

Zachs mond werd droog bij de gedachte dat hij het meisje zou kunnen ontmoeten van de tekening die hij zo intens en met zo veel liefde had bestudeerd. Maar Hannah schudde haar hoofd.

'Nee. Ze is overleden toen ik nog jong was. Ze was nog maar in de zestig, maar ze had kanker.'

'O, wat erg. Herinner je je haar nog? Hoe was ze?'

'Natuurlijk herinner ik me haar. Ze was mooi. Altijd erg aardig, attent. Ze had een zachte, vriendelijke stem – ik heb haar nooit haar stem horen verheffen. Maar ze was ook ernstig. Ik heb haar maar zelden horen lachen.'

'Nou ja, haar zusje was overleden, ze dacht dat haar vader ook dood was en haar moeder had haar in de steek gelaten. Zo veel verlies moet wel littekens achterlaten, denk ik. Was jij niet kwaad toen je ontdekte dat Aubrey al die tijd in leven was? Je overgrootvader? God, ik kan het nog niet geloven! Het is onwerkelijk... Maar was jij niet kwaad? Hij was tenslotte familie van je.'

'Nee,' zei Hannah luchtig, alsof die gedachte nog niet bij haar was opgekomen. 'Ik heb hem nooit gekend. Het was geen verlies voor mij toen hij overleed.'

'Maar omwille van je oma –'

'Ja, misschien had ik toch kwaad moeten zijn. Arme Delphine – ze is hem altijd blijven missen, dat weet ik zeker. Maar wat heeft het voor zin om kwaad te zijn als je het toch niet ongedaan kunt maken? Er komt niets goeds uit voort om mensen zo lang achteraf te straffen – Delphine was al bijna twintig jaar dood toen haar vader haar achternaging.'

'Heeft ze het weleens over haar moeder gehad? Over Celeste? Heb jij haar weleens ontmoet?'

'Nee. Volgens mij heeft ze haar nooit meer gezien; in ieder geval niet na mijn geboorte – voor zover ik weet. Ze praatte ook nooit over haar. Alsof zij ook in de oorlog was omgekomen, net als haar vader.'

'Dus die kunstwerken zijn van jou, als Charles Aubrey's achterkleindochter. Ze zijn allemaal van jou,' zei Zach. Hij keek Hannah aan en probeerde vast te stellen wat hij precies voelde. Hij was doodop. Hij was oververmoeid, verbijsterd, opgewonden. Hannah knikte langzaam.

'Wat ga je doen?' vroeg hij. Hannah zag er op slag ongemakkelijk uit.

'Veel belangrijker nog, Zach: wat ga jíj doen?' Verbluft gaf Zach geen antwoord.

Het leek al jaren geleden dat deze nacht was begonnen, tientallen jaren zelfs. Na een tijdje liep Zach terug naar de kleine slaapkamer boven, waar alle tekeningen en schilderijen stonden. Hij bekeek ze stuk voor stuk. Tweehonderdzeventien voltooide werken in totaal. Er waren afbeeldingen van Dimity in de twintig en de dertig, op middelbare leeftijd en als oude vrouw. Het langzame, gestage verstrijken van haar jaren, vastgelegd in Aubrey's krachtige schetsen en schilderijen. Er waren scènes van geweld en vernietiging, van chaos en van de brute, afschuwelijke verwarring van de oorlog; afbeeldingen van een soort waarvan Zach nooit had geweten dat Aubrey ze maakte. Aubrey, een man die vóór alles werd geïnspireerd door schoonheid. Hij was ze in gedachten al aan het catalogiseren en de verklarende biografische noten bij elk stuk aan het formuleren. Hij realiseerde zich dat er in de kunstwereld nog nooit zo'n verhaal was geweest. Iedereen zou deze werken willen zien en het verhaal willen horen. En hij wist ook dat hij degene wilde zijn die het vertelde. Maar dat kon hij natuurlijk niet bepalen. Dat was aan de eigenaresse van al dit werk. En als zij deze kamer wilde afsluiten en nooit meer opendoen, dan was dat haar goed recht. De gedachte had een verpletterende uitwerking op hem.

Er waren portretten van Dennis met allerlei verschillende gezichten, en Zach bestudeerde ze allemaal onder het zwakke licht van het eenzame peertje boven zijn hoofd. Hij bekeek al Aubrey's bezittingen en raakte de voorwerpen die op tafel lagen uitgespreid stuk voor stuk voorzichtig en eerbiedig aan. Tubes olieverf en een fles terpentine – de chemische geur die hij meteen had herkend toen hij hier eerder met Rozafa in het donker zat. Onder een paar losse vellen vond hij iets verrassends. Militaire identificatieplaatjes, nog met een stijve, gekronkelde leren veter eraan. Britse plaatjes, niet van metaal zoals de Amerikaanse. Het ene was rond en rood en het andere achthoekig en groen, gemaakt van een sterke kunststof, met de naam *F.R. Dennis* erop, en op de bovenkant van alle twee een duidelijk stempel met de regimentsgegevens. Zach streek met zijn vingertoppen over de letters. Dennis. Ik heb je eindelijk gevonden. Jij krijgt nu ook een verhaal. Er moest ergens een foto van hem zijn. In een of ander oud familiealbum. Zach zou het gezicht kunnen zien dat Aubrey zich met zo veel inspanning voor de geest had geprobeerd te halen.

'Dimity heeft een keer tegen me gezegd dat hij het zichzelf nooit heeft vergeven,' zei Hannah. Zach had haar niet eens de kamer binnen horen komen.

'Wat niet?'

'Dat hij de identiteit van die soldaat heeft gestolen. Hij heeft hem gebruikt om thuis te komen, om weg te kunnen komen uit de oorlog. Zijn naam bezoedeld door te deserteren en zijn familie een lichaam en een begrafenis ontzegd. Hij had er vaak nachtmerries over. Over de oorlog, en over Dennis.'

'Waarom staan er allemaal verschillende mannen op de tekeningen van Dennis?'

'Dat is niet zo. Ze zijn allemaal Dennis. Het was Aubrey's manier om hem zijn leven terug te geven. Hij heeft namelijk nooit geweten hoe hij eruitzag. Dennis was al dood toen Aubrey zijn lichaam vond en hun plaatjes verwisselde. Dood, en zo verminkt dat hij geen idee had hoe de jongen er bij zijn leven uit had gezien. Dit was zijn manier om hem terug te betalen, denk ik. Hij heeft hem zijn gezicht terug willen geven.'

'De tekeningen van Dennis die onlangs te koop aangeboden zijn... Die leken erg op elkaar, maar ik wist... ik wíst gewoon dat ze allemaal net iets anders waren.'

'Ja.' Hannah knikte. 'Jij was blijkbaar de enige die goed genoeg heeft gekeken om dat te zien. Ik heb de tekeningen uitgekozen die het meest op elkaar leken. Waar Charles duidelijk een beeld in zijn hoofd had en dat een aantal keren tekende voor het weer veranderde. Maar hij kreeg het nooit honderd procent hetzelfde, omdat –'

'Omdat het een fantasie was. Hij had geen model.'

'Ja. Het was riskant om ze in de verkoop te brengen, maar dit waren de enige die geen vragen zouden oproepen.'

'Waarom nam je dat risico?'

'We hadden geld nodig. Dimity om van te leven, en ik om Ilir en zijn gezin te helpen.' Zach dacht hier even over na.

'Die meest recente tekening van Dennis, die twee weken geleden is verkocht. Daar heb je de overtocht van Rozafa en de jongen van betaald, hè?' vroeg hij en hij wist het antwoord al voordat Hannah knikte.

'Ilir werkt al jaren voor me, en hij heeft gespaard wat ik hem kon betalen. Hij heeft ook wat geld naar hen in Frankrijk gestuurd. Maar toen aan het begin van de maand de Franse autoriteiten de Parijse kampen gingen sluiten, was het nog te vroeg. We hadden samen nog niet genoeg. Er moest meer geld komen.' Haar ogen waren wijd open en stonden kalm, maar ook onderzoekend. Ze wilde weten hoe hij tegenover dit alles stond, nu ze alle geheimen en leugens probeerde uit te leggen. En haar aandeel erin. 'Ik heb nooit echt tegen je gelogen, Zach,' zei ze, alsof ze zijn gedachten kon lezen.

'Je hebt vervalste data op zijn werk gezet, Hannah. Dat is vervalsing. Je hebt ontkend dat je iets af wist van Dennis en de nieuwe stukken die verkocht werden. Je hebt verdomme gelogen tegen mij en de hele wereld,' zei hij. Hij realiseerde zich pas op dat moment hoeveel pijn dat deed.

'Dat was geen vervalsing! Die tekeningen zíjn ook van Charles Aubrey!'

'Ja. Je hebt de wereld niet zo erg voorgelogen als mij,' zei hij. Hannah perste ongelukkig haar lippen op elkaar, maar ze bood geen excuses aan.

'Wat heb je met zijn lichaam gedaan? Daar heb je niets over gezegd. Heeft Charles Aubrey een echt graf, waar ik naartoe kan gaan?' vroeg Zach. Hij kreeg ineens een somber visioen van een opgraving, van een verplaatsing naar gewijdere grond. Van aarde tussen grijnzende tanden, en van insecten die in knokige oogholtes zaten weggekropen. Hannah had aan de haartjes van een penseel in een pot op tafel staan friemelen. Schuldbewust liet ze haar hand vallen, alsof hij haar een tik op de vingers had gegeven.

'Nee. Er is geen graf.'

'Maar... Je gaat me toch niet vertellen dat je het lichaam verbrand hebt? Jezus christus, Hannah.'

'Nee! Dat niet. Je moet begrijpen... Dimity was bijna hysterisch toen ik aankwam. Van verdriet en van angst. Ze bleef hardnekkig volhouden dat ze een heel groot probleem zou hebben als de mensen ontdekten dat hij hier al die tijd geweest was. Ze ging maar door over geheimen en slechte dingen. Er was bijna geen touw aan vast te knopen. Het was niet lang nadat ik Toby had verloren. Ik was zelf niet helemaal bij de tijd. En hij was al een tijdje dood, begrijp je. Ik denk dat ze het ontkende, of misschien wilde ze hem zo lang mogelijk bij zich houden. Maar hij begon al te ruiken.' Ze viel stil en moest iets wegslikken bij de herinnering. 'Het was nacht en we zaten met een lijk – mijn tweede dat jaar – en Mitzy huilde en praatte maar door, en toen... toen ben ik akkoord gegaan met wat ze voorstelde.' Ze keek naar hem op, nog steeds met die grote ogen; verwachtingsvol nu, in afwachting van zijn reactie. Op elk willekeurig moment hiervoor zou hij blij zijn geweest om die kwetsbaarheid op haar gezicht te zien.

'En dat was?'

'We hebben hem aan de zee gegeven.'

In de nacht dat hij overleed was het droog; er stond een briesje dat zacht en rusteloos fluisterde, als een liedje. Dimity had een zere rug van het schrobben van de keukenvloer. Ze had jarenlang in Charles' en haar eigen onderhoud voorzien met schoonmaakwerk. Ze ging met de bus naar de huizen van mensen buiten Blacknowle, nieuwkomers, mensen die zich na de oorlog elders gevestigd hadden. Mensen bij wie de naam Hatcher geen associaties opriep. Maar zo gauw ze met pensioen kon, deed ze dat. Ze stopte met werken en bleef elke dag de hele dag bij Charles op The Watch. Het huis voelde niet meer als een gevangenis, maar als een thuis. Als een veilige haven. Een plek waar ze met heel haar hart gelukkig was. Maar die nacht waren haar botten zo door en door pijnlijk dat haar nekharen ervan overeind gingen staan en ze een akelig, wee gevoel in haar maag kreeg. Neuriënd en zingend deed ze haar werk, maakte lamskoteletjes met muntsaus voor het avondeten klaar, maar ze stelde het zo lang mogelijk uit om het bij hem boven te brengen. Ze wist het; ze wíst het. Maar ze wilde het niet weten, geen bewijzen zien. Elke traptree leek een klif, elke beweging van haar spieren een marathon. Toen de koteletjes allang koud waren en in een gestolde kring van vet op het bord lagen, dwong ze zichzelf naar zijn kamer te gaan.

De kamer was donker en ze zette het blad voorzichtig op tafel voor ze naar de lichtschakelaar liep. De hand die ze optilde om eraan te trekken was loodzwaar; hij woog meer dan alle stenen op het strand bij elkaar. En daar lag hij op bed, volledig gekleed, met zijn benen onder het laken en zijn armen gekruist over zijn taille, netjes en verzorgd. Zijn hoofd lag midden op het kussen en zijn ogen waren gesloten, maar zijn mond niet. Die hing een stukje open, zodat ze net zijn ondertanden en het puntje van zijn tong kon zien. Een tong die niet meer roze was, maar vaalgrijs. En op datzelfde moment hield de wereld op met draaien en leek alles in schaduwen op te gaan; niets bestond nog werkelijk. De lucht was niet meer geschikt om in te ademen, het licht verblindde haar ogen en het plafond drukte op haar neer, tot haar knieën ervan knikten. Het huis, de wereld en alles daarop bestond niet meer en ze wankelde naar adem snakkend van de pijn naar het bed. Zijn huid was koud en droog, het vlees eronder te stevig, niet-menselijk. Zijn witte plukjes haar voelden zacht en schoon aan toen ze ze met trillende vingers aanraakte. De jaren hadden hem ingevallen wangen bezorgd, en magere pezen over de hele lengte van zijn nek, maar toen ze naar hem keek zag ze alleen wat ze altijd had gezien, haar Charles, haar geliefde. Heel lang bleef ze daar ineengedoken liggen, met haar wang op zijn stille, roerloze borst.

Nieuwe gezichten en nieuwe stemmen kwamen het grijze gat opvullen dat Charles had achtergelaten. Eerst waren ze vaag, ze bleven op afstand. Er leek iets te bewegen, er waren stemmen die te zacht waren om te horen. Maar bijna een week na Charles' overlijden zag ze in het voorbijgaan ineens blond haar langsflitsen in de spiegel in de hal. Geverfd, gelig haar, lang en grof en met gespleten punten. Valentina. En diezelfde avond werd ze bevangen door een zenuwtrekking die niet bij haar hoorde, maar bij Celeste. De doden trokken elkaar aan, wist ze, zoals wespen door hun vermoorde soortgenoot werden aangetrokken. De dood hing in de atmosfeer op The Watch en de lucht verspreidde zich, werd sterker en verleidde anderen om te komen kijken, om op bezoek te komen. Ze rende in paniek naar zijn kamer en pakte zijn koude handen om troost te zoeken. Ze waren nu weer zacht, maar op een verkeerde manier. Zijn hele lichaam leek langzaam in de matras te verzinken. Zijn ogen hadden zich teruggetrokken in zijn schedel, zijn wangen waren nog dieper ingevallen en de strengen in zijn nek waren verslapt. De tong tussen zijn tanden was donkerder geworden, zwarter. Zijn huid was wasbleek en geel. 'Meidoorn,' mompelde ze verdrietig tegen hem toen de dag ten einde liep en de zon onderging. 'Je ruikt naar meidoornbloesem, mijn lief.'

Bij de boerderij deed Delphine open. Een kort moment vond Dimity dat heel gewoon, maar toen schrok ze, omdat dat niet mogelijk was. Ze had Delphine al jaren geleden weggedragen zien worden. Het was Delphine niet, maar het donkerharige meisje dat als kind weleens bij The Watch had aangeklopt om te vragen of ze een feestdag wilde sponsoren of lootjes wilden kopen voor de padvinderij. Het was een klein, mager ding met ontvelde ellebogen en knieën geweest, maar nu stond ze heel serieus en mooi voor haar. Haar adem rook naar alcohol en ze stond haar met open mond aan te staren. Maar Dimity pakte haar hand en trok haar mee naar The Watch. Ze kon hem in haar eentje niet tillen. Het huis zinderde van de stemmen van de doden, maar Hannah leek ze niet te horen. Ze maakten Dimity gek van angst en wanhoop. Ze moesten weg, ze moesten allemaal weg en hun geheimen met zich meenemen. Geheimen die geheim moesten blijven. Het waren er te veel en ze waren te ernstig om er ook maar één van openbaar te maken – het losse steentje dat de aardverschuiving zou ontketenen. Geen politie, geen begrafenisondernemer, niemand behalve de twee vrouwen en de dode man. Hannah legde haar hand op haar mond toen ze Charles' kamer binnen liepen, en kokhalsde. Haar ogen waren donker van afschuw.

Samen tilden ze hem van het bed. Hij was zwaarder dan hij

leek; een lange man met sterke, zware botten. Ze droegen hem The Watch uit en naar de kliffen. Niet boven het strand, maar achter het huis, naar waar de afgrond loodrecht de baai in dook. Dimity wist dat het vloed was. Ze wist het zo goed dat ze er niet eens bij na hoefde te denken. De stroming kende ze ook, de stroom die hem onder water zou trekken en meenemen, tot ver in de zee. De geselende wind sloeg witte schuimkoppen tegen de rotsen. Hij blies de geur van meidoornbloesem weg; hij blies het geluid van haar snikken weg. Ze slingerden hem heen en weer, een keer en nog een keer. Bij de derde keer lieten ze los. En even, heel even, wilde Dimity hem achternagaan. Ze wilde hem bij zich houden, met hem meegaan, want het leek zo zinloos om verder te leven zonder hem. Maar haar lichaam dacht er anders over, het reageerde instinctief en haar handen lieten hem los, zodat hij het donker in vloog. Opgeslokt door het kolkende water, weg. Ze bleef daarna nog lang op het klif staan. Het meisje bleef bij haar, haar adem rook zoet van de whisky, haar haar wapperde en ze hield haar stevig vast, alsof ze begreep wat Dimity anders misschien zou doen. Waar ze heen zou gaan. Toen ze later op The Watch terugkwam, zonder herinnering aan wat ze had gedaan, was het huis zo somber en stil als een graf.

12

Zach, die met zijn hoofd op Dimity's keukentafel ingedommeld was, werd wakker van het ochtendlicht. De scherpe stralen prikten in zijn ogen en hij tilde zijn hoofd voorzichtig op. Het was zwaar van gebrek aan slaap en de druk van zijn gedachten. Zijn schedel voelde aan als een eierschaal die elk moment kon barsten door al die nieuwe dingen die er de afgelopen vierentwintig uur waren ingepropt. Hij zat in zijn eentje in de keuken tussen koude, plakkerige bekers die naar zure melk en cognac stonken. Hij vulde de ketel en zette hem op, dronk een vol glas water en liep daarna naar de zitkamer. De laatste keer dat hij Hannah had gezien lag ze opgekruld in een leunstoel tegenover de Sabri's te slapen, met haar trui over haar handen getrokken en haar mond zo lief getuit dat hij zich had moeten inhouden om haar niet te kussen. Nu was de kamer leeg. Zach wreef zijn ogen uit en probeerde wakker te worden.

'Hannah? Ilir?' riep hij naar boven, maar er kwam geen antwoord. Toen hoorde hij een geluid van buiten en deed de voordeur open.

Hannahs jeep stond met draaiende motor en open portieren voor het huis. Rozafa en Bekim zaten al op de achterbank, en

Hannah slingerde twee canvas reistassen in de kofferbak. 'Hé, wat ben je aan het doen?' vroeg Zach. Hij stond te trillen van vermoeidheid in de koelte van de vroege ochtend. Hannah keek even geschrokken naar hem op.

'Ik breng ze naar het station. Ik wilde je niet wakker maken,' zei ze. Ze liet de tassen in de kofferbak vallen en kwam met haar handen in haar zakken naar hem toe lopen. Zach legde een hand boven zijn ogen tegen de zon.

'Is dat veilig? Ligt de politie niet meer op de uitkijk?'

'Ik denk het niet. Ik heb James gesproken. Ze hebben zijn huis vannacht ook doorzocht en niets ontdekt. Hij denkt niet dat ze nog in de buurt zijn. Ze hebben me vannacht zelfs hun excuses aangeboden. Uitgebreide excuses zelfs, toen ze niets vonden.' Ze schonk hem een korte glimlach.

'Blijf je lang weg?'

'Nee. We gaan naar het station in Wareham. Ilir brengt ze naar het noorden, naar Newcastle. Daar heeft hij vrienden – nou ja, in ieder geval iemand die hij kent van thuis. Iemand die hen onderdak kan bieden en kan helpen met inburgeren, en mijn zwager is daar arts. Hij kan helpen met de asielaanvraag en Bekims chelatietherapie –'

'Zijn wat?'

'Luister, er is nu geen tijd om het allemaal uit te leggen, we moeten over veertig minuten een trein halen. Ze zouden een paar dagen bij mij blijven om uit te rusten voor ze verdergingen, maar na vannacht dachten we dat we beter niet konden wachten,' zei ze. Zach pakte haar hand, vouwde hem open in de zijne en bestudeerde hem. Klein en vol littekens, korte, afgebroken nagels met vuile nagelriemen, eelt op de handpalmen en vlak onder haar vingers. Handen die gehard waren van het buitenwerk; handen uit een volslagen andere wereld dan de zijne.

'Wil je dat ik meega?' vroeg hij.

'Nee, dat hoeft niet. Blijf maar bij Dimity. Kijk naar de kunstwerken,' zei ze op een eigenaardig toontje.

'Oké. Dan zie ik je wel als je terug bent.'

'Ik kom terug zo gauw ze vertrokken zijn. Over anderhalf uur of zo. Dan praten we verder.' Ze draaide zich om en liep naar de auto, en Ilir kwam voor hem staan.

Zach wachtte nerveus af wat de Roma te zeggen had. Zijn kaak deed nog pijn van de klap die hij de vorige avond had geïncasseerd. Instinctief bracht hij zijn hand omhoog om eroverheen te wrijven. Hij voelde hoe gevoelig de plek was. Ilir glimlachte een beetje.

'Sorry, dat ik je geslagen heb, Zach,' zei hij. 'Maar ik was erg bang, begrijp je.'

'Laat maar zitten.'

'Nee, ik moet iets zeggen. Je hebt ons geholpen… Ik ben dankbaar.' Ilirs gezicht stond moe en pijnlijk, maar hij keek gelukkiger dan Zach hem ooit had zien kijken. Hij straalde innerlijke rust uit, alsof de afwezigheid van zijn vrouw en kind altijd aan hem had geknaagd; een zeurende pijn, die nu weg was, ondanks hun penibele situatie.

'Alsjeblieft. Het was het minste wat ik kon doen. Ik ben blij dat ze veilig zijn.' Hij stak zijn hand uit, Ilir nam hem aan en trok hem naar zich toe in een onhandige, korte omhelzing. Ze hadden geen tijd gehad om zich te wassen of om te kleden en de man droeg nog steeds de geur van de spanning en het tumult van de afgelopen nacht bij zich.

'Ilir, kom. Daar hebben we geen tijd voor,' riep Hannah vanuit de auto.

'Wees lief voor haar,' zei Ilir zachtjes. 'Nu ik weg ben… ze lijkt sterk, maar ze heeft mensen nodig. Meer dan ze wil toegeven. Ze zal je vriendschap nodig hebben nu ik weg ben. Ze is moeilijk soms, maar het is een goede vrouw.'

'Dat weet ik,' zei Zach. 'Succes.' Ilir gaf hem een klap op zijn schouder, knikte, draaide zich om en ging op de passagiersstoel zitten. Na het uitspuwen van een wolk blauwe dieselrook waren ze weg.

Zach bleef een tijdje op de stoep naar het uitzicht zitten kijken. Zijn blik dwaalde van de waterrijke horizon naar de groene bult van de heuvel landinwaarts. Een deel van hem wilde dolgraag naar boven om alle tekeningen en schilderijen nog eens te bekijken, en een paar eerste notities te maken over onderwerp en stijl. Maar hij aarzelde, overrompeld door zijn eigen gevoel dat hij dat niet moest doen, niet nu Hannah weg was en Dimity zo van streek. Hoe intensief hij ook achter de tekeningen had aan gejaagd, ze waren niet van hem. En hij had nog een ander probleem, iets wat Hannahs onthulling over haar grootmoeder bij hem had opgeroepen. Hij bleef nog even zitten, beet nadenkend op zijn lip en probeerde zichzelf wijs te maken dat het niet uitmaakte. Maar dat deed het wel, hij kon het niet ontkennen. Hij liep zo geruisloos mogelijk de trap op.

'Dimity?' riep hij. Hij had haar niet meer gezien sinds afgelopen nacht, toen ze in elkaar gedoken bij de deuropening van de kleine lege slaapkamer zat waar Charles Aubrey had geleefd, maar daar was ze nu niet. Zach klopte zachtjes op de deur van de andere slaapkamer en keek door een kiertje. 'Ben je wakker?' vroeg hij zacht. Er kwam geen antwoord van het figuurtje dat ineengekruld op het bed lag. Ze had haar knieën voor zich opgetrokken, en haar handen in de vuile rode mitaines omklemden haar buik. Toen hij de mitaines zag, voelde Zach een scheut van genegenheid voor de oude vrouw, en ook van bewondering. Er waren maar weinig mensen die zo'n geheim zo trouw en met zo veel succes zo veel jaren zouden kunnen bewaren. Hij dacht terug aan al die uren dat hij met Dimity had zitten praten, ijverig aantekeningen makend van haar verhalen over Charles Aubrey uit de jaren dertig, terwijl ze al die tijd die reusachtige, onvoorstelbare waarheid verborgen had weten te houden. Het had er steeds op geleken dat ze iets achterhield; dat ze een beetje bang was dat ze haar mond voorbij zou praten of te veel zou zeggen. Het moet geen moment uit haar gedachten zijn geweest. Dimity reageerde niet toen hij haar riep, en haar ademhaling was diep en regelmatig, maar toen Zach wegging had hij sterk het gevoel dat ze niet sliep.

Zach probeerde zo goed mogelijk te vermijden om met Pete Murray te praten, maar de caféhouder wilde dolgraag kletsen over de politie die de vorige nacht in het dorp was geweest. Zach haalde zijn schouders op en ontkende dat hij er iets van wist. Hij wilde zo gauw mogelijk weg om de enige persoon te spreken die een einde kon maken aan iets wat zijn aandacht steeds nadrukkelijker opeiste. Op de twee uur durende rit naar het noorden moest hij zich inspannen om zich op de weg te concentreren. Hij repeteerde in zijn hoofd wat hij zou zeggen, hoe hij eindelijk de waarheid zou ontdekken over iets wat zijn hele leven opzettelijk verdoezeld was.

Zijn oma woonde in een victoriaans seniorenhofje in een marktstadje vlak bij Oxford. Keurige bungalowtjes van baksteen en graniet, in hoefijzervorm rondom een onberispelijk, voor wandelaars afgeschermd grasveld gegroepeerd. In de borders pronkten de allerlaatste late rozen met hun verbleekte kleuren. Zach gaf zijn naam op bij de beheerder en liep naar het midden van het rijtje huizen. Hij klopte aan en deed zelf de deur open, om zijn oma de moeite van het opstaan te besparen.

'Hallo, oma,' zei hij. Ze keek hem met een lichte frons aan en glimlachte pas toen hij zich vooroverboog om haar wang te kussen.

'Lieve jongen,' zei ze, en schraapte haar keel. 'Wat aardig dat je langskomt. Wie ben je?'

'Ik ben Zach, oma. Ik ben je kleinzoon. De zoon van David.' Toen zijn vaders naam genoemd werd, glimlachte zijn oma met meer overtuiging.

'Natuurlijk. Je lijkt sprekend op hem. Ga zitten, ga zitten. Dan zal ik theezetten.' Haar magere armen trilden terwijl ze probeerde om met behulp van twee wandelstokken uit haar stoel te komen.

'Dat doe ik wel, oma. Blijft u maar zitten.'

Vanuit het keukentje bestudeerde Zach zijn oma. Hij had haar vier maanden geleden voor het laatst gezien en ze leek elke keer kleiner te worden. Een spichtig vrouwtje, met haar dat een schim was van de krullen die ze vroeger had gehad en een knokig lijfje dat vroeger een goedgevormd, energiek lichaam was geweest. Ze zat hier elke dag verder af te takelen, terwijl hij te veel door zijn eigen problemen werd opgeslokt om het op te merken. Met een steek van schuldgevoel bedacht hij dat hij met Elise naar haar toe had moeten gaan voor ze naar Amerika ging. Hij sprak met zichzelf af dat hij dat zonder mankeren zou doen als zijn dochter de volgende keer in het Verenigd Koninkrijk was. Hij kon alleen maar hopen dat zijn oma dan nog in leven zou zijn, maar dat leek zeer waarschijnlijk. Ze was broos, maar haar ogen stonden helder. Zach bracht de thee binnen en ze praatten een minuut of tien over familie en over zijn werk.

'Goed, vraag het me maar,' zei ze, nadat er een stilte was gevallen. Zach keek haar aan.

'Wat moet ik u vragen, oma?' Ze hield zijn ogen vast met haar heldere ogen en keek geamuseerd.

'Wat je me zo graag wilt vragen. Ik zie het als een wolk boven je hoofd hangen.' Ze glimlachte om de schuldige uitdrukking op zijn gezicht. 'Maak je geen zorgen, beste jongen. Het maakt me niet uit waarom je op bezoek komt, het is al fijn dat je het doet.'

'Neem me niet kwalijk, oma. Maar ik moet u iets vragen over Charles Aubrey.' Hij had gedacht dat ze zou glimlachen of blozen of die gelukkige, geheimzinnige blik van vroeger in haar ogen zou krijgen, maar in plaats daarvan leunde ze verder achterover in haar stoel en leek een beetje weg te zakken, zich een beetje van hem terug te trekken.

'Aha,' zei ze.

'Weet u, toen ik klein was leek er altijd op gezinspeeld te worden dat Charles Aubrey in werkelijkheid misschien mijn opa was.' Zachs hart ging sneller kloppen. Het voelde als een soort schande om dit lang gedachte maar nooit uitgesproken onderwerp ter sprake te brengen.

'Ja, dat weet ik,' was alles wat ze zei. Haar gezicht stond zorgelijk, wat Zach verbaasde. Haar man, Zachs opa, was elf jaar eerder al overleden. De waarheid kon hem geen pijn meer doen.

'Ik heb de afgelopen weken in Blacknowle gezeten –'

'Blacknowle? Je bent in Blacknowle geweest?' onderbrak ze hem.

'Ja. Ik heb geprobeerd meer te weten te komen over Aubrey's leven en werk daar.'

'En is dat gelukt?' Ze boog zich nieuwsgierig voorover in haar stoel.

'O ja. Dat wil zeggen...' Zach aarzelde. Hij had op het punt gestaan om alles er uit te flappen wat hij had ontdekt. Maar hij wist dat dat niet kon. Het geheim dat Dimity haar hele leven zo zorgvuldig had bewaakt kon niet zo terloops bekendgemaakt worden. Zelfs niet aan een andere vrouw die haar hele leven van Aubrey had gehouden. 'Ik heb daar iets ontdekt. Iets waardoor het voor mij erg belangrijk is om te weten of ik nu wel of niet afstam van Charles Aubrey. Of ik zijn kleinzoon ben, of niet.'

De oude vrouw liet zich weer achteroverzakken en perste haar lippen op elkaar. Haar knokige handen omklemden de armleuningen van haar stoel en Zach voelde het zweet onder zijn armen prikken in de veel te warme kamer. Hij wachtte af en even leek het of hij geen antwoord zou krijgen. De ogen van zijn oma keken in het verleden, net zoals die van Dimity Hatcher, maar na een tijdje begon ze te praten.

'Charles Aubrey. O, hij was geweldig. Je kunt onmogelijk weten, nu, hoe geweldig hij was.'

'Ik zie wel hoe geweldig zijn tekeningen waren,' zei Zach.

'Dat kan iedere idioot zien. Maar je zou hem ontmoet moeten hebben, gekend moeten hebben, om echt te weten –'

'Maar begrijpt u niet,' zei Zach, ineens geïrriteerd, 'begrijpt u niet wat dat met opa gedaan heeft? En met mijn vader?' Zijn oma knipperde met haar ogen en keek hem met een lichte frons aan. 'Mijn vader, uw zoon David, is opgegroeid met een vader die niet van hem hield omdat hij dacht dat hij zijn vader niet was!'

'Elke fatsoenlijke man zou hoe dan ook van die jongen gehouden hebben,' zei ze kortaf. 'Ik heb aangeboden bij hem weg te gaan. Ik heb aangeboden mijn zoon mee te nemen en hem zijn vrijheid terug te geven. Hij wilde er niet van horen. Het schandaal, zei hij. Hij was altijd bang voor wat andere mensen zouden denken. Te bezorgd of we wel keurig genoeg waren om zich erom te bekommeren of we gelukkig waren.'

'En waren jullie dat?'

'Waren we wat, jongen?'

'Waren jullie zo keurig? Was uw man de vader van uw zoon, of was mijn vader een onwettige liefdesbaby?' Hier moest zijn oma om lachen.

'O, lieve jongen! Je klinkt precies zoals je opa! Net zo pompeus.' Ze klopte op zijn hand. 'Maar ik ben ervan onder de indruk dat na al die jaren eindelijk iemand de moed heeft om het me ronduit te vragen. Maar wat doet het er nu nog toe? Pieker er niet te veel over. Iedereen heeft recht op zijn geheimen, en zeker een vrouw –'

'Ik heb het recht om het te weten,' drong Zach aan.

'Nee, dat heb je niet. Je bent opgegroeid met een zorgzame vader, er werd van je gehouden en er werd voor je gezorgd. Waarom zou je iets oprakelen wat minder oplevert dan dat? Wat erger is dan dat?'

'Omdat *mijn* vader niet is opgegroeid met een liefhebbende vader, wel? Hij is opgegroeid in de wetenschap dat hij niet goed genoeg was. Dat hij nooit helemaal aan de verwachtingen voldeed. Hij is opgegroeid als een teleurstelling, in de schaduw van Charles Aubrey!' Zach haalde diep adem om weer kalm te worden. 'Maar dat is het punt niet. Of eigenlijk wel, maar daarvoor ben ik hier niet. Ik heb een vrouw ontmoet, in Blacknowle, die familie van Charles Aubrey is. Zijn achterkleindochter. De kleindochter van Aubrey's dochter Delphine. Herinnert u zich haar?'

'Delphine? Het oudste meisje?' Zijn oma hield haar hoofd schuin. 'Ik heb hen af en toe even gezien, maar ze eigenlijk nooit gesproken. Zijn dochters niet en die andere ook niet.'

'Welke andere?'

'Dat kleine meisje uit het dorp dat hen altijd overal achternaliep.'

'Dimity Hatcher?'

'Heette ze zo? Een echte schoonheid, maar altijd gekleed in lompen en weggekropen achter haar haar. Ik vroeg me af of ze achterlijk was.'

'Ze was niet achterlijk. En ze leeft nog,' zei Zach voor hij zich kon inhouden. 'Ze heeft me alles verteld over de zomers die de Aubreys daar doorgebracht hebben –'

'Echt? Nou, dan hoef ik je toch niet te –'

'Oma, alstublieft! Ik moet het weten. Die vrouw die ik heb ontmoet, Aubrey's achterkleindochter... Het is erg belangrijk voor me om te weten of we verwant zijn. Of ik Aubrey's kleinzoon ben. Alstublieft, vertel het me gewoon. Zonder toespelingen en schouderophalen.'

'Je bedoelt dat jullie verkering hebben?' vroeg ze, met haar scherpe intuïtie. Zach knikte. De vingers van zijn oma bewogen onrustig op de armleuning van haar stoel. Ze greep de leuning en liet hem weer los, greep en liet weer los, en de tweestrijd stond op haar gezicht te lezen. Zach haalde diep adem.

'Nou...' zei hij. De oude vrouw keek hem nors aan.

'Goed. Als je het per se wilt weten, dan zal ik het je vertellen. Misschien zullen we er allebei iets bij verliezen. Het antwoord is nee. Nee. Je opa was je opa. Ik heb nooit een liefdesverhouding met Charles Aubrey gehad.'

'U hebt zelfs geen verhouding met hem gehad? Was het dan allemaal verzonnen?' Zach kon zijn oren niet geloven. Er ging een storm van opluchting en teleurstelling door hem heen.

'Ik heb niets verzonnen, jongeman! We hadden een band. En ik hield van hem. Ik hield van hem vanaf het moment dat ik hem zag. En misschien zou ik je opa wel bedrogen hebben, maar Charles wilde me niet.' Ze kneep haar lippen weer op elkaar alsof ze zichzelf had gestoken. 'Zo. Ik heb het gezegd, en ik hoop dat je nu gelukkig bent.'

'Hij heeft u afgewezen?'

'Ja. Hij had uiteindelijk het meeste fatsoen van ons beiden. Hij kwam me opzoeken in de kamer boven de pub waar we logeerden. Ik dacht dat hij me kwam verleiden! Maar hij kwam om het uit te maken. Niet dat het echt aan was, er was alleen de mogelijkheid. De betovering. Maar in plaats daarvan maakte hij er een eind aan en brak ook nog eens mijn hart.' Ze legde haar hand licht op haar borst en zuchtte. 'Hij zei dat hij niet vrij was om te nemen wat hij wilde. Om te doen wat hij wilde. Hij zei dat hij die zomer al om die reden in de problemen was gekomen en dat hij aan zijn gezin moest denken.'

'Celeste en de meisjes, en hij moet Dimity hebben bedoeld. Hij moet Dimity hebben bedoeld toen hij zei dat hij al problemen had gehad. Ze hadden een verhouding, die zomer.'

'Dimity? Dat kleine dorpsmeisje? Maar dat was nog maar een kind! Ik kan me niet voorstellen dat hij –'

'Misschien bedoelde hij dat wel met "problemen".'

'Maar weet je dat zeker, Zach? Weet je echt zeker dat zij een verhouding hadden?'

'Zij beweert in ieder geval van wel,' zei hij, maar zijn oma glimlachte weemoedig.

'Ach, maar zie je het niet? Dat deed ik ook. Tot vandaag deed ik dat ook.'

Even later verliet Zach het hofje met de belofte om snel weer terug te komen. De woorden van zijn oma klonken nog na in zijn hoofd. *Dat deed ik ook.* Wat betekende dat? Dat Dimity evenmin een verhouding met hem had gehad? Maar er moest iets gebeurd zijn, anders had Aubrey er niets over gezegd tegen Zachs oma. *Problemen.* Was dat zijn woord voor de liefdesrelatie waar Dimity al die weken herinneringen aan ophaalde? Aan de andere kant: toen hij deserteerde was Dimity degene naar wie hij toe ging en bij wie hij al die jaren daarna bleef. Of was dat alleen omdat Dimity de enige was die hij nog had? De enige die daar nog was, toen Charles gewond en kwetsbaar terugkwam en een veilige haven nodig had? Nee: Delphine was er ook nog. Ze woonde nog geen kilometer verderop en leefde al die tijd in de veronderstelling dat haar vader was gesneuveld. Zach had hoofdpijn. Dimity had haar grote geheim goed bewaard, zelfs voor Delphine, zijn eigen kind. Wat afschuwelijk om zoiets te doen. Onder het rijden hield Zach de knokkels van één hand tegen zijn lippen gedrukt. En zijn eigen familieleden, zijn vader en zijn opa, hadden moeten leven met een schim van Aubrey die niet meer bleek te zijn dan dat.

Een schim. Niets werkelijks, niets tastbaars. Was Aubrey echt zo indrukwekkend geweest dat de suggestie alleen al genoeg was om hem voort te laten leven? Ja dus. En Zachs artistieke eigenschappen waren een speling van het lot, geen erfelijke aanleg. Op dat moment voelde hij iets van zich afglijden dat hij jarenlang zorgvuldig had gekoesterd. Hij had gedacht dat hij het zou missen, maar in plaats daarvan voelde hij zich lichter.

Zach reed rechtstreeks naar The Watch. Het was al later op de middag en toen er geen reactie kwam op zijn kloppen probeerde hij de deur. Die zat niet op slot en hij ging een beetje ongerust naar binnen. Dimity sloot hem altijd af. Hij had altijd het gerammel van grendels gehoord voor ze opendeed. Voor de tweede keer die dag liep hij de trap op terwijl hij haar naam riep, met een hoofd zo vol gedachten dat hij moeite had om zich op een ervan te concentreren. Hij wist alleen dat hij haar dingen te vragen had; het waren bijna beschuldigingen. Dimity had zich niet verroerd. Ze lag nog steeds op haar zij op bed, maar dit keer rende Zach nerveus op haar af en zuchtte van opluchting toen hij haar hoorde ademhalen. Ze had haar ogen open en staarde in het niets. Ze knipperde met haar ogen toen Zach bij haar neerhurkte. Hij schudde haar zachtjes.

'Dimity, wat is er? Gaat het wel?' Dimity zei niets, slikte en probeerde overeind te komen. Zach hielp haar rechtop te gaan zitten. Toen hij haar benen over de rand van het bed legde, voelde hij hoe broodmager die waren. 'Moet ik een dokter bellen?'

'Nee!' zei ze ineens en ze begon te hoesten. 'Geen dokter. Ik ben alleen moe.'

'Het was een rare nacht,' zei Zach aarzelend. Ze knikte en keek treurig naar de vloer. 'Het spijt me,' zei hij. Hij kon niet precies uitleggen waar hij spijt van had. Dat hij haar geheim had ontdekt, nadat ze het zo lang bewaard had. Dat hij het haar had afgenomen, misschien.

'Hij is al zes jaar dood. Dat wist ik, maar ik... ik droomde dat ik het niet wist. Ik wilde het zo graag,' zei ze. De tranen welden op in haar ogen en spatten op haar wangen.

'Je hield heel veel van hem, hè?' vroeg Zach zachtjes. Dimity keek naar hem op met een paar ogen waarin de pijn helder te lezen stond. Een voor een maakten de vragen in Zachs hoofd zich los en dreven weg. Ze was hem niets verschuldigd.

'Meer dan van mijn leven,' zei ze. Ze ademde diep in. 'Ik zou alles voor hem hebben gedaan. Om het goed te maken.'

'Om wat goed te maken, Dimity?' zei Zach met een frons. Er vielen weer twee tranen op haar gevouwen handen.

'Wat ik heb gedaan,' fluisterde ze, zo zachtjes dat hij het bijna niet kon horen. 'Wat ik heb gedaan.' Ze huiverde toen er een snik door haar heen sidderde. Zach wachtte op wat er nog meer zou komen, maar ze zweeg, en Zach moest even denken aan iets wat Wilf Coulson had gezegd. 'Nu zal iedereen het weten. Er zullen mensen komen en ontdekken dat hij hier was. Ze zullen te weten komen dat ik hem verborgen heb gehouden. Denk je niet?' Ze keek hem aan met een gezicht waarop verdriet en angst gegrift stonden. Zach schudde zijn hoofd.

'Dat hoeft niet, Dimity. Als je wil dat ik het tegen niemand zeg, zal ik dat niet doen. Beloofd.' Haar ogen waren groot van ongeloof.

'Meen je dat? Zweer je het?' fluisterde ze.

'Ik zweer het,' zei Zach. Hij voelde de ernst van de belofte zwaar op zich drukken. 'Het geheim tussen jou en Charles is nog steeds jouw geheim. En de tekeningen en schilderijen zijn van Hannah. Ze heeft je er nog niet voor verraden en ik weet zeker dat ze dat nu ook niet zal doen,' zei hij. Dimity knikte en sloot haar ogen.

'Ik ben zo moe,' zei ze terwijl ze weer op de verschoten lakens ging liggen.

'Ga dan maar rusten. Ik kom morgen terug.'

'Rusten? Ja, misschien. Maar ze komen op me af, weet je,' zei ze met een angstig dun stemmetje.

'Wie, Dimity?' vroeg Zach fronsend.

'Allemaal,' fluisterde ze en daarna verslapte haar gezicht en viel ze in slaap. Zach trok de deken over haar heen en raakte even een vuile rode mitaine aan als afscheid.

Bezorgd, en nog altijd twijfelend of hij niet toch een dokter moest bellen om bij Dimity langs te gaan, reed Zach naar het dorp. Hij was bijna bij het weggetje naar Southern Farm toen hij een bekende gestalte op een bank zag zitten uitkijken over zee, met een hond aan zijn voeten. Zach stopte naast hem en draaide zijn raampje naar beneden.

'Hallo, meneer Coulson, alles goed?' vroeg hij. Wilf Coulson pakte de riem van de whippet stevig beet en knikte met alle beleefdheid die hij op kon brengen. 'Ik weet dat u zei dat ik u niets meer over Dimity mocht vragen.'

'Dat klopt. Dat heb ik gezegd,' zei de oude man afwerend.

'Ik kom net bij haar vandaan en ze zei iets... Tja, iets wat me deed denken aan iets wat u zei en waar ik nog iets over wilde vragen. Mag dat?' Wilf Coulson keek hem met een moeilijk te interpreteren blik aan – nieuwsgierigheid, vermengd met somberheid en strijdlust.

'Wat dan?'

'Toen ik u vroeg waar de kleine Élodie Aubrey aan overleden is, zei u dat het een natuurlijke doodsoorzaak was, maar dat er mensen waren die iets anders beweerden. Ik vroeg me af wat u daarmee bedoelde.'

'Was dat niet duidelijk?'

'Jawel. Maar wie waren die mensen? En wat zeiden ze? Begrijpt u goed, ik ga die informatie niet gebruiken. Ik bedoel, niet voor mijn boek. Ik probeer alleen maar te begrijpen wat Dimity doormaakt. Wilt u me vertellen wat u precies bedoelde?' Wilf leek het in overweging te nemen. Zijn kaken bewogen, hij zoog zijn wangen in en uit. Maar Zach zag wel dat hij uiteindelijk zou willen praten. Hij wilde het kwijt.

'Vlak nadat het was gebeurd kwam de dokter in de pub. Dokter Marsh, die eerder in het ziekenhuis bij hen was geweest. Ik was er ook, dus ik hoorde wat hij zei. Hij ging ervan uit dat ze voedselvergiftiging had opgelopen. Het oudste meisje plukte regelmatig eetbare planten in het wild, samen met Dimity.'

'Het oudste meisje? Delphine?'

'Die, ja, ze is later met die jongen van Brocks getrouwd. Toen de dokter het over de symptomen had, zag ik dat er over zijn hoofd heen blikken werden gewisseld. Er waren er daar genoeg die wisten waar het op leek.'

'En wat was dat?'

'Waterscheerling,' zei Wilf kort.

'Jezus... bedoelt u dat Delphine dat per ongeluk geplukt heeft en... en Élodie ervan heeft gegeten?'

'Dat, of –'

'Of wat?'

'Het is moeilijk te pakken te krijgen. Waterscheerling. Boeren trekken het altijd uit als ze het vinden, want het doodt hun vee. Ze zou een heel eind weg moeten zijn gegaan en verdomd veel pech moeten hebben gehad om het te vinden.'

'Maar wat zegt u nu? Dat het opzet was?'

'Nee. Dat zeg ik niet. Waarom zou het ene zusje het andere vermoorden? En het risico lopen het hele gezin te doden? Wat zou ze daarmee opschieten?'

'Ja, ze zou er niets...' Zachs stem stierf weg omdat er een koude rilling over zijn rug liep. Hij keek naar The Watch. 'Delphine zou er niets mee opschieten,' mompelde hij.

'Dimity was zichzelf niet aan het eind van die zomer. Toen ze terugkwamen uit Afrika. En hoe verzonnen ze het trouwens, om zo'n meisje als Mitzy mee te nemen naar Afrika? Waar was dat goed voor? Ze was zichzelf niet. Ik heb geprobeerd met haar te praten, maar ze was zichzelf niet.' Wilf perste zijn lippen op elkaar en schudde boos zijn hoofd. 'Zo. Daar moet je het mee doen. Laat het verder rusten,' zei hij ernstig. Zach zag dat de oude man witte knokkels had gekregen omdat hij zo hard in de riem kneep. Hij wachtte even, en hij begreep waar hij bang voor was.

'Ik zal niet tegen haar zeggen dat u het me hebt verteld. Ik geef u mijn woord,' zei hij. Wilf Coulson leunde een beetje achterover, maar zijn gezichtsuitdrukking veranderde niet.

'Ik was nog altijd bereid om met haar te trouwen, na dat alles,' zei hij wat moeizaam. 'Ik was nog altijd bereid, maar ze wilde me niet.' Hij haalde een versleten zakdoek uit zijn zak waarmee hij zijn ogen depte, en Zach had met hem te doen. Hij wilde dat hij Wilf kon vertellen waarom Dimity hem niet had gewild – waarom ze het niet kon. Ze had Charles om aan te denken, van te houden, om verborgen te houden. En om haar daden aan goed te maken.

'Dank u, meneer Coulson. Dank u wel voor het gesprek. Ik denk... Ik denk dat Dimity nogal moe begint te worden. Ik denk... Als u haar zou willen opzoeken, kunt u misschien beter niet te lang meer wachten.' Wilf keek hem even geschrokken aan en knikte toen.

'Ik begrijp je, jongen,' zei hij. 'Laat me nu maar met rust.'

Hannah liet hem binnen met een uitdrukking op haar gezicht die Zach niet kon ontcijferen. Ze had wallen onder haar ogen en haar lippen waren bleek.

'Je bent begonnen met opruimen,' zei Zach. Hij ging aan de lange keukentafel zitten. Er waren open plekken tussen de troep op de werkbladen, en de papieren op de tafel leken in een bepaalde volgorde op stapeltjes gelegd te zijn. Bij de deur stonden twee uitpuilende vuilniszakken klaar om mee naar buiten genomen te worden. Hannah knikte.

'Daar had ik ineens zin in. Dit voelt als het einde van een tijdperk, nu Ilir weg is.'

'Zijn ze goed aangekomen in Newcastle?'

'Ja.' Ze knikte. 'Ja, ze maken het goed. Nou ja, zo goed als het kan, dan. Bekim moet zo snel mogelijk met een behandeling tegen loodvergiftiging beginnen.'

'Is dat de chelatietherapie waar je het over had?'

'Ja. Om het lood uit zijn gestel te krijgen.'

'Is het zo ernstig? Ik bedoel, ik heb wel gezien dat hij verzwakt was, maar ik dacht dat hij gewoon uitgeput was.'

'Het is erger dan je denkt. Hij zal er de rest van zijn leven gevolgen van ondervinden. Hoe oud denk je dat hij is?'

'Ik weet het niet – iets ouder dan Elise. Zeven of acht?'

'Hij is tien. Bijna elf. Het lood remt zijn groei en ontwikkeling.'

'Jezus. Arm kind,' zei Zach. 'Ik begrijp wel waarom je hen wilde helpen. Hun een nieuwe start geven.'

'Vanzelfsprekend.' Ze begon te redderen bij het aanrecht met de ketel en mokken en theezakjes. Ze leek zijn blik te ontwijken. 'Ik dacht dat je weg was,' zei ze na een tijdje.

'Hoe bedoel je?'

'Nou, je hebt gevonden wat je zocht.' Ze draaide zich om en keek hem aan, met haar armen afwerend over elkaar. 'Je hebt ontdekt waar die tekeningen van Aubrey vandaan kwamen. Je hebt ontdekt wat er met Delphine is gebeurd en wie Dennis was.'

Zach bekeek haar eens goed. Haar stem klonk boos, maar in haar ogen stond angst, zag hij. Hij schudde zijn hoofd, stond op en liep naar haar toe.

'Dus jij dacht dat ik zomaar weg zou gaan met al mijn nieuwverworven kennis? En wat zou ik er dan mee moeten doen?'

'Ik weet het niet.' Ze haalde haar schouders op. 'Een boek schrijven. Het verhaal bekendmaken. Stof doen opwaaien.'

'Wow. Je hebt echt niet veel vertrouwen in mensen, hè?' Hij glimlachte en stak zijn hand uit om over haar wang te strelen. Hannah sloeg hem geïrriteerd weg.

'Speel geen spelletjes met me, Zach. Ik moet weten wat je gaat doen.'

'Ik ga niets doen,' zei hij.

'Helemaal niets?' vroeg ze ongelovig. Ze schudde haar hoofd en wijdde zich weer aan de thee. 'Waar ben je dan geweest?'

'Ik ben bij mijn oma geweest.'

'O? Zomaar spontaan?'

'Ja. Ik heb haar eindelijk zover gekregen dat ze eerlijk zei of ze echt een verhouding met Aubrey had gehad. Of ik wel of niet een kleinzoon van Aubrey ben.' Hannah stond stil en haalde diep adem.

'Want als je dat bent, zijn alle tekeningen van jou,' zei ze ijzig. Zach knipperde met zijn ogen.

'Daar had ik nog niet eens aan gedacht. Maar ja, dat zou dan kloppen, hè?'

'Ongetwijfeld, ja,' zei ze scherp.

'Hannah, kom nou. Ik zweer dat dat niet de reden is waarom ik naar haar toe ben gegaan. Ik ben naar haar toe gegaan omdat jij en ik familie zouden zijn als ik zijn kleinzoon was. Dan zou ik je oudoom zijn of zoiets.'

'Achterneef. Of eigenlijk halfachterneef.'

'Wat?'

'Als jij zijn kleinzoon zou zijn, zouden we achterneef en achternicht zijn. Maar dan half, omdat ik van Celeste afstam en jij van je oma.'

'Halfachterneef en -achternicht? Dus jij had het al uitgeplozen?' Zach glimlachte naar haar en Hannah kleurde een beetje.

'Weken geleden al,' zei ze. 'Toen we voor het eerst met elkaar naar bed waren geweest. Je had me al verteld over de geruchten in je familie. En, wat is de uitslag? Zijn we twee loten aan dezelfde stam? Ben je Aubrey's erfgenaam?'

'Nee,' zei Zach, nog steeds met een glimlach. 'Nee, helemaal niet. Mijn opa was mijn opa. Oma liet ons al deze jaren iets anders denken omdat ze... tja, omdat ze getrouwd was met een man van wie ze niet hield, en ze wilde graag dat het waar zou zijn, denk ik.' Hannah stopte met wat ze aan het doen was en liet met gesloten ogen haar hoofd even hangen.

'Mooi,' zei ze na een tijdje. Zach keek haar vragend aan. 'Het zou de boel erg gecompliceerd hebben gemaakt als jij ineens je erfenis had opgeëist. Al die tekeningen.'

'Nee. Het zijn jouw tekeningen. Jouw erfenis.'

'Om ermee te doen wat ik wil.'

'Ja.'

'En als ik ze nou gewoon daar wil laten, bij Mitzy?' vroeg ze uitdagend.

'Dan is dat zo,' zei Zach. Hannah knipperde met haar ogen, perplex.

'Je bedoelt dat je daarmee kunt leven? Dat je het niet erg vindt? Kun jij dat geheimhouden?'

'Ik heb Dimity net gezworen dat ik dat zou doen. En ik zal het doen.'

'O,' zei ze en ze keerde hem weer haar rug toe. Ze stak haar hand uit naar de ketel alsof ze thee wilde maken, maar ze had vergeten hem aan de kook te brengen. Ze bleef zwijgend stilstaan. Zach pakte haar bij haar schouders en draaide haar zachtjes naar zich toe. Er stonden tranen in haar ogen, die ze nijdig wegknipperde.

'Wat is er?' vroeg hij.

'Niets. Het gaat wel. Ik dacht alleen –'

'Je dacht dat je weer een gevecht aan moest. Met mij,' zei Zach. Hannah knikte.

'Het zijn een paar zenuwslopende maanden geweest. Snap je?' Ze snoot luidruchtig haar neus in een stuk krantenpapier dat een inktvlek achterliet op haar bovenlip.

'Ik wil je alleen maar helpen,' zei Zach vriendelijk. 'Dat weet je nu toch wel?'

Ze zetten thee en toen die op was liep Hannah even de keuken uit. Ze kwam terug met een kleine envelop in haar hand.

'Wat is dat?' vroeg Zach toen ze hem aan hem overhandigde. Hannah ging tegenover hem zitten.

'Maak maar open.' Zach keek fronsend naar de voorkant van de brief. Het adres was geschreven in een weelderig handschrift, schuin, krullerig en behoorlijk moeilijk te ontcijferen. De geadresseerde was Delphine Aubrey. Zach keek Hannah aan. 'Die heb ik bij de spullen van mijn oma gevonden, toen ze overleden was. Het was de enige. De enige brief van Celeste, bedoel ik. Ze heeft hem al die jaren bewaard. Ik dacht dat het je misschien zou interesseren,' zei Hannah.

'O, mijn god,' mompelde Zach. Hij streek met zijn duim eerbiedig over haar naam. *Delphine.* Hannah stond abrupt op.

'Ik ga even zwemmen. Ik moet mijn hoofd leegmaken. Kom me maar zoeken als je hem hebt gelezen.' Zach knikte afwezig. Hij was al bezig de brief open te maken en begon te lezen.

Delphine, chérie, *mijn dochter. Ik mis je zo. Ik hoop dat je mij niet zo erg mist, maar het is zinloos om dat te hopen. Jij was altijd liefdevol en loyaal. Je bent altijd een goed kind geweest en een goede zus voor Élodie. Help – haar naam opschrijven voelt alsof ik in mijn eigen vlees snijd. Mijn arme Delphine, hoe kun jij het weten? Hoe kun jij weten hoeveel pijn ik lijd? Het doet jou pijn om haar kwijt te zijn, om je zusje te verliezen, maar een kind verliezen is meer dan een mens kan verdragen. Het is meer dan ik kan verdragen. Je vader zal voor je zorgen, dat weet ik. Zijn hart is als een wolk aan de zomerlucht. Het drijft af en dwarrelt rond, jaagt mee op de wind, en de zon. Het is wispelturig, in sommige opzichten. Maar de liefde voor een kind zetelt niet in het hart – het zit in de ziel, het zit in alle botten van het lichaam. Hij kan tegenover jou niet wispelturig zijn. Je maakt deel uit van hem, zoals je ook deel bent van mij. Maar Élodie maakte ook deel uit van ons en sinds zij overleden is, ben ik niet meer heel. Ik zal nooit meer heel worden. Ik ben zelf weer een kind, geen moeder meer. Ik weet niet meer hoe ik moet leven. Ik ben bij mijn moeder en zij zorgt voor me.*

Toen ik aan deze brief begon wilde ik je vragen hier naar me toe te komen, wanneer de oorlog voorbij is. Als je zou willen. Maar de gedachte om je te zien jaagt me angst aan. Grote angst. Als ik eraan denk dat ik jou zal zien, moet ik er alleen maar aan denken dat ik Élodie niet zal zien. Aan die lege plek naast je, aan die lege plek in het leven van ons allemaal. En dat is niet eerlijk en het is wreed en verkeerd, en het zou ook niet zo moeten zijn. Maar toch ben ik er bang voor en kan ik het niet verdragen. Dus zeg ik nu: kom niet. Alsjeblieft niet. En zeg niet tegen je vader waar ik ben. Hoewel ik altijd van hem zal blijven houden, probeer ik iedere dag die liefde uit mijn hart te snijden. Het heeft geen zin om te houden van een man als Charles. En natuurlijk zie ik Élodie in hem terug. Ik zie haar ook hier. Ik zie haar overal, zelfs in mijn vaders ogen, die zij had geërfd. Hoe kan het bestaan dat ze dood is? Niets heeft nu nog zin voor me.

Meer dan wie ook heb jij dit lot niet verdiend, Delphine. Probeer gelukkig te worden. Probeer een nieuw leven te beginnen. Probeer me te vergeten. Probeer te vergeten wat je hebt gedaan. Mijn leven is voorbij. Ik ben nog maar een schim. Maar voor jou is er misschien nog tijd. Jij bent jong genoeg om opnieuw te beginnen en te vergeten. Probeer te vergeten, mijn Delphine. Zeg tegen jezelf dat je moeder dood is, want dat geldt voor het beste deel van mij. Jij hebt een goed hart. Je hebt altijd een goed hart gehad, ma chérie. *Wees gelukkig, als dat kan. Ik zal je niet meer schrijven. C.*

Zach las de brief drie keer en probeerde zich voor te stellen hoeveel verdriet Delphine ervan gehad moest hebben. Hij ving er even een glimp van op, en de treurigheid viel als een zwarte wolk over hem heen. Hij had een droge, zere keel en slikte terwijl hij de brief opvouwde en terugschoof in de envelop. Hij bleef minstens een kwartier met zijn hoofd in zijn handen zitten. Zijn hart bloedde voor een meisje dat hij nooit had gekend. *Probeer te vergeten wat je hebt gedaan.* De zin bleef door zijn hoofd spelen en hij moest denken aan wat Wilf Coulson hem eerder die dag had verteld. Ineens werd hij bevangen door de angst dat de hele waarheid vanzelf aan het licht zou komen. Hij dacht aan Dimity, aan haar bange gezicht en ogen vol tranen. Hij dacht aan de manier waarop ze naar het plafond had gekeken toen ze de geluiden boven hoorden. Met vertwijfelde hoop, dat begreep hij nu. Hij slikte weer en sprak met zichzelf af dat hij zijn vermoedens over Élodies dood nooit met iemand zou delen. Misschien zelfs niet met Hannah, en zeker niet in zijn boek. De gedachte overrompelde hem. Kwam er nog wel een boek? Hij kon het niet publiceren zolang Dimity nog leefde, zoveel was zeker. Zach stond op en streek met zijn handen door zijn haar. Hij bedacht wat hij nu moest doen, wat nu belangrijk was, en ineens was het verbluffend eenvoudig, volkomen duidelijk. De toekomst was geen stenen muur meer, maar een blanco pagina.

Zach holde over het pad naar het strand en zag haar meteen. De bleke gloed van haar huid tegen het donkerblauwe water, haar rode bikini, haar krullende haren die wapperden in de wind. Ze stond aan het eind van de uitloper tot aan haar knieën in de golven met haar armen langs haar lichaam, alsof de zee het enige was wat haar daar vasthield, het enige wat haar in bedwang hield. Zach schopte zijn schoenen uit, rolde zijn spijkerbroek tot boven zijn knieën op en liep, spetterend van ongeduld, op haar af. Ze hoorde hem aankomen; ze draaide zich om en sloeg haar armen om haar lijf. Nog steeds defensief, nog steeds niet zeker van hem. Op dat moment wist Zach dat hij van haar hield. Dat was even helder als de lucht die dag.

'Arme Delphine,' zei hij nadat ze een lange blik hadden gewisseld. Hannah knikte. 'Van alle toekomstmogelijkheden, van alle levens die ik me voor haar heb voorgesteld terwijl ik voor haar portret stond, heb ik nooit bedacht dat ze met zo veel pijn zou moeten leven.'

'Ja.'

'Denk jij nog steeds dat het beter was dat ze nooit heeft geweten dat haar vader nog leefde?'

'Ik weet het niet. Wie zal het zeggen? Maar misschien hielp het haar te vergeten. Verder te gaan met haar leven. Misschien was een dode vader, een herinnering om te koesteren, wel beter dan een leven met een gebroken vader.'

'Maar ze vergat het niet. Hoe had dat ook gekund? En ze heeft die brief haar hele leven bewaard.'

'Ja. Ik heb gezien dat ze hem af en toe las. Toen ik klein was en wij de hele dag buiten op het bedrijf waren en zij alleen thuisbleef. Als ik dan binnenkwam zat ze hem te lezen, helemaal alleen. Dan probeerde ze voor me te verbergen dat ze had gehuild.' Hannah wreef weer over haar ogen en schudde haar hoofd. 'Begrijp je het nu? Begrijp je dat het niet alleen om tekeningen van een beroemd kunstenaar gaat? Het gaat om het leven van mensen. Om de dingen die ze hebben meegemaakt.'

'Ja, ik begrijp het. Maar ik wil wel zeggen... als jij, ergens in de toekomst, misschien wanneer Dimity is overleden... Als jij ooit besluit om de tekeningen tentoon te stellen, dan wil ik degene zijn die je helpt. We zouden ze ook hier tentoon kunnen stellen; een van de schuren verbouwen tot galerie. En ik wil dit verhaal wel opschrijven. Ik denk dat ik het ga opschrijven, nu, omdat het te groot voelt om het binnen te houden. Maar ik zal er niets mee doen tot jij ermee instemt. Dat beloof ik.'

'Zal de waarde van Aubrey's werk niet dalen als we al die nieuwe stukken onthullen? Ik dacht dat schaarste meespeelde in het opdrijven van de prijs voor een kunstenaar?'

'In theorie, ja. Maar in dit geval? Uitgesloten.' Zach schudde zijn hoofd. 'De herkomst, het verhaal… De mensen hebben nog nooit zoiets gezien of gehoord. Als je zou willen, zou je veel geld kunnen verdienen. Als je dat zou willen.'

'Ik wil geld verdienen als schapenboer, niet door mijn erfenis te verkopen.'

'Ik dacht al dat je dat zou zeggen,' zei Zach glimlachend.

'Wat ga je nu doen?' vroeg Hannah.

'De galerie sluiten. Officieel sluiten, bedoel ik. Hij was de laatste weken al dicht; ik wilde het alleen niet toegeven. Ik ga de hele voorraad verkopen, ook mijn tekeningen van Celeste en Dimity. Dat moet genoeg zijn om het voorschot voor het boek terug te betalen en me een tijdje in leven te houden. Maar Delphine verkoop ik niet. Ik zal mijn tekening van je oma altijd houden.'

'Ik zou hem graag willen zien,' zei Hannah.

'Natuurlijk zul je hem zien. Ik zal hem meenemen hierheen.'

'Hierheen?' Ze fronste.

'Als ik de galerie sluit, ben ik dakloos. Ik betaal huur voor het hele pand en als ik geen zaken doe kan ik het me niet meer veroorloven. Ik dacht erover om in Blacknowle te blijven. Voor een tijdje.'

'Zach…' Hannah schudde haar hoofd en keek ongerust.

'Geen paniek. Ik ben er niet op uit om bij jou in te trekken. Maar ik wil je wel graag blijven zien. Ik wil je helpen, als dat kan. Misschien kun je me een baantje op de boerderij geven.' Hij grinnikte.

'En die heerlijk zachte handen van jou bederven? Nooit.'

'Hannah. Toen ik hier kwam dacht ik dat ik op zoek was naar Charles Aubrey. Ik dacht dat ik op zoek was naar de reden waarom mijn leven is gelopen zoals het is gelopen. De reden waarom mijn huwelijk is stukgelopen en mijn zaak mislukt. Ik dacht dat ik hier kwam om wat te verdienen en een paar antwoorden te zoeken. Maar nu weet ik dat ik het helemaal verkeerd heb gezien. Toen ik hier kwam, was ik denk ik op zoek naar jou.'

'Wat wil je daarmee zeggen? Dat je verliefd op me bent?'

'Ja! Dat denk ik. Of ik zou het kunnen zijn, als je me even de kans geeft. En nadat je Toby op zo'n manier verloren hebt, weet ik dat het veel veiliger lijkt om alleen te blijven en niets te verliezen te hebben. Maar ik weet ook dat je meer lef hebt dan dat.'

'Zach...' Ze spreidde de vingers van één hand en bracht ze langzaam naar haar ogen.

'Nee, laat me uitpraten. Ik weet niet wat er nu gaat gebeuren. Ik ga een of ander baantje zoeken en in het weekend tekeningen maken om naar mijn dochter te sturen. Maar ik wil dat hier doen. Bij jou. Dat probeer ik te zeggen. Het enige wat ik nu echt wil, is zijn waar jij bent, Hannah.'

Hannah bleef hem strak aankijken. De wind tilde een paar haarlokken op en blies ze voor haar ogen, en ze kneep haar ogen dicht tegen de zon. Ze was zoals altijd moeilijk te doorgronden en Zach zou haar gezicht in zijn handen willen nemen en het stil houden totdat hij kon ontcijferen wat het uitdrukte. Na een lange stilte besefte hij dat ze hem geen antwoord zou geven. Dat ze waarschijnlijk geen antwoord kon geven, niet met woorden. Dus ploeterde hij voort, deed een stap naar voren en boog zich voorover om haar te kussen. Er zat zout op haar lippen en op haar huid, en haar mond was warm. Ze was zo gespannen als een veer, maar ze liep niet weg. En toen liet hij haar los en wachtte af. Het wisselende licht van de lucht gleed over haar gezicht. Hij zou haar graag willen tekenen.

'Ik...' Ze viel stil, schraapte haar keel. 'Ik wilde net gaan zwemmen, als je ook zin hebt.' Zach keek langs zijn lichaam en lachte.

'Maar mijn kleren...'

'Watje,' zei ze met een lachje. 'Die worden wel weer droog, stadsjongetje.'

'Nog steeds een stadsjongetje? Kom ik daar nooit meer vanaf?'

'Waarschijnlijk niet,' zei ze luchtig.

'Oké dan. Met kleren en al.' Hannah pakte zijn hand, vlocht

zijn vingers met overtuiging in de hare en hield hem stevig vast. Een greep die bestand was tegen de stroming van het water, van het getij. Ze kwamen in beweging, voelden met hun voet waar de rand van de uitloper zat en doken er samen in, met het hoofd naar voren.

Dimity stond boven aan het klif naar hen te kijken. Ze gingen zo in elkaar op dat ze niet omhoogkeken en haar zagen staan. Ze was moe, maar ze had naar de kliffen willen gaan om naar de zee te kijken. Naar de plek waar Charles was, ergens. Zijn botten zaten in de schuimkoppen van de golven, restanten van zijn huid in het zand. Hij was erin opgenomen, er deel van geworden. Ze zag Zach en Hannah samen het water in duiken en was jaloers. Zij wilde ook in hem zwemmen. Ze wilde de aanraking van zijn schim voelen: een hand onder haar middenrif, die haar drijvend hield. In plaats daarvan waaide de wind zachtjes om haar heen, onverschillig, zodat haar ogen gingen prikken. Onder haar vervaagde de zee en ze knipperde snel met haar ogen om beter te kunnen zien. Er waren figuurtjes op het strand, en voordat ze ze goed kon zien wist ze al wie dat waren. Ze wist het, en de volgende ademteug voelde als glassplinters in haar borst.

Delphine en Élodie waren op het zand aan het spelen. Delphine stond rechtop, keurig en beschaafd, met haar gele vestje dichtgeknoopt en haar haar in vlechten, en ze dirigeerde haar zusje die een woeste dans uitvoerde. Élodie sprong en draaide in het rond en tekende met haar voetafdrukken een cirkel om Delphine heen; in haar handen hield ze lange slierten zeewier, die ze rondzwaaide alsof het slingers waren. De wind waaide landinwaarts en droeg het geluid van hun stemmen naar haar toe. Élodies hoge, lachende, vrolijke stem. Delphine, die haar geduldig en vriendelijk instrueerde. Die haar liet spelen, die haar kind liet zijn. *Voor altijd een kind.* De stem klonk dicht bij haar oor en toen ze zich omdraaide stond Celeste met een glimlach van trots en liefde naast haar naar haar kinderen te kijken. Celeste, met haar schitterende ogen en de schoonheid die ze uitstraalde. Geen spoor van een zenuwtrek in haar lichaam, geen spoor van verdriet op haar gezicht. Het zeewier in Élodies hand wapperde en zwaaide als een wimpel. Dimity snakte naar adem. Ze had pijn in haar zij, aan haar hart; meer dan ze kon verdragen. Ze hapte naar lucht als een vis op het droge en drukte haar rechterhand links tegen haar ribben, bij de wond die ze daar voelde gapen en die de koude wind binnenliet. Ze wilde bij hen blijven, bij Élodie en Delphine. Ze wilde hun vrolijk lachende gezichten zien; de gezichten van kinderen die geliefd waren, onbeschadigd en zorgeloos gelukkig. Ze wilde zien hoe Élodies haar alle kanten uit vloog. Maar ze vervaagden. Het water kwam hoger en spoelde hun voetstappen weg. *Delphine!* Ze riep het, maar er kwam geen geluid uit haar mond. Celeste stond haar op het klif ernstig te bestuderen terwijl Dimity zich omdraaide en langzaam, wankelend, terugliep naar The Watch.

Op The Watch was het druk – veel te druk, want ze waren achter haar aan gekomen. Élodie lag op de bank in de lucht te trappelen en Delphine zat naast haar. Ze waren nu anders. Ze waren niet meer gelukkig, deze schimmen. Ze wachtten. Celeste liep in grote cirkels om het huis heen om te proberen binnen te komen en Valentina volgde al haar bewegingen kritisch, met half toegeknepen ogen. Hun ogen stonden beschuldigend; sporen van dingen die zo geheim waren dat Dimity ze zich al bijna niet meer kon herinneren. Dingen die zo geheim waren dat ze zichzelf had gedwongen ze te vergeten. Maar de meisjes Aubrey waren ze niet vergeten, Celeste ook niet en haar moeder evenmin. Dimity zocht wanhopig het huis af, met steeds meer pijn in haar borst, maar Charles was er niet. De enige die ze wilde zien, de enige naar wie ze verlangde. Er was geen spoor van hem te bekennen. Ze strompelde naar de trap en begon aan de klim naar boven.

Het licht van de namiddagzon viel in zijn kamer en de deur stond open. Zo onvoorzichtig, zo onnadenkend. Die deur had nooit zomaar opengestaan, niet sinds hij bij haar was teruggekomen. Hij had hem graag dicht; hij was gesteld op die veiligheid, die privacy. Soms keek hij abrupt op als ze binnenkwam, om er zeker van te zijn dat zij het was. Dat moment van angst in zijn ogen voordat hij haar herkende – haar hart had gebloed voor hem, elke keer weer. Andere keren leek hij niet te merken dat ze er was. Nu liep ze naar zijn bed, het bed dat het hare was geweest in haar kindertijd, en staarde erop neer alsof hij er nog zou kunnen liggen. Haar handen trilden. Ze kon zijn zachte haar en zijn harde ribben bijna voelen. *Ouwe vrijster,* fluisterde Valentina hatelijk in haar oor. En dat was ze ook. Charles kon het niet verdragen als ze te dicht bij hem kwam. Het leek wel of haar aanraking hem bijna pijn deed. De keren dat ze geprobeerd had naast hem te gaan liggen had hij een verwarde, paniekerige blik in zijn ogen gekregen en had ze zich snel teruggetrokken. Soms stal ze kusjes terwijl hij sliep, dan raakte ze met haar lippen zo zachtjes mogelijk de zijne aan, te licht om hem wakker te maken. Ze schaamde zich, maar kon zich niet inhouden, want op die momenten was ze weer een meisje en stonden ze in het steegje in Fez waar hij zijn armen om haar heen had geslagen en haar innig had gekust, en waar de wereld stralend, volmaakt en verrassend mooi was geweest.

Dit was de kamer van Charles, de enige plek waar ze hem nog zou kunnen vinden. Ze legde haar hand op zijn kussen, precies waar zijn hoofd had gelegen, en voelde dat haar hart langzamer ging slaan als reactie, van herkenning. Ze had niet meer naast zijn bed gestaan sinds de nacht dat ze hem hadden weggebracht en nu had ze hetzelfde gevoel als in die nacht. De zes jaar daarna waren een beangstigende, onrustige droom geweest; nu was het tijd om wakker te worden. Om hem te volgen, zoals ze al veel eerder had moeten doen. Ze ging op het bed liggen, voorzichtig, om de lakens niet door de war te halen. Ze wilde dat alles bleef zoals hij het had achtergelaten, zoals hij het het laatst had aangeraakt. Ze legde haar hoofd in het kuiltje van het kussen en kruiste haar armen over haar taille, precies zoals hij had gelegen. Ze lag op het laatste plekje waar hij had gelegen en hunkerde ernaar om hem daar te voelen. *Kom bij mij terug, mijn lief. Kom terug en neem me dit keer met je mee.* Ze ademde zo langzaam en zachtjes als ze kon en wachtte. Wachtte tot ze zou voelen dat hij haar bij de hand nam en haar de weg wees. En algauw kwam hij, heel zachtjes.

Haar adem stokte toen ze het voelde. Alleen hij, alleen zij, samen in de kleine kamer waar hij meer dan zestig jaar had vertoefd terwijl zij van hem had gehouden en alleen voor hem had geleefd. De anderen glipten door de muren weg – ze voelde hen gaan. Élodie, Delphine, Celeste, Valentina. Eindelijk lieten ze haar allemaal met rust. Ze lieten haar alleen met Charles en dat was het enige wat ze ooit had gewild. Haar hartslag was langzaam en vermoeid; ze voelde zich zo koud en zwaar dat ze niet dacht dat ze ooit dit bed nog uit zou komen. Ze wilde het ook niet meer. En toen was hij er. Ze kon hem duidelijk horen en haar vreugde sneed recht door haar heen, zo heerlijk, zo scherp. *Niet bewegen, Mitzy.* En dat deed ze niet. Niet eens om adem te halen.

Dankwoord

Ik sta enorm in het krijt bij het hele team van Orion voor hun uitstekende werk, en vooral bij mijn redacteur Sara O'Keeffe voor haar goede raad, visie en steun. Dank ook aan mijn geweldige agent Nicola Barr voor haar hulp, aanmoediging en expertise.

Mijn dank aan Jane Kallaway van Langley Chase Farm voor de afspraak en mijn kennismaking met haar kudde, en aan Richard Heaton CB voor zijn inzichten in de werking van de kunstwereld. Alle eventuele onnauwkeurigheden over een van beide werelden – die van kunst of van de biologische schapenhouderij – komen geheel van mij.

Tot slot mijn liefde en dankbaarheid voor mijn vader en moeder, Charlie, Luke en al mijn vrienden die, zoals altijd, gul zijn geweest met hun steun en enthousiasme wanneer ik schrijf.